A

Neuestes Taschen ... **g**

Topographisch-statistisch ... ibung der Stadt

Anonymous

Neuestes Taschenbuch von Augsburg

Topographisch-statistische Beschreibung der Stadt

Inktank publishing, 2018

www.inktank-publishing.com

ISBN/EAN: 9783750104150

Neuestes Taschenbuch
von
Augsburg.

Oder:

Topographisch-statistische Beschreibung
der Stadt
und ihrer Merkwürdigkeiten,
mit
Beziehung auf die ältern geschichtlichen Ereignisse.

Ein Handbuch
für
Fremde und Einheimische.

Mit Kupfern.

Augsburg, 1830.
Im Verlag von J. C. Wirth, Buchdrucker.
Am Zeugplatz.

Vorwort.

Der Titel des gegenwärtigen Taschenbuches spricht den Zweck, welcher dem Verfasser bei dessen Bearbeitung vor Augen schwebte, zu deutlich aus, als daß es hierüber einer wortreichen Vorrede bedürfte, und der Mangel einer nähern Beschreibung des Zustandes unserer gegenwärtigen Augusta, der damit theilweise vorgegangenen Umwandlung, seiner neu entstandenen Merkwürdigkeiten, seiner geänderten Verfassung und statistischen Verhältnisse, rechtfertigen dieses Unternehmen von selbst.

Noch immer ziehen die Sehenswürdigkeiten der königlichen Kreishauptstadt des Oberdonau-Kreises Fremde an, und reitzen sie nicht selten zu einem längern Verweilen. Sie wünschten nicht blos einen trockenen Wegweiser, der nur die Namen der Straßen, die Nummern der Häuser aufzählt, sie vermißten bis jetzt eine gedrängte Beschreibung, mit welcher sie in der Hand diese Denkwürdigkeiten selbst aufsuchen, und sich an Ort und Stelle über ihre Entstehung und Beschaffenheit belehren könnten; sie trachteten nach einer Schilderung des Gesehenen, welche den Anblick, der sich ihnen hier darbot, in der Entfernung wiederhole, ihrem innern Gesichte vorüberführe; sie wollten ein Andenken an die an Merkwürdigkeiten reiche Augusta mit nach Hause nehmen, um im Kreise ihrer Familien und Bekannten sich über das Besichtigte zu unterhalten; alle diese Wünsche finden in der gegenwärtigen Darstellung, welche der Herausgeber mit bedeutenden Kosten durch herrliche Abbildungen ausstattete, ihre volle Befriedigung.

Aber auch der Einheimische wünscht sich einen umfassenden Ueberblick über die, mit den Merkwürdigkeiten seiner Vaterstadt, seit dem Erlöschen der reichsstädtischen Verfassung, vorgegangenen Veränderungen, zu verschaffen, das Sonst mit dem Jetzt zu vergleichen, die neuern von den frühern, oft sehr abweichenden Einrichtungen näher kennen zu lernen. Selbst dieser wird hier die gesuchte Befriedigung, und zwar nicht blos in dem gewöhnlichen, trocken beschreibenden Tone, sondern mit sachdienlichen Bemerkungen durchflochten, finden. Nicht selten ist der Einheimische im eigenen Hause fremd, er kennt kaum die Schätze, welche in seiner Nähe liegen, geschweige denn, daß er in ihre Eigenthümlichkeiten, durchaus eingeweiht wäre, und so dürfen wir uns schmeicheln, daß selbst unsere Mitbürger hie und da auf etwas näheres Geschichtliches stoßen werden, was ihnen früher nicht so ganz geläufig war. — Unsere Vorgänger in den Beschreibungen von Augsburgs Merkwürdigkeiten, stellten gewöhnlich eine Erzählung der verschiedenen geschichtlichen Perioden, welche Augsburg vorzüglich betroffen haben, als Einleitung an die Spitze. Wir sind diesem Beispiele nicht nachgefolgt, sondern zogen es vor, die nöthigen geschichtlichen Notizen bei Beschreibung der Merkwürdigkeiten einzuschalten. Wer sich die ältere Geschichte Augsburgs eigen machen will, dem können wir das gediegene Werk des Freiherrn v. Seida*), in zwei Bänden, welches die Geschichte Augsburgs bis zum Jahr 1825 enthält, mit vollem Rechte empfehlen, zu welchem gegenwärtiges Taschenbuch gleichsam den dritten Theil bildet.

Wir sind überzeugt, daß unsere verehrten Leser in der größern Reichhaltigkeit und der Eleganz, wo-

*) Augsburgs Geschichte von Erbauung der Stadt bis zum Tode Maximilian Josephs, ersten Königs von Bayern, 1825. Verfaßt von Franz Eugen Freiherrn von Seida und Landensberg, Königl. Bayerischen Kämmerer, Regierungsrathe und Ritter des königl. Haus-Ritterordens vom heil. Michael. Mit Kupfern. Augsburg, bei J. C. Wirth. 66 Bogen 8. Preis 5 fl. 24 kr.

mit unser Werk ausgestattet worden, einen Ersatz für die Verzögerung finden, welche die Herausgabe durch unvorhergesehene Hindernisse erlitten.

Eben so unvermeidlich waren die Veränderungen zu umgehen, die sich während des Drucks des Werkes ergeben haben. Sie sind deshalb entweder im Texte selbst, oder bei den Berichtigungen am Schlusse angezeigt.

Und so übergeben wir denn diesen neuen Beitrag zu den Beschreibungen von Augsburgs Merkwürdigkeiten dem Wohlwollen und der Nachsicht des verehrlichen Publikums.

Augsburg, im März 1830.

Der Verfasser
und
der Verleger.

Ausführlicher Inhalt.

Augsburgs Lage, Alter, die frühern Benennungen und Schicksale der Stadt; das Stadt-Wappen, Klima, Fruchtbarkeit des Bodens, Gränzen, Flüsse, Lustgehölze ꝛc. (Seite 1 — 22.)

	Seite		Seite
Lage der Stadt und ältere geschichtliche Uebersicht . . .	1	Ungeziefer, Amphibien . . .	16
Stadt-Wappen	8	Seidenzucht	17
Umgebungen, Flüsse	9	Fische, Schaltiere	18
Klima	11	Botanik	19
Boden und Erzeugnisse . .	12	Brücken: über den Lech . .	20
Viehzucht, Wildprett . . .	14	" über die Wertach .	21
		Gehölze	22

Umfang der Stadt. Ihr Flächen-Inhalt. Befestigungswerke. Thore. Thürme. Gräben. Wälle. Zwinger. Stadtmauern. (S. 23 — 49.)

	Seite		Seite
Länge und Breite, Quadrat-Fläche	23	Wälle	38
Thore, Haupt-	24	Ravelins	40
" kleinere	26	Gräben	41
Einlaß	30	Gesundbrunnen	42
Fischerthörle	34	Schleifgraben	43
Thore in der Stadt	34	Pfannenstiel	44
Stadtmauern, alte	37	Zwinger, äußere	46
		Wohnungen auf diesen . .	48

Innere Stadt. (S. 50 — 73.)

	Seite		Seite
Straßenpflaster	50	Hauptplätze	59
Gebäude	52	Straßen	67
Eintheilung der Stadt . . .	53	Abhänge oder Berge . . .	71
Fuggerei	55		

Vorzügliche öffentliche und Privatgebäude im Innern der Stadt. (S. 74 — 232.)

I. Oeffentliche Gebäude.

a) Katholische Kirchen.

	Seite		Seite
Die Domkirche	74	Die Katharinakirche. . . .	91
Die St. Ulrichskirche . . .	79	Die Galluskirche	—
Die St. Moritzkirche . . .	85	Stern- und Ursula-Kloster .	92
Die St. Georgenkirche . .	86	Fuggerei-Kapelle	93
Die St. Marktirche	—	Margarethenkirche	—
Die heil. Kreuzkirche . . .	87	St. Antonskapelle	—
Die St. Stephanskirche . .	90	Kleinere Kapellen	94
Die St. Peterskirche . . .	90	Klöster, aufgehobene. . . .	—

b) Protestantische Kirchen.

	Seite		Seite
Die St. Annakirche. . . .	96	Die heil. Kreuzkirche . . .	105
Die Barfüßerkirche	100	Die St. Jakobskirche . . .	107
Die St. Ulrichskirche . . .	104	Die Hospitalkirche	108

Die merkwürdigsten öffentlichen, theils der Kommune, theils dem Civil- und Militär-Aerar und den Zünften gehörigen Gebäude.

	Seite		Seite
Der Perlachthurm	109	Die Frohnfeste	166
Das Rathhaus	121	Das k. Rentamt	167
Königl. Gemälde-Gallerie .	133	Das k. Ober-Postamt . . .	—
Das Spritzenhaus	136	Der Salzstadel	168
Harmonie- u. Börsengebäude	138	Die k. Residenz . S. 64. u.	168
Die neue Börse	142	Gymnasium zu St. Anna .	169
Das Polizei-Gebäude . . .	144	Bibliothek	170
Der obere Brunnenthurm .	145	Das katholische Gymnasium.	175
Der untere Brunnenthurm .	147	v. Stettensches Institut . .	176
Das Metzgerhaus.	149	Institut der engl. Fräulein .	178
Das Leihhaus	151	Das evangel. Kollegium . .	180
Die Heuwaage.	152	Das *Antiquarium Romanum*	138
Das Weberhaus	153	Das evangl. Armenkinderhaus	187
Das Bäckerhaus	155	Das evangel. Waisenhaus .	291
Der Augustusbrunnen . . .	157	Das katholische Armenkinder- und Waisenhaus	193
Der Herkulesbrunnen . . .	158	Das Schauspielhaus. . . .	194
Das Zeughaus	160	Das Krankenhaus	199
Das k. Stadtgerichts- so wie das k. Hallgebäude . . .	163	Das Inkurabelhaus. . . .	101

Seite

Die St. Jakobs-Pfründ . . 202

Die Dominikaner Beschäftigungs-Anstalt 204

Das Hospital zum heil. Geist . 207

Die paritätische Versorgungs-Anstalt 208

Die St. Antons-Pfründ . . —

Das katholische Seelhaus . . 209

II. Privat-Gebäude.

Seite

Statüen und Bilder an Häusern 226

Gemälde an öffentlichen Gebäuden 229

Einige ältere merkwürdige biographische Notizen.

Seite

Leben des heil. Ulrich . . . 81

Leben der heil. Afra . . . 83

Philippine Welser 217

Agnes Bernauerin 220

Elsbeth Rehlingin 221

Sibilla Langenmantl . . . —

Jakobina Lauber 222

Elias Holl 224

Statistik. (S. 233 — 326.)

Seite

Bevölkerung 233

Bürgerliche Verhältnisse . . 236

Volks-Charakter 242

Lebensbedürfnisse und Consumtion 252

Mühlen 263

Metzger 266

Bräuer 268

Kaffeehäuser 271

Handel 275

Manufakturen, Fabriken und Gewerbe 280

Verfassung 290

Militair 301

Landwehr 302

Gesundheits-Pflege 303

Apotheken 306

Bäder 307

Milde Stiftungen 310

Sicherheits- und Bequemlichkeits-Anstalten 317

Gasthöfe 319

Geselliges Leben 321

Umgebungen der Stadt. (S. 327).

(Beschreibung aller Privatgärten, Belustigungsplätze, Gewerbsanlagen und Leichenäcker.)

Seite

Katholischer Gottesacker . . 332

Protestantischer Gottesacker . 340

Siebentisch und Ablaß . . . 343

Spickel (Insel) 345

v. Schülesche Fabrik . . . 346

Neff'scher Garten 248

Brenvogels Bad 350

Sämtliche Fabriken, Bleichen, Mühlen rc. . . S. 350 — 352

Rosenau 352

Wurstgarten 353

Lohbad . . . . —

Sämtliche Fabriken, Bleichen, Mühlen rc. . S. 352—354

Entferntere Ortschaften und Vergnügungsplätze S. 355

Kultus der Stadt Augsburg . . . . S. 373
Unterrichts = Anstalten 381
Sammlungen für Wissenschaft und Kunst . . . 385

Seite
Sternwarte 386
Privatsammlungen von mathematisch = physikalischen Instrumenten 389
der HH. Domkapitular Stark,
" " v. Alten,
" " Vannoni.
Privat = Bibliotheken . . . 392
der HH. Domkap. Stark,
" " D. v. Stetten,
" " v. Paris,
" " v. Ahorner.
Privat-Gemälde = Sammlungen 394
der HH. A. v. Riegg, Bischof von Augsburg,
" " Domkap. Stark,
" " Gallerie = Inspektor Günther,
" " Deuringer *sen.*

Seite
Der HH. v. Huber, Wechselrichter,
" " Vannoni,
" " Lic. Werner,
" " v. Ahorner.
Sammlungen von Kupferstichen, Glasmalereien rc. . . 398
Naturhistorische Sammlungen von Mineralien, Conchilien, Pflanzen rc. . . . S. 399—404
Waarenkabinette 404
der HH. v. Alten,
" " Korhammer.
Münzkabinette 404
der HH. v. Ahorner,
" " v. Paris,
" " v. Raiser.
Waffensammlung des Hrn. v. Paris 406

Künste, Kunst = Gewerbe und Buchhandel.
(S. 407 — 415.)

Malerei
Modellier = und Zeichenkunst.
Architektur.
Kupferstecherkunst.
Lithographie.
Stempelschneidekunst.
Schriftgießerei.
Buchdruckerkunst.
Buchbinder und Futteralmacher.
Buchhandlungen.
Leihbibliotheken.
Kunsthandlungen.
Landkarten = Verlage.
Musik und musikalische Instrumente.
Mechanische und mathematische Instrumente.
Zeitungen und Zeitschriften.
Kreis = Vereine.

Nachtrag . . . . S. 416.

Augsburgs Lage, Alter, die frühern Benennungen und Schicksale der Stadt; das Stadt-Wappen, Klima, Fruchtbarkeit des Bodens, Gränzen, Flüsse, Lustgehölze ꝛc.

Auf einem Hügel zwischen den beiden Flüssen, dem Lech und der Wertach, liegt Augsburg, eine der ältesten, angesehensten und merkwürdigsten Städte Deutschlands, unter dem 48sten Grade 21′ 44″ der nördlichen Breite und unter dem 28sten Grade 34′ 27″ der östlichen Länge, 712 Fuß über dem Meeresspiegel erhaben.

Der 13te Artikel des Preßburger Friedens vom 27. December 1805 endigte ihre reichsstädtische Verfassung. Sie kam an die Krone Bayern, und die Civil-Besitznahme erfolgte den 4. und 5. März 1806.

Gegenwärtig ist sie die Hauptstadt des Oberdonaukreises und dem Range nach die zweite Stadt des Königreiches, welches Ludwigs erhabener Szepter beherrscht.

Lange vor Christi Geburt war sie der vorzüglichste Ort Vindeliziens, einer zu dem ehemaligen Rhätien (Rhaetia secunda) gehörigen Provinz.

Am Zusammenflusse des Lechs (licus, der reißende Fluß) und der Wertach (vinda, auch vindo, virdo, das grüne Wasser) wählten mehrere Familien aus einem ansehnlichen deutschen Volke, die Vindelizier genannt, ihre Wohnplätze, welche sie hier in näher bei einander errichteten Hütten auf=

1

schlugen. Sie waren die Urbewohner unserer Vaterstadt, ehe der Kaiser August in dieser Gegend die Römer-Colonie Vindelica gründete. In einigen Geschichtsbüchern wird Augsburg Cisara genannt, weil einer Sage der Vorzeit zufolge hier und in der Umgegend die Göttin Cisa verehrt wurde.

Ob unter diesem Bilde, welches sich auf der Spitze des Perlachthurms als Windfahne bewegt, Ceres die Göttin der Feldfrüchte, oder Cibele die Beschützerin der Städte, oder wie Peutinger behauptete, Isis die Göttin der Natur verehrt wurde, ist bis jetzt unentschieden.

Augsburg wird von einigen Schriftstellern auch Damasia genannt, welche Benennung sowol aus dem Celtischen als aus dem Griechischen abgeleitet werden kann. Der ersten Abstammung zufolge würde sie eine zwischen dem Wasser gelegene Stadt, nach der zweiten aber eine Zwingburg bezeichnen.

Vindelizien wurde den Waffen der Römer unterworfen. Drusus einer der Stiefsöhne des Kaisers Augustus, führte 13 Jahre vor Christus, wahrscheinlich am 12. September, römische Kolonisten nach Rhätien und Vindelica ward zur römischen Pflanzstadt.

Augustus, ihr kaiserlicher Stifter, ertheilte ihr den Namen Augusta Vindelicorum, oder abgekürzt: Vindelicum.

Später hieß sie dem Kaiser Hadrian zu Ehren Aelia Augusta, auch wird ihrer unter der Benennung Augusta Rhaetiae gedacht.

Einige neuere Schriftsteller gefallen sich darin, Augsburg die vindelechische Augusta zu nennen; eine gezierte Namens-Composition, welche höchstens sehr poetische Geschichtsforscher billigen werden.

Bei der unter der römischen Botmäßigkeit mit unserer Vindelica vorgegangenen Umwandlung, wuchs Augsburgs Bedeutenheit und sein Glanz.

Schon Tacitus nannte sie Rhätiens glänzendste Colonie (splendidissimam Rhaetiae coloniam), und nach Roms Muster organisirt, erhielt die Stadt die Rechte und Privilegien der Munizipalstädte.

Geschmückt mit herrlichen Tempeln und Pracht-Gebäuden, zeigte sie sich auch in ihrer äußern Gestalt als ein würdiges Nachbild der hohen Roma. Auf Altären, dem Jupiter, dem Merkur, dem Pluto, der Proserpina geheiligt, rauchte das Blut der Opferthiere. Das dem Donnergotte, der Juno und der Minerva geweihte Capitol, befand sich allem Vermuthen nach dort, wo jetzt die St. Ulrichs- und Afra-Kirche steht. Für diese Behauptung spricht eine in ihrer Nähe ausgegrabene Säule mit dem 5 Schuh hohen Stadtwappen und ein im Jahr 1606 auf dieser Stelle gefundener Dedikations-Stein; auf ihm zeigt die Abbildung eine römische Matrone in vorwärts gebeugter Stellung, welche wahrscheinlich dem sitzenden kapitolinischen Jupiter ein Gelübde vorträgt. Im Hintergrunde steht ihre Dienerin.

In dem hier gestandenen Jovistempel, soll Gajus die heilige Afra, vergeblich, unter den schrecklichsten Drohungen, aufgefordert haben, vor dem Donnergotte ihre Knie zu beugen.

Bei St. Stephan erhob sich wahrscheinlich der Merkurs-Tempel und der zu Anfang des sechszehnten Jahrhunderts dort ausgegrabene Widmungsstein scheint diese Muthmaßung zu bestätigen.

Die meisten jener frühern Denkmale aus der Römerzeit, wurden ein Opfer der Zerstörungswuth roher, kriegerischer Horden; nur Sagen künden uns die Spuren wo sie standen. Die dankenswerthe Sorgfalt einsichtsvoller Alterthums-Freunde sammelte in unsern Tagen die sparsam dem Zahn der Zeit entrissenen Fragmente von Inschriften und Monumenten, und widmete ihnen ein eigenes Antiquarium, dessen Schätze weiter unten beschrieben werden.

1*

Der Marktplatz oder das Forum sammt der Gerichtsstätte soll die Stelle, wo jetzt der obere Theil der ehrwürdigen Domkirche steht, das Prätorium oder Amthaus des Landpflegers aber, den Platz, welchen nun das herrliche Rathhaus schmückt, eingenommen haben.

Hohe Erinnerungen, gepaart mit den wehmüthigen Gefühlen, welche die Vergänglichkeit aller Menschenwerke erweckt, begleiten sonach mit Recht den, Augusta's Straßen Durchwandelnden. Aber auch für die Geschichte des Mittel-Alters ist dieser Boden klassisch geworden.

In diesen Mauern weilte Kaiser Maximilian der Erste, Karl der Fünfte, der Reformator Luther, die Churfürsten Johann Friedrich und Moritz von Sachsen, der heldmüthige Gustav Adolph und andere berühmte Männer, deren Andenken die Geschichte aufbewahrt.

Hier war es, wo die Protestanten vor Kaiser und Reich ihr Glaubens-Bekenntniß ablegten, und der denkwürdige Religionsfriede wurde in Augsburg geschlossen.

In der ersten Hälfte des fünften Jahrhunderts wurde die römische Augusta durch die Allemannen zerstört, welche die meisten Erinnerungszeichen an Roms Herrschaft vernichteten.

Ob übrigens die auf den Römerstraßen heranstürmenden Hunnen in unsere Gegend gekommen, das wird von Vielen bezweifelt, und die Sage, als verdanke die Stadt ihre Rettung der Erscheinung eines alten Weibes, welche dem Attila auf dem Lechfeld ein gebieterisches „Zurück!" zugerufen habe, gehört dem Gebiete der Fabelwelt an.

Mehr als hundert Jahre, waren seit der allemannischen und suevischen Zerstörungs-Periode verflossen, ehe sich Ansiedler germanischen Ursprungs in der Gegend sammelten, aus den Trümmern der Verheerung, Wohnungen und eine Burg erbauten, diese mit einer Mauer umgaben und sich so gegen die herumstreifenden Horden einigermaßen schirmten. Später nahmen sie die Gesetze der Franken-Könige, welche sich dieser Gegend bemächtiget hatten, an. Von ihnen geschützt, schien es ruhiger werden zu wollen, denn Kaiser Karl der Große vertheidigte Augusta's Bewohner, als sie im Jahre 788 durch Hunnen-Schwärme beängstiget und bereits die Vorstädte zerstört wurden, schlug diese, und ließ 29 der vornehmsten Gefangenen an die Stadtmauern aufknüpfen.

Unstreitig haben Augsburgs Umgebungen auch im Jahr 910 sehr gelitten, als jene hunnische Räuber-Schaaren, Schwaben und Bayern verheerten, und auf dem Lechfelde den letzten König aus Karls Hause, Ludwig das Kind, aufs Haupt schlugen.

Nachdem Heinrich der Finkler sie gedemüthiget hatte, würden sie sich schwerlich wieder so weit gewagt haben, hätte nicht Ludolph, Otto des Großen Sohn, sich gegen seinen Vater aufgelehnt und diese Hunnen zum Beistande gerufen. Doch als sie anrückten, war der Streit zwischen Vater und Sohn bereits geschlichtet; Otto der kaiserliche Held zog ihnen an der Spitze eines trefflichen Heeres entgegen, schlug sie unter dem Gebet des ihn begleitenden frommen Bischofs Ulrich, unter der Mitwirkung der ihm aus Augsburg gefolgten Wehrmannen. Voran trug Stolzhirsch das Pannier der Stadt; der Himmel selbst schien mit diesen Tapfern im Bunde, denn eine fromme Sage erwähnt eines dem eben so wehrhaften als andächtigen Ulrich in diesem wichtigen Moment erschienenen Kreuzes.

Ein Augsburger Dichter, Herr Magistratsrath Schmidt, hat diesen merkwürdigen Hunnen-Kampf in einem gelungenen dramatischen Gedichte auf die Bühne gebracht.

Bei den Unruhen, welche unter Heinrich IV. Deutschland stürmisch bewegten, ward auch Augsburg nicht verschont. Während den Jahren 1080 bis 1088 bedrängten es die Feinde in wiederholten Anfällen. Welf, der Bojaren-Herzog, erstieg die Mauern, begünstigt vom Dunkel der Nacht. Er ließ die

Häuser plündern, anzünden, die Bürger ermorden, und nachdem diese Gräuel-Scenen drei lange Tage hindurch ununterbrochen gewüthet hatten, gab er den Befehl, die ausgebrannten Ueberreste der Gebäude der Erde gleich zu machen. Er zertrat die Privilegien der Stadt und gebot die Fortschaffung der darüber ausgefertigten Urkunden, so wie der übrigen wichtigen Dokumente.

Kaum war der Donner der Zerstörungs-Stürme verhallt, als durch ein Mißverständniß sich während der Anwesenheit des Kaisers Lothar von Neuem unheilschwere Gewitterwolken aufthürmten, um sich in dem Grimme eines schrecklichen Aufruhrs zu entladen. Brand und Mord wütheten durch die Straßen, Plünderung und Entheiligung der Kapellen und Kirchen, kurz alle mögliche Greuel der verderblichen Empörungs-Hyder waren losgelassen.

Die Hohenstaufen und nachher Rudolf von Habsburg führten über das durch Stürme gewaltsam erschütterte Augsburg die Morgenröthe einer lichtvollern Zukunft herauf. Nach und nach gestalteten sich Einrichtungen, welche auf eine dauerhaftere städtische Verfassung hindeuteten.

Ungeachtet die totalen Zerstörungs-Perioden nunmehr ausgetobt hatten, so fehlte es doch auch in der Folgezeit an schweren Prüfungen nicht, welche Augsburg und seine Bewohner heimsuchten.

Die Harpie des dreißigjährigen Krieges schwang in den Jahren 1632 — 1635 ihre blutigen Fittige über unsere Vaterstadt, und überschüttete sie mit allen Schrecknissen und Greueln, mit welchen das Arsenal des Todes so reichlich ausgestattet ist.

Von außen her beängstigte ihre Bewohner das Brand- und Zerschmetterungs-Geräthe der erbitterten Feinde; im Innern wüthete der Hunger den man für Augenblicke mit Pferde- und Katzenfleisch, mit Mäusen und gesottenem Leder, ja mit von menschlichen Leichnamen abgeschnittenen Stücken zu stillen suchte. Die Sense des Seuchen-Todes hielt eine überreiche Erndte, und alle Straßen waren mit Sterbenden, mit Todten bedeckt. Mehr als 60,000 Menschen raffte diese entsetzliche Epoche dahin, und neben Jerusalem und Sagunt vollendete Augsburg das Kleeblatt der bejammernswerthen Städte, welche in der Geschichte durch Elend, Greuel und Schrecknisse aller Art schwer geprüft, ein erschütterndes Gemälde bilden.

Nach einiger Ruhe umhüllten Augsburgs Horizont neue unheildrohende Gewitterwolken. Während dem spanischen Erbfolge-Krieg nahete sich die französisch-bayerische Armee im kältesten Winter des Jahrs 1703 den Befestigungswerken unserer Stadt, forderte diese zur Uebergabe auf, und belagerte sie nach erhaltener abschlägiger Antwort sieben Tage lang. Die Feuerschlünde überströmten die Häuser der friedlichen Bürger mit einem zerstörenden Kugel- und Bombenhagel, welcher besonders in der Gegend vom Gögginger- bis zum Stephinger Thore mehr als hundert Gebäude theils beschädigte, theils zerschmetterte, die Straßen mit Schutt erfüllte, welchen zahlreiche Leichen der durch Kugeln hingestreckten Bewohner blutig färbten.

Der Augsburgische Gymnasial-Rektor Philipp Jakob Crophius hat über die Geschichte dieser Belagerung eine ausführliche Beschreibung geliefert.

Seit dem Ausbruch des französischen Revolutions-Krieges in den Jahren 1790 bis zum Jahr 1814 erfuhr Augsburg zwar gleichfalls die Beschwerden des Krieges in verschiedenen äußerst drückenden Abstufungen. Die Kontributionen und Lieferungen erschöpften das Aerar, die bedeutenden Verpflegungskosten einer außerordentlichen auf Millionen sich belaufenden Anzahl fremder Krieger leerten den Seckel der Privaten.

Im höchsten Grade drückend waren diese Quartier-Lasten, welche die Eigenthümer und Wohnungs-Besitzer zwangen ihren Hausrechten zum Theil zu Gunsten sehr roher anmaßender und unersättlicher Fremdlinge für eine nur zu oft wechselnde Periode zu entsagen; doch blieb das Leben der Bürger, — einzelne Exzesse ausgenommen — gesichert, und das den Gebäuden und Gartenhäusern in der nächsten Umgebung drohende Demolitions = System, beschränkte sich auf eine Strecke der auf den Stadtmauern gestandenen sogenannten Zwinger = Häuser.

Wer staunt nicht ob der ungeheuren Bedrängnisse und ob der Zerstörungs = Orkane, welche seit Gründung unserer Augusta ihre Scheitel umbrausten, und es erregt die höchste Bewunderung, daß jene so oft wiederholte Greuel-Scenen sie nicht gleich einem zweiten Carthago bis auf die letzten Spuren von der Erde vertilgten. Nur einer Stadt, welche unter des Himmels besonderer Obhut steht, konnte es gelingen dem Phönix gleich, aus der Asche neu gestaltet und herrlicher hervorzugehen. Durchdrungen von den dankbarsten Gefühlen gegen die über allen Wechsel erhabene Vorsehung und beseelt von der freudigsten Hoffnung, von dem estesten Vertrauen auf diese, können Augsburgs Bewohner Luthers Kern = Lied mit vollem Rechte anstimmen: „Eine feste Burg ist unser Gott!!"

Als ein ächtes Colonie = Zeichen der römischen Augusta ist die Fohren = oder Zirbelnuß, welche zum Stadtwappen, in der Volkssprache später Stadt = Pyr genannt, dient, auf uns gekommen. Der Ausdruck Pyr stammt aus dem Griechischen, und bedeutet eine Fichtennuß.

Als im Jahr 1467 die Ruinen eines alten römischen Wachtthurms an der Stelle, auf welcher die St. Ulrichskirche steht, abgebrochen wurden, fanden die Arbeiter 12 Fuß unter der Erde eine kolossale, in Stein ausgehauene Fichtennuß mit einem korinthischen Capital und einem Kopfe in der Mitte der Verzierung; später wurde diese Fichten-Frucht in das Stadtwappen aufgenommen. Lange Zeit stand dieser antike Fund auf der früher sogenannten Kaisers- jetzt Maximiliansstraße nicht weit von der St. Ulrichs-Kirche auf einer steinernen Säule, bis in unsern Tagen dieser schöne Platz von jedem Bauwerk, durch welches seine Breite unterbrochen ward, geräumt wurde. Gegenwärtig bereichert diese ächte Reliquie aus der Römerzeit, welche bei der Wegnahme von seinem frühern Standpunkte in zwei Hälften zerfiel, das Antiquarium romanum.

Die Lage Augsburgs ist wahrhaft angenehm und nicht ungesund. In seiner Nähe rauscht die zuweilen ihre Gefährlichkeit trügerisch verbergende, oberhalb Nesselwang entspringende Wertach, in welcher eben deswegen die Sicherheit der Badeplätze mit Sorgfalt geprüft werden müßen. Ehe ihr Lauf die Stadt erreicht, begegnet ihr in geschlungenen Windungen die Sinkel, und vereiniget ihren flüßigen Krystall mit dem dieses Hauptflusses.

Ungleich und öfters den Rinnsaal verändernd, wogt der dem Tyrol entströmende Lech in seinem mit Sandbänken wechselnden Bette, über lockere Kiesel, benützbar zum Bauen, Kalkbrennen und Pflastern.

Der geschickte verstorbene Steinschneider Lang wählte dort ausgezeichnete Steine dieser Gattung, von einer mannichfaltigen Farbenzeichnung. Sie wurden von ihm angeschliffen und polirt, und in plattenförmigen Exemplaren für Mineralien-Kabinette hergerichtet.

Er verfertigte aber auch Dosen und dergleichen Geräthschaften daraus, in welchen Manche weit eher schöne Marmor- und Serpentin-Arten, Breccien und Pudingsteine als den gemeinen Lechkiesel zu erblicken glauben; ein zu beachtender Fingerzeig, wie leicht eine raffinirende Industrie, Materialien für ihre Erzeugnisse findet.

Außer diesen begegnet der Blick des Forschers auf den trockenen Stellen des Flußes, Glimmersteinen zuweilen mit eingewachsenen Granaten; das ist aber auch die ganze mineralogische Ausbeute auf unserm Grund und Boden.

Auf dem Lech fährt alle Wochen regelmäßig in der schönen Jahreszeit der bequem eingerichtete Wiener-Floß ab. Mit dieser wohlfeilen Gelegenheit gelangen Reisende bei günstiger Witterung in 7 bis 8 Tagen, durch die reitzenden Donaugegenden zur herrlichen Kaiserstadt Wien.

Nicht weit von dem sogenannten Wolfszahn, einer besuchten Bierschenke der Umgegend, verbinden sich diese beiden Flüße mit einander.

Der Lech wird als ein natürlicher Wetter-Ableiter betrachtet. Das Gewitter schwimmt den Lech hinab, heißt es in der Volkssprache. Wirklich begrüßen uns diese erhabenen Natur-Erscheinungen meist nur im Vorüberziehen mit einigen leuchtenden Blitzen und grollendem Donner, selten über der Stadt ihren furchtbaren Grimm ausschüttend, eine Wohlthat, welche wir wohl auch dem Leitungs-Vermögen einiger benachbarter Wälder mit zu verdanken haben.

Schon die Natur hat sehr viel für Augsburg hinsichtlich der Anmuth seiner Lage gethan, aber auch die Kunst unterstützte noch sehr wirksam die erstere durch zweckmäßige Nachhülfe.

Schattengebende Alleen von Pappeln, Akazien, wilden Kastanien, Linden, Nuß-, Maul- und Vogelbeerbäumen (Sorbus aucuparia) wechseln mit englischen Anpflanzungen von zum Theil fremden Holz- und Straucharten, und halten die freundliche Augusta gleichsam mit einem Laub- und Blüthengürtel umfangen.

Von einem etwas hervorragenden Standpunkte aus begegnet das Auge einem weiten, reitzenden natürlichen Rundgemälde. Unserem Blicke öffnet sich eine höchst anmuthige Landschaft, reich ausgestattet mit großen, reinlichen und zum Theil wahrhaft malerisch gelegenen Dorfschaften, mit ansehnlichen Schlössern und Burgen, mit gesegneten Kornfeldern und Fluren, welche in einer üppigen Vegetation prangen. Den blühenden Teppich grasreicher Wiesen durchschneiden fischreiche Bäche und allenthalben schweift der Blick über bebaute Gefilde, um dann auf dem abwechselnden Grün der Laub- und Nadel-Gehölze, welche die Anhöhen bekränzen, auszuruhen.

Gegen Süden ragen in bläulicher Ferne die schneebedeckten Gipfel der Tyroler Berge empor.

Eine gesunde, oft nur zu frische Luft weht in den hiesigen Umgebungen, und selbst bei dem höchsten Andrange zahlreicher Armeen und ihrem Trosse, bei der Ueberzahl von Kranken und Verwundeten, welche unter der Geisel des Schlachtengottes bluteten, herrschten hier, wenigstens in neuern Zeiten, nie eigentliche Epidemien.

Weil jedoch in der Nähe weder Berge noch Felsenwände den Luftzug unterbrechen, so erfolgt oft ein plötzlicher empfindlicher Temperatur-Wechsel, von der Wärme zur Kälte. Rheumatismen und gichtische Dispositionen sind daher häufiger und hartnäckiger als an andern Orten, und der oft wehende scharfe Ostwind, ungeachtet er gewöhnlich anhaltendes heiteres Wetter verkündigt, trägt zur öftern Wiederkehr dieser Beschwerden das Seinige bei. Die Ausgaben für leichte Sommer-Anzüge können hier füglich erspart werden.

Die von mehrern Schriftstellern bemerkte Sterblichkeit unter den Bewohnern, welche die Zahl der Todten in den gleichmäßig bevölkerten Städten, so wie die der Gebornen in der Regel übersteigt, ist keineswegs der Luftbeschaffenheit beizumessen.

Diese leidige Erscheinung dürfte ganz andern schädlichen Einflüssen zugeschrieben werden, deren Erforschung in das Gebiet der Heilkunde gehört.

Die fruchtbare Gegend um Augsburg enthält einen sehr guten für den herrlichen Getreid-Anbau gedeihlichen Boden, einen ergiebigen Wieswachs. Mit diesem wechseln fette Klee-Aecker Kartoffelfelder, kurz Grundstücke mit allen Arten von Feldfrüchten bepflanzt. Es wurden auch glückliche Versuche mit dem Anbau des Mohns, des Reps und selbst der Tabakpflanze gemacht.

Der verdienstvolle rechtskundige Magistratsrath Hr. Lict. Herbst, der thätige Tabakfabrikant Hr. Joh. Jakob Wirth, und der für die Landwirthschaft eifrig bemühte Eichtmeister Herr Straub, beschäftigten sich zum Theil mit der Tabak-Kultur. Die theuern Pachtgelder für die Grundstücke, der hohe Arbeitslohn, welchen die in der Nähe der Stadt und in ihren Umgebungen wohnenden, an städtische Bedürfnisse gewohnten Taglöhner fordern, so wie andere Verhältnisse, gestatteten es nicht, diesem Gegenstand eine weitere Ausdehnung zu geben; indessen ist der lobenswürdige Versuch nicht mißlungen.

Auch die an Zuckerstoff reiche Runkelrübe, wurde vornehmlich als Surrogat für den Kolonial-Zucker hier im Großen angebaut.

Herr v. Grauvogel war es, welcher von 80 bis 100 Tagwerken bei 20,000 Ctr. Rüben erndete. Aus diesen erzeugte er in seiner Runkelrüben-Zuckerfabrik, welche er in dem v. Raunerschen Familien-Gebäude am Katzenstadel im Jahr 1809 errichtete, über 800 Ctr. rohen und aus diesem in dem kurzen Zeitraume von zwei Monaten 10,000 Pfd. kristallisirten Zucker. Die Rübenblätter mußten zu Stellvertretern für den Tabak und das zurückgebliebene Rübenmark zum Kaffe-Surrogat dienen.

Mangel an Unterstützung, hauptsächlich aber die Umwandlung der politischen Verhältnisse, verschaften dem indischen

Zucker, Kaffee und der ächten amerikanischen Rauch-Pflanze einen unbezweifelten Sieg über jene Repräsentanten.

In den Gärten werden schöne, schmackhafte Obstsorten gezogen und die hohen Mauern mancher Zwinger, so wie die auf dem Lueg-ins-Land und im Kühloch hervorragenden Steinwände sind mit hohen, ausgedehnten Reben-Geländen überkleidet, aus deren Trauben mancher ihrer Besitzer in guten Jahren, freilich mehr zur Seltenheit als zum allgemeinen Bedarf, den Gästen selbstgekelterten Wein vorsetzte.

Auch die Erweiterung der Obst-Kultur dürfte nicht blos unter die frommen Wünsche gehören, wäre diesem nicht unwichtigen Gegenstande die nöthige Aufmerksamkeit, und dem von dem verstorbenen Pfarrer Wilhelm zu diesem Zwecke vorgelegten Plane die verdiente Berücksichtigung zu Theil geworden.

Selbst die öffentlichen Allee'n von Wallnuß- und Maulbeerbäumen gedeihen hier seit einer langen Reihe von Jahren vortrefflich. Ihr gesunder kräftiger Wuchs widerlegt das Vorurtheil, als kämen sie nur in einem wärmern Himmelsstriche fort.

Daß der Anbau schmackhafter und selbst der feinern Gemüs-Sorten sowol auf dem freien Felde, als auch in den Gärten mit günstigem Erfolge betrieben werde, beweisen die mit herrlichem Blumen-Kohl prangenden Verkauf-Tische der Gärtner, der Spargel-Markt, auf welchem diese Lieblingsspeise oft im Ueberfluße vorhanden ist und die zu gewissen Zeiten herrschende Wohlfeilheit der Garten-Gewächse.

Die Blumenliebhaberei ist hier einheimisch geworden und vor den meisten Fenstern blühen die herrlichsten Gaben der Blumen-Göttin, als blaue und rothe Hortensien, Volkamerien, die schönsten Geranienarten u. dgl. in zierlichen Töpfen. In den Gewächs-Häusern der reichen Gartenbesitzer, und unserer Kunstgärtner, werden die seltensten Pflanzen fremder Welttheile gezogen und zur Blüthe gebracht, und auch dieses Jahr prangte in dem Garten eines unsrer ausgezeichnetsten Blumisten des Hrn. Achatius Remele der herrliche Cactus grandiflorus mit 9 trefflichen Blumen. Selbst Melonen und die Königin unter den Früchten, die Ananas, sind in mehrern Gärten zu finden.

Auf die Viehzucht wird in den Umgebungen Augsburgs, und seitdem landwirthschaftliche Vereine und Feste sich bildeten, an welchen ermunternde Preise den Landmann zum Vorwärtsstreben anspornen, eine größere Sorgfalt verwendet.

Ergiebig ist die Jagd an wildem Geflügel, an Schnepfen, Rephühnern, wilden Enten und Gänsen, so wie an Rehen und Hasen. Fischotter und Biber, welche Letztere sich in der Mehringeraue ansiedelten, wurden gleichfalls öfters in der Gegend geschossen. Hochwildprett findet sich sparsamer in den benachbarten Forsten. Ehedem wurde es in dem sogenannten Hirschgraben zum Vergnügen der Lustwandelnden gehalten.

Der thätige hiesige Metzgermeister Johann Jacob Thenn Lit. G. Nro. 191., welcher schon an mehreren October-Festen zu München wegen der ausgezeichneten Mastung seines schönen Schlacht-Viehes, Preise erhielt, hat gezeigt, daß sich sogar die Hirsche nach und nach als Hausthiere einbürgern lassen. In einem sehr beschränkten Hofraum erzielte er von einem jung aufgezogenen Hirsch und einer durch Zufall später erhaltenen Hindin eine Hirsch-Familie, welche bereits mehrere Glieder zählt, deren Schönheit eben so merkwürdig ist als ihr zahmes Wesen.

Jägern vom Fache schien es unglaublich, daß sich dieses scheue Wild in einem so engen Gewahrsam fortpflanzen sollte; doch der Augenschein besiegte ihre Zweifel. Mit zuvorkommender Freundlichkeit zeigt ihr Besitzer seinen merkwürdigen Wildstand dem Schaulustigen.

Alle Gattungen zahmes Geflügel giebt es hier in Menge und von vorzüglicher Güte. Seine Vermehrung ist weit wünschenswerther als die der sogenannten Wanderratten (mus decumanus), welche sonst hier unbekannt, sich jetzt in Augsburg zahlreich finden. Sie sollen in den Kriegsjahren mit den Mehl-Magazinen der fremden Kriegsheere hieher gebracht worden seyn. Gut ist es, daß sie meistens in den Cloaken und Hofräumen sich aufhalten und nur selten in das Innere der Wohnungen eindringen, unangenehm aber, daß sie ihrem naturhistorischen Namen ungetreu, den Rückweg in ihre ursprüngliche Heimath weder suchen noch finden wollen.

Die durch ihre Vermehrung und Gefräßigkeit äußerst verderblichen großen und kleinen Feldmäuse haben seit einigen Jahren in der Gegend sehr überhand genommen.

Dem Ornithologen, welcher eine Uebersicht über die in unserer Gegend nistenden und brütenden Vögel zu erhalten wünscht, wird das Kabinet des Herrn Mühlenvisitators Hofgärtner eine hohe Befriedigung und eine interessante Belehrung darbieten.

Dieser seltene Meister im Ausstopfen der Vögel und Quadrupeden, hat eine sehenswerthe zoologische Sammlung in dem auf dem mittleren Graben stehenden ehemaligen Pilgerhause Lit. H. Nro. 402 aufgestellt, welche er vorzüglich an Sonntagen bereitwillig den gebildeten Freunden der Natur öffnet.

Zu bedauern ist es, daß sich die Wälder und Fluren in unsern Umgebungen von niedlichen gefiederten Virtuosen immer mehr entvölkern; daran ist die ungezügelte Vogelstellerei Schuld, welcher so viele Tagediebe nachhängen. Statt dem Ungeziefer zu Leibe zu gehen, bekriegen sie die unschädlichen und wohlthätigen Vertilger desselben.

Wenn diese angenehmen Sänger der Hain beim Hauch der Frühlingslüfte zurückkehren um ihre Nester zu bauen, werden sie weggefangen, die Bruten ausgenommen und auf dem sogenannten Vogelmarkt öffentlich verkauft. Möchten die Polizei-Behörden sich dahin vereinigen, diesem grausamen und schädlichen Unfuge Schranken zu setzen.

Es gehört unstreitig mit zur Verschönerungs = Tendenz, dafür zu sorgen, daß die Reize der schattigen Anlagen, durch den lieblichen Gesang der Vögel erhöht, und dadurch dem Lustwandelnden in doppelter Hinsicht anziehend gemacht und erhalten werden.

Von giftigen Amphibien findet sich hauptsächlich in der Mehringerau die europäische gemeine Otter (coluber berus,) welche von ihrem Lebendiggebähren Vipera vivipera heißt. Den Naturforschern wollte es bis jetzt kaum gelingen, diese Viper, um ihre Lebensweise genauer zu beobachten, in der Gefangenschaft zu füttern und am Leben zu erhalten. Herrn Hofgärtner, dem aufmerksamen Beobachter der Natur, gelang dieses vollkommen, indem er ihr Lieblings = Gericht, junge Feldmäuse, ausfindig machte.

Außer dieser Schlangen = Art gibt es in der Gegend noch die unschädliche Ringelnatter (coluber natrix), die gleichfalls nicht giftige graurothe Natter (Caustriacus) und die Blindschleiche (Anguis fragilis).

Eidechsen und Kröten sind häufiger, sehr zahlreich aber werden Frösche zu Markt gebracht, deren Schenkel als eine beliebte Fastenspeise fleißig gekauft werden.

An Insekten, leider auch an kriechendem Ungeziefer, Raupen und den verderblichen Maykäfern, welche in gewissen Perioden den Bäumen im Lenz durch ihre Gefräßigkeit das traurige Ansehen des Winters geben, ist die Gegend reich. Ein schöner Schmetterling, der Augsburger Bär (Ph. B. Matronula) genannt, wurde in der hiesigen Gegend zuerst gefunden.

Der kürzlich hier verstorbene Zeichner Jakob Hübner, ein geborner Augsburger, erwarb sich als Schriftsteller im Gebiete der Lepidopterologie oder der Beobachtung von Insekten mit 4 bestäubten Flügeln, einen ehrenwerthen Ruf. Seine Sammlung, so wie alle seine Werke und Kupferplatten, hat Herr J. Geyer, welcher sich unter Anleitung des Genannten

ten

ten diesem naturgeschichtlichen Fache widmete, an sich gekauft und arbeitet fortwährend an deren Vermehrung; auch der noch lebende Goldschlager Herr Stattmüller, so wie der Kupferschmid Herr Fageroth, der Silberdrechsler Herr May, der magistratische Stiftungs-Kassier Herr Freyer, (welcher auch ein Werkchen über Schmetterlinge in Heftchen mit Abbildungen herausgiebt) und mehrere andere Privaten, besitzen vollständige Sammlungen von Käfern und Schmetterlingen, welche sie mit Fleiß und Sachkenntniß anlegten und systematisch ordneten.

Selbst die Seidenzucht beginnt sich wieder zu regen. Schon im Jahre 1750 stellte Herr Christian von Münch auf seinem 1½ Stunden von Augsburg entfernten Gute Aistetten glückliche Versuche der Art an. Dreißig Jahre später setzte sie der reichsstädtische Baumeister v. Seida fort; er richtete seine Seidenraupenzucht auf dem Blatterwall, den er als Zeugherr zu benützen hatte, nachher als Bauherr in dem großen Baugarten, ein, ließ die Coccons im Tyrol abhaspeln, und überraschte die Augsburger bei einer Ausstellung vaterländischer Industrie-Erzeugnisse. mit einem schönen Stück rothen gros de Tour von hier gewonnener Seide. Von ihm rührt auch die im Jahre 1780 entstandene Anpflanzung der vor dem Stephinger-Thore befindlichen Allee von weißen Maulbeerbäumen (morus alba) her, deren Laub unsern Seidenzucht-Dilettanten gestattete, ihre Versuche etwas ins Größere zu wagen.

Gegenwärtig betreibt die Zucht der Seidenwürmer der Kleidermacher Hr. Niedergesees nebst Andern, mit Lebhaftigkeit. Er hat sich über diesen Gegenstand bereits als Schriftsteller versucht, und ertheilt, als ein Mitglied des landwirthschaftlichen Vereins, unentgeldlich Unterricht über die von ihm am zweckmäßigsten befundene Methode der Seidenkultur. *)

*) Bei dem landwirthschaftlichen Feste am 5. Okt. 1828 erhielten die Herren J. B. Niedergesees, Schneidermeister, und Christ. Philipp Amüller, Wechselsensal, Preise in Betreff der Seidenzucht.

Die musterhafte Reinlichkeitsliebe, welcher die hiesigen Frauenzimmer huldigen, arbeitet kräftig der Vermehrung des kriechenden Ungeziefers in den Häusern entgegen. Dennoch sind einige Glieder dieser unwillkommenen Sippschaft, die Flöhe, Gegenstände einer niedlichen Kunstspielerei geworden. Diese Luftspringer werden an feine goldene Kettchen gelegt, und geben so das interessante Schauspiel einer ausserordentlichen Muskelkraft, indem sie sich in diesem Geschmeide, das wohl achtzigmal schwerer als der kleine Kettenträger ist, ohne Anstrengung bewegen; noch gegenwärtig ist Herr Drahtzieher Weiß im Besitz der Kunstfertigkeit, diese kleinen Sträflinge in Fesseln zu schlagen.

In den Bächen und Flüssen giebt es Hechte, Schleien, Barmen und andere Flußfische. Die Nase (Cyprinus nasus,) zieht zur Laichzeit in gedrängten Zügen in unsere Gewässer, so daß die Fischer in glücklichen Jahren schon einen Fang von 30 — 40,000 Stücken in unserer Nachbarschaft gethan haben.

Der Rothfisch (salmo hucho,) kommt in der Begattungs-Periode aus der Donau in den Lech, in welchem schon öfters 30 bis 40 Pfund schwere Rothfische gefangen wurden.

An schmackhaften Stein- und Edelkrebsen fehlt es eben so wenig, und die Weinbergs-Schnecke (H. Pomatia,) wird hier in eigenen Schneckengruben gefüttert und gemästet.

Ueber die Schalthiere, welche in der Umgegend von Augsburg gefunden werden, hat ein rastlos thätiger Freund der Wissenschaften, Herr Dr. v. Alten, der Besitzer der vortrefflich eingerichteten Apotheke zum goldenen Engel, einen schätzbaren Beytrag zur vaterländischen Naturgeschichte unter dem Titel: „Systematische Abhandlung über die Erd- und Fluß-Conchylien, welche um Augsburg und in der umliegenden Gegend gefunden werden. Als ein Beitrag zur vaterländischen Naturgeschichte, von Johann Wilhelm v. Alten, Dr. der Philosophie, Magister der freien Künste, Apotheker zum goldenen Engel in Augsburg u. s. w. 1813. mit 14 illuminirten Kupfertafeln, geliefert.

In einem Umkreise von 4 bis 6 Stunden fand er 58 Arten und darunter mehrere ganz neue. Dem Verfasser zu Ehren nannte der Naturforscher Gärtner die Helix silvestris, Helix Altenana.

Freigebig ist das Füllhorn der hiesigen Flora ausgestattet. Der eben erwähnte Hr. Dr. v. Alten hat ihre Gaben in einem eigenen Werkchen: „Augsburgische Blumenlese oder systematisches Verzeichniß der in der Gegend um Augsburg „wildwachsenden Pflanzen, als Einleitung zu einer Flora von „Augsburg (1822. J. Wolff'sche Buchhandlung)" dem Publikum vorgelegt. Gebildete Bürger von edler Wißbegierde angetrieben, fanden daran Vergnügen in den Stunden der Muße den botanischen Schätzen nachzuspüren und sie zu sammeln. Der verstorbene Pinselmacher Schenkenhofer war als ein glücklicher Pflanzen-Forscher bekannt, und der Schneidermeister Ehrenfried trat mit Eifer und Freude in seine Fußstapfen.

Nicht leicht wird eine Stadt zahlreichere, angenehmere Spaziergänge, Gelegenheiten zu Lustparthien, Garten-Anlagen und Erholungsplätze aufzuweisen haben als unsere Augusta. Sie scheint gewissermaßen in einem Park zu liegen und zweckmäßige Verschönerungen sind mit ein Haupt-Augenmerk der Behörden. Schade, daß bei der sehr mäßigen Bevölkerung, diese Promenaden selten lebhaft besucht werden. Das von jeher unbeträchtliche Territorium unserer Augusta, berührt zwar gegenwärtig nicht mehr die Gebiets-Theile verschiedener fremder Landeshoheiten; ringsumher herrscht Bayerns gerechter und milder Scepter. Doch bedarf es keiner ermüdenden Ausflüge, das eigentliche städtische Weichbild zu überschreiten und gegen Morgen die Ge-

2*

richts-Bezirke des Landgerichtes Friedberg, gegen Mittag, Abend und Mitternacht aber die Jurisdictions-Distrikte des Gögginger Landgerichts zu betreten.

Ueber die bereits erwähnten, Augsburgs Umgegend durchströmenden Hauptflüsse führen mehrere Brücken. Unter diesen verbinden die bei Friedberg und Lechhausen befindliche, Alt- und Neu-Bayern mit einander.

Die Friedberger-Brücke wurde nach dem Plane des königl. bayerischen Brücken- und Wasser-Bau-Direktors v. Wibeking mit drei gesprengten Bogen, deren jeder eine Weite von 118 Schuh hat, im Jahr 1808 vollendet. Ihre Länge beträgt 395 Schuh und der höchste Punkt des mittelsten Bogens erhebt sich 13 Fuß hoch über den gewöhnlichen Wasserstand. Die Wiederlager wurden auf einen Pfahlroste von 18 bis 40 Schuh Tiefe gegründet. Sie bestehen aus Tuff- und gebrannten Steinen. Das Mauerwerk von zwei Wiederlagern nimmt einen Raum von 28,000 Cubik-Schuh ein, und die Kosten dieses Brückenbaues wurden zu 36,000 Gulden angeschlagen. Es war ein eigner Festtag für Augsburgs Bewohner, als am 11. May des erwähnten Brückenvollendungs-Jahres, der Münchener Bote Specht mit seinem schwer beladenen Güterwagen von 18 raschen Schimmeln gezogen unter dem Getöse der losgebrannten Pöller und dem Zujauchzen eines zahlreichen Zuschauer-Gedränges im Trabe zum erstenmal über die Brücke fuhr. Seit ihrer Erbauung sind an ihr mehrmalige Verbesserungen und Reparaturen nothwendig geworden, während dergleichen vorgenommen werden, ist die Passage nach Alt-Bayern über die Lechhauser Joch-Brücke geöffnet. Diese steht ganz nahe bei dem Dorfe gleiches Namens, ist durchaus von Holz und zählt 17 Joche, deren jedes eine Breite von 38 Fuß hat. Im Jahr 1796 wurde sie von Jos. Werner, Lechmeister zu Lechhausen, neu gebaut.

Das dieß- und jenseitige Gestade der Wertach vereiniget die Wertach-Brücke, ehemals Bettel-Brücke genannt. Diesen abstoßenden Namen trug sie noch vor wenigen Jahren. Als Augsburg von mehrern fremden Territorien umgeben wurde, diente diese Brücke einer ziemlichen Anzahl von Streif-Bettlern zu einer berüchtigten Niederlage. Eben diese Nähe fremder Gebietstheile machte es dergleichen Vagabunden leicht sich mit ein paar Schritten der polizeilichen Wachsamkeit zu entziehen.

Sie wurde 1814 vom Werkmeister Jos. Seidl mit drei Oeffnungen von 48 Fuß Breite mit einem Bogen-Hängwerk und zwei gemauerten Wiederlagern aufgeführt. Von dem vorbestandenen Stadtzollhause am rechten Fluß-Ufer beginnend, zieht sie sich bis zu dem ehemaligen bischöflichen Zoll hinüber.

Vom Wertachbruckerthor gelangt man zu ihr in gerader Linie. Rechts von der Heerstraße ab liegt eine Bierschenke zur schwäbischen Linde genannt, an welcher Stelle sonst die ehemalige St. Wolfgang-Kapelle, welche der Magistrat 1474 für die Sondersiechen bauen ließ, gestanden. Vor demselben grünte eine kräftige, ehrwürdige Linde, weitumher ihren erquickenden Schatten spendend, ihren labenden Blüthenduft aushauchend. Unter diesem schattenreichen Laubgewölbe, dessen Stamm 37 Schuhe 2 Zoll im Umfange und 18 Schuh 7 Zoll im Durchschnitt hatte, soll Gustav Adolph, Schwedens berühmter König, im Jahr 1632 auf einer dort befindlichen Rasen-Bank sein Mittags-Mahl häufig eingenommen und geruhet haben. Auf Befehl eines protestantischen Baumeisters vergriff sich die Art, an ihrem noch lebensreichen Stamme: sie wurde unter einer allgemeinen Mißbilligung, welche ihrem Zerstörer galt, gefällt. Mit der herrlichen Schwedenlinde, (welchen Namen sie trug) sank ihr Andenken nicht in den Staub, da sie noch an dem nach ihr benannten Wirthshause abgebildet steht.

Nicht weit von dem Dorfe Pfersee, wo schon zur Zeit der Römer eine wohl verschanzte, mit einem Kastelle auf der linken Seite des Flusses befestigte Brücken-Verbindung statt hatte, nimmt jetzt die Stelle des ehemaligen blos für Fußgänger eingerichtet gewesenen schmalen Pferseer Steges, eine ansehnliche fahrbare Brücke von 11 Jochen bestehend, ein; jedes dieser Joche hat eine 20 Fuß breite Oeffnung.

In der Umgegend von Augsburg fehlt es nicht an schönen Forsten und Hainen, doch sind sie etwas entfernt und liegen nicht in dem Weichbilde der Stadt. Aber auch dieses ist mit einem angenehmen, nur eine halbe Stunde entfernten, größtentheils von schlanken Fichten und Fohren gebildeten Lust-Gehölze geschmückt; man nennt es die Stadt-Au, oder in der Volkssprache den Siebentisch-Wald, weil dort unter dem Namen der Sieben-Tische ein Erholungs-Platz besteht. Angenehm ruht es sich hier am Abend im düstern Schatten des duftenden Nadel-Gehölzes, dessen kräftiger Harzgeruch die Brustorgane erquickt.

Umfang der Stadt. Ihr Flächen-Inhalt. Befestigungs-Werke. Thore. Thürme. Gräben. Wälle. Zwinger. Stadtmauern.

Zu einem Spaziergange um die Stadt, wozu die anmuthigen Laubgewölbe Duft und Schatten gebender Alleen, zumal in der Blüthenzeit einladen, braucht ein gewöhnlicher Fußgänger zwei Stunden Zeit. Schnell-Läufer haben sie in unsern Tagen in 90 Minuten zweimal, ja dreimal umlaufen. Ihr äußerer Umfang beträgt gegen 9000 Schritte, den Schritt zu anderhalb Schuh gerechnet; ihre Länge vom rothen Thore bis zu dem zugemauerten Fischerthörlein mißt 7300''; ihre mächtigste Breite 3800'', welche sich vom Göggingen- bis zum Jakober-Thore erstreckt.

Der Bauschreiber Hase berechnete Ausburgs Flächen-Inhalt mit Einrechnung der ehemaligen Fortifikation auf 39,400,000 □Schuhe. Diese ansehnliche Ausdehnung verdankt es den 644 Grundstücken und Gärten, welche es innerhalb seinen Ringmauren zählt. Das Größte von jenen, enthält über 4 Tagwerk und gehört zu dem Hause Lit. E. Nro. 114. Viele Privat-Häuser erfreuen sich der freundlichen Zugabe eines mehr oder minder beträchtlichen Hausgartens. Selbst mehrere bürgerliche Gärtnermeister betreiben ihren Erwerbszweig in ansehnlichen, eigenen oder gepachteten Gartengütern, welche im Innern der Stadt mit ihren Wohnhäusern höchst bequem zusammenhängen.

Die Ansicht der Stadt und ihrer Umgegend fällt am reitzendsten von den Höhen des altbayerischen Städtchens **Friedberg** in die Augen. Die sehr hoch liegende St. Ulrichskirche beherrscht gleichsam als Königin die um sie her liegenden Gebäude. Der für sich bestehende hochaufragende Perlachthurm, das prächtige, weithin sichtbare Rathhaus, die ehrwürdige Cathedrale — lenken den Blick des Ankommenden schon aus ziemlicher Ferne auf sich.

Gewiß fehlt es Augsburg nicht an herrlichen Bauwerken, welche schon seiner Physiognomie den Stempel der Vorzüglichkeit aufdrücken. Zwar ist die Stadt keine haltbare Festung, dennoch vermißt man in ihrem Umkreise weder starke Mauern, noch hohe Wälle, noch tiefe, trockene sowohl, als mit Wasser angefüllte Gräben.

Zur Zeit der französischen Invasion machten die damals übermüthigen Sieger ernstlich Miene Augsburg durchaus zu befestigen. Das Abbrechen der ehemaligen Stadt-Gardisten-Wohnungen auf dem Zwinger, die beschlossene, glücklicherweise aber vor der Ausführung unterbliebene Demolirung der vor den Thoren gelegenen Gebäude und Gartenhäuser, das Verrammeln der Hauptzugänge mit Pallisaden, das Aufführen des groben Geschützes auf den Bastionen und Schanzen, die Errichtung von Brückenköpfen, erfüllten die Gemüther mit bangen Besorgnissen. Glücklicherweise blieb es bei diesem Vorspiele; doch diente die Stadt dem Feinde zu einem Waffenplatze und zu einer allgemeinen Niederlage für seine Armaturen und Kriegs-Vorräthe.

Augsburg hat vier Hauptthore, durch diese kann man zu jeder Stunde der Nacht, ohne durch die sonst geforderte Entrichtung des früher bestandenen lästigen Sperrgeldes besteuert zu werden, frei herein und hinauskommen. Die Hand der Verschönerung hat auch hier mit Einsicht und Geschmack gewaltet, und der freundliche Eindruck dieser heitern Aussenseite, empfängt und begleitet den Eintretenden.

Die Namen der Thore sind:

1. Das rothe Thor.

Dieses ist vorzüglich schön und sehenswerth. Es führt auf die Heerstraßen nach München, ins Tyrol und über

Landsberg, nach Italien. Schon im Jahr 1428 ließ der Rath, den Besuch der Hussiten befürchtend, hier einen starken Thurm erbauen. Elias Holl errichtete 1622 einen neuen. Der äußere rothe Anstrich desselben verlieh dem Thore selbst, welches früher das Spital- auch Haunstätter- und Huchstätter-Thor hieß, seine gegenwärtige Benennung. Die schöne dabei befindliche Thorbrücke und der gedoppelte Kanal, im Jahr 1777 von Joh. Christ. Singer errichtet, sind sprechende Monumente seiner Geschicklichkeit und seiner Kenntnisse. Augsburgs protestantischen Bewohnern muß dieses Thor noch in einer andern Beziehung Stoff zum ernsten Nachdenken gewähren. Nach geschlossener Lebensreise finden sie hier den letzten Ausweg zu ihrem einzigen, außerhalb diesen Pforten gelegenen Begräbniß-Platze und mit vollem Recht können sie sich hier an das bekannte Horazische: omnes eodem cogimur erinnern.

2. Das Göggingers-Thor.

Vor diesem befindet sich die Straße, auf welcher man nach Memmingen und in die Schweitz reist. Es wurde im Jahr 1581 erbaut. Nach Abtragung der 134 Schuh langen Brücke im Jahre 1605 errichtete Elias Holl eine neue mit zwei Wachthäusern versehen. Die jetzige schöne Thorbrücke rührt von dem geschickten Stadtmaurermeister Singer her. Göggingerthor heißt es wegen dem benachbarten häufig besuchten und sehr angenehmen Pfarrdorfe Göggingen.

3. Das Wertachbruckerthor.

Durch dieses gelangt der Reisende auf die, über Ulm nach Frankreich, nach den Niederlanden, und über Nürnberg nach den nördlichen Gegenden führenden Hauptstraßen. Das Thor selbst prangte mit einem ansehnlichen festgemauerten Thurme, welcher im Jahr 1615 um 2 Stockwerke erhöht wurde. Von dem zunächstgelegenen Dorfe Oberhausen führte es früher den

Namen Oberhauser-Thor, seine gegenwärtige Benennung trägt es wegen der Nachbarschaft der Wertachbrücke.

4. Das Jakoberthor,

sonst auch Bleicherthor genannt, bringt den Wanderer über die Lechhauser-Brücke nach Alt-Bayern, namentlich nach Neuburg. Ein beständiges Hin- und Herwogen der ein- und auspassierenden Landbewohner, zeigt hier eine sehr rege Lebendigkeit des Verkehrs. Die schöne breite Jakobs-Straße macht auf den hier Eintretenden einen angenehmen Eindruck. Ueber dem Thore selbst erhebt sich ein nicht unansehnlicher Thurm mit einem pyramidenförmig zugespitzten Dache, dessen glasierte Ziegel den Wiederschein der Sonne blendend zurückstrahlen.

Außer diesen vier Hauptthoren zählt Augsburg noch sechs kleinere oder Nebenthore. Diese sind:

1. Das Klinker- oder Klenker-Thor.

Es liegt zwischen dem Wertachbrucker- und Gögginger-Thore, und soll vor der Erbauung des sogenannten Einlasses die einzige Nachtpforte gewesen seyn. Die nach dem Thorschlusse Einlaß begehrenden, mußten ihr Verlangen durch das Anziehen der dort befindlichen Klingel kundgeben. Dadurch mag vielleicht seine gegenwärtige Benennung entstanden seyn. Früher hieß es auch Rosenauthor, auch wohl das Henkerthörlein, durch welches die zum Tode Verurtheilten ihren letzten Gang zu dem unweit dieser Pforte liegenden Hochgerichte machten. Ueber ihm erhebt sich gleichfalls ein festgemauerter Thurm, welcher im Jahr 1608 renovirt wurde. An ihm findet der Kunstfreund gegen die Stadt herein ein schönes, wohlerhaltenes von Holzer gemaltes Ecce homo.

Vor diesem Thore befindet sich der sogenannte Klinkerberg. Dieser sonst ziemlich steile Abhang wurde erst kürzlich zur Bequemlichkeit der Fuhrwerke sehr zweckmäßig erweitert und hergerichtet. Seine sonst schroffe Höhe verliert sich jetzt weniger bemerkbar abwärts, und diese Passage ist völlig gefahrlos. Hier findet der Spaziergänger sehr hübsche weiter unten beschriebene Garten-Anlagen, und eine reitzende, sich weithin erstreckende Aussicht.

Das zwischen dem Oblater- und Wertachbruckerthor gelegene

2. Stephinger-Thor,

von der nicht weit davon im Innern der Stadt gelegenen Stephanskirche so benannt, ist das kleinste unter den Nebenthoren. Ehemals hieß es von der in dem dortigen Stadt-Theile gelegenen ältesten Stadtkirche, der Gallus-Kirche nemlich, das Gallus-Thörlein. Es hat in seiner Bauart nichts besonderes und keinen Thurm. Eine hölzerne Brücke führt über den Wassergraben und an ihrer Spitze befand sich links das gegenwärtig abgebrochene Wachthaus. In der Nähe dieser Pforte war sonst ein Gäßchen, welches selbst im Auslande eine gewisse Celebrität erlangt hatte und gleichsam mit unter die Wahrzeichen der Stadt gezählt wurde. Es ist dieses der sogenannte Dahinab. An der Mauer eines kleinen Häuschens zeigte sich das schlecht gemalte Bild eines gemeinen Mannes in der Stellung eines Wegweisers mit dem dabei befindlichen Worte: Dahinab! Die Bestimmung dieses Männchens war offenbar blos diese, dem hier einen Ausweg suchenden, der Straße Unkundigen, den rechten Pfad anzudeuten. Die Sage wollte indeß dem unscheinbaren Bilde einen gewissen historischen Werth beilegen.

Als nehmlich im Jahre 1518 sich der kühne Reformator Luther vor dem Cardinal Cajetan stellte und den von ihm verlangten unbedingten Widerruf seiner Lehrsätze standhaft verweigerte, blieb ihm kein anderes Mittel übrig sich der Verwirklichung einiger gegen ihn ausgestoßener heftigen Drohungen zu entziehen, als eine schnelle und geheime Entfernung. Luther soll in diesem entlegenen Stadttheile den Ausweg aus diesem scheinbaren Labyrinth vergeblich gesucht und seine Verfolger bereits in der Nähe bemerkt haben, als plötzlich eine Erscheinung ihm mit einem zurechtweisenden „Dahinab," den Pfad zur Rettung zeigte. Das Andenken dieses Momentes sollte einer sonst allgemein herrschenden Meinung zu Folge, dieses Bild verewigen. Allein die Geschichte hat das trügerische dieser Tradition aufgehellt. Denn ein v. Langenmantel war es, der dem bedrängten Glaubens-Helden ein Pferd, einen reitenden Begleiter und die Gelegenheit verschafte, mit Tages Anbruch durch den Einlaß der ihm drohenden Gefahr zu entrinnen. Das Männchen mit seinem gebieterischen „Dahinab" ist verschwunden; requiescat in pace! In dem Häuser-Verzeichnisse werden hingegen noch die sogenannten Ketzergäßchen aufgeführt, in welchen zu jener Zeit viele Anhänger der neuen Lehre wohnten. — Wenn man damit umgeht die Denkmale des Wahns zu vernichten, so sollte dieses sich wohl auf alle dergleichen Anklänge erstrecken!

Von dem Stephinger-Thore gelangt der Fußgänger durch eine Allee von Maulbeer-Bäumen zum

3. Oblatter-Thor.

In dieser Gegend soll im Jahr 1487 ein gewisser Ludwig Oblatter die erste Pulver-Mühle erbaut haben. Der Name dieser Pforte dürfte aber wahrscheinlicher von dem hier sonst befindlich gewesenen Blatterhause, einer Heilanstalt für Kranke, welche an venerischen Uebeln, damals die bösen Blattern genannt, darniederlagen, abzuleiten seyn. Davon erhielt auch die später hier aufgeführte Bastion den Namen Blatter- oder Oblatter-Wall und die Stadtmauer den der Blattermauer.

Nach dem Zeugnisse der Hessischen Chronik hieß das Thörlein selbst: das Oblatter-Thörlein, welches so viel als das Thörlein ober dem Blatterhaus und abgekürzt Ob (dem)

Blatterthörlein heißen kann. In dem Rathsprotokolle von 1442 heißt es das Lohuber-Thor.

Wendet man sich von dieser durch keine besondere Bauart ausgezeichneten Pforte links gegen das Jakober-Thor, so führt uns unser Spaziergang um Augsburgs Thore zu dem sogenannten

4. Vogelthor, ehedem das New-Thor genannt.

Bei Legung des Grundsteines zu diesem durch seine Bauart etwas mehr ausgezeichneten mit einem gemauerten Thurme versehenen Thore, im Jahre 1445, soll eine große Menge Vögel vorbei geflogen seyn und diesem ungewöhnlichen Vogelfluge der Sage nach das Thor selbst seinen Namen verdanken. Noch heutzutage nisten dergleichen harmlose Sänger gern in dieser einsamen, weniger geräuschvollen Gegend. Möchte der kindische Muthwille ihr friedliches Asyl unangetastet lassen!

Weiter rechts gelangen wir

5. zum Schwibbogenthor.

Dieses war ehemals ein bloßer Schwibbogen, als Ein- und Ausgang in die im 14ten Jahrhundert ausserhalb desselben gelegene, nunmehr aber verschwundene Vorstadt, der Wagehals genannt, welcher sich bis an die ausserhalb dem Rothen-Thor gestandene St. Servatii-Kirche, deren Stätte man gleichfalls nicht mehr findet, erstreckt hat.

6. Das Hall-Thor.

Zwischen dem Rothen- und dem Gögginger-Thore wurde im Jahre 1807 dieses neue Thor erbaut. Man betritt es dem Schießgraben gegenüber, und diese nur mit einem Gitter, nicht mit knarrenden Thorflügeln versehene Pforte, auf deren Pfeilern zwei aus Stein gehauene Löwen ruhen, gewährt eine heitere und offene Einsicht in das Innere des geräumigen schönen Hallhofes. In diesem ist das scharfe Fahren, das Herumtummeln der Pferde, das Tabakrauchen, wie billig verboten. Der sonst selbst den Fußgängern versagt gewesene Durchgang ist nun wieder zu ihrer großen Bequemlichkeit gestattet. Rechts beim Hinausgehen durch das Hallthor, steht das in einem gefälligen Style erbaute Wachthaus, und gleich ausserhalb dem Thore gelangt man rechts und links auf die Stadtmauer in den sogenannten Zwinger.

Nicht mehr gangbare Pforten sind:

a. Der Einlaß.

Das zwischen dem Klinker- und dem Göggingerthore gelegene Nachtthor, der alte Einlaß genannt, gehört sowohl rücksichtlich seiner Entstehung als seiner Einrichtung zu den alterthümlichen Merkwürdigkeiten.

Kaiser Maximilian I. und Unvergeßliche hegte ein besonderes Wohlwollen für die Stadt und ihre Bewohner. Scherzweise nannte ihn daher der König von Frankreich, Ludwig XII. den Bürgermeister von Augsburg. Als erklärter Freund des edlen Waidwerkes kehrte er oft nach Mitternacht erst, von der fleißig gehegten Jagdlust zurück. Da Unsicherheit und Befehdungen die gewöhnlichen Vorsichtsmaßregeln zu verdoppeln geboten, so ließ der Rath sämmtliche Stadtthore beim Beginnen der Dämmerung schließen und Keinem war nach dem Thorschlusse durch sie der Eintritt mehr gestattet. Die weisen Väter der Stadt, ihre Pflichten für die Sicherheit der ihrer Obsorge anvertrauten Bürger eben so genau, als ihre Ergebenheit gegen ihren kaiserlichen Gastfreund beachtend, sannen auf ein Mittel, wodurch sie, ohne jene zu verletzen, jeder Störung seines Jagdvergnügens vorbeugen könnten.

Ein geschickter Grobschmidt aus Tyrol entwarf, als er die Absicht des Senats kannte, den sinnreichen Plan zur Einrichtung dieses in der Folge so berühmt gewordenen Nachtthors, welcher genehmigt und ausgeführt wurde. — Im Jahre 1514 war diese nächtliche Einlaß-Pforte, deren Mechanismus als ein Meisterstück betrachtet wird, vollendet.

Lange Zeit wurde die innere Struktur sorgfältig mit dem Schleier des Geheimnisses umhüllt. Selbst Englands berühmte Königin Elisabeth soll vergeblich durch einen eigenen Abgeordneten nach Augsburg eine Zeichnung dieses Kunstwerkes sich ausgebeten haben. Die für die Einpassirenden unsichtbaren Hände eines einzelnen Menschen setzten eine zum Theil aus gebrochenen Hebeln zusammengesetzte Maschinerie in Bewegung, und bewirkten das Oeffnen und Schließen der stark mit Eisen beschlagenen Thorflügel. Diese öffnen sich jedoch nur so weit, daß einzelne Fußgänger hintereinander eintreten können. Mit einem eben so geringem Kraft-Aufwande wurde die gewichtige, für Reiter wohl, nicht aber für Wagen berechnete Fallbrücke samt dem Gitter herabgelassen, und der Eingang zu dem gedeckten über den Stadtgraben führenden Pfad geöffnet und geschlossen.

In der sehr lesenswerthen geschichtlichen Darstellung des Vertheidigungsstandes und der Kriegsbegebenheiten der Stadt Augsburg von Kaiser Augustus Zeiten oder der Lollian'schen Niederlage, bis zur Regierung des Königs von Bayern Maximilian Josephs, welche der Königl. Bayerische Ingenieur-Hauptmann v. Kern mit 13 Plänen und einem Spezial-Kärtchen in der v. Jenisch- und Stageschen Buchhandlung erscheinen ließ, kann der Liebhaber solcher alten Kunstwerke die sinnreiche Einrichtung dieses vielbesprochenen Nachtthores beschrieben und abgebildet finden. Die Genehmigung zum Besehen dieser alterthümlichen Merkwürdigkeit, wird dem Schaulustigen von dem gegenwärtigen Bewohner des Einlaß-Gebäudes gefällig zugestanden.

Erregt eine solche geschickt ausgedachte Vorrichtung auch jetzt keine Bewunderung mehr, weil diese, sobald das Ei des

des Columbus vor den Zuschauern auf die Spitze gestellt ist, schwindet, so bleibt sie dennoch als ein Denkmal einer zuvorkommenden Liebe und Anhänglichkeit der Bewohner Augsburgs für einen huldvollen Fürsten beachtenswerth. So beschränkt in seinen intellektuellen Ansichten war wohl nie ein Augsburger, daß er, wie einige Reisebeschreiber sich vernehmen ließen, diesen Einlaß wie eine Zauberburg angestaunt hätte.

Daß Kaiser Maximilian Gefühle der treuen Anhänglichkeit zu würdigen wußte, davon zeugen die rührenden Scheideworte, welche er bei seiner Zurückreise von dem im Jahr 1518 gehaltenen Reichstag auf dem Lechfelde sprach. Dort wendete er sein Angesicht noch einmal gegen die Stadt, und sichtbar bewegt, brach er in die unvergeßlichen Worte aus: „Nun so behüte Dich Gott, Du liebes — Augsburg, wohl haben wir manchen guten Muth in Dir gehabt; nun werden wir Dich nimmer sehen." Diese traurige Vorhersagung ging leider nur zu bald in Erfüllung.

Als ein den Biedersinn der Augsburger hochehrendes Seitenstück zu dieser fürstlichen Aeusserung, glänzen in den neuesten Annalen der Stadtgeschichte die königlichen Abschiedsworte, welche der mit jeder Fürstentugend reich ausgestattete verewigte Maximilian Joseph der Erste, König von Bayern, werth als ein zweiter Titus, die Wonne seiner Bayern genannt zu werden, nach seinem Besuche zu Augsburg im August 1824, dem Magistrat zustellen ließ. Diese gnädigen wohlwollenden Gesinnungen wurden der Bürgerschaft bekannt gemacht, das Original = Rescript aber als eine gewichtige Urkunde der königlichen Huld und Gnade, im Stadt-Archiv aufbewahrt. In der zweiten Hälfte der von dem königl. bayerischen Kämmerer und Regierungsrath Franz Eugen Freiherrn v. Seida und Landensberg, nachgelassenen „Geschichte Augsburgs von Erbauung der Stadt bis zum Tode Maximilian Josephs, ersten Königs von Bayern," welches

schätzbare

schätzba e Werk im J. 1826 im Verlag von J. C. Wirth erschien, findet sich dieses in einer Anmerkung zur Seite 1052 seinem wörtlichen Inhalt nach abgedruckt. Eine sehr ausführliche Beschreibung der Feierlichkeiten, welche bei der Anwesenheit dieses unvergeßlichen Monarchen statt fanden, ist ebenfalls bei dem Buchdrucker Wirth unter dem Titel: „Augsburgs Jubeltage von J. A. Adam" zu haben.

Ausser diesen ewig denkwürdigen Aeusserungen, sprach der Allgeliebte, als er durch die Reihen des auf der Treppe des Residenz = Gebäudes aufgestellten Landwehr = Offizier-Corps zum Wagen ging: „Meine Herren, ich danke Ihnen noch einmal für Ihre Liebe und Freundschaft!" und als die Carosse dahin rollte, ertönte der mit einstimmigem Lebehoch erwiederte Scheidegruß: „Gott befohlen, meine Landeskinder!" — Eine solche fürstliche Anerkennung des redlichen Bestrebens der guten Augsburger, ihre Liebe und Anhänglichkeit an ihren Souverain an den Tag zu legen, den königlichen Lippen entflossen, muß sie über jede hämische, von Neid und Mißgunst erfundene Verkleinerung ihrer aufrichtigen, nicht blos in Worten bestehenden, treuen Anhänglichkeit an die Herrscher = Familie und an das Vaterland mächtig erheben.

Vom Kaiser Maximilian I. besitzt die Schützengesellschaft des obern Schießgrabens ein schätzbares gut gemaltes, lebensgroßes Bild, das den Kaiser als Schutzherrn dieses Vereines im Jagd = Anzuge mit der Armbrust gerüstet und von seinen treuen Rüden umgeben, darstellt. Dieses ist von dem vaterländischen Künstler Hans Burgmayer gemalt, und es gereicht der Gesellschaft und ihren Vorständen zu großer Ehre, daß sie für dessen Reinigung vom Schmuz und Staube, für seine Erhaltung und seine Verzierung mit einem geschmackvollen Rahmen, so wie für seine würdigere Aufstellung in dem neu hergerichteten Gesellschaftszimmer, Sorge getragen haben.

3

b. Das Fischerthörlein.

Das zwischen dem Stephinger- und dem Wertachbrucker-Thor gelegene Fischerthörlein sonst das Burgthor genannt, wurde nach der französisch-bayerischen Belagerung im Jahr 1704 zugemauert. So blieb es bis zum Jahr 1806, wo der französische Platz-Commandant das Oeffnen desselben gebot, um bei der beabsichtigten Vertheidigung der Stadt die Verbindung zwischen dem Aussenwerke, der Pfannenstiel genannt, und den dort angelegten Laufgräben zu unterhalten. Auf diesem Pfannenstiele befanden sich vor ein paar hundert Jahren mehrere von Fischern bewohnte Häuser, welche zusammen für ein kleines Vorstädtchen gelten konnten, daher soll das Fischerthor, welches auf die genannte Anhöhe führt, seinen Namen erhalten haben. Das befürchtete Gewitter ging jedoch glücklich vorüber, und der Donner der Kanonen tobte nicht gegen unsere Mauern.

Diese unter bangen Besorgnissen aufgebrochene Janus-Pforte, wurde mit freudigem Danke gegen die schirmende Hand der Vorsehung und unter dem heißen Wunsche, sie nie wieder durch ähnliche Veranlassungen geöffnet zu sehen, abermals durch Mauerwerk geschlossen.

Thore im Innern der Stadt.

Früher schieden drei innere Thore die eigentliche Stadt von den Vorstädten. Sie hießen das heil. Kreuzthor, das Barfüßerthor und das Frauenthor. Die beiden Erstern wurden in neuern Zeiten abgetragen, um eine Straßen-Erweiterung zu erzielen. Wenn auch darunter der alterthümliche Charakter unserer Augusta einigermaßen gelitten hat, so überzeugte Jeden die Erfahrung von der Zweckmäßigkeit einer solchen Verschönerung.

Das heil. Kreuzthor prangte mit manchen antiken architektonischen Verzierungen und Gemälden, und führte von der Ludwigsstraße gegen die heil. Kreuzkirche. Es wurde im Jahr 1176 erbaut und Anno 1610 schmückte es Mathias Kagers kunstreiche Hand mit einer Mahlerei, den Feldzug der Augsburger in das heil. Land gegen die Türken, vorzüglich Jener Waffenthaten von 1189 unter Herzog Friedrich vorstellend, für welches der Künstler 800 fl. als Ehrensold und eine Gratifikation von 150 fl. erhielt.

Im Jahr 1825 kam die Reihe des Abbruches auch an das Barfüßerthor und den Thurm, welches sonst den Namen des Minoriten=Thors führte. Er diente ehemals zu Gefängnissen für Sträflinge, daher benennen ältere Dokumente und Geschichtsbücher diese Pforte das Sträfflingerthor. Unter mehreren Fresko=Gemälden befand sich an der nördlichen Seite des Thurmes die Abbildung der fabelhaften Erscheinung eines alten häßlichen Weibes, welches dem Attila an dem Gestade des Lechs das gebieterische — Zurück — zugekreischt haben soll, mit nachfolgender Inschrift: Attilam Anno CDLIV Fanatica Mulier in Lici transitu consternat, ter horrende inclamans: Retro Attila! Es wäre dieses wohl nicht die erste und einzige Hexe, vor welcher ein Held gezittert hätte!

Gegenwärtig haben hier im Aeussern und Innern geschmackvoll hergerichtete Verkaufs=Lokalitäten, von welchen die Commune den Zins bezieht, die ältern Kramläden verdrängt. Die Erweiterung dieser Passage gereicht dem um die Verschönerung der Stadt rastlos bemühten Magistrat zur großen Ehre, und ist für das Publikum höchst wohlthätig. Die im Jahr 1613 von Holl hier mit zwei gewölbten Jochen (wie sich der Baumeister selbst äussert) zierlich, alles von Mauerwerk erbaute Brücke allein ist die einzige Passage, durch welche Fahrende und Reitende in die Stadt und von da in die Vorstadt gelangen können. Es war daher um so

3*

nothwendiger, den schon seit vielen Jahren laut ausgesprochenen Wunsch, für den Abbruch dieses Thors zu verwirklichen, da zumal hier der Weg die Stadtbewohner zum Theater führt, sich mithin an Spieltagen viele Equipagen durchkreuzen. Bei dem eben nicht lobenswerthen Eifer mancher Herrschaftskutscher, ihre Fertigkeit im Wagenrennen darzuthun, waren bei dem früher hier bestandenen Engpasse, die sich hier oft sehr im Gedränge befindlichen Fußgänger nicht selten mit Lebensgefahren bedroht.

Das Frauenthor.

Gegenwärtig steht unter den innern Pforten nur noch das Frauenthor mit seinem Thurme, welches zunächst dem Dom gelegen, in die untere Stadt führt. Es wurde im J. 1276 erbaut, und erhielt seinen Namen, welchen es noch bis auf den heutigen Tag führt, wahrscheinlich von der Nähe der Frauen- oder Domkirche. Der Zahn der Zeit, so wie der nachtheilige Einfluß der Witterung, haben den in Mauer-Gemälden bestehenden äussern Schmuck dieses Bauwerkes verwischt. Auch dieser rührt von Kagers Meister-Pinsel her und das Hauptbild stellte die Erwählung des römischen Kaisers Karl V. für den verewigten Kaiser Maximilian I. vor. Bei dieser Wahl hatten sich vorzüglich Matheus Lang, ein Augsburgischer Geschlechter, Cardinal und Erzbischof zu Salzburg, hervorgethan, wie dieses die Inschrift andeutete: Matheus Langus, Patricius Augustanus, Cardinal. et Archiepiscopus Legationis Princeps. Roman. Imperium ab Electoribus, Nomine Caroli Austri. Petit et Impetrat Anno M. D. XIX.

Die genannten innern Thürme waren mit Schlag-Uhren und Wohnungen für die sogenannten Thurmwächter versehen, welchen die Aufsicht auf die Gefangenen anvertraut war. Ausser der Brücke am ehemaligen Barfüßerthor, verbinden noch vier, doch nur für Fußgänger bequem eingerichtete Durchgänge, die sogenannte Jakobs=Vorstadt mit der eigentlichen Stadt. Der obere Neue Gang führt von St. Ursula her an das Vogelthor. Durch den mittlern Neuen Gang unterhalb dem Judenberg und an der obern Schlossermauer gelegen, gelangt man auf den obern Graben, und der untere, gemauerte Neue Gang verbindet bei dem untern Brunnenthurm, den an der Hühnertreppe befindlichen Stadttheil mit dem untern Graben. Der schwebische Berg endlich führt über eine hohe Treppe und eine hölzerne Brücke von der Carmeliter=Straße her, an das Oblatterthor.

Vor Zeiten gab es noch mehrere dergleichen Mauergänge. In der Gegend des Mauerbades befand sich ein 5 Schuh breiter Thurm, welcher von einer früher hier gestandenen Walkmühle das Walk= oder Neydtthörle hieß. Im Jahr 1821 wurde ein Theil der dort befindlich gewesenen Stadtmauer abgetragen, und so verschwand dieses Pförtchen zugleich mit dem dort befindlich gewesenen Maus= oder Flebermausthurm, von welchem in dem Modell=Saal der städtischen Baubehörde wegen seiner besondern Bauart ein Modell aufbewahrt wird. Ein gleichfalls dort befindliches, großes, altes Modell, gewährt eine lehrreiche Uebersicht über Augsburgs frühere Befestigung.

Mehrere ähnliche sonst geöffnet gewesene Durchgänge werden gegenwärtig nicht mehr benützt.

Die alten Stadtmauern und die Befestigung der Stadt.

Augsburgs Einwohner, durch fortdauernde blutige Kriege geschwächt und der Zahl nach auf wenige Tausende zusammengeschmolzen, beschränkten sich ehemals auf einen kleinen Stadt=Bezirk. Die Spuren der alten Ringmauern sind noch gegenwärtig zu sehen. Sie ziehen sich beinahe mitten durch die Stadt, und gehen von der Reitschule bei der ehemali=

gen Churfürstlichen Residenz an, durch das sogenannte Thäle (Lit. D. 148—157.) über den Obstmarkt, den Mauerberg, bis zu der sogenannten Hühner=Treppe, und von da längs der Anhöhe vom Oblatterthor, zu der von dem Bischof Siegfried im Jahre 1000 erbauten, nun eingegangenen St. Egydi=Kirche bei dem Pfaffenkeller gegen den Thurm zur Sackpfeiffe genannt, im Quartier E. 188—190. (welche Gasse den gleichen Namen führt,) wo sich ehemals ein sogenanntes Stadtthörle befand. Von hier aus erstreckte sich die alte Stadtmauer zwischen den Häusern des mittleren Pfaffengäßchens bis an das Frauenthor, dann zwischen den Gärten der Infanterie=Kaserne in dem ehemaligen Jesuiter=Gebäude, längs dem Garten der Residenz, bis zu der oben erwähnten Reitschule.

Noch um die Hälfte des fünfzehnten Jahrhunderts bestand Augsburgs Befestigung nur aus starken mit vielen Thürmen besetzten Mauern und breiten Gräben. Mit dem Jahre 1444 wurden hohe Erdwürfe, damals Berglen genannt, um als Wälle zu dienen, angelegt. Während dem Schmalkaldischen Kriege im Jahre 1530 und in den folgenden Jahren entstanden Bastionen, es wurden die Mauern erhöht, die Gräben tiefer und breiter gemacht, und diese zum Theil mit Wasser angefüllt. Nur im Augenblick des Dranges und der Gefahr dachten unsere Vorfahren an die Ausbesserung der schon bestehenden, an die Errichtung neuer Befestigungswerke; daher zeigen die Ueberbleibsel dieser Schirm=Anstalten, so wenig Gleichförmigkeit und Uebereinstimmung.

Zu den vorzüglichsten Wällen und Basteien wird der Rothethor=Wall mit dem vor dem Rothen Thore gelegenen Hornwerke gerechnet.

Als im Jahre 1402 eine verheerende Seuche über 4650 Erwachsene, die Kinder nicht mit eingerechnet, dahinraffte, wurde dieser Wall samt dem Zwinger errichtet, im Jahre

1545 mit Beihülfe der im Solde des Rathes gestandenen Hessen erhöht, und mit dem dabei befindlichen Graben umzogen. Hessische Werkleute waren es auch, welche den gleichfalls ansehnlichen Eser= oder Neser=Wall zwischen dem Rothen= und Göggingerthor im Jahre 1542 aufthürmten. Der Gögginger=Wall mit dem Ravelin entstand im Jahre 1544.

Die Errichtung der Blauenkappen=Bastion fällt in das Jahr 1428. Sie war es, welcher bei der im J. 1703 stattgefundenen Belagerung besonders hart zugesetzt wurde.

Die Juden seufzten allenthalben in Deutschland unter dem Druck einer sehr unchristlichen Verfolgung. Augsburg und die würdigen Väter dieser Stadt gewährten diesen Bedrängten in der Vorzeit ein Asyl und schützten sie gegen die rohen Ausbrüche der Partheiwuth; da regte sich das Gefühl der Dankbarkeit in den Gemüthern der Israeliten, und daher erboten sie sich im Jahre 1293 auf ihre Kosten eine Mauer vor ihrem Begräbnißplatze, an der nämlichen Stelle, wo sich gegenwärtig die Proviant=Bäckerei befindet, längs dem Stadtgraben nach einer vorgeschriebenen Höhe und Stärke aufführen zu lassen.

Diese auf ihre Kosten errichtete Bastion hieß deswegen der Juden=Wall. Freilich mochte auch damit eine wohlberechnete Spekulation, die Ruhestätte ihrer entschlafenen Glaubens=Genossen zu sichern, verbunden gewesen seyn. Diese erlaubte Neben=Absicht wird jedoch Jeder sehr verzeihlich finden. In der Folge, namentlich im Jahr 1531 wurde dieser Judenwall noch mehr befestigt.

Der von seiner runden Form sogenannte Backofen befindet sich am Wertachbruckerthor und wurde im Jahr 1742 neu erbaut. Die Errichtung des Ravelins beim Fischerthörlein fällt in das Jahr 1632.

Bei unserm gegenwärtigen Lueg=ins=Land stand ehedem ein hoher Thurm gleiches Namens. Kaiser Siegmund fand im Jahr 1430 diese Stelle zu Anlegung einer hohen Warte sehr geeignet. Von einem solchen erhabenen Standpunkte aus, konnte man tief in die Gegend hineinschauen (luegen). Dem Rath war der Wunsch des Kaisers ein Befehl, und das Werk wurde mit einem Kosten-Aufwande von 6000 fl. ausgeführt. Als diesen Thurm im Jahr 1498 ein Blitzstrahl zerstört hatte, wurde Anno 1515 ein ähnlicher aufgebaut; 17 Jahre später aber samt seinem vergoldeten Knopfe, der in seinem Innern 18 Metzen Getreide-Frucht faßte, bis auf die Höhe der Stadtmauer abgebrochen, die Bastion Lueg-ins-Land aber gegen den ehemaligen Gottesacker zu, erhöht.

Der hier befindliche, den Protestanten gehörige Begräbnißplatz wurde im Jahr 1807 geschlossen, und den Eigenthümern der Grüfte und Gräber überlassen, die Monumente und Grabsteine an sich zu nehmen, was sie denn auch, des Trostes an der Seite ihrer vorangegangenen Freunde und Angehörigen den langen Todesschlaf zu schlummern, beraubt, unter den Gefühlen der tiefsten Wehmuth thaten. Das Grundstück selbst wurde dem Militair eingeräumt und später in Pacht gegeben!

Noch ist zu bemerken der Ravelin am Stephingerthor; der zunächst dem nunmehr eingegangenen Blatterhause im Jahr 1540 errichtete Blatterwall; der Ravelin beim Jakoberthor, und der Jakoberwall. Dieser wurde im Jahr 1444 von Steineichen und aufgeschüttetem Erdreich aufgeworfen und als 1592 der Berg einstürzte, durch Simon Zwickl wieder hergestellt. Anno 1459 aber ließ der Rath die Bastion zum Schutz der Jakober-Vorstadt erhöhen und ausbessern. Der am Vogelthor im Jahr 1445 erbaute Ravelin und derjenige, welcher Anno 1634 beim Schwibbogen aufgeworfen wurde, gehören zu den minder bedeutenden.

Die Gräben.

Zwischen diesen Wällen und Ravelinen umgeben die Stadt mehrere, theils mit Wasser angefüllte, theils trockene Gräben.

Der trockene Graben beginnt beim rothen Thore. Nicht weit von diesem gegen den Eserwall hin, gedeiht in seiner Tiefe, üppig eine wohlgepflegte Baumschule von italienischen und Silberpappeln, Trauerweiden und andern Baum- und Straucharten, welche für sogenannte englische Anlagen gesucht werden. Sie liefert Ersatzstämme für die herrlichen Alleen, welche die Stadt gleichsam umgürten, aber auch Gartenfreunde können ihre Wünsche zur Erweiterung ihrer Anpflanzungen durch den wohlfeilen Ankauf gesunder Stämme und Gesträuche dort hinlänglich befriedigen.

Hier beginnt der sogenannte Hirschgraben, welcher sich bis an das Göggingerthor erstreckt. Auf seinem grasreichen Grunde wird jetzt nicht mehr wie ehedem, zahmes Hochwild auf Kosten der Stadt zum Vergnügen des Publikums gehegt, was den Spaziergängern viele Unterhaltung gewährte. In den neuern Zeiten diente er zum Weideplatz für die den Kavallerie-Regimentern zugehörigen Fohlen. Gegenwärtig aber ist das Gras verpachtet.

Die schönen Laubgänge vom Rothen- bis zum Göggingerthor wurden in neuerer Zeit erweitert, durch mehrere im englischen Geschmack angelegte Parthien mit einander verbunden, wodurch in ihre Einförmigkeit mehr Abwechslung kam. Die gedoppelte Baumreihe vom Rothenthor-Ravelin bis zu dem der sogenannten Hühnergasse gegenüber sich erhebenden Eser-Wall, wurde erst im Jahre 1753 angelegt.

Vom Göggingerthor zieht sich der trockene Graben gegen den alten Einlaß. Er gränzt an die sonst sogenannte Stadtpflegers-Wiese, welche nach einem Einverständnisse des Magistrats mit der Stadt-Commandantschaft, nun ebenfalls mit in die Verschönerungs = Entwürfe gezogen und mit Alleen bepflanzt ist. — Am Göggingerthor angelangt, nimmt den Spaziergänger ein höchst romantisch angebrachtes Ruheplätzchen auf; von hier an, bis gegen den Garten eines für Augsburg viel zu früh entschlafenen Edlen, des Herrn Finanzraths Freiherrn v. Schäzler, steht eine Baumreihe von weißblühenden, zur Zeit der Blüthe herrlich duftenden Akazien.

Am Klinkerthor überrascht den Spaziergänger eine sehr angenehme Umwandlung. Auf einem ehemaligen Schutthaufen erhebt sich die niedliche Garten = Anlage des Fleisch = Aufschlagamts = Kassiers Herrn Schmid, mit einer passenden Inschrift und sonstigen hübschen Garten = Einrichtungen geziert. Nicht leicht hätte ein glücklicherer Punkt für ein wahres Belvedere ausgewählt werden können. — Die Aussicht kann hier entzückend schön genannt werden.

In der ansehnlichen Vertiefung des trockenen Grabens, welcher dieser Garten = Anlage zunächst liegt, sprudelt der sogenannte Gesundbrunnen. Diese klare Quelle wurde im Jahr 1402 bei Aufwerfung des Stadtgrabens entdeckt, und erhielt ihren nachherigen Ruf und Namen durch Kaiser Maximilian I., welcher im Jahre 1512 dem Gebrauche dieses reinen und gesunden Wassers, seine Befreiung vom Fieber verdanken zu müssen glaubte.

Eine alte Inschrift an der gemauerten Grotte über diesem Born angebracht, lautet:

Gesundbrunnen bin ich genannt
War Kaiser Maximilian wohl bekannt.
Der mir den Namen geben hat
Oft selber bersönlich zu mir trat.
Er kiellet da das Herze Sein
Man sucht mich heim wie kielle Wein.
Die kranken auch zu mir kummen
Die Fieber hab ich manchem guummen
Gott mich also beschaffen hat
Gesegne uns das Waßer dratt.
15 Amen 47.

Hier in dieser reizenden Abgeschiedenheit hat der Magistrat durch eine sinnige Anlage sein Schönheits-Gefühl beurkundet, und ein heiteres Denkmal seiner Fürsorge für das Vergnügen seiner Bürger gestiftet.

Im Jahr 1821 entstand hier eine der anmuthigsten Parthien für die Lustwandelnden, und die nach ihrer Vollendung angebrachte Inschrift:

Den
Naturliebenden Bürgern
Augsburgs
wieder hergestellt
von ihrem Magistrat
im Jahr
1821.

belehrt den harmlosen Spaziergänger über die Zeit und den Zweck dieser Anpflanzung.

Hier am labenden Quell, welcher das liebliche Horazische: o fons blandusiae! versinnlicht, umsäuselt von schattigen Bäumen, umduftet von blühenden Gebüschen, umfangen von den sanften Mutterarmen der Natur, überläßt man sich gern der geräuschlosen Stille einer wohlthuenden Einsamkeit, und vergißt, nicht gestört durch das Rollen glänzender Equipagen, leicht die kleinlichen Sorgen des Lebens. Man wird versucht, diesen Lustpfad, welchen gewiß auch die naturliebenden Bürgerinnen Augsburgs gern betreten, Poetengang zu nennen; denn wen sollte nicht ein solches anmuthiges Plätzchen, selbst unwillkührlich begeistern? Für den Wanderer, der sich gern an dem kühlenden Naß des Brunnens laben möchte, hält eine wohlangebrachte Industrie reinliche Gläser in Bereitschaft.

Der Schleifgraben.

Bei dem Judenwalle wird der trockne Graben, doch nur auf eine kurze Strecke, vom Wasser unterbrochen. Im Winter benützen die Schlittschuhläufer seinen glänzenden Eisspiegel, und gleiten, während sich eine Menge von Zuschauern am Rande des Grabens einfindet, in geflügeltem Lauf darüber hin, oder sie lenken gewandt zierliche Stuhlschlitten. Daher heißt dieser Theil des Grabens auch der Schleif- oder Schliffgraben.

Der in der Nähe wohnende Stadtjäger trägt für die Unterhaltung dieses Winter-Belustigungs-Platzes Sorge, hält ihn rein, und begnügt sich mit einer kleinen Erkenntlichkeit für die Benützung dieser Eisbahn.

Der Pfannenstiel.

Am Wertachbruckerthore, rechts erhebt sich der sogenannte Pfannenstiel, an dessen Fuße sich der trockene Graben weiter gegen das Stephingerthor bis zur Lug-ins-Land-Bastion zieht. Auf dieser bedient ein freundlicher Wirth, der zugleich Gärtner ist, seine Gäste schnell und billig mit Erfrischungen. Er versteht die Kultur des edlen Reben-Gewächses, das hier die Mauern bekleidet, und daher sind im Herbste auf dem Lug-ins-Land sehr schmackhafte Weintrauben zu bekommen.

Die reizende Aussicht lockt an heitern Abenden zahlreiche Besucher an, sie verweilen hier in den warmen Sommer-Monaten oft bis tief in die Nacht, um den Zauber, welchen eine heitere Mondnacht über die herrlichen Gegenden ausgießt, zu genießen. Auch fehlt es hier nicht an einem bedeckten Sommerhäuschen und einer geräumigen Gaststube, welche die Gäste gegen einen allenfallsigen schnellen Temperatur-Wechsel schirmen.

Die Ableitung der Benennung: „Pfannenstiel" ist etwas schwierig, und sie selbst klingt sonderbar. Vielleicht ließe sich ihre Entstehung am leichtesten so erklären: Nach den Protokollen des geschworenen Amtes vom Jahr 1645 zog sich über den untern Gottes-Acker ein spickelartig auslaufendes Gehölze, das Stiel-Holz genannt, gegen die rothe Mühle hin, zunächst an den Pfannenstiel gränzend, so daß eine lebhafte Einbildungskraft in dem genannten Außenwerk mit seinen Gräben und Vertiefungen, leicht eine entfernte Aehnlichkeit mit einer Pfanne gefunden haben mag. Es wäre vielleicht schicklicher gewesen, dieser Anhöhe ihren alten Namen: „der grüne Berg", zu lassen. Doch darf sich Niemand durch jenen nicht ästhetischen Ausdruck von seinem Besuche abhalten lassen.

Auf der nordwestlichen Spitze dieser Anhöhe überschaut der Spaziergänger ein herrliches, natürliches Landschafts-Gemälde. Man kann sich kaum etwas Reizenderes denken, als die weite Aussicht, welche den hier Wandelnden überrascht. Sein Blick haftet auf dem sich ihm in der Nähe darbietenden Vereinigungs-Punkt des Lechs und der Wertach; er gleitet über bebaute Fluren, über ansehnliche Dorfschaften, über die belebten, sich durchkreuzenden Heer-Straßen. Gegenwärtig sind hier Alleen und Ruheplätze angebracht, was diesem schon an sich anmuthigen Punkte, noch mehr zur Empfehlung gereicht.

Gegen die Straße herab, nicht weit von der Sebastians-Kirche und dem sogenannten Lazareth (welches jedoch nur zu Kriegszeiten und wenn in fernen Gegenden ansteckende Seuchen das Leben der Menschen bedrohten, für die aus solchen Ländern Ankommenden, sonst gleichsam zur Quarantaine-Anstalt gebraucht wurde,) gegenüber, am Fuße des Pfannenstiels, schlummern Tausende der Krieger, welche in den letztern Kriegsjahren an ihren Wunden verbluteten, oder an Krankheiten in den Spitälern dahin schieden, den eisernen Todesschlaf, und die sich hienieden feindlich einander gegenüber standen, fanden vereint hier den ewigen Frieden.

Der Pfannenstiel ist aber auch noch deswegen merkwürdig, weil hier die römische Citadelle oder das Castrum, die Haupt-Befestigung der Römer-Kolonie Augusta, stand. Diese zog sich an dem Lueg-ins-Land vorbei, und hinter

St. Stephan gegen den Schwedenberg zu; von dort aber dehnte sie sich über den Mauerberg ungefähr bis zum Schwalbeneck aus, und hier soll sie sich längs der Anhöhe über den Obstmarkt und das sogenannte Thäle, von da an die westliche alte Stadtmauer hinziehend, bis hinter die bischöfliche Pfalz erstreckt haben, und dann, in der Gegend des Fischerthors mit dem westlichen Ende des Pfannenstiels zusammengestoßen seyn.

Beim sogenannten Lueg=ins=Land fängt der Wassergraben an, und geht von hier bis zum Rothenthor, wo eigentlich der Zufluß des Quellwassers herauskommt. Nachdem dieses die äussern und innern Stadtgräben gefüllt, auch bei dem Lueg=ins=Land oder dem eigentlich sogenannten Schupferle eine Papiermühle getrieben hat, strömt es durch den sogenannten Malvasierbach, verbindet sich mit dem Lechkanal und fließt dem Hauptstrome zu.

Die Zwinger.

Zwinger werden die schmalen Gänge, welche an der äussern Stadtmauer und an dem Rande der nassen und trockenen Gräben zwischen den Wällen sich hinziehen, genannt. Von diesen werden einige als Gärten benützt, und sie sind mit Sommerhäusern versehen. So heißen aber auch die auf der Stadtmauer befindlichen Reihen der ehemaligen Stadt=Garde=Wohnungen.

Jene erstern Zwinger benützten ehemals die Herren Stadtpfleger und andere Magistratspersonen, zu ihrem Vergnügen in der schönen Jahreszeit. Dahin gehört der Zwinger zwischen dem Klinkerthor und dem Einlaß, und der zwischen dem Göggingerthor; dann ein ähnlicher zwischen dem Stephinger= und Oblatterthor, und endlich der innere Zwinger zwischen dem Oblatterthor, der sich vom schwedischen

Berg an der innern Stadtmauer gegen den untern Brunnenthurm hinzieht. Mehrere dieser Zwinger stehen unter der Königlichen Stadt-Commandantschaft.

Der Letztere heißt das Kühloch, und ist ein im innern der Stadt gelegener Schenkplatz, von welchem aus, seiner hohen Lage wegen, man eine schöne Aussicht genießt. Er ist ein Eigenthum seines gegenwärtigen Besitzers, und ein, trotz seiner etwas abstoßenden Benennung (welche vielleicht aus dem Namen das kühle Loch, wegen des seiner erhöhten Lage halber hier herrschenden stärkern Luftzuges gebildet ist) angenehmer Erholungs-Platz, den sehr ansehnliche Reben-Wände und Schatten gebende Obstbäume verschönern.

Den Zwinger, welcher ausserhalb dem Thore an der Stadtmauer vom Stephinger- bis zum Oblatterthor sich erstreckt, haben mehrere Herren Offiziere der hier garnisonirenden Regimenter, zu einem sehr angenehmen Erholungsplatz umgeschaffen. Sie gestatten es auch den Mitgliedern des Civilstandes, an diesem abbonnirten Vereine Theil zu nehmen. Hier wurden schon oft die Geburts- und Namensfeste der allgeliebten Herrscher-Familie durch Musik, sinnige Illuminationen und prächtige Feuerwerke auf eine würdevolle Weise festlich begangen. Er führt jetzt den Namen: Tivoli.

Ueberhaupt dienen die Wälle, die Basteien und Raveline gegenwärtig friedlichern Zwecken. Hier sprüht nicht mehr aus ehernen Feuerschlünden Tod und Verderben dem Feinde entgegen. Sie sind größtentheils verpachtet und gewähren fröhlichen Gesellschaften, welche auf eigene Kosten für zweckmäßige Verschönerungen sorgen, einen angenehmen Vereinigungs-Punkt. So bieten sie nun ein heiteres Bild des Friedens und der Eintracht dar.

Auf dem klaren Wasserspiegel der vom Schlamme und den Sumpf-Gewächsen gereinigten Wassergräben schaukeln Kähne; mehrere Gattungen von Fischen, unter ihnen die rothen, sich so hübsch ausnehmenden Norfen, der schmackhafte Hecht, die Aalruppe, beleben das nasse Element, auf welchem ehedem Schwäne die Fluth stolz durchzogen. Auch eingesetzte wilde Enten haben schon, was gewiß in der Nähe der Städte selten ist, ja sogar in den innern Wassergräben, gebrütet, und den Spaziergängern, welche daran Freude fanden, sie mit Brod zu füttern, manches Vergnügen gewährt.

Diese unschuldige Unterhaltung störte jedoch eine ungezügelte Jagdlust, welche den Frieden in der Natur, die Freude des Einzelnen nicht achtend, hier Scenen aus dem Freischütz im Freien darstellte, welche nicht die Harmonie eines Maria v. Weber, wohl aber der gerechte Unwille der Nachbarschaft begleitete.

Die Zwinger auf den Stadtmauern.

Die Soldaten = Wohnungen auf der Stadtmauer, zwischen welchen sich sogar eine fahrbare Straße hinzog, gewährten einen eigenen Anblick, besonders da hier allenthalben die Spuren der Reinlichkeit sichtbar waren, welcher man in Augsburg beinahe in einem jeden Hause huldiget.

Es gab drei Zwinger der Art. Der Aelteste, nämlich der Obere Zwinger, im Jahr 1582 erbaut, faßte 52 Soldaten = Wohnungen in sich, und zog sich von dem Eserwall bis zur Esermauer. Der Untere beginnt an der Stadtmauer beim Göggingerthor, erstreckt sich bis an den Einlaß, und wurde vier Jahre später als der Obere, zu 42 Wohnungen eingerichtet. Der Mittlere endlich zählte 222 Wohnungen, beginnt auf der linken Seite beim Hinaustreten zum Göggingerthor, und geht bis zum Eserwall.

Auch dieser ruhige Aufenthalt für die ehemalige Stadt-Garde, welche größtentheils aus gedienten Soldaten und Invaliden zusammengesetzt war, ein kleines Städtchen mit

eigenen

eigenen Thoren darstellte, und selbst wohl eingerichtete Schulen für Soldatenkinder aufzuweisen hatte, wurde zum Theil von den politischen Stürmen zerstört.

Napoleon winkte im Jahr 1805, und geschäftige Ouvriers beeilten sich, diese Quartiere auf der äussern Stadtmauer, die Wohnungen von 106—222, abzubrechen, der Schutt, in welchen sie sanken, bleibt für uns ein bleibendes Denkmal jener Zerstörungs-Periode. Der niedergerissenen Häuserreihe gegenüber, standen die Wohnungen von 17—32. — Diese mußten wegen der nothwendigen Erweiterung der Einfahrt zur neuen Mauth-Halle abgetragen werden. Das nämliche Loos traf im Jahr 1808 einige Quartiere des obern Zwingers, um Raum für die Kavallerie-Kaserne zu gewinnen.

Seit dem Aufhören der Stadt-Garde dienen diese kleinen Gebäude, welche der Hand der Zerstörung entgangen sind, zu wohlfeilen Wohnungen für unbemittelte Personen. Sie bieten übrigens nirgend einen unangenehmen Anblick dar, und der Gedanke, hier genießen wackere Männer eine ihnen wohlthuende Erleichterung, verleiht diesen friedlichen Hütten eher etwas Anziehendes als Abstoßendes. Die vormaligen Stadtgarde-Hauptleute wohnten zu beiden Seiten des Gögginger-Thors, und die übrigen Ober-Offiziere hatten angenehme und geräumige Wohnungen im mittlern Zwinger.

Innere Stadt.

Das Straßenpflaster.

Augsburg gehört unstreitig zu den ersten Städten Deutschlands, welche sich des Vorzugs, gepflästerte Straßen zu besitzen, erfreuten.

Schon im Jahr 1413 ward hier ein eigener Pflästermeister aufgenommen, früher noch ließ Hans Guerlich, ein wohlhabender Hausbesitzer auf dem Ochsenmarkt, jetzt alten Heumarkt, die Straße vor seinem Wohngebäude mit Steinen auslegen. Dem Magistrate gefiel dieser Versuch so sehr, daß er die übrigen wohlhabenden Bürger ein Gleiches vor ihren Wohnungen zu thun, aufforderte; die Väter der Stadt selbst aber ließen das Pflaster auf den öffentlichen Plätzen und Straßen auf ihre Kosten herstellen.

Da übrigens in der Nähe Augsburgs sich keine Steinbrüche befinden, und der Lech samt der Wertach die alleinigen Fundgruben der Kieselgeschiebe sind, welche auf den dortigen Sandbänken gesammelt, als Straßenpflaster-Material benützt werden können, so ist auch die Herstellung und Unterhaltung desselben mit vielen Kosten verbunden. Dadurch wurde der Magistrat der Reichsstadt im Jahr 1418 veranlaßt, einen kaiserlichen Freibrief zu Erhebung eines Pflasterzolles vom Kaiser Siegmund zu erwirken. Diese Abgabe für beladene Wägen und Karren besteht noch. Sie gehört mit zu den Einkünften der Commune; gegenwärtig ist die Erhebung des Pflaster-Zolles verpachtet.

Ueber die Beschaffenheit des hiesigen Pflasters haben schon Fremde und Einheimische manche gerechte Klage geführt. Selbst Napoleon erwiederte die studierte Anrede der ihn bewillkommenden Raths-Deputation mit den Worten:

„Sie haben ein schlechtes Pflaster!“

und äusserte dann in einer sonderbaren Ideen-Verbindung:

„Ich muß Sie einem Fürsten hingeben!“

als Nachsatz.

Die Steine sind zum Theil klein und spitzig, und der Pflasterbau wurde hier von läßigen Tagwerkern, eben nicht nach einem festen System betrieben. Ein neuer hereinberufener Pflästermeister, Namens Feigel, zeigte zuerst, wie man unsere Kiesel zu Herrichtung eines guten Pflasters bearbeiten und nach geregelten Reihen einsetzen müsse. Wirklich zeichnen sich die unter seiner Leitung gepflästerten Strecken durch eine vorzüglichere Beschaffenheit und Dauer vor den frühern augenscheinlich aus. Für die Fußgänger war sonst besser als jetzt gesorgt, denn die ehemaligen breiten Backsteine, welche in den Hauptstraßen die Trottoirs bildeten, entsprachen ihrem Zwecke weit vollkommener als die kleinen, in eichenen Einfassungen eingerahmten spitzigen Steine, welche den Gehwerkzeugen eine unangenehme Empfindung zufügen. Sind diese Steinchen niedergetreten, so ragt die Einfassung über das Pflaster hervor, was Gelegenheit zu vielen Unfällen geben kann.

Der erwähnte Feigel hat mehrere Steinbrüche Tyrols bereist, und Granitarten gefunden, welche ein dauerhaftes und gleiches Pflaster geben würden. Da der Transport zu Wasser bewerkstelligt werden könnte, so wären die Kosten, welche durch die vieljährige, so zu sagen, ewige Dauer, reichlich ersetzt würden, nicht so ausserordentlich. Proben von diesen Pflastersteinen, wurden hier lange unbenützt aufbewahrt. Gegenwärtig hat Feigel als Versuch einen Theil der Rothenthorbrücke, auf welcher das Kieselpflaster nicht gut hält, mit diesen ins Gevierte gearbeiteten Felssteinen

4*

gepflästert. An einigen Häusern sieht man das Trottoir aus großen Sandsteinen und Marmorplatten gebildet. Diese sind jedoch nur seltene Ausnahmen von der Regel.

Eine sorgfältige Baupolizei sollte übrigens den Uebelstand nicht dulden, daß einige Häuserbesitzer ihr Trottoir über das ihres Nachbars hervorragend anlegen lassen, was zumal in dunkeln Nächten und zur Winterszeit, schon manchen gefährlichen Sturz veranlaßt hat.

Die Häuserbesitzer sind verbunden, das Straßenpflaster rein zu erhalten, und in heißen Sommertagen durch das in der Frühe und Abends gebotene Besprengen mit Wasser, dem Staube vorzubeugen.

Bauart, Eintheilung der Stadt in Quartiere, Häuserzahl ꝛc.

Die Gebäude in Augsburg.

Zum Leitfaden einer genauen Kenntniß der Eintheilung der Stadt nach Quartieren, Nummern und Straßen, dient das bei Johann Andreas Brinhaußers sel. Wittib erschienene, mit zwei Grundrissen versehene Verzeichniß der sämmtlichen Hausbesitzer, von welchem bereits die fünfte Auflage erschienen ist.

Augsburg hat zum Theil schöne, breite, freundliche Straßen, die Bauart ist fest und solid, und die Häuser bestehen nicht, wie in andern Städten, aus einer Unzahl übereinander aufgethürmter Stockwerke. Diese gediegene Bauart, verbunden mit den vortrefflich eingerichteten Lösch-Anstalten, und dem edlen, so gerne Hülfe leistenden Gemeinsinne der hiesigen Bewohner, läßt nicht leicht ein ausgedehntes Brandunglück befürchten. Der Baugeist hat in neuern Zeiten sehr wohlthätig überhand genommen, und eine Menge von müßigen Händen beschäftigt, welchen das Aufhören der sonst in Augsburg bestandenen Fabriken ihren frühern Verdienst entzog. Gegenwärtig sieht man hier schöne Privat-Gebäude, deren äußere Form, so wie die innere geschickte Eintheilung, Helle und Geräumigkeit, von einem geläuterten Baugeschmack zeugen.

Immer mehr verwischt Saturnens mächtige Hand die Fresko-Gemälde, welche die Façaden mancher Gebäude schmückten, und das Verwittern der sonst berühmten Holzer-, Kager- und Bergmüllerschen Malereien, deren Bedeutung man kaum mehr erkennt, nöthigte die Eigenthümer, der Aussenseite ihrer Wohnungen einen freundlichern Anstrich zu geben.

An manchen Häusern sind noch Symbole der äusserlichen Frömmigkeit in Abbildungen von Heiligen- und Muttergottes-Bildern, theils gemalt, theils als Basreliefs zu sehen. Den Zusammenhang zwischen einigen Seitengassen und Hauptstraßen erleichtern mehrere Durchgänge, welche durch die Gebäude und Höfe der Privat-Personen gestattet sind.

Da Augsburg übrigens in seiner Nähe viele und herrliche Anlagen und Spaziergänge besitzt, so bedarf es keiner Baumreihen in der Stadt selbst. Mit Recht verschwand daher die vor einigen Jahren bei St. Ulrich angelegte Baumpflanzung. Eine solche existirt nur noch in der Jakober-Vorstadt auf dem obern und untern Graben, auch wurde dort beim Einfüllen des Wassergrabens, welcher sonst der obere Graben hieß, eine Art von englischer Anlage in der Vertiefung angebracht.

Eintheilung der Stadt.

Die Stadt wird gewöhnlich in die Mittlere, Obere, Untere und in die Vorstadt eingetheilt. Die Mittlere beginnt an dem Frauenthor, schließt die zwischen heil. Kreuz und der Barfüßer-Brücke, dem ehemaligen Barfüßer-Thor gelegenen Straßen und Stadttheile in sich, und endigt an der mittlern Maximiliansstraße, dem ehemaligen Weinmarkt. Hier fängt die obere Stadt an, die zwischen dem Gögginger-, Schwibbogen- und Rothenthor gelegenen Häuser und Straßen in sich begreifend. Was zwischen dem Frauen-, Klenker- und Stephingerthor bis zum Wertachbruckerthor liegt, wird die untere Stadt genannt. Die Vorstadt aber dehnt sich von der Barfüßerbrücke zwischen dem Oblatter- und Vogelthor, bis zum Jakoberthor aus. Die Straßen-Benennungen sind leserlich an den Straßenecken angeschrieben, und die Häuser mit Buchstaben und Nummern bezeichnet.

In den Steuerregistern und Grundprotokollen wurde ehemals die Stadt in 60 sogenannte Lektionen abgetheilt. Gegenwärtig ist sie mit den ausserhalb den Mauern liegenden Gebäuden, welche Eintheilung seit der im Jahr 1781 begonnenen Gründung der neuen Armen-Anstalt statt findet, in Acht Quartiere abgesondert.

Das Quartier A. beginnt mit der Hausnummer 1. an der mittlern Maximiliansstraße, vom Judenberg an links hinauf, und endigt sich mit Lit. A. No. 651. an der obern Schlossermauer, welche an dem mittlern neuen Gang rechts heruntergeht.

Das zweite Quartier Lit. B. nimmt seinen Anfang in No. 1. mit dem jetzt zum Aufbewahren der Feuer-Lösch-Apparate dienenden vorigen Schrannen-Gebäude, oder von der mittlern Maximiliansstraße rechts hinauf und endigt mit No. 265. am St. Moritzplatz.

Zum dritten Quartier gehört die mit Lit. C. No. 1. bezeichnete, in der untern Maximiliansstraße vom Judenberg an rechts gegen das Rathhaus sich hinunter ziehende Häuserreihe, und hört in No. 405. an der mittlern Schlossermauer auf.

Von dem Weberzunfthaus No. 1. in der untern Maximiliansstraße bis No. 287. am St. Annaplatz, erstreckt sich das vierte Quartier Lit. D.

Das fünfte Quartier in der Windgasse vom Frauenthor rechts hinunter mit No. 1. Lit. E. beginnend, zählt bis zum äussern Pfaffengäßchen gegen das Frauenthor 222 Nummern.

Der Buchstabe F. bezeichnet das sechste Quartier, das sich von der Windgasse links vom Frauenthor hinunter, bis No. 420. in der Jesuitergasse ausdehnt.

In der Jakober=Straße rechts von dem ehemaligen Barfüßerthor an, befindet sich das siebente Quartier G. und endigt sich mit No. 341. am Fischgraben.

In diesem Stadttheile ist die in der angegebenen Häuserzahl nicht mitbegriffene

Fuggerei

merkwürdig. Sie bildet gleichsam ein kleines gleichförmig gebautes Städtchen, das 4 Thore, einen öffentlichen Brunnen, eine Kirche, (die St. Markus=Kapelle) ein Benefiziat= und Schulhaus, 6 Straßen und 52 Häuser mit 106 Wohnungen enthält. Dieses schöne Denkmal der Wohlthätigkeit haben die hochherzigen Ulrich, Georg und Jakob Fugger im Jahr 1519 für die katholische ärmere Einwohnerklasse, welche in den dort vorhandenen Gemächern für die äusserst wohlfeile jährliche Miethe von fl. 2. wohnen, gestiftet.

Ueber dem Eingange, von der Jakober Straße her, ist das in Stein gehauene Fuggerische Wappen, nebst folgender Inschrift angebracht, welche ausführlich den Zweck dieser Stiftung beurkundet, sie lautet:

„M. D. XIX. Udal. Georg. Jacob. Fuggeri august. germani fratres, qua bono reip se natos qua fortunam maximar. opum D. O. M. acceptam in primis referenpum rati ob pietatem eximiam in exemplum largitatem aedes CVI. cum opere et cultu municip. suis frugi sed pauperie laborantibus. D. D. D."

(„Im Jahr 1519 haben die Gebrüder Ulrich, Georg, und Jakob Fugger, welche zum allgemeinen Wohl mitzuwirken sich verpflichtet erachteten, und ihren Reichthum nur der Gnade des allgütigen Gottes verdanken, für ihre rechtschaffenen, aber unter dem Drucke der Dürftigkeit seufzenden Mitbürger, 106 Wohnungen, als Beweis ihrer ausgezeichneten wohlthätigen Gesinnungen gestiftet, und diese ihnen gewidmet.")

Die Großmuth des edlen Geschlechts der Fugger verdient in den Annalen Augsburgs mit unauslöschlichen Zügen zu glänzen. Im Jahre 1370 kamen die Altvordern desselben, als Weber von dem in Augsburgs Nachbarschaft gelegenen Dorfe Graben in die Stadt, sie huldigten hier Merkurs Schlangenstabe, und betrieben die Kaufmannschaft mit dem ausgezeichnetsten Erfolge. Dadurch gelangten sie in den Besitz der einträglichsten Güter und großer Schätze an edlen Metallen. Sie trieben einen sehr ergiebigen Handel mit hier gefertigten Baumwollwaaren und Barchent nach Venedig, dem damaligen Mittelpunkt des levantinischen und ostindischen Handels, und füllten dafür mit Seide und den Produkten fremder Welttheile, ihre in Augsburg und Nürnberg errichteten Niederlagen.

Jakob Fugger verband mit diesen Handlungsgegenständen noch eine sehr lohnende Unternehmung. Für seine Rechnung wurde nicht nur der Bergwerksbau in Ungarn betrieben, dessen Ausbeute an Kupfer ihm ein ungeheueres Vermögen erwarb, sondern er brachte auch den Ertrag der Kärnthener Gold- und Bleigruben an sich, und endlich dehnte er seine ausgebreitete Handlung auch auf die damals nur von Wenigen betriebenen Wechselgeschäfte aus.

Dieses setzte ihn in den Stand, dem Kaiser Maximilian I. im Jahr 1509 in dem gegen Venedig unternommenen Feldzuge, in verschiedenen Raten, Zweimalhundert und Vierzigtausend Stück Dukaten vorzustrecken.

Die Fugger erhielten in der Folge während des Reichstages von 1530 von Karl V. ausgezeichnete Privilegien, sie wurden in den Grafenstand erhoben, von den gewöhnlichen bürgerlichen Lasten befreit, und das Recht, nur allein vor dem Kaiser in ihren Streitigkeiten mit dem Magistrat, von dessen Gerichtsbarkeit sie entbunden wurden, belangt zu werden. Endlich erlangten sie im Jahr 1534 sogar die Freiheit, Münzen zu schlagen.

Noch existirt eine Fuggersche Münze, welche sich aber sehr selten gemacht hat. Der edelmüthige Anton Fugger übte indeß dieses vom Kaiser Karl V. zu Toledo am 1. März 1534 der Fuggerschen Familie verliehene Münzrecht nur aus, um der durch ihren Beitritt zum Schmalkaldischen Bund mit einer Strafe von 150,000 Gulden belegten und erschöpften Stadt unter die Arme zu greifen. Zu dem Ende ließ er 80,000 Goldgulden schlagen, welche auf dem Avers den Doppeladler ohne Scepter, Schwerdt und Reichsapfel mit der Umschrift: Carol. V. Rom. Imp. Aug. Munus. auf dem Revers aber das Fuggersche Wappen ohne Verzierungen, mit den Worten: Ant. Fugger. D. et In Weissenhorn. zeigen.

Zum Fortbestand der erwähnten Fuggerei sowohl, als einer 7 Jahre vorher gegründeten Kapelle, und der 1517 gestifteten Prädikatur bei St. Moritz, setzten die Fugger ein Kapital von 10,000 Gulden aus. Jakob Fugger aber stiftete das Blatterhaus für 32 an der Lustseuche erkrankte Personen, welches wegen dem daselbst verordneten Dekokt aus Franzosenholz (Lignum Guaiacum sanctum) auch das Holz-Haus genannt wurde. Er war ferner der Erbauer des der Maximiliansstraße zur Zierde gereichenden großen Fuggerschen Hauses, welches bis auf die neuern Zeiten ganz mit Kupfer gedeckt war.

Die Fugger besaßen ferner herrliche Gemälde=Sammlungen und Gärten von einem ausserordentlichen Umfange. So sollen die gegenwärtigen Richterschen (G. 87.) und sämmtliche daran gränzenden Gärten ein Ganzes ausgemacht, und sich in denselben ein großer, mit Blei eingefaßter Weiher befunden haben, auf welchem die Fugger sich mit der Wasserfahrt und mit fischen ergößten. In dem am Kappeneck gelegenen, ehemals dem Kunstverleger Wilhelm gehörigen Vorderhause zeigten sich noch unverkennbare Spuren, daß es ein den Fuggern zugehöriges Lusthaus gewesen. Es wäre zu weitläuftig, alle die Gebäude und Besitzthümer aufzuzählen, welche ein Eigenthum dieses berühmten Geschlechtes waren.

Zum Beweis ihres Reichthumes wird erzählt, daß Raymund Fugger die Schuldverschreibungen Kaiser Karls V. über eine sehr bedeutende Summe, als das gekrönte Haupt bei ihm speiste, in einem mit Gewürzholz unterhaltenen Kaminfeuer vernichtet, und daß dieser Monarch bei seiner Anwesenheit in Paris, während der Markt sich mit den kostbarsten Waaren auf königlichen Befehl geschmückt zeigte, sich geäussert habe: er kenne in Augsburg einen Bürger, der im Stande wäre, ohne sich wehe zu thun, alle diese Kostbarkeiten an sich zu kaufen.

Bekannt sind auch die Verdienste der edlen Fugger um Künste und Wissenschaften.

Das achte Quartier Lit. H. endlich erstreckt sich von der Jakoberstraße an der Barfüßerbrücke links gegen den Lauterlech, und endigt sich mit No. 409. bei den der Stadt gehörigen Kaufläden an der Barfüßerbrücke.

In diesem Quartier befindet sich eine Fuggerei en mignature, nämlich das im Kretzengäßchen gelegene Jubiläums-Stiftungshaus H. 83, welches zum Gedächtniß der im Jahr 1817 statt gehabten Säkularfeier des Reformationsfestes von evangelischen Bürgern angekauft und zu einigen unentgeldlichen

Wohnungen für einige protestantische und katholische Dürftige hergerichtet wurde. Ueberhaupt gereicht es den Protestanten zur Ehre, daß sie heutzutage bei ihren Wohlthätigkeitsspenden keine besondere Auswahl, keine Trennung in religiöser Beziehung machen, denn man sieht zum Theil an ihren Tischen katholische Studenten, welche bestimmte Kosttage haben, wobei sogar in der Auswahl der Speisen auf die Fasttage ihrer Kostgänger Rücksicht genommen wird.

Die Zahl der Häuser in Augsburg beträgt 3000. Nach dem obenerwähnten Abbruche eines Theils der sonst vorhanden gewesenen Zwingerhäuser, stehen gegenwärtig noch 174; vor den Thoren aber, und in den Umgebungen der Stadt befinden sich, die Lust- und Gartenhäuser mit eingerechnet, 329 Gebäude.

In einer Stadt wie Augsburg, welche so viele Straßen und Gassen zählt, können die Nummern der Häuser unmöglich in einer Reihe fortlaufen, daher ist für den Fremden so wie für den Einheimischen das oben erwähnte Brinhaußersche Häuser-Verzeichniß ein sehr willkommener Wegweiser, indem die Häuser-Bezifferung nicht frei von Unrichtigkeiten blieb, welche manche Häuser-Besitzer bei der Renovirung ihrer Realitäten noch vermehrten.

Die Haupt-Plätze, mit Berücksichtigung der auf denselben gehaltenen Märkte.

Maximilians-Platz.

In der obern Stadt muß unter Augsburgs bedeutendern Plätzen zuerst der vor der St. Ulrichskirche gelegene Maximilians-Platz genannt werden.

Seitdem die alte Schranne zum Depot für die Feuerlösch-Requisiten verwendet wurde, wird hier auf dem St. Ulrichsplatz am Freitag der Markt für die Getreide-Früchte aller Art gehalten. Zum Aufbewahren der am Schrannentage nicht verkauften Getreidearten, wurde die ehemalige Allerheiligen-Kapelle eingerichtet.

Der ehemalige Weinmarkt heißt gegenwärtig:

Die obere Maximiliansstraße.

Mitten auf derselben stand das prächtige, von Holl im Jahre 1605 errichtete Siegelhaus, welches zur Einnahme des städtischen Umgeldes und der Tranksteuer bestimmt war. Die Spitze der Vorderseite des Gebäudes verschönerte ein Kunstwerk, nämlich ein herrlicher, aus Metall gegossener Adler, der einundzwanzig Centner wog. Es wurde im Jahr 1806 mit dem hinter ihm gestandenen Weinstadel abgebrochen, dadurch gewann diese Straße an freier Aussicht, und ihre Breite stellt sich nun dem Auge ohne Unterbrechung dar.

In der mittlern Stadt sind zu bemerken:

Der Zeugplatz, der St. Annaplatz und der Perlach-, jetzt Ludwigsplatz.

Auf dem Letztern werden am Mittwoch, Freitag und Sonnabend die gewöhnlichen Wochen-Viktualien-Märkte gehalten.

Der Fischmarkt, nächst dem Rathhaus, dient an den Freitagen zu Feilbietung der Fische, Krebse, Froschkeulen, Schnecken u. s. w. Am Sonntag aber werden hier nach dem Früh-Gottesdienst Singvögel, Ameiseneier, Tauben, Kaninchen, Eichhörnchen u. dergl. verkauft. Der Raum vor dem Metzgerhause wurde früher als Marktplatz benützt.

Frohnhof.

Einer der vorzüglichsten Plätze ist der, leider mit grobem Kies überführte Frohnhof oder der Paradeplatz, welcher durch die im Jahre 1808 und 1809 vollzogene Abtragung der Johannis-Kirche so wie einiger Kapellen und mit der Domkirche zusammenhängender Begräbniß-Hallen, ansehnlich erweitert wurde.

Dieser Frohnhof war von jeher der Schauplatz und Zeuge verschiedenartiger wichtiger Ereignisse, deren Gedächtniß sowohl die Rolle der allgemeinen Weltgeschichte, als die Annalen der Stadt mit unauslöschlichen Zügen aufbewahrten.

Wer weilt nicht gern, begleitet von wechselnden Gefühlen, an der Stelle, welche merkwürdige Vorfälle gleichsam zum klassischen Boden geweiht haben.

Hier hielten die Ritter ihre Waffenübungen, Turniere genannt, innerhalb den zu diesem Behufe errichteten Schranken. Die ringsumher aufgerichteten reich verzierten Schau-Gerüste waren mit den Kampfrichtern und den edelsten festlich geschmückten Frauen besetzt, und die Tapferkeit erhielt aus der Hand der Schönheit, den kühn errungenen Dank.

Zu den merkwürdigsten dieser Ritter-Uebungen gehörte das Kampfspiel, in welchem der Herzog Wilhelm von Bayern, bekannt durch seine außerordentliche Fertigkeit im Führen der Waffen, hart getroffen wurde. Schon hatte er manchen seiner Gegner siegreich aus dem Sattel gehoben, als er auf den eben so gewandten Georg Rehm aufmerksam wurde. Wer ist die schwarze Kuh, die so tapfer um sich stößt? frägt der Fürst; denn Rehm führte einen schwarzen Stier im Wappen. Als er ihn nennen hörte, wählte er sich diesen zum Gegner, und brach mit ihm eine Lanze, deren kraftvoller Stoß den Herzog betäubte und zu Boden warf. „Die Kuh hat uns hart gestoßen!" das waren, nachdem er wieder zur Besinnung gekommen war, seine ersten Worte; dann zog er seinen Besieger zur Tafel und der Herzog trat ihm hochherzig den ihm selbst zuerkannten ersten Preis — einen mit Perlen umwundenen Lorbeerkranz, ab und begnügte sich mit dem zweiten.

Auf dem Frohnhof forderte der Erzherzog von Oesterreich, Philipp, Kaiser Maximilians Sohn erster Ehe, die schöne Ulmerin, Susanna Neidhartin, im Jahr 1496 am Tage Johannis des Täufers, zum Tanze um ein hoch aufloderndes Johannisfeuer, auf, dadurch entzündete er im Innersten der zahlreich geladenen Augsburger Schönen, welche selbst dieser ehrenvollen Auszeichnung entgegen harrten, den Funken der Mißgunst, und machte diese Schönen zu Namens-Schwestern ihrer glücklichen Nebenbuhlerin.

Das große Eckzimmer des bischöflichen Residenz-Gebäudes war es, in welchem am 25. Juni 1530 Nachmittags drei Uhr, in Gegenwart Kaiser Karls V., des Königs Ferdinand, aller übrigen Churfürsten, Fürsten und Stände des Reichs, von dem Sächsischen Kanzler Bauer in deutscher Sprache das protestantische Glaubens-Bekenntniß mit so vernehmlicher Stimme verlesen wurde, daß dessen Inhalt nicht nur von den im Saale-Anwesenden, sondern auch von einer großen im Hofe stehenden Menschen-Menge vernommen werden konnte.

In den Gemächern des Residenz-Gebäudes ruhte Maria Theresias von Oesterreich erhabene Tochter, die nachmalige unglückliche Königin von Frankreich, als Braut des Dauphins am 28. April 1760, von den Beschwerlichkeiten der Reise aus, und betrachtete mit hohem Wohlgefallen die herrliche, ihr zu Ehren auf dem Frohnhof veranstaltete Beleuchtung. Dreiundzwanzig Jahre später, am 16. Oktober 1793 fiel ihr Haupt als ein von der Volkswuth blutig bezeichnetes Opfer, in Paris auf dem Schaffott, und sie folgte ihrem königlichen Gemahl, der, für seine Mörder betend, auf gleiche Weise vollendet hatte.

Von einem über dem Haupt-Eingange der Residenz errichteten hölzernen, nachher in Marmor aufgeführten Balkon, ertheilte Pabst Pius VI. im Jahr 1782, am 5. Mai im festlichen Pontifikalschmuck, mit der dreifachen Pontifikalkrone auf dem Haupte, einer ungeheuern, auf ihren Knien liegenden Menschen-Menge, unter dem Geläute aller Glocken und dem Donner der Kanonen den großen Segen und einen vollkommenen Ablaß.

In dem bischöflichen Residenz-Gebäude hatte Napoleon sein Hauptquartier, und empfing am 22. Oktober 1805 die von 2 Grenadier-Compagnien überbrachten, bei Ulm eroberten Oesterreichischen Fahnen. Seine Gemahlin, die Kaiserin Josephine, weilte gleichfalls hier. Bald darauf nahm die kaiserliche Nachfolgerin der geschiedenen Fürstin, die österreichische Prinzessin Marie Louise, das Mittagsmahl hier ein.

Unvergeßlich bleibt für Augsburg der verewigte Churfürst von Trier und Bischof von Augsburg Clemens Wenzeslaus, welcher mit seiner fürstlichen Schwester Kunigunde diese Residenz bewohnte. Wer könnte die Milde, Leutseligkeit, Herablassung und Menschenfreundlichkeit dieses fürstlichen Geschwisterpaares je vergessen!

Augsburgs Bewohnern war aber auch das hohe Glück vergönnt, unsern allgeliebten König Ludwig als Kronprinzen mit seiner erlauchten Gemahlin eine Zeitlang in diesen Mauern zu verehren. Hier wurde am 31. August 1812 die Prinzessin Mathilde Karoline Friederike Wilhelmine Charlotte geboren, und am 10. Oktober in der Domkirche feierlich getauft.

Auf dem Frohnhof leisteten die Landwehrmänner Augsburgs im Jahr 1813, begeistert von der heiligen Gluth einer reinen und treuen Liebe für König und Vaterland den Schwur, dem Feinde, falls seine Paniere an den Gränzen des Reiches wehen sollten, muthig entgegen zu treten, ja selbst den blutigen Kampf nicht zu scheuen und in dem königl. Residenz-Gebäude, wurde am 26. Mai 1818 der Eid auf die Verfassungs-Urkunde geschworen.

In diese Fürstenburg zog unser allgeliebter König Maximilian mit seiner hochverehrten Gemahlin der Königin, dem Prinzen Karl und den zwei holden Prinzessinnen Sophie und Marie im Jahr 1824 den 31. Juli ein, und weilte für uns daselbst zwei selige, leider zu schnell entflohene Tage, wie ein zärtlicher Vater unter seinen geliebten Kindern. Wer hätte es damals geglaubt, daß die Kunde von seinem tödtlichen Hintritte schon ein Jahr darauf, am 12. Oktober 1825 unser Auge mit heißen Thränen der Wehmuth, unser Gemüth mit unendlichem Schmerz erfüllen würde?

Der Frohnhof wird gegenwärtig bei den großen Festlichkeiten des Linien-Militairs und der Landwehr gebraucht, wozu ihn sein freier Umfang vorzüglich eignet. Hier fand auch einigemal bei Gelegenheit der Feier von Geburts- und Namensfesten des höchstseligen Königs Maximilian, öffentlich militairischer Gottesdienst, unter einem mit Trophäen umgebenen schönem Gezelte statt, und am Frohnleichnamsfeste wird das vierte Evangelium auf dem Frohnhof gelesen. Früher machte man auch den Versuch, auf diesem schönen, freien Platze die Jahres-Dulten (Jahrmärkte) zu halten, in der Folge unterblieb es wieder, unerachtet dieser hiezu weit geeigneter wäre, als die durch die Dultstände wahrhaft verunzierte Maximiliansstraße.

Das Residenz-Gebäude.

Die ehemalige churfürstliche Residenz, oder wie sie ältere Schriften benennen, die bischöfliche Pfalz, fällt nicht unangenehm in das Auge. Auf der linken Seite befindet sich die St. Lambrechts- oder Hof-Kapelle. Die Malerei des heiligen Grabes sowohl, als der Kapelle selbst, ist von Johann Georg Bergmüller.

Das Residenz-Gebäude wurde von dem Bischof Joseph, aus dem Hause Hessen-Darmstadt erneuert. Dies besagt die

die Inschrift über dem Balkon, welcher hier i. J. 1786 auf Befehl des verstorbenen Churfürsten Clemens Wenzeslaus zum Andenken an die päpstliche Segens-Spendung errichtet wurde:

Residentiam
Hanc Episcopalem
Fere Collabentem
Instauravit auxit ornevit
Josephus Primus.
Episcopus Augustanus
S. R. I. Princeps
Landgravius Hassiae
Anno R. S. MDCCXLIII.

An der Façade befindet sich eine gute Schlaguhr, mit den unter einem Churhute angebrachten Glocken. Im Innern ist ein geräumiger Hof und Hofgarten, von welchem jedoch ein Stück zu Anlegung der neuen Straße benützt wurde. In ihrem Umfange lag sonst das nunmehr zu andern Zwecken verwendete Hof-Bibliothek-Gebäude, das Hof-Zahl-Amt; die Reitschule; der Gardisten-Bau; dort ist eine hohe Warte, ehemals der Burggrafenthurm genannt.

Das Residenz-Gebäude selbst ist geräumig, mit vielen Zimmern versehen, von welchen nur die im Haupt-Gebäude über dem Haupt-Eingange befindlichen, nebst dem Speisesaale und die in dem Seiten-Gebäude dem Schloßverwalter als Wohnung angewiesenen, zur königlichen Residenz bestimmt sind, deren Lage gegenwärtig heiter und frei ist. Ueber der schönen Haupttreppe befindet sich auf nassen Wurf gemalt, ein von dem schon erwähnten Bergmüller verfertigtes Deckenstück, auch die mit Architektur geschmückten Seiten-Ecken sind von ihm.

Der nämliche Künstler malte auch im Speisesaal den Platfond, so wie die in Oel gemalten Eckstücke, die vier Monarchien darstellend. Die Kaiserlichen und Churfürstlichen Bildnisse, welche demselben sonst zur Zierde gereichten, sind von Meitens, de Marées, Zinsenis und de Derichs.

5

Seitdem dieses gegenwärtige königliche Aerarial=Gebäude, in welchem früher einige Zeit das königl. Stadt=Gericht seine Sessionen hielt, und das jetzt der Sitz der königl. Regierung für den Oberdonaukreis, der Kammern des Innern und der Finanzen ist, hat es vielfache Veränderungen erfahren.

Der sonst sogenannte Domplatz trägt gegenwärtig den Namen Karolinenplatz. Dem Frohnhof gegenüber liegt die ehemalige Domkustorei, in welcher gegenwärtig der Bischof residirt.

Der Stephansplatz

befindet sich vor der Stephans=Kirche in der untern Stadt Lit. E. No. 147 bis 153, und 175 bis 177. Auf demselben steht das Gebäude des ehemaligen adelichen Damenstifts zu St. Stephan, gestiftet von der Gräfin Cuniza von Dießen, von Bischof Ulrich 967 geweiht, welches im Aeussern auffallende Veränderungen erfahren hat.

Nach der Vereinigung der ehemaligen Reichsstadt mit der Krone Bayern wurde das königl. bayerische General=Commando dahinein verlegt. Hier wohnte der General=Feldmarschall Fürst von Wrede. In der Folge wurde es ansehnlich erweitert und zum Königl. Militär=Montur=Magazin bestimmt. Jetzt, seitdem ein katholischer Bürger 30,000 Gulden zum Behufe der Trennung der bisher für die Schüler beider Religions=Theile miteinander vereinten Studien=Anstalten legirte, ward es für die katholische Jugend zum Gymnasium und Seminar gewidmet.

Wenn wir früher ein goldenes, silbernes, eisernes Zeitalter hatten, so wird dem gegenwärtigen die Nachwelt wohl den Beinamen des Veränderlichen nicht streitig machen.

Zu den weniger bedeutenden Plätzen in der untern Stadt gehört der auf dem mittlern Kreuz gelegene Heumarkt sammt der Heuwage, in dessen Nähe auch der in der neuern Zeit von der Maximilians=Straße dorthin verlegte schwäbische Holzmarkt, für das von den Landleuten auf Wägen hereingebrachte Brennholz gehalten wird.

In der Jakober-Vorstadt werden der sogenannte Säumarkt und der Gänsbühl mit Unrecht zu den Plätzen gerechnet.

Die vorzüglichsten Straßen der Stadt mit den auf denselben befindlichen sich auszeichnenden öffentlichen und Privat-Gebäuden.

Maximilians-Straße.

Wenn der Cardinal Bentivoglio schon im 16ten Jahrhundert an den Anblick herrlicher Straßen und Plätze gewöhnt, die Maximilians-Straße, den früher sogenannten Weinmarkt eine wahrhafte Kaiser-Straße nannte, um wie viel mehr verdient sie jetzt, während sie nach dem Abbruche des Weinstadels an Breite und freier Aussicht sehr gewonnen hat, einen ausgezeichneten Rang neben den schönsten Straßen der europäischen Städte. Ihre Länge, ihre Breite, ihr heiteres freies Ansehen, so wie die Reihen der schönen sich längs derselben hinziehenden Gebäude, geben ihr darauf gerechte Ansprüche.

Die Maximilians-Straße wird gegenwärtig in die obere, mittlere und untere eingetheilt. Die mittlere beginnt Lit. A. Nro. 1. erstreckt sich bis A. Nro. 8. links hinauf, und geht dann von A. Nro. 14. bis A. Nro. 27. Hier war der früher sogenannte Weinmarkt. Rechts, aufwärts, fängt sie mit Lit. B. Nro. 1. an und läuft bis B. Nro. 15. fort.

Die obere Maximilians-Straße beginnt mit B. Nro 16. und zieht sich bis B. Nro 34., wo sie sodann an den Maximilians-Platz, welcher bei dem Hause B. Nro. 35. anfängt, gränzt. Links herauf zieht sie sich von Lit. A. Nro. 28 bis 39. zu dem sogenannten Afra-Wald.

5*

Die untere Maximilians-Straße erstreckt sich von Lit. C. Nro. 1. bis zum Rathhaus C. Nro. 13., links aber vom Weber-Zunfthaus Lit. D. Nro. 1. bis zu D. Nro. 13. dem gegenwärtig in Aufbau begriffenen Börsen- und Harmonie-Gebäude.

Die Pracht dieser Straßen zeigte sich in ihrem herrlichsten Glanze bei den unbeschreiblich schönen Illuminationen, welche die Tage des 25jährigen Regierungsfestes und des unvergeßlichen Besuchs des höchstseeligen Königs Maximilian Josephs veranlaßten. Damals glichen sie einem ununterbrochenen Lichtstrome, an dessen Ende ein kolossaler, 80 Fuß breiter, 60 Fuß hoher Tempel, welcher nach Angabe des geschickten Architekten und Maschinisten, jetzigen Stadt-Brunnenmeisters Herrn Hävel und des städtischen Baurathes Herrn v. Höslin geschmackvoll aufgeführt worden war, durch den Schimmer von 16,000 Lampen eine blendende Feuermasse bildete.

Die Maximiliansstraße wurde für die Geschichte dadurch wichtig, weil hier im Jahre 1548 am Mathiastage auf einer eigens dazu dem Fuggerhaus gegenüber errichteten hohen bedeckten Bühne, der Herzog Moritz von Sachsen mit der Churwürde vom Kaiser Carl V. belehnt wurde, während der in dem gegenüberstehenden Hause gefangen gehaltene Churfürst Johann Friedrich, dieser Handlung, welche ihn seine Churwürde kostete, zusehen konnte. Er soll bei diesem wichtigen Moment so wenig seine Geistes-Gegenwart verloren haben, daß er während demselben mit dem gleichfalls gefangenen Landgrafen Philipp von Hessen Schach spielte, und als vor dem Kaiser der Neubelehnte den Churfürsten-Eid ablegte, sichtbar mit wahrer Heldenruhe sich geäussert haben: Das Spiel ist aus.

Der feierliche Zug der Fronleichnams-Prozession nimmt seinen Weg über die Maximiliansstraße, in welcher nach Beendigung des ersten Evangeliums an dem Hause C. 33.

das zweite, Lit. A. 34. und das dritte Lit. B. 10. an schön geschmückten und reichverzierten Altären gelesen wird; auch werden hier öfters militärische Paraden und Musterungen gehalten.

Schade ists, daß diese herrliche Straße jährlich zweimal, nehmlich an Ostern und an Michaelis, durch die Dultstände gleichsam verbaut wird, und unbegreiflich scheint die Langsamkeit, mit welcher diese hölzernen Buden aufgerichtet und wieder abgebrochen werden. Während in Leipzig und andern Städten, wo weit bedeutendere Messen gehalten werden, diese über Nacht aufgeschlagen und wieder weggeräumt sind, verengen diese leeren Stände schon 14 Tage vor und nach den genannten Dulten, zum unbeschreiblichen Mißvergnügen der dortigen Hauseigenthümer, die Passage, und der Fremde, welcher um diese Zeit hieher kommt, kann in einem Gasthofe an der Maximiliansstraße logiren, ohne die Straße selbst in ihrer Pracht gesehen zu haben.

Durch diese Buden wird selbst der Platz vor dem sogenannten Feuerhause, der Niederlage für sämmtliche Lösch-Apparate, ganz verstellt; bräche gerade zur Dultzeit Feuer aus, so wäre großes Unglück und eine ungeheure Verwirrung unter den Besitzern der Dultstände vorauszusehen. Die Ausfindigmachung einer angemessenern Stelle für die Markt-Buden, gehört unter die frommen Wünsche.

Den Holzmarkt, der hier gleichfalls gehalten wurde, verwies ein polizeilicher Befehl in die untere Stadt, der Verkauf des Salzes in Karren aber findet in dieser schönen Straße noch immer statt. Hat der Eine diese verunziert, so gereicht ihr der Andere ebenso wenig zu einer Verschönerung.

Carolinen-Straße.

Zu den ansehnlichen Straßen wird ferner die obere Karolinenstraße gezählt, welche sonst die Benennung Weißmahlergasse führte. Ihr Anfang ist das Bäcken-Zunfthaus

Lit. C. Nr. 18., von welchem aus sie sich links bis zu Lit. C. Nr. 33. an den sogenannten Schmiedberg zieht.

Auf der entgegengesetzten Seite beginnt sie mit D. Nr. 34. dem Bommin'schen Hause, geht bis Nr. 44. dem Eingang in die Judengasse und erstreckt sich von D. Nr. 65. bis zu D. Nr. 68.

Die untere Carolinenstraße, sonst der hohe Weg genannt, geht von C. Nr. 43. rechts bis C. Nr. 47. auf der entgegengesetzten linken Seite aber von D. Nr. 83. bis D. Nr. 90.

Ludwigsstraße.

Die ehemalige Kreuzstraße heißt jetzt die Ludwigsstraße. Von Lit. D. Nr. 160. geht sie rechts bis D. Nr. 179. und von dem ehemaligen Kreuzerthurm D. 182. bis D. 191., dann wieder von D. 210. bis D. 214.

Zu den ausgezeichnetern Straßen gehören ferner:

Die St. Anna-Gasse rechts D. 215. bis D. 227. und links D. 249. bis D. 265.

Die Karlsstraße, sonst Judengasse, enthält die Buchstaben D. Nr. 45. bis D. 50.; dann D. 77. bis D. 82.

Den alten Heumarkt bezeichnen die Lit. B. von Nr. 263. und 264. dem Wohnhause und Comptoir des J. & G. W. v. Halberschen Wechselhauses, dann D. 23. D. 33. und D. 273. — 284.

Die Steingasse begreift die Buchstaben und Nummern in sich D. 51. — 64. dann D. 266. bis 271.

Die Bäckengasse A. 129. — 137. dann A. 147. — 160.

Die Langegasse in der untern Stadt F. 243. — 260

Die Jesuitergasse F. 398. — 420.

Die Karmelitergaße E. 154. — 170.

Die Liebfrauen- oder Windgasse F. 1. — 25. u. E. 1. bis 29. gehört gleichfalls zu den vorzüglichern Straßen.

In der Jakobs-Vorstadt ist die Jakobsstraße in gerader Linie vom ehemaligen Barfüßer- bis zum Jakoberthor eine schöne gerade Straße, so wie die Straßen am oberen mittleren — und unteren Graben den heitern und angenehmen Wohnplätzen beizuzählen sind. Besonders gilt dieses von dem obern Graben, welcher im Jahr 1820 neu gepflastert, der Fußweg mit Bäumen, die Vertiefung aber, nach Ausfüllung des Wasser-Grabens, bis an den Kanal mit Strauchwerken besetzt wurde, was auch von den mittlern neuen Gang bis an den Fisch-Graben geschah.

In den frühern Zeiten wurden denjenigen Gewerben, deren Verrichtung mit einem besondern Geräusche verbunden, eigene Gassen eingeräumt. Hieher gehört die sogenannte Schmidgasse.

Diese Einrichtung war sehr lobenswerth; hier störten diese Arbeiter Niemanden; unangenehm ist es aber, wenn dergleichen Lärmen-erregende Professonisten nach und nach sogar in bedeutenden Hauptstraßen sich ansiedeln dürfen. In gleicher Absicht mögen auch die sogenannten Schlossermäuern angelegt worden seyn, wovon hier eine Obere, Mittlere und Untere besteht. Es sind kleine, zum Theil hübsch und bequem hergerichtete Häuser, mit einer angenehmen, auf den Graben gehenden Aussicht.

Erhöhungen und Abhänge oder sogenannte Berge.

Ein Theil unserer Hügelstadt liegt höher, der andere hingegen tiefer. In Folge einer so ungleichen Lage sind mehrere Abhänge, welche in die unten gelegene Straßen führen, vorhanden. Diese heißen: der Milchberg, der Predigerberg, der Putzenberg, der Hunoldsberg, der Judenberg, der Eisenberg, der vor Zeiten der Tölpelfels auch Tollenstein hieß und diesen Namen bis 1407 beibehielt. In gedachtem Jahre ließ der Rath am Fuße dieses Abhanges in den Stadt-Gefängnissen, die Eisen genannt, unterirdische Kerker anlegen.

Einige halten die Benennung Eisenberg für eine Verstümmelung des Wortes Eisenberg; so müßte er eigentlich, ihrer Meynung nach, heißen, weil hier der hölzerne Tempel der Göttin Eisa gestanden haben soll. Nach Peutinger soll diese Eisa die Muter der Natur, die Isis gewesen seyn, daher sey der Name Isenberg entstanden. Welche Tölpel aber hier bei diesem Fels ihr Wesen getrieben haben mögen, davon schweigen die Etymologen.

Die ehemalige Frohnveste, die Eisen genannt, wurde im Jahr 1817 gänzlich abgetragen und die Gefängnisse in ein hiezu eingerichtetes Gebäude in der Carmeliter-Gasse verlegt.

Der Perlachberg führt in die Jakobs-Vorstadt; der Schmidberg in die Schmid-Gasse, der Mauerberg und die Hühnerstäpfeln zum untern neuen Gang.

Die Gassen am Lech.

Diese gehören zu den Quartieren A. und C. — Der Lech-Fluß wurde, nachdem ein kaiserlicher Freiheitsbrief den Rath hiezu ermächtigt hatte in den ältesten Zeiten, und zwar wahrscheinlich zuerst oberhalb dem Dorfe Haunstetten und beim hohen Ablaß, durchstochen und durch Kanäle in die Stadt geleitet.

Die erstere Leitung fließt bei dem rothen Thore unter der steinernen Brücke, die andere aber, nachdem sie sich schon früher in mehrere Arme getheilt hat, theils beim Schwibbogenthor, theils am Vogelthor in die Stadt. Der Schwibbogen-Kanal theilt sich bei St. Ursula in zwei Arme und die von hier bis zum ehemaligen Barfüßerthor gelegenen Gassen heißen am vordern, mittlern und hintern Lech.

Diese hinter der Metzg sich vereinigenden drei Kanäle fließen bei dem untern neuen Gange und an der Stelle, wo der nunmehr abgetragene Fledermaus-Thurm stand, in die Vorstadt;

dort fließen sie in den Ochsenlech, der bei dem Vogelthor hereingeleitet die Vorstadt durchströmt und bei dem Oblatterthor die Stadt verläßt. Endlich vereiniget sich dieses Wasser mit dem nicht weit am Pferseer Steeg aus der Wertach kommenden Sinkelbach, welcher, nachdem er verschiedene Mühlwerke ausserhalb der Stadt getrieben hat, sammt den vorigen Lechkanälen sich in den Hauptstrom ergießt.

Eine kleine Ableitung befindet sich in der Jakobs-Vorstadt, welche der Lauterlech heißt. Mehrere Brücken und Steege führen über diese Lechkanäle. An einigen Stellen, so wie an den ehemaligen zwei Brücklein, wurde der Ochsenlech ganz überwölbt und auf beiden Seiten der Jakobs-Vorstadt ein Kanal angelegt und mit Brettern zugedeckt, um das Regen- und Ablauf-Wasser aufzunehmen. Auch der Lauterlech wurde namentlich vom Jakoberthor bis zum Schauspielhause überwölbt und zugepflastert.

Durch einen ansehnlichen Theil der mittlern Stadt erstreckt sich ein sehr alter unterirdischer Kanal, nach Einigen ein Ueberbleibsel aus der Römerzeit, welcher sich in den Hunds- oder Hunoldsgraben ergießt und mit diesem in den Lech fällt. — Die Einwohner an diesen Lechkanälen sind verbunden, das Gestade (Geschlacht) vor ihren Häusern auf eigene Kosten zu unterhalten und sich dabei nach der vorschriftmäßigen Kanal-Weite zu richten; desgleichen auch die Geländer an denselben wohl herzustellen. Zu gewissen Zeiten werden die Kanäle abgelassen, theils um sie zu reinigen, theils aber auch um die nothwendigen Baulichkeiten besorgen zu können.

Die sogenannten Mäuern sind der Fahr- und Gehweg zwischen den Ringmauern und den Gebäuden innerhalb der Stadt. Wen indeß nicht ein besonderer Beruf dahin treibt, der wird jene Asyle des Schmutzes und der Unsauberkeit meiden. Sie werden nach den Thoren, von welchen sie sich fast rings herum ziehen, benannt.

Vorzügliche öffentliche und Privat-Gebäude im Innern der Stadt.

A.

Oeffentliche Gebäude.

1. Kirchen der Katholiken.

Den der Gottesverehrung gewidmeten Gebäuden gebührt wohl vor allen andern Merkwürdigkeiten einer Stadt, schon ihrer hohen und ehrwürdigen Bestimmung zufolge, die Auszeichnung, unter den wichtigsten Bauwerken zuerst genannt und beschrieben zu werden.

Die herrlichen, in Augsburg der frommen Menge, welche den religiösen Gefühlen gern und mit Andacht huldiget, geöffneten Tempel, entsprechen dem erhabenen Zwecke, welchem sie dienen, nicht nur durch den erhabenen Baustyl, in welchen sie größtentheils ausgeführt sind, und durch eine ehrfurchtgebietende Außenseite, sondern auch durch ihre innere Einrichtung, durch eine würdevolle Ausschmückung. Wir müßen daher ihre Betrachtung einer erhöhtern Aufmerksamkeit werth achten, und betreten nunmehr zuerst die katholischen Pfarr-Kirchen und unter diesen die ehrwürdige Kathedrale nehmlich:

a) Die Domkirche.

(Mit einer Abbildung.)

Einige Forscher der Vorzeit wollen die Entstehung der Domkirche unter Constantin des Großen Regierung um das Jahr 312. gefunden haben. Mit Gewißheit kann man als ersten Bischof nur den von dem fränkischen Könige Chlotar ordinirten Bischof Sosimus angeben. Bischof Luitpold ließ sie im Jahr 994 fast in ihrer gegenwärtigen Gestalt neu herrichten, in der Folge wurde sie immer mehr erweitert. Im Jahr 1070 wurden die beiden spitzigen Glockenthürme darauf gesetzt, und unter dem Bischof Heinrich im Jahr 1048. goßen 12 Hausgenossen oder Gehülfen des Münzmeisters, den merkwürdigen bronzenen Ueberzug, der gegen den Paradeplatz stehenden Thüren mit verschiedenen Figuren und Hiroglyphen in erhabener Arbeit. Quaglio in München hat deren Abbildung lithographirt. Diese merkwürdigen bronzenen Thorflügel, enthalten auf mehreren Figuren-Feldern heidnische und christliche Bilder, als die Erschaffung der Ur-Eltern des Menschen Geschlechtes, einen Centaur u. dgl. neben einander. Den gegen Abend gelegenen untern Chor über der Gruft, ließ Bischof Sibotho mit sehr starken Mauern aufführen; unter dem Bischof Friederich Späth von Thurnegg wurde der Dom, innerhalb 10 Jahren erhöht; im Jahr 1410 der Anno 1356 während dem Aufenthalt des Bischof Marquard in Italien neu erbaute Chor, gegen Morgen, gewölbt, und dann Anno 1431 durch Abbrechung der St. Johannis-Kapelle erweitert. Um diese Zeit hieß die Domkirche das Frauen-Münster. Elias Holl gab dem einen der Thürme, der auf einem mißlichen Grunde ruhte, durch eine äußerst künstliche Vorrichtung mehr Festigkeit, und Bischof Heinrich von Knöringen ließ sofort den einen derselben im Jahr 1599, den andern aber i. J. 1609 mit Kupfer decken. In diesen Spitz-Säulen befinden sich die Glocken, von welchen die größte, im Jahr 1467 gegossen, 95 Centner wiegt. Die beiden Pforten gegen das Frauenthor und gegen die Stadt zu, sind der vielen, aus Stein gehauenen Heiligenbilder wegen, merkwürdig, die erstere entstand im Jahr 1344, die zweite 1356. Der Abbruch der Johannis-Kirche zum Behuf der Herrichtung des Parade-Platzes erfolgte im Jahr 1808.

Sechsundfünfzig hohe Säulen unterstützen in zwei Reihen das Innere der im gothischen Baustyle aufgeführten Domkirche; von diesen tragen 14 rechts und eine gleiche Anzahl links das von mehreren Seiten- und Eckkapellen umgebene Schiff in gerader Linie. Der Altar in der Catharinen-

Kapelle, so wie das herrliche Basrelief in Stein, welches die Geburt Christi vorstellt, sind sehenswerth. An dem das Gemüth der Gläubigen mit Ehrfurcht erfüllendem Hochaltare bewundert der Kenner die von Johannes Heinrich Schönfeld gemalte Himmelfahrt Mariä, dann zur Rechten desselben, Marias Heimsuchung und den in Kindesgestalt in der Krippe liegenden Erlöser. Schönfelds Gemälde, die Versuchung Christi, verdient hier ebenfalls eine ehrenvolle Erwähnung, und der heilige Hieronymus auf dem Altarblatt einer Eck-Kapelle gehört mit zu seinen gelungensten Arbeiten.

Auch von Christoph Storer, welcher in Constanz 1611 geboren wurde, und in Mailand 1671 starb, sind einige anziehende Altar-Gemälde hier, nemlich auf der rechten Seite des Hochaltars eine heilige Afra und eine Kreutzes-Abnehmung, links ist eine vor der Leiche ihres Kindes wehklagende Mutter mit dem Bischof Sympert, dann ein Christus in dem Momente der Aufnahme des Petrus, der Magdalena und des Schächers in den Himmel.

Die Martern der heiligen Appolonia sind von dem bischöflich-Augsburgischen Kammermaler Jonas Umbacher, eine Verklärung Christi aber von Melchior Schmitten verfertiget.

Vom hohen Altar links am Eingange zum Haupt-Chor hangen folgende Bilder: eine Maria mit dem heil. Kinde und der heil. Elisabeth und rechts die Erscheinung Christi.

Das sehr alte griechische Marien-Bild in der Conrads-Kapelle; die Geißlung Christi in der Hilarien-Kapelle, sind gleichfalls vorzüglich und den Blick des Beschauers zu fesseln geeignet.

Von dem in München 1566 geborenen, in Augsburg aber Anno 1634 gestorbenen Mathias Kager, der in Italien vornemlich Titians Werke studierte, finden sich hier die Auferstehung Christi, und die heiligen drei Könige.

Ein sehr großes Bild ist die von Mettenleiter (aus

Großkuchen bei Neresheim gebürtig) gemalte Auferstehung Christi, welche dem Kenner in Hinsicht der Komposition der Zeichnung und des Colorits weit weniger als die Gemälde der genannten Künstler befriedigen wird.

Die auf der andern Seite des untern Gangs befindlichen Abbildungen der Bischöfe von Sosimus bis auf den am 4 März 1824 zum Erzbischof von Bamberg erwählten Bischof Joseph Maria Johannes Nepomuck Freiherrn von Frauenberg sind nicht sowohl ihres Kunstwerthes wegen, sondern als chronologisches Verzeichniß der großen Anzahl von Hirten der Augsburgischen Kirche, welche dieser ehrwürdigen Kathedrale vorstanden, merkwürdig.

Von Christoph Schwarz ist eine Kreuzigung Christi und von Karl Preda der Entsatz der von den Türken belagerten Stadt Wien im Jahr 1680, sehenswerth.

Die vier schönen Deckenstücke, in der Gräflich-Pollheimischen Kapelle sind von J. Georg Bergmüller. In den hohen Kreuzstöcken sind viele gemahlte Fensterscheiben vorhanden, ein Fensterstock besteht aber ganz aus solchen zusammengesetzten Reliquien der für verloren gehaltenen, nun aber durch gelungene Versuche achtungswerther Künstler nach und nach wieder auflebenden Kunst der Glasmalerei. Die Länge der Zeit hat die Frische der Farben nicht im mindesten gebleicht und das durch diese Glas-Transparente strahlende Sonnenlicht bringt einen wahrhaft magischen Effekt hervor.

Unter den vielen Epitaphien sind welche aus dem XVten Jahrhundert; einige Basreliefs erheben sich über das Mittelmäßige. Ueber den angeblich hier begrabenen Eingeweiden Kaiser Otto's des Dritten erhebt sich zwar ein Monument, allein einige Schriftsteller behaupten, daß diese geistlichen intestina in der Ulrichs-Kirche beigesetzt worden seyen.

Der Domschatz war ehedem außerordentlich reich, in unsern Zeiten wurde er aber ziemlich vermindert.

Die größte noch vorhandene Kostbarkeit ist dort die silberne stark vergoldete Monstranz, strahlend in dem Juwelenschmucke des im Jahr 1737 verstorbenen Bischofs Alexander Sigismund, 20 Mark am reinsten Silber und 15 Kronen an Gold enthaltend. Zwei kostbare Solitär-Rosetten, zwei Brillanten von fünf Karat, 226 Diamanten von 57 Karat und 206 Rosetten von 31 Karat, dann 51 Rubinen, 29 Smaragde und 2 Saphire bilden ihren funkelnden Strahlenkranz. Vierzehn aus Rosetten gebildete Kornähren 8 Karat wiegend, ziehen sich um den Schein her und 24 Trauben mit Beeren, aus kostbaren Perlen zusammengesetzt, verherrlichen die Pracht dieses heiligen Geräthes, an welchem man ferner 2 doppelt gefaßte Zitter-Rosen von Brillanten zu 8 Karaten, eine mit 38, sechs Karate wiegenden Rosetten und 2 Saphiren besetzte Lunula von gediegenem Golde, 20 Kronen an Gewicht, bewundert.

Als ein besonderes Heiligthum wird im Dom ein aus rother Seide gewebter Gürtel, welcher nach v. Seidas Behauptung von der Jungfrau Maria herstammt, aufbewahrt. Hemma die Gemahlin Ludwigs des II. schenkte ihn dem frommen Witgar, der sich, weil er in der Schweiz gegen das Ende des Jahrs 800 den Ungläubigen das Evangelium gepredigt, den Beinamen des Schweizer-Apostels erwarb, aus Achtung für seinen Religionseifer. Ueber diesem heiligen Gürtel befindet sich ein Anderer mit der hinein gewebten Inschrift: Hanc Zonam Regina Potens sanctissima Hemma Witgaro Tribuit Sancto Spiramine Plenam. (Diesen Gürtel, erfüllt mit heiliger Weihe, verehrte einst dem heiligen Witgar die heiligste Königin Hemma.)

Schon die alte plumpe gothische Arbeit an dem steinernen Lehnstuhl, welcher oberhalb dem Chore, über der alten bischöflichen Gruft steht, verräth, daß dieses kein römisches Denkmal sey. Viele hielten ihn für den Sitz des römischen Prätors, und mehrere glaubten es zuverlässig, daß in ihm sitzend, der Statthalter Gajus der heiligen Afra den Flammentod zuerkannt habe.

Ueber dem Eingange zum Chore selbst ist eine Uhr angebracht, und beym Eintritte in die Kirche fällt der Blick auf eine mit vergoldeten Buchstaben auf weißem Marmor aufgebrachte Inschrift zum Andenken an den Besuch des Papst Pius VI.

Die zu diesem Abschnitte gehörige, von unserm geschickten Brunnenmeister Hävel gezeichnete und von dem Nürnberger Künstler Geißler mit großem Fleiße in Kupfer gestochene Abbildung der ehrwürdigen Kathedrale, bringt das Aeußere derselben zur Anschauung. Man erblickt auf ihr das mit verschiedenen Bildwerk verzierte Haupt-Portal, zunächst derselben die an die Kirche gebaute Sakristei, und weiter links, die beiden, oben beschriebenen Bronze-Thüren. Ebenso zeigt sich zum Theil hier der Eingang zu den, mit einem Geländer von dieser Seite versehenen Parade-Platz.

b.) Die St. Ulrichskirche.

Ein gewaltiger Orkan hatte die vorige Ulrichskirche, wozu im Jahr 1467 Bischof Peter den ersten Grundstein legte umgestürzt. Im Jahr 1477 begann der Bau des gegenwärtigen Gotteshauses, welches erst im Jahre 1500 so weit dastand, daß die Einweihung des hintern Theils des Gebäudes vor sich gehen konnte; bei dieser Gelegenheit legte Kaiser Maximilian den Grundstein zum Chor, mit einem unbeschreiblichen Gepränge. Seit dem 26. August 1607 steht dieser in erhabenem Style majestätisch aufgeführte Tempel, der 310 Schuh Länge, und 94 Schuh Breite hat, in seiner gegenwärtigen Gestalt im gothischen Baustyle aufgeführt da. Der stattliche, gegenwärtig mit einem Gewitter-Ableiter geschützte Thurm, zu welchem am 1. Juli 1506 der Grundstein eingesenkt wurde, der aber seine Vollendung erst im J. 1594 erhielt, ragt wegen seines erhabenen Standpunktes auf einer Anhöhe ansehnlich empor. Seine Höhe beträgt vom Fuße bis an die Spitze, 300 Werkschuhe, und eine herrliche Aussicht in die weite Umgegend belohnt reichlich die Mühe des Emporsteigens.

Auch in dieser Kirche findet der Beschauer einen reiche Ausbeute für die Andacht sowol, als für die Befriedigung eines edlen Kunstsinnes. Er wird die Schönheit von vier durch Rottenhammer gemalten Altarblättern: den Kampf des Erzengels Michael, Christus als guter Hirt, die Krönung Mariens, und den englischen Gruß vorstellend, nicht verkennen.

Christoph Schwarz, geboren zu Ingolstadt, hat die, in der Andreaskapelle befindlichen schönen Gemälde, nemlich ein Altarblatt: Christus am Kreuze; zwei Flügelstücke: die beiden Missethäter, und weiter oben die Auferstehung und Himmelfahrt, und in mehreren an der Rückwand des Altars sich befindenden Seitenstücken, die Leidensgeschichte Jesu, gemalt.

Von Peter de Witte, zu Brugge 1548 geboren, ist hier eine in den Wolken sitzende Maria mit dem Jesuskinde, vor welchem der heil. Benedikt und Franziskus knien.

Der Hochaltar sowol, als die beiden Seitenaltäre, unter welchem rechts, die Gebeine des heiligen Ulrich, links die der heiligen Afra ruhen, sind von Johann Degler gearbeitet, und von Elias Greuter gefaßt worden. Sie dürfen beide Meisterstücke der Bildhauerei in Holz genannt werden, in welcher Art von Kunstfertigkeit damals sehr viel gearbeitet und geleistet wurde.

Die im Jahre 1580 neu errichtete Orgel hat einen kräftigen vollen Ton, und ist eine Stiftung von Jakob Fugger. An dem einen Theil der Orgeldecken, sind zwei schätzbare Gemälde im altdeutschen Style, die Himmelfahrt Christi und Maria darstellend, angebracht.

Die Gruft des heil. Ulrich mit Marmor ausgelegt von Placidus Verhelst; das kunstreiche metallene Cruzifix

mit

mit den Bildern der Mutter Gottes und des Apostels Johannes von Reichel, der Taufstein von Marmor, welchen 2 schön in Metall gegossene Kinder tragen, verschiedene in Holz geschnitzte Büsten von Heiligen, über den schön gearbeiteten Sitzen im Chor, so wie mehrere Glasmalereien, sind gleichfalls der Auszeichnung werth.

Es wird hier der schicklichste Ort seyn, etwas aus dem Leben des Bischofs Ulrich und der heiligen Afra, einfließen zu lassen, deren Gebeine in den ehrwürdigen Hallen dieses Gotteshauses ruhen.

Aus dem berühmten Geschlecht der Grafen von Kiburg, Dillingen und Wittislingen, war der heilige Ulrich entsprossen; er wurde im Jahr 890 geboren. Sein Vater Hubaldus und seine Mutter Dietburga, die Tochter eines Herzogs von Schwaben, erzogen ihren Sohn in der Gottesfurcht und schon als Kind prophezeihte man den glücklichen Eltern viel Erfreuliches; eine Dienerin des Klosters soll ihm, als er in die Schule zu St. Gallen gestellt wurde, verkündet haben, daß er dereinst Bischof von Augsburg werde.

Die Liebe und das Vertrauen des Bischofs Adalbert, welcher im Jahr 887 zum bischöflichen Sitze hier gelangte, erwarb sich Ulrich, während er bei ihm weilte, in einem so hohen Grade, daß er ihm einen Theil der bischöflichen Geschäfte anvertraute. Auch in Rom, wohin Ulrich in der Folge reiste, wurden ihm die Würden eines Bischofs geweissagt und bald darauf verwirklichte sich zur allgemeinen Freude des Volkes diese seine von der Geistlichkeit bewerkstelligte Erhebung. Fünfzig Jahre hindurch verwaltete er das Bisthum Ausburg und galt allenthalben für ein Vorbild der Frömmigkeit und der Tugend. Er war streng gegen sich selbst, hingegen mildthätig gegen die Armen; höchst einfach in seiner Lebensweise trug er ein wollenes Kleid auf der bloßen Haut und widmete den größten Theil seiner Zeit den Andachtsübungen, dem Wohlthun, dem Gebete. Daß wahre Tapferkeit sich gar

6

wohl mit der Frömmigkeit vereinigen lasse, dafür stellte Ulrich uns einen sprechenden Beweis auf. Er zog gegen die Herzoge von Bayern, an der Spitze eines Heeres, vertheidigte sein Schloß Schwabmünchen gegen Arnulph bis sein Bruder zum Entsatze herbei kam. Kaiser Otto schätzte in ihm einen ausgezeichneten Staatsmann. Er versöhnte den Kaiser mit seinem Sohne, der sich wider seinen Vater empört hatte, stiftete das nachher zum Kloster umgeschaffene Hospital zum heiligen Kreuz, ließ die von den Hunnen zertrümmerte Afra-Kapelle wieder aufbauen, gründete das adelsche Stift zu St. Stephan, welchem seine Schwester Eleusinia als erste Aebtissin vorstand, stiftete die Johanneskirche und machte Ottobeuren zur Abtey. Der Antheil, welchen er an der glücklichen Entscheidung der großen Hunnenschlacht auf dem Lechfelde hatte, ist bekannt.

Ulrich erreichte ein Alter von 83 Jahren; kurz vor seinem Tode verschenkte er seine Hausgeräthe und seine wenigen Kleider, und hinterließ an Baarschaft mehr nicht als zehn Schillinge. Er wurde in der St. Ulrich- und Afra-Kirche begraben und da er mit dem Geiste der Weissagung begabt gewesen, und schon bei seinen Lebzeiten und nachher an seinem Grabe, vielfache Wunder geübt haben soll, so wurde er 20 Jahre nach seinem Hinscheiden heilig gesprochen. Im Jahr 1762 wurde sein Leichnam erhoben. Die heiligen Gebeine ruhten in einem kupfernen Sarge, dessen Deckel das Bildniß des Heiligen mit der Aufschrift: Sacrum Corpus Sancti Udalrici episcopi, enthielt.

Bei der später stattgefundenen feyerlichen Beisetzung wurde der heilige Leib aus dem kupfernen, in einen prächtigen mit Silber besetzten Sarg gethan, in feierlicher Prozession herumgetragen, in der Domkirche auf ein schön zubereitetes castrum doloris gestellt, dann in die Ulrichskirche zurückgebracht und in die schöne Gruft, über welcher das aus weißem Marmor trefflich gefertigte Bild des Heiligen zu sehen ist, verschlossen.

Die Eltern der heiligen Afra, deren Gebeine dem Ulrichs-Altar zur Linken ruhen, sollen von königlicher Abkunft, aus Cypern gebürtig gewesen seyn. Aus nicht bekannt gewordenen Ursachen ließen sie sich in Augsburg häuslich nieder. Ihre Tochter war damals noch eine Priesterin der Venus, als im Jahr 303, während Diokletian mit der unerhörtesten Wuth die Christen verfolgte, der christliche Bischof Narcissus mit seinem Diakonus Felix, aus Jerusalem hier ankam, und in dem von dieser Familie bewohnten Hause sein Absteigquartier nahm, um von hier aus seine Bekehrungsversuche immer weiter auszubreiten. Afra sah das inbrünstige Gebeth dieses frommen Hausgenossen, erbaute sich an seinem musterhaften Lebenswandel und das fromme Beispiel übte seine Rechte auch an ihr aus. Sie sehnte sich nach seinen Lehren, überließ sich seinem Unterrichte, entsagte ihrem vorigen Thun und Wandel, und wurde getauft. Ihre Mutter Hilaria, ihr Vater Afer, ihr Bruder Dionysius, ihre Mägde Digna, Eumonia und Eutropia, ahmten ihr erbauliches Vorbild nach, und die ganze Familie, nebst ihren Freunden und Angehörigen, wurden eifrige Bekenner des Christenthums. Das Haus, früher zum Dienste einer niedrigen Sinnlichkeit herabgewürdigt, wurde durch Narciß zum Tempel geweiht, und die Christen hielten hier im Stillen ihre gottesdienstlichen Zusammenkünfte. Gajus der römische Landpfleger ergrimmte über die Fortschritte der Christus-Religion, und schwur den Verbreitern derselben, Haß und Verderben. Er ließ die Afra in Fesseln schlagen und suchte sie bald durch glänzende Versprechungen, bald durch die Androhung eines qualvollen Todes, zum Abfalle zu bewegen. Allein standhaft in ihrem Glauben, wählte sie den letztern und der Grausame verurtheilte sie zum Feuertode. Auf einer zur Hinrichtung der Verbrecher bestimmten Insel

6*

des Lechs, wurde Afra in Banden hingeschleppt, an einen Pfahl gebunden und dürres Reißholz um sie her aufgeschichtet. Hoch loderten die Flammen empor, kein Seufzer entstieg der Brust der frommen Märtyrin, während rings umher das Wehklagen der erschütterten Zuschauer ertönte. In ihrer Todesstunde stärkte sie das Bild des Gekreuzigten mit der Umschrift: „Mein Alles mehr als Welt und Leben," das ihre gefalteten Hände fest hielten, bis ihr sinkendes Haupt das Ende ihrer Leiden und den Sieg, den ihr Glauben errungen hatte, verkündete. Den von dem Qualm erstickten, sonst unbeschädigten Leichnam, nahm ihre Mutter und ihr frommes Gefolge an sich, und bestattete ihn in ein, Hilarien gehöriges Grab, an der nemlichen Stelle, wo gegenwärtig die St. Ulrichskirche steht. An dem Verbrennungsplatze ward eine Kapelle errichtet, welche öfters von feindlichen Kriegsschaaren zerstört wurde. Noch ist daselbst ein Gebäude erhalten, welches der Abt Willibald im Jahr 1711 vollenden ließ, das gegenwärtig zum Pulver-Magazin dient. Die über Afras Grabe errichtete Hütte, in welcher die Mutter der Dulderin und ihre Mägde ihre Gebete verrichteten, ließ Gajus, der den Beinamen die Hyäne verdiente, anstecken und die Betenden verbrennen. Das Grab der heiligen Afra war stets ein Gegenstand der Verehrung und ist es noch. Im Jahre 1805 feyerte man das 15te Sekular-Fest ihres Märtyrertodes dadurch, daß in der Nacht vom 15. auf den 16. August ihre vor etwa 748 Jahren aufgefundenen Gebeinen erhoben wurden. Man fand sie in einem steinernen Sarkophag, der mit Gyps ausgegossen war, unbeschädigt.

Nach ihrer, durch den Bischof Clemens Wenceslaus vorgenommenen Anerkennung wurde das Skelet von den Klosterfrauen zu St. Marie-Stern gefaßt, mit kostbarem, von frommen Christen gespendeten Schmuckwerk geziert, in einen prachtvollen gläsernen Sarg gelegt, in feyerlicher Prozession, bei welcher weiß gekleidete Jungfrauen erbauliche Gesänge anstimmten, ins Dom, dann wieder nach St. Ulrich zurückgetragen, und in der neu hergerichteten Gruft beigesetzt. Das Zuströmen des Landvolkes an diesem feyerlichen 26. Mai 1805, übertrifft alle Beschreibung.

In Augsburg sind zwei sogenannte Afra-Thürme vorhanden. Der eine steht in dem Hause Lit. D. Nro. 9, der andere in dem Gebäude des Freiherrn v. Imhof. Auf welchem von beiden die heilige Afra gefangen saß, ist eine unausgemachte Sache. Vielleicht in keinem von Beiden.

c) Die Kirche zu St. Moritz.

Wenn schon die Aussenseite dieses in einem guten Geschmacke gebauten von dem Bischof Bruno im Jahr 1019 gestifteten Gotteshauses, den hohen Eindruck nicht zurückläßt, welchen die äußere Bauart jener früheren Tempel hervorbringen, so erregt ihr Inneres nichtsdestoweniger fromme Empfindungen der Andacht und der Erbauung. Das Patronatsrecht über die Pfarrey St. Moritz kaufte Jacob Fugger von Papst Leo X. für 1000 Dukaten, in welchem er sich auch behauptete, und selbst Bayerns König Maximilian Joseph, belies die Familie bis auf weiters in dem Präsentationsrechte.

Von einem Schüler Schönfelds, Johann Heiß, einem geborenen Memminger, sind zwei Gemälde voll Kraft und Leben, die Geburt Christi, und die Anbetung des Christuskindes durch die drei morgenländischen Weisen, vorhanden, und an einem Seitenaltare rechts vom Hochaltar ist die Himmelfahrt Marie, von Johann Rottenhammer gemalt, der Auszeichnung würdig. Das Altarblatt, den heil. Moritz in der Glorie darstellend, hat Mathias Kager gemalt. Die Deckenstücke aber, die Erschaffung der Welt, die Kreuzigung Christi, die Sendung des heiligen Geistes, sind von Steudlin. Georg Petel, ein Bildhauer von ehrenvollen Rufe, hat das Muttergottesbild und fünf von den oben, zwischen den Pfeilern der Seitengänge in Nischen stehenden Aposteln in kolossaler Größe verfertiget.

d) Die St. Georgen-Kirche.

Masiv, aber ganz nach alter Bauart ist die St. Georgen-Kirche aufgeführt; sie wurde im Jahre 1135 von dem Bischof Walter gegründet, und im Jahr 1143 zu Ehren des heiligen Georgs eingeweiht. Im Innern ist sie mit einem schönen Chor und Beihause, so wie mit 2 Seiten-Gängen geschmückt. Das Altar-Blatt zeigt die Krönung der heiligen Maria von Johann Rottenhammer; und eines von Johann Huber. Ehedem fesselten in dem jetzt vermauerten Kreuzgang die Blicke des Kunstfreundes, eine heilige Maria Magdalena, von Guido Reni, welcher sich in der Schule des Ludwig Caraccio, nachdem Dyonisius Calvari sein erster Lehrer gewesen, zum vollendeten Künstler bildete. Eben daselbst, war auch eine Kreuzigung, von Georg Melchior Schmittner, einem gebornen Augsburger, und von ihm in seinem 85sten Lebensjahre gemalt, so wie der barmherzige Samariter, und Christus mit der Samariterin am Brunnen von Johann Holzer, einem Schüler von Johann Georg Bergmüller, zu sehen. Statt zur Ausschmückung der Kirche verwendet zu werden, kamen sie in die Wohnung des pensionirten Herrn Prälaten. Das Kloster, von Augustiner-Mönchen ehemals bewohnt, dient jetzt der Garnison zum Militär-Spital, und auf dem Kirchenthurme befindet sich gegenwärtig eine Feuerwache.

e) Die Pfarr-Kirche zu St. Max.

Diese Kirche, welche erst in neuern Zeiten zu einer Pfarrkirche für die Jakobs-Vorstadt erhoben wurde, gehörte ehemals zu dem von den Fuggern im Jahre 1609 gestifteten, und im Jahr 1807 aufgehobenen Franziskaner-Kloster. Sie ist massiv von Steinen gebaut, 124 Schuh lang, 60 Schuh hoch, und auf der einen Seite 33 — auf der andern 64 Schuh breit. Ihr Schiff ist ansehnlich, und mehrere Altar-Blätter sehenswerth; sie sind sämmtlich von Johann Rottenhammer gemalt, und stellen die Krönung Mariens, des heil. Franziskus, des heil. Carl Boromäus vor. Auch die in einer Nebenkapelle befindliche Abnehmung vom Kreuze, und der englische Gruß gehören zu den Sehenswürdigkeiten. Zur besondern Zierde aber dient ihr das Bild des heiligen Maximilian von della Crocce, welches der höchstselige König von Bayern Maximilian dieser Kirche schenkte; von Bildhauerarbeit zeichnet sich ein heiliger Sebastian von Johann Petel aus. Ein großes an Figuren und Gruppirungen reiches Gemälde, die Stadt Jerusalem vorstellend, ist ein Geschenk des seeligen Tabackfabrikanten Hrn. Ferdinand Schmid.

---

f) Katholische Hülfskirchen.

Die Militär-Kirche zum heiligen Kreuz.

Ausnehmend schön, geräumig und für die gläubigen katholischen Christen durch einen Gegenstand ihrer besondern Verehrung — das daselbst aufbewahrte wunderbarliche Gut — höchst wichtig, ist die Kirche des aufgelösten Klosters zum heiligen Kreuz, deren Länge 219 Schuhe, deren Breite 71 Schuh und deren Höhe 60 Schuh mißt.

Dem Kloster-Prälaten Fackler, der sie 1502 von Grund aus neu erbauen ließ, verdankt sie ihre gegenwärtige Gestalt; ihre Einweihung erfolgte im Jahre 1508, und nach und nach wurde ihr Inneres mit schätzbaren Gemälden geschmückt und bereichert. Ein Altarblatt, die Himmelfahrt Mariens vorstellend, soll von Peter Paul Rubens gemalt seyn. Ein anderes, die Herrlichkeit der Heiligen im Himmel vorstellend, von Rottenhammer, von einer schönen Komposition und einem glänzenden Kolorit, zieht den Kenner besonders an. Von diesem Künstler sind auch die vier Evangelisten unter der Orgel. Von Johann Georg Bergmüller befinden sich im Schiffe der Kirche, eine Abnehmung vom Kreuze, die Kreuzigung Christi, Kaiser Constantin der Große, welcher das heilige Kreuz trägt, und in den Seiten-Gängen verschiedene Darstellungen aus der Leidensgeschichte Jesu.

Einem altdeutschen unbekannten und ältern Meister als Albrecht Dürer werden die Gemälde an den vier Flügel-Thüren der St. Augustins-Kapelle zugeschrieben, sie stellen einen Messe lesenden Priester, den heiligen Hieronymus, die heilige Agnes und die heilige Margaretha vor. Im Innern der Kapelle erblickt der Kunstfreund die Verfolgung der Christen, die vierzehn Nothhelfer und verschiedene Heilige.

Joseph Mayer, einer der berühmtesten Historien- und Fresko-Maler seiner Zeit, hat dort in mehreren großen Stücken die Mirakel des wunderbarlichen Gutes zur Anschauung gebracht. Diesem Heiligthum verdankt die Kirche auch einen bedeutenden Reichthum an Votivtafeln, welche Leidende, die sich hieher verlobten und Hülfe gefunden haben, zu Lösung ihrer frommen Gelübde hier aufstellten. Die Entstehung dieses Gegenstandes einer hohen Verehrung, fällt in das Jahr 1194. Ein Weib, deren Namen die Geschichte verschweigt, empfing einer alten Sage zu Folge damals in der Kreuzkirche das heilige Abendmahl. In ihrem nicht weit von der Kirche entlegenen Hause angekommen, nahm sie die Hostie (ob aus frommer oder blos weiblicher Neugierde bleibt dahin gestellt,) aus dem Munde, umhüllte sie mit Wachs und bewahrte sie fünf Jahre hindurch. Endlich konnte sie dem Drange ihres Gewissens, die Sache dem Kloster-Probste Berchtold zu entdecken, nicht länger widerstehen, sie händigte ihm also dieses heilige corpus delicti ein. Als der Kloster-Probst das Wachs zerschnitten hatte, fand er die Hostie unversehrt und in eine Fleischfaser, einem rothen Zwirnfaden ähnlich, verwandelt. Der Bischof Adalschalk, welchem diese wunderbare Hostie eingehändigt wurde, wickelte sie nebst dem Wachse, in reine Leinwand, verschloß diese in eine Kapsel mit 2 Siegeln und brachte sie in feierlicher Prozession und unter dem Gefolge der Clerisey in die Domkirche. Ein neues Wunder soll hier die Erstaunten bei der Oeffung der Kapsel überrascht haben, denn die Fleisch-gewordene Hostie, war viermal dicker als zuvor, wuchs täglich noch mehr, und das Wachs war nun viel zu klein, sie zu umfassen. Der Bischof brachte dieses Mirakel sammt dem Wachs in eine kristallene Monstranz und übergab sie dem Kloster-Probst um sie zur öffentlichen Verehrung auszustellen.

Jetzt zeigte sich die wunderbare Kraft dieser Hostie immer mehr und der Papst ertheilte dem Kloster einen eigenen Indulgenz-Brief. Am 11. May wurde das wunderbarliche Gut, das man an vielen Häusern abgemalt sieht, herumgetragen und dann acht Tage hindurch der Verehrung des Volkes ausgesetzt.

Es läßt sich leicht denken, daß sich bei einer solchen, für den Katholicismus wichtigen Begebenheit, viele Stimmen dafür und dawider erhoben haben, welche, da hier nur der Ort zum Erzählen, nicht zum Beleuchten ist, unmöglich angeführt werden können. Genug, dieses wunderbarliche Gut existiert noch als ein Gegenstand der Verehrung für das Volk, das mit festem Glauben dasselbe anbetet.

Von Georg Petel ist in dieser Kirche auf dem obern Chor hinter der Orgel ein Christus am Kreuz, der Hochaltar aber wurde im Jahr 1782 von Wilhelm Ignatz Verrhelst verfertiget.

Von dem berühmten Orgel- und Instrumenten Baumeister Stein, welcher 1728 zu Heidenheim in der Rheinpfalz geboren wurde, sich 1750 in Augsburg niederließ, und selbst im Jahr 1792 starb, ist die im Jahre 1766 hier erbaute Orgel. Dieser Meister hat sich einen bleibenden Ruhm erworben, und eine Tochter von ihm, die als vorzügliche Klavierspielerin berühmt gewesen, hatte sich die Kunstfertigkeit ihres Vaters in einem so hohen Grade zu eigen gemacht, daß während seiner Krankheit die herrlichen, unter seinem Namen verkauften Instrumente, unter ihrer alleinigen Leitung gefertigt wurden. Gegenwärtig ist sie in Wien an den Musikus und Tonsetzer Andreas Streicher verheirathet.

In der Sakristei wird der Kelch des heil. Ulrichs nebst mehrern Reliquien aufbewahrt. Das Gotteshaus selbst ist gegenwärtig die Garnisons-Kirche, und das vormalige Augustiner-Kloster wurde einer Bestimmung von 1807 zufolge, in eine Militär-Kaserne umgewandelt.

Die Stephanskirche.

Von keinem großen Umfange, aber von einer massiven und von einem guten Style zeugenden Bauart ist die ohne Pfeiler gebaute vom heil. Ulrich gestiftete Stephanskirche. Der Thurm an derselben wurde im Jahr 1632 aufgeführt.

Paul Rieg aus Reute im Tyrol gebürtig, hat die Deckenstücke, auf welchen die Steinigung des heiligen Stephanus, die Schlacht Kaiser Ottos auf dem Lechfelde und der heilige Stephanus in der Glorie abgebildet sind, gemalt. Von J. Georg Bergmüller sind 2 Altarblätter, der heil. Stephan und der heil. Joseph mit dem Jesuskinde; von Johann Seuter aber, eine Himmelfahrt Mariä, ein heiliger Sebastian, die Apostel Peter und Paul. Aeußerst sehenswerth ist der von Georg Petel in Bildhauer-Arbeit künstlich geschnitzte Christus im Grabe.

Die St. Peterskirche.

Gleichsam an den Perlachsthurm angelehnt scheint die St. Peterskirche, welche oben auf dem Perlachberge liegt und den einen Eingang vom Fischmark aus, den andern von der genannten Anhöhe her, zeigt; ihre Glocken hängen in dem Perlachs-Thurme. Sie hat in frühern Zeiten mehrmal durch Brand-Unglück gelitten, wurde aber immer wieder aufgebaut, ist nicht sehr groß, dient jetzt der studierenden Jugend zum täglichen Gottesdienste, und hat im Innern hübsche Gemälde. Unter diesen sind besonders merkwürdig, ein in der Sacristey befindliches auf Holz gemaltes Muttergottesbild mit dem Kinde, und die Herrlichkeit der katholischen Kirche. An den Altären ist ein Oelberg aus Caraccis Schule, dann der gute Hirte, oben mit dem Bilde des heiligen Petrus in ovaler Form, der Märtirer-Tod des heiligen Paulus, die unbefleckte Empfängniß Mariens und der heilige Joseph.

Geschlossen wurden: die Katharinen-Kirche und das Kloster gleichen Namens, welches von Klosterfrauen aus dem Dominikaner-Orden, bewohnt wurde. Ein Theil desselben wurde abgebrochen und nebst dem Kloster-Garten zu Herrichtung des Hallhofes benützt. In den stehen gebliebenen Gebäuden befinden sich die Wein-Niederlagen einiger bürgerlichen Weinhändler. Auch wohnt in einem Theil derselben, welcher zur Aufbewahrung einiger Gemälde dient, zu denen in der Bildergallerie kein Platz war, der geschickte Maler und Wiederhersteller beschädigter Gemälde, Herr Günther. Die Kapuziner-Kirche und Kloster wurden im Jahr 1808 geschlossen; auch die Jesuiter- und Dominikaner-Kirche. Die in letzterer mit Recht bewunderte Himmelfahrt Mariä von Lanfranko befindet sich gegenwärtig in der hiesigen königlichen Bildergallerie. Abgetragen wurde das Kloster und die Kirche zu den Carmeliten. Der Schatz von Gemälden, welcher sich in den Gotteshäusern befand, ist zum Theil an die Königl. Zentral-Bildergallerie gekommen.

Zu bemerken ist ferner die Galluskirche am St. Gallus Platz E. 133., die älteste Kirche in Augsburg. In ihr liegt die erste Aebtissin, Eleusinia Gräfin von

von Dillingen und Kiburg, begraben. Papst Leo IX. weihte diese kleine Kirche, deren hohes Alter zwei Inschriften in Stein beurkunden, im Jahr 1051 ein. Ihre Erneurung fällt in das Jahr 1589. Gegenwärtig wird sie nur am Gallustage geöffnet.

Die Kirche St. Clara oder Maria zum Stern sammt dem Kloster

hat ein schönes Altarblatt von Johann Georg Bergmüller aufzuweisen, welches die heilige Elisabeth vorstellt, und mit unter die schönsten Arbeiten dieses Meisters gehört. Die Kanzel daselbst, von E. Bernhard Bendel, ist gleichfalls von vorzüglich schöner Arbeit.

Unter Bischof Friedrich I. (Speth von Thurnegg) im Jahr 1315 wurde das Sternkloster zur Aufnahme der Franziskaner-Nonnen erbauet, die Kirche aber erst im Jahr 1574 unter dem Bischof Eglolf aufgeführt. Noch heutzutage wird in der Kirche Gottesdienst gehalten und die Klosterfrauen hatten bei der Klöstersekularisation die Erlaubniß erhalten, dort beisammen wohnen und absterben zu dürfen. Die Hand des Todes hatte auch bereits ihre Zahl bedeutend gelichtet, als ein königliches allerhöchstes Rescript vom 1. Nov. 1828 die Aufnahme von Novizen in diesem Orden wiederum gestattete, welche sich dem Lehrfache widmen und in Zukunft die katholischen weiblichen Volksschulen zum Theil übernehmen müssen.

Die St. Ursula Klosterkirche.

Auch in dieser sind Malereien von Johann Georg Bergmüller, nemlich die unschuldigen Kinder und die Muttergottes mit dem heiligen Dominikus zur Seite. Das Altarblatt, die Marter der heiligen Ursula und ihre Jungfrauen versinnlichend, hat Amigone gemalt. Ehemals stand dieses Kloster ausserhalb der Stadt; im Jahr 1330 wurde die Kirche mit in die Ringmauern gezogen. Noch bis auf den heutigen Tag wird das Kloster von einigen zum Dominikaner-Orden gehörigen Klosterfrauen bewohnt, in der Kirche aber täglich Messen gelesen. Auch diesem Kloster wurde durch das oben angeführte Rescript die Aufnahme von Novizen zum benannten Zweck bewilligt.

Die St. Max-Kapelle in der Fuggerey.

Sehenswerth ist hier ein schönes Altarblatt von Peter Drummer, einem jungen Maler aus Tyrol, welcher zu herrlichen Erwartungen berechtigte, aber schon mit 19 Jahren starb. Ihr Stifter war Max Fugger im Jahr 1380. Nahe bei diesem Gotteshaus befindet sich die Wohnung für den aus dem fürstlich- und gräflich-Fuggerschen Stiftungs-Fond besoldeten Benefiziaten.

Zu den Kapellen gehört noch die

Margarethen Kirche A. 315., welche vor Zeiten nebst den anstoßenden Gebäuden, die Gesammtheit eines Frauenklosters vom Dominikaner-Orden bildete. Dieses bestand seit dem Jahre 1298 bis zum Jahre 1540, dann verglich sich der Magistrat mit den Nonnen und verlegte das sonst an der Münchener-Straße (wo gegenwärtig das Wirthshaus zum Bach genannt steht) errichtet gewesene Spital in dieses Kloster. Die bis zum Jahre 1594 verschlossene Kirche wurde auf Veranlassung des Hospitals wieder zum Gottesdienste hergerichtet.

Die St. Antons-Kapelle A. 62. wurde Anno 1440 von dem Vater des Peter von Argon zu Ehren des heiligen Antonius, welcher in der Wüste die Thiere an sich gewöhnte, gestiftet. Eine schöne Marmortafel mit einer Inschrift belehrt die in dieser Pfründkapelle Eintretenden, über die Stiftung des Bruderhauses in der St. Antons-Bruder-Pfründe, und über die im Jahr 1589 geschehene Erneurung der Kapelle, welche im Jahre 1807 geschlossen wurde und jetzt der Familie des verstorbenen Finanz Rathes Carl Dominic Carli gehört.

Die St. Antonius-Kapelle befindet sich in dem Hause des Freiherrn von Imhof D. 83.

Die St. Barbara-Kapelle Lit. C. Nr. 73.

Die Lambrechts- oder Hofkapelle D. 120., welche bereits erwähnt wurde,

die Michgelskapelle C. 48., und

die Kapelle Maria Schnee D. 44.

Die Egidi- oder St. Gilgen-Kapelle C. 67. gehört jetzt dem Glockengießer Hrn. Hubinger. Eine daran befindliche Tafel enthält die Inschrift:

Aediculam Deo et memoriae Sancti Aegidii sacram situ et vetustate coruptam privat. impens. rest.
Anno MDCVI.

Bey dem Institute der englischen Fräulein befindet sich eine sehr hübsche Kapelle in welcher täglich Messe gelesen wird. Kapellen befinden sich noch in dem allgemeinen Krankenhause und in andern Liebeshäusern, auf welche wir bei Beschreibung dieser der leidenden Menschheit gewidmeten Wohlthätigkeits-Anstalten zurück kommen werden, so wie in einigen Privathäusern.

g) Die katholischen Klöster.

Das Katharinenkloster wurde im Jahre 1807 aufgehoben. Das nemliche Schicksal traf auch das früher den Tempelherren zugehörige, und vom Bischof Friederich Speth von Thurnegg dem Ersten, den Dominikanern eingeräumte Kloster, welches im Jahr 1812 dem Armenfond überlassen, zu einer Beschäftigungs- Verpflegungs- und Armen-Kinder-Anstalt verwendet, die Kirche aber zu einem Heu- und Strohmagazin gebraucht worden. Ebenso ergieng es dem Franziskanerkloster, und dem Kapuzinerkloster, zu welchen letztern Bischof Heinrich der V. im Jahr 1601 den ersten Grundstein legte. Die Auflösung dieser Klöster fällt in das Jahr 1807 und 1808.

Das Carmeliterkloster sammt der Kirche wurde durch eine Lotterie ausgespielt, von seinem Eigenthümer den israelitischen Banquier Levinau selbst gewonnen, und dann abgebrochen. Das gleichfalls im Jahr 1807 aufgehobene Kloster zum heiligen Kreuz wurde zu einer Kaserne umgeschaffen, und im Bauhofe waren die Stallungen für die Train-Pferde, so wie die Wohnungen für die Trainsoldaten. Die Jesuiten verließen gleichfalls ihr Collegium im Jahr 1807, wo es zu einer gemeinschaftlichen Bürgerschule eingerichtet, mit Ende des Schuljahrs aber an das Infanterie-Regiment Prinz Carl übergeben, welchem es bis 1827 als Kaserne diente. Die ehemals mit herrlichen Gemälden und Deckenstücken gezierte, erst im Jahre 1700 neu hergestellte Kirche, ist nun ein Stroh- und Heumagazin. In dem Nebenhause befand sich der große Congregationssaal, mit einem schönen Decken-Gemälde von Günther, den Heiland mit der Ehebrecherin im Tempel darstellend; gegenüber steht das ehemalige Schul-Theater-Gebäude, welches von Peter Stuart aus dem Schottenkloster in Regensburg gebaut, von Johann Georg Bergmüller aber gemalt worden. Hier führten die Jesuiter-Studenten zur Zeit der jährlichen Preis-Vertheilung meist geistliche Comödien auf. Jetzt ist es in eine Reitschule für die k. Kavallerie umgeschaffen. Der Schicksale der Klostergebäude von St. Ulrich und St. Georgen haben wir bereits bei den Gotteshäusern gleichen Namens gedacht.

2. Die Pfarrkirchen der Protestanten.

a) Die St. Anna-Kirche oder die Haupt-Pfarrkirche der Protestanten.

Auf der Stelle der Kirche eines ehemaligen Carmeliter-Klosters, welches aus den gesammelten Beiträgen der hiesigen Bürgerschaft im Jahre 1321 erbaut worden war, steht diese Haupt-Pfarrei.

Als die Lehre des Evangeliums sich immer weiter ausgebreitet hatte, traten die Carmeliter-Mönche zur protestantischen Kirche über, verließen im Jahr 1534 ihr Kloster und nach mancherlei Schicksalen, kam dieses Gotteshaus, welches im Jahr 1606 gänzlich erneuert wurde, in Gemäßheit des westphälischen Friedensschlusses 1649 in den Besitz der Evangelischen.

Der in diesem Tempel sonst mit Recht bewunderte Fuggerische Chor, sammt dem künstlichen Gitterwerk, hat seit dem Jahr 1817 eine totale Umwandlung erlitten. Das Begräbniß, welches Ulrich Georg und Jakob Fugger bauen ließen, ist noch an dieser Stelle, hingegen sind die merkwürdigen an den beiden Seiten des Chors ehemals befindlich gewesenen, großen, schönen 16 aus Holz geschnitzten Männer- und Frauen-Büsten verschwunden. Sie stellten merkwürdige Personen aus dem alten Testamente fast in Lebensgröße und zugleich der Sage nach, Abbildungen von Gliedern der Fugger'schen Familie vor, und waren daher in doppelter, in artistischer und historischer Hinsicht merkwürdig. Der Bildhauer Hans Schwarz soll der Verfertiger dieser schön gearbeiteten Abbildungen gewesen seyn. Dergleichen moderne Umwandlungen in öffentlichen Gebäuden und das Hinwegschaffen schätzbarer Alterthümer, bilden nicht selten einen eben nicht angenehmen Contrast mit dem übrigen stehen gebliebenen alterthümlichen Theilen eines ehrwürdigen Bauwerkes. Will man modernisiren, so muß es im Ganzen, und nicht Stückweise geschehen,

weil

weil der Abstand zwischen Altem und Neuem unangenehm in die Augen fällt und nicht selten die Empfindungen stört, die der Anblick eines Gotteshauses erwecken soll. Indessen dürften unsre Nachkommen wohl erleben, daß diese Alterthümer wieder zum Vorschein kommen, denn sie sind, theatralisch genug, nur hinter einer gemalten leinenen Wand, mithin hinter den Kulissen verborgen.

Die sehr schöne Orgel ist von Johann v. Doubran, auf Kosten der drei Brüder Ulrich, Georg und Jakob Fugger im Jahr 1512 verfertigt, und das Seniorat hat noch gegenwärtig das Recht einen katholischen Orgeltreter zu ernennen. Die beiden Orgelflügel bestehen aus zwei Gemälden, welche an die niederländische Schule erinnern, die Himmelfahrt Christi und Mariens vorstellend. Zwei andere Malerwerke versinnlichen die Erfindung der Musik. Mehrere hier befindliche Grabsteine von weißem Marmor, sind durch Darstellungen aus der biblischen Geschichte in erhabener Arbeit ausgezeichnet. Links vom Fuggerschen Chore, ist die Johann Georg Oesterreichersche Begräbnißkapelle mit dem schön gemalten Bildniß des Hanns Oesterreicher, als ihres Stifters. Ueber der Gruft erhebt sich ein Gebäude nach der Form des heiligen Grabes zu Jerusalem.

Die Renovirung dieser im Jahr 1321 erbauten Hauptkirche, deren Aeußeres eben keinen besondern Eindruck auf den Schönheits=Sinn macht, wurde aus dem Ertrag der in den evangelischen Pfarreien veranstalteten Kollekten bestritten, und fällt hinsichtlich ihrer gegenwärtigen Gestalt in das Jahr 1747. Desto reicher ist ihr Inneres an sehenswerthen Kunstgegenständen. Zehn Säulen unterstützen das Kirchenschiff; die Decke schmücken drei schöne Gemälde von des oft erwähnten Joh. Georg Bergmüllers Meisterhand, nämlich die Bergpredigt, Christi Kreuzestod und das jüngste Gericht. Die von Heinr. Eichler gearbeitete Kanzel ist ein Meisterstück in ihrer Art zu nennen. Im Hintergrund stand sonst

7

ein schöner kostbarer Altar von Ebenholz, über welchem gleichfalls die sogenannte Verschönerungs-Tendenz gewaltet hat. Was ihr zur wahren und sinnigen Zierde als Tauf-Altar gereicht, ist Cranachs Meisterbild, Christus unter den Kindern, mit der Ueberschrift: „Ein Vater über uns Alle."

Cranach, dessen Meister-Pinsel das erwähnte Bild sein Entstehen verdankt, hieß eigentlich Müller; er wurde zu Cronach im Jahr 1472 geboren, und starb 1553 in Weimar; er war Hofmaler bei dem Churfürsten zu Sachsen, Johann Friedrich, und nachher Bürgermeister zu Wittenberg.

An der Emporkirche sind 12 hübsch gemalte Vorstellungen aus der Leidensgeschichte Jesu, von Johann Spielberg und Isaak Fisches kräftigem Pinsel. Hinter der Kanzel hängen zwei schöne große Gemälde von Joh. Heiß, die Geburt und Auferstehung Christi; dann eine Auferweckung Lazarus von Ostermair und die Anbetung der Weisen aus dem Morgenlande. Ueber der Emporkirche zieht das Gemälde von Franz Friedrich Frank, einem gebornen Augsburger, Jakobs und Josephs Ankunft in Egypten, den Blick des Kunstfreundes auf sich. Die Bildnisse von Luther und Melanchthon sind sehr alt. Auch ist hier ein von Isaak Fisches sehr gut kopirtes Ecce homo nach Andreas Schwarz. Von Heinrich Schönfeld verdient das Gemälde, der Martertod des Karl Borromäus und des heiligen Laurentius, gesehen zu werden.

Jesus und das samaritanische Weib, von Joh. Ulrich Mayer, sollen Portraite des Künstlers und seiner Frau seyn. Von ihm sind auch die zwölf Apostel, außer dem Apostel Johannes, den Isak Fisches gemalt hat; dann eine Marie und der auferstandene Heiland. Das altdeutsche Gemälde in der Sakristei, Christi Höllenfahrt, ist seines hohen Alters wegen merkwürdig. Von einem unbekannten Meister sind die beiden Bilder: die Tochter des Herodes, welche bei einem Gastmahl das Haupt Johannis aufträgt. Im Kreuzgange, dem Grabe Martin Zobels gegenüber, befindet sich ein schön gemalter heiliger Martinus, welcher seinen

Mantel mit einem Armen theilt. Die klugen und thörichten Jungfrauen über dem Märzischen Grabe hat Christoph Amberger im Jahr 1560 gemalt; von ihm sind auch die Gemälde über den Bimmel- und Christelschen Gräbern. In dem kleinen bei der Kirche angelegten Gottesacker, befindet sich ein zwar sehr schadhaftes, doch werthvolles Ecce homo von einem unbekannten Meister und zwei größere Gemälde von Anton Mozart.

Diese Kirche ist noch wegen der vielen in ihr errichteten Grabstätten und Trauerdenkmälern, von Marmor und Metall mit verschiedenen Inschriften, merkwürdig; in ihnen schlummern zum Theil Männer, deren Verdienst ihnen einen bleibenden Ruhm in der Geschichte Augsburgs erworben hat. Wir nennen unter diesen nur den großen Philologen Hieronymus Wolf. Ueber der Hopferschen Gruft steht ein schönes Basrelief, die Auferweckung des Lazarus vorstellend; von Johannes Ingerl, einem hiesigen geschätzten Bildhauer aber, ist das der Aufmerksamkeit würdige Denkmal über dem Grabe des in München im Jahr 1789 gestorbenen russischen Gesandten Peterson. Noch muß bei dieser Kirche die sogenannte Goldschmids-Kapelle erwähnt werden, welche Konrad Hirn gestiftet hat, dessen Gebeine in einem steinernen Sarge daselbst ruhen.

Diese schöne Kirche hatte bis jetzt ein sehr unvollständiges Geläute. Der verstorbene Finanzrath Lorenz Freiherr v. Schäzler, jener edle Menschenfreund, der uns viel zu früh entrissen wurde, ließ für dieses Gotteshaus, in Nürnberg drei Glocken gießen, welche die Namen Glaube, Liebe, Hoffnung führen; kurz vor seinem Tode kamen sie an; sie sollten am Morgen des Osterfestes zum erstenmale geläutet werden; doch ach! ihr erster schauerlicher Ton war sein Grabgeläute, und er sank, begleitet von der allgemeinen Liebe der Bewohner Augsburgs, für welche er so Vieles that und wirkte; von dem Glauben, daß er dort den Lohn für seine edlen Thaten im reichsten Maaße einärndten werde und von der tröstenden Hoffnung des Wiedersehens — in die kühle Gruft.

7*

b) Die Barfüßer-Kirche.

Merkwürdig durch ihre Schicksale sowohl, als durch ihre Schönheit, ist diese Pfarrkirche der Protestanten.

Zur Zeit des Bischofs Sibotho, und von ihm unterstützt, kamen die Minoriten-Brüder nach Augsburg, und fanden hier in der Wohlthätigkeit der hiesigen Einwohner, eine günstige Aufnahme.

Ludwig Graf von Helfenstein bedurfte im Jahr 1265 zur Erbauung eines Klosters für sie, zwei an dem Graben zunächst der Stadtmauer gelegene Häuser. Eine große Feuersbrunst zerstörte im Jahr 1398 dieses Konvent, doch wurde es durch die magistratische Unterstützung und durch milde Beiträge bald wieder aufgebaut.

Zur Zeit der Reformation verließen die Barfüßer Mönche die Stadt und traten durch einen freiwilligen Vergleich ihr Kloster an den Magistrat ab. Nach dem bald darauf erfolgten Klosterabbruche legte der Magistrat an diesem Platze ein neues Gebäude im Jahr 1543 an, die zur Aufnahme bejahrter Bürger Anno 1348 gestiftete St. Jakobs-Pfründe nemlich. Der Besitz dieser Kirche wechselte im 30jährigen Kriege zwischen Katholiken und Protestanten, welche letztere erst durch den westphälischen Frieden zu ihrem gesicherten Besitz gelangten. Das Gotteshaus wurde in dem Jahre 1723 und 1724 wieder ausgebessert, und gehört nun, hinsichtlich seines Innern, zu den schönsten Zierden der Stadt; nur die Aussenseite ist durch eine Reihe von Kramläden eben nicht würdig bekleidet, eine Nachbarschaft, welche sich mit der Würde eines Gotteshauses, das schon Christus von dergleichen irdischem Verkehr gesäubert wissen wollte, nicht wohl verträgt. Es erhebt sich zu einer Höhe von 79 Schuhen zwei Zollen, ist im Ganzen 192 Schuh 2' breit, das Schiff aber hat eine Breite von 79 Schuhen.

Die in den Jahren 1755 und 1756 gebaute Orgel ist ein Meisterstück des bereits ehrenvoll erwähnten Steins. Ihr Ton bringt durch seine Fülle und Kraft, eine ungemeine Wirkung hervor. Sie hat 37 Register, enthält ein Glockenspiel, und es stehen sogar jetzt ein paar Kesselpaucken mit ihr in Verbindung; auf ihr gab der berühmte Abt Vogler mehrere seiner mit Recht so berühmten Orgel-Konzerte.

Der gleichfalls geschickte Orgelmacher Senft hat im Jahr 1806 die Mechanik dieses Orgelwerks zum Theil umgeändert und den Sitz des Organisten, welcher sonst der Gemeinde den Rücken bot, umgewendet.

Wenn gleich die von dem Schreinermeister Johann Friedrich Rudolph, im grotesken Muschelgeschmacke, dennoch aber kunstvoll gearbeitete Kanzel, manchen Tadler finden mag, so weilt hingegen der Blick des Beschauers mit Vergnügen auf der herrlichen Kindesgestalt, welche über ihr steht und ein Meisterstück von Georg Petel ist. Der 60 Schuh hohe Altar, von dem Erbauer der Kanzel verfertigt, ist seiner schönen Architektur wegen sehenswerth. Vor diesem befindet sich ein sehr solides, von dem Kunstschlosser Johann Samuel Birkenfeld gemachtes, nach dem damaligen Geschmacke aber mit Zierathen überladenes Gitter, als Geschenk eines reichen Kaufmanns Peter Laire.

Ein in der Mitte auf blauem Schmelz angebrachtes vergoldetes Männchen mit einer Leyer, soll auf den Namen des Stifters, zugleich aber auch auf sein geringes Herkommen als Savoyard, den jedoch sein Fleiß und Talent weit über seine Herkunft erhob, anspielen. Das schöne Altarblatt, die Einsetzung des heiligen Abendmahls, rührt von Gottfried Eichler her. Im Kilianischen Bibelwerk ist es, wiewohl etwas unvollkommen, in Kupfer gestochen. Links vom Altare befand sich sonst der Eingang zu der Rehlingischen Kapelle, in welcher einige Sepulchral-Monumente die Ruhestätten mehrerer Glieder dieser altadeligen Familie bezeichneten. Bei dem Abbruche des Barfüßer-Thors, traf diese Kapelle das nämliche Schicksal.

Von einer guten Komposition und einem kräftigen Kolorit sind zwei nicht weit vom Altar stehende Gemälde, die Israeliten in der Wüste und die Predigt Johannes des Täufers, von einem unbekannten Meister. Von Johann Heiß stehen im Chor 5 große herrliche Stücke. Die Verkündigung, die Geburt, die Taufe sammt der Verklärung Christi, und die Hochzeit zu Canaan in Galiläa. Gegenüber hängen vier gute Bilder von Isaak Fisches dem ältern, der leidende Erlöser am Oelberg, Christus im Richterhause, sein Kreuzestod und seine Auferstehung. Jakobs Traumgesicht von Sandrart, beurkundet den Meisterpinsel. Hinter der Kanzel steht ein großes treffliches Gemälde von Johann Heinrich Schönfeld, das jüngste Gericht; zwei andere Bilder, Christus als zwölfjähriger Knabe im Tempel unter den Schriftgelehrten, und eine Hochzeit zu Canaan, sind sehr schön gemalt. Einen neuern Zuwachs an Kunstzierden hat die Barfüßerkirche bei der Reformationsfeier 1817 durch ein lebensgroßes Bild Luthers, von dem hiesigen Landkarten-Verleger Herrn Joh. Walch, nach Cranachs trefflichem Gemälde höchst gelungen gemalt, erhalten.

Von Johann Bergmüller sind die Deckenstücke; keinen besondern Kunstwerth haben die von Abraham Eynacher und Andreas Löschen an den Emporkirchen angebrachten biblischen Vorstellungen. Die Vorstände der Kirche haben gegenwärtig für die Restauration der Gemälde gesorgt, welcher sich ein junger fremder Maler, Eichner, unterzog, wozu nachher die Gemeinde-Glieder zu Beiträgen wegen Bestreitung der Kosten angegangen wurden.

In dem Kreuzgange, den man von dem mittlern Lech her betritt, finden sich viele Grüfte mit alten Grabsteinen und Inschriften. Das Barfüßer-Pfarrhaus C. 355. hängt sehr genau mit der Pfarrkirche zusammen.

Bei diesem Gotteshause müßen wir noch eines besondern Vorfalls erwähnen, welcher des, in der Stadtgeschichte berühmten Baumeisters Holls Talent und Umsicht in einem schönen Lichte erscheinen läßt. Dieser in jeder Hinsicht ausgezeichnete Mann hatte in dem unter der Barfüßerkirche durchfließenden Lechkanale, einen antiken Stein bemerkt, welchem der berühmte Alterthumsforscher Welser, eine würdigere Stelle anzuweisen wünschte; sein Herausnehmen war jedoch mit großen Schwierigkeiten verbunden, denn er diente einem in der Kirche befindlichen Pfeiler zur Unterlage, und es stand zu befürchten, daß das Ausbrechen dieses Denkmals des Alterthums, eine bedeutende Beschädigung am Gewölbe der Kirche nach sich ziehen könnte. Daher wagten es früher weder Fremde noch hiesige Baumeister, ein solches Wagstück zu unternehmen. Doch Holl, der in allen seinen Unternehmungen nach der Maxime handelte:

Vorher reiflich erwogen und bedacht,
Und dann rasch sich an das Werk gemacht,

war dazu bereit, ließ das Gewölbe über dem Lechkanale ausbrechen, das nicht ausgebrochene gehörig mit Stützen unterstellen, den Stein herausnehmen, und einen mit Blei eingegossenen Marmorblock an seine Stelle schieben und befestigen; kurz, das wohlüberdachte und vorbereitete Werk, wurde eben so gelungen ausgeführt. Auf dem Steine waren Bachanalien vorgestellt, er wurde daher an der steinernen Gallerie des Siegelhauses eingemauert. Bei dem Abbruche dieses schönen Gebäudes aber verschwand leider dieses in doppelter Hinsicht, als Alterthum und als Zeuge von Holls Unternehmungsgeiste, merkwürdige Denkmal.

An der Ecke der Straße, welche an den Lechkanal gegen das Sternkloster hinführt, steht das Ganthaus, das als ein höchst fehlerhaftes Werk des Baumeisters Eschey, den Einsturze drohte. Holl ließ es ohne Verzug abbrechen, im Grund einen Rost anlegen, der an beiden Seiten mit langen Pfählen, mit Tuffsteinen befestigt war und über den Lech ein starkes Gewölbe führen, und das neue Ganthaus darauf bauen, welches noch bis jetzt dasteht.

c) Die Pfarrkirche zu St. Ulrich.

Wenn schon das Aeußere dieser Kirche nicht durch architektonische Schönheiten imponirt, so macht es doch auch gerade keinen unangenehmen Eindruck. Sie ist massiv von Ziegelsteinen gebaut, hat ein schönes Gewölbe und über den Hauptportal, das in der Mitte von zwei Seiten-Eingängen steht, erhebt sich eine mit Kupfer bedeckte Andeutung von einem Thurme.

Vor Luthers Reformation war diese Kirche das katholische Predigt-Haus für die Pfarrgemeinde von St. Ulrich, in welcher der Pfarrvikar predigte, zu welchem Behuf es der Abt Johann Hohensteiner i. J. 1457 erbauen ließ. Ein heftiger Sturm am Peter- und Paultage 1474 stürzte dieses Predigthaus nieder, und unter seinen Trümmern wurde der Pfarrer Hieronymus Lauber mit seinem Helfer Thomas Eberlein und 30 Zuhörern begraben.

Bald nach diesem traurigen Ereignisse wurde es wieder hergestellt, von den zahlreichen Anhängern der christ-evangelischen Lehre 1526, ungeachtet der Protestation des Abtes, in Besitz genommen, und dieser ihnen durch den westphälischen Frieden gesichert; doch blieb den Katholiken der Durchgang zur St. Jakobs Kapelle, welche zur Taufe seit uralten Zeiten gedient hatte, vorbehalten.

Im Innern der Kirche sind keine Säulen. Die Gemälde sind größtentheils Kopien nach van Dyk, K. Loth, Johann Heinrich Schönfeld und Johann Heiß; zwei trefliche Original-Gemälde von Letzterm sind das Altarblatt, die Einsetzung des heiligen Abendmahls, und die Himmelfahrt Christi. An den Emporkirchen sind biblische Geschichten angemalt, welche nach Kupferstichen, zum Theil sehr gut gearbeitet sind. Merkwürdig ist in der Sakristei das Portrait Dr. Martin Luthers von Cranach. Meisterstücke von getriebener Silberarbeit sind am Altar die

Taufe Christi, an der Kanzel die Bergpredigt; beide werthvolle Stücke hat Gaap verfertigt.

Die Orgel wurde 1721 von Joh. Christoph Leo gebaut. Zunächst an diese Kirche stößt das katholische Pfarrhaus, das evangelische aber bildet das Eckgebäude links am Milchberg.

---

d) Filialkirchen der Protestanten.

Die evangelische Kirche zum heiligen Kreuz.

Ganz in der Nähe der oben beschriebenen heil. Kreuzkirche der Katholiken, steht das Filial-Gotteshaus der Protestanten gleiches Namens.

Seine Entstehung gehört dem 12ten Jahrhundert an, in welchem die St. Ottmars-Kapelle gebaut und den Evangelischen 1525 zu ihrem Gottesdienste eingeräumt wurde. Zahlreich strömten die Zuhörer herbei, und um diese vor dem nachtheiligen Einfluße der Witterung zu schützen, wurde an jener Kapelle eine Hütte von Holz aufgeführt.

Durch das fromme Vermächtniß eines Gliedes des geheimen Rathes, Anton v. Rudolph, waren im Jahr 1560 die Mittel zur Erbauung einer Kirche und ihrer Umgebung mit einer Mauer gefunden; sie wurde aber erst zwei Jahre später unter Dach gebracht, und erhielt den Namen Kreuzkirche.

Der Prälat vom heiligen Kreuz, ließ dieses dem Dienste der Andacht und der Verehrung des göttlichen Erlösers, dessen geheiligter Lehre einer allgemeinen Nächstenliebe auch er huldigen sollte, in einem Anfalle von übelverstandenem religiösen Eifer, zerstören, für welchen Gewaltschritt das Kloster auf Befehl des Königs Gustav Adolph 2500 Gulden bezahlen mußte. Die Wiederaufbauung erfolgte erst nach dem westphälischen Frieden, wozu die Königshöfe von Stockholm und Kopenhagen, die übrigen Fürsten und Städte, dann die hiesige Bürgerschaft reiche Gaben spendeten. Ihre Ergiebigkeit gestattete es, die Kirche mit einem kupfernen Dache, zu welchem die hiesigen Bürger 69½ Zentner dieses Metalls hergaben, zu versehen, und dieser Tempel erhob sich im Jahr 1613 in erneuerter Schönheit.

Ein schwarz marmorner Denkstein in dem Kirchen-Chor pflanzt das Andenken an dieses Ereigniß auf die Nachwelt fort, spricht aber auch zugleich den unauslöschlichen Dank für die milde, fromme Freigebigkeit aus, welche die Erbauung dieses Gotteshauses möglich machte.

Der Kenner der schönen Baukünste wird mit der Form der Kirche, welche ein geschobenes Viereck bildet, nicht zufrieden seyn; das Aeussere gegen die Straße zu begegnet jedoch den Blicken nicht unangenehm. In den vergangenen Kriegsjahren mußte sie oft zu einem Magazine dienen.

Im Innern ist dieser Tempel heiter und freundlich, die Decke, welche auf keinen Pfeilern ruht, ist nach dem Geschmack der frühern Zeit von Holzwerk künstlich zusammengesetzt; zierlich wurde von Wilhelm Ignatz Verhelst die Kanzel gefertigt; ihr zur Seite hängt die Taufe Christi von Tintoretto. Die Ausführung Christi zum Kreuze und die Abnehmung von demselben, zwei große werthvolle Gemälde von Joh. Heinrich Schönfeld, befinden sich neben dem obigen Bild. Joseph Werner, zu Bern geboren, welcher sich in Augsburg ansässig machte, und im Jahr 1710 starb, hat das im Chor befindliche Abendmahl gemalt; dort bewundert der Kenner auch noch die Taufe Christi von Johann Heiß, Petri Pfingstpredigt von Johann v. Spielberg, die Auferstehung Christi von Joh. Ulrich Mayer; diese vier schönen Bilder sind Geschenke wohlthätiger, ehemaliger Gemeinde-Glieder. Zwei Nebengemälde, die Bergpredigt und Christus im Schiffe, sind von Joh. Heinrich Schönfeld.

Die an der Emporkirche grau in grau gemalten Sinnbilder, rühren von Matheus Gundelach her, welcher aus Kassel gebürtig, in der Folge seinen Wohnsitz in Augsburg nahm, und im Jahr 1653 starb. Von Ernst Thoman. v. Hagelstein, dem Sohne eines augsburgischen Raths-Consulenten, einem hier gebornen trefflichen Geschichtsmaler, der sich in Italien zum Künstler ausbildete, ist das Gemälde in der Sakristei, Christus unter den Müttern und Kindern. Dort hängt auch ein Bild von Joh. Heiß, Jephtas, des Besiegers der Amoniter, Empfang durch seine Tochter. Unter mehrern Predigerbildnissen zeichnet sich das Portrait des Pfarrers Weidner von Gottfried Eichler aus.

Die St. Jakobs-Kirche.

Kurz nach der Reformation wurde diese Kirche den Protestanten geöffnet. 1633 ward sie zu einer Pfarrei erhoben, nachdem sie früher nur als eine Filialkirche der Barfüßer-Pfarrei angesehen wurde. Im Jahr 1649 kam sie in den förmlichen Besitz der Protestanten. Gegenwärtig ist sie abermals zur Filialkirche geworden.

Dieses Gotteshaus mit einem Thurm und einer Schlaguhr, steht frei in der Straße, ihr Umfang ist nicht bedeutend, denn ihre ganze Länge beträgt mit Inbegriff des Schiffes und des Chors nur 123 Schuhe. Das Schiff mißt 46 Schuh 6 Zoll; der Chor liegt gegen Morgen und ist 123 Schuh breit. Den Altar, welcher vollkommen seiner Bestimmung entspricht, ließen im Jahr 1605, fromme, wohlthätige Freunde der Gottes-Verehrung errichten, 1705 wurde er erneuert. Unter den vielen hier befindlichen Gemälden zeichnet sich ein Christus in Ketten und die zwölf Apostel von Joh. Ulrich Mayer aus. Von Johann Sigmund Mayer befinden sich drei schöne Arbeiten, Moses, Johannes der Täufer und der Apostel Paulus. Ein Gemälde auf nassem Wurf stellt den

Tod der Mutter Gottes dar, und ist bloß wegen seines Alters merkwürdig. Die neue Orgel ist von dem Orgelbauer Wirth verfertigt.

Die Hospital=Kirche zum heil. Geist.

Schon vor Luthers Reformation entstand die Hospital=Kirche. Um die hier verpflegten Gebrechlichen mit dem Troste der Religion zu erquicken, ließen die Hospitalpfleger ein Zimmer, in dem sogenannten Langhause, am rothen Thore, durch einen dort angebrachten Altar, Kanzel und Orgel zur Gottesverehrung herrichten, und einige Priester besorgten abwechselnd den Gottesdienst. Im Jahr 1649 wurde die Kirche den Augsburgischen Konfessions=Verwandten eingeräumt.

Sie verlor durch ein allerhöchstes Rescript im Jahr 1808 ihre Rechte als Pfarrkirche; wurde 1809 geschlossen und die Gemeinde der Pfarrei St. Ulrich einverleibt.

In dieser Kirche, in welcher nur noch zu gewissen Zeiten Gottesdienst gehalten wird, zeichnet sich blos ein schönes Bild von Georg Petel aus.

In frühern Zeiten hatten die Protestanten eine Kapelle, im vorbestandenen Arbeitshause, in welcher für die hinter einem Gitter von den übrigen Zuhörern abgesonderten Züchtlinge, jeden Sonntag Gottesdienst gehalten wurde. Hier war es auch, wo die Predigtamts=Candidaten ihre erste Predigt hielten.

Die Pilgerhaus=Kapelle, welche mit den Krankenzimmern in Verbindung stand, wurde mit dem Pilgerhause von Martin Zobel und seiner Gattin im Jahr 1580 gestiftet.

Seitdem die Anstalten für Heilung der Kranken in dem städtischen Krankenhause vereinigt sind, ist diese Kapelle, wie das Pilgerhaus selbst, außer Gebrauch. Eine ähnliche Kapelle war auch mit dem ehemaligen Blatterhause verbunden.

Gottesdienstliche Betrachtungen fanden sonst auch jeden

Sonntag nach der Abendkirche in dem großen Saale des evangelischen Armen-Kinderhauses statt, man nannte diese, wegen ihrer jedesmal auf eine Stunde beschränkten Dauer: Die Stunde.

B.

Die merkwürdigsten öffentlichen, theils der Kommune, theils dem Civil- und Militär-Aerar und den Zünften gehörigen Gebäude.

1. Kommunal-Gebäude.

a. Der Perlachthurm.

Was dem Wiener sein Stephans-Thurm, dem Straßburger und Ulmer sein Münster ist, das ist den Eingebornen Augsburgs ihr Perlachthurm.

Schon von den Kinderjahren an betrachtet ihn die Mehrheit als eine Merkwürdigkeit ihrer Vaterstadt. Verläßt der Sohn das väterliche Haus, um sich im Auslande umzusehen und seine Ausbildung dort, nur vermeintlich oder wirklich, zu vollenden, so scheint ihm dieser hochaufgeschossene Geselle noch aus einer weiten Entfernung gleichsam den Scheidegruß nachzuwinken, und betritt er nach mehrjähriger Abwesenheit wieder die Gränzen des heimathlichen Weichbildes, dann fällt ihm sein lieber alter Bekannter zuerst in die Augen, ihn gleichsam auf heimischen Boden willkommen heißend.

Dem Benennungs-Ursprung der obgedachten Thürme fremder Städte nachzuspühren und ihn zu finden ist viel leichter, als dieses mit der Entstehung des Ausdruckes „Perlach" gelingen will. Jene erhielten ihre Namen von den Kirchen, welchen sie als Glockenthürme beigegeben sind.

Zwar schmiegt sich die im Jahr 1066 gebaute Peters-

Kirche an unsern Perlachthurm an, und die Glocken dieses Gotteshauses machen einen Theil seiner vernehmlichen Eingeweide aus, ja selbst die Geistlichen des genannten Stiftes, wollten es im Jahr 1533 nicht dulden, daß an seinem untern Theile 14 kleine Verkaufs-Läden angebracht wurden, welche Differenz endlich durch Nachgiebigkeit von den Einspruchmachenden, ausgeglichen wurde; allein zwischen Peter und Perlach wird wohl Niemand eine Namens-Verwandtschaft finden wollen. Bis jetzt ist die Abstammung seiner Benennung noch nicht mit Zuverläßigkeit ausgemittelt.

Manche alte Chronikenschreiber und ihre neuen Nacherzähler, wollen zwar wissen, in dem untern Geschoße des Thurms, habe man hinter Gitterwerk (wann und zu welchem Zweck ist übrigens nicht bemerkt), Bären aufbewahrt und von diesen Bärlein (denn Lach bedeutet soviel wie klein und niedlich), dem Thurm den Namen Perlach beigegeben. Allein offenbar hat der Perlachthurm seinen Namen wegen und nach dem Perlach-Platz, auf welchem er steht, erhalten. Daher können wir nicht umhin, unsere Vermuthung aufrichtig mitzutheilen, daß uns diese etymologische Rabulisterei ganz wie ein aufgebundener Bär vorkommt. Wir sind durch die Güte eines Freundes der grauen Vorzeit, auf eine andere, jedoch nichts weniger als sonnenklare Spur, hinsichtlich dieser Namens-Entstehung gekommen. Im hiesigen sehr merkwürdigen Stadt-Archiv liegt eine uralte Chronik, die weit genug ausholt, denn sie beginnt mit der Sündfluth und endigt ihre Berichte mit dem Jahr 1588 nach Christi Menschwerdung. Ihr Verfasser war ein Advokat mit Namen Abraham Schieß, mithin sollte auch ihre Erzählungen glaubwürdig seyn.

Hier heißt es:

„Darnach fiel Titus Eminus der Römer Hauptmann „16 Jahre vor Christi Geburt in die Stadt Vindeli„kam und brannte die, und nahm was darinn war, „darwider zugen die Vindelici in Titus Eminus Heer

„und nahmen die Hab und zugen wider in die Stadt „und erschlugen darinn ihre Feind zu Tod an dem „Ort, das da hieß perlegion, das man jeßt nennt den „Perlach, davon ist ein Vers, davon Meister Oth „schreibt: Der Berg ist ein Anzeigung, die Nieder- „legung der Römischen, der mit der Legion Martia „verdorben ist.“

Das nennt der ehrliche Schieß einen Vers! Ob er übrigens mit seiner Notiz nicht selbst daneben geschossen hat, können wir nicht verbürgen. Soviel ist gewiß, daß lange vor der Zeit des heil. Ulrichs und der Hunnen-Schlacht auf dem Lechfeld, der Perlach-Platz und der Abhang bis hinunter an den Fuß desselben, Perlegion hieß.

Ein vereinzelt dastehender Thurm wurde schon im Jahr 989 an der Stelle wo unser Perlach-Thurm steht, und zwar auf der Brandstätte mehrerer, einige Jahre vorher von den Flammen verzehrter Häuser, aufgeführt.

Als ein im Mittelpunkt für die Feuerwache und zum Sturmschlagen bei einem ausbrechenden Brand, zur Beobachtung der Bewegung annähernder Feinde, wohlgelegener erhabener Wartthurm, ward er im Jahr 1036 mit einer Sturmglocke versehen. Statt dieser wurde im Jahr 1348 eine größere gegossen, welche 4 Schuh 2 Zoll hoch, 5 Schuh 5 Zoll weit, 76 Zentner wog und einen dumpfen schauerlichen Ton von sich gab. Sie war mit einem eigenen Behältniß umschlossen, wozu 2 eigene Raths-Deputirte den Schlüssel hatten. Nur am jährlichen Raths-Wahltage und beim Ausführen der zum Tode verurtheilten Malifikanten, wurde sie geläutet. Was mochte wohl der zum Strang verurtheilte Bürgermeister Schwarz, auf dessen Geheiß ihr schreckliches Brummen Manchem, zum Theil unschuldig Verurtheilten, auf seinem letzten Gange ertönte, gedacht und gefühlt haben, als er kurz vor seiner Hinrichtung ihre eherne Stimme vernahm?

Ueber die Veranlassung, warum sie bei Hinrichtungen sich hören lassen mußte, geht folgende Sage:

Während die Metallmasse zum Gusse dieser Sturm-Glocke geschmolzen wurde, soll sich der Glockengießer unter dem ausdrücklichen Befehl von seinem Lehrjungen entfernt haben, bis zu seiner baldigen Rückkehr Alles liegen und stehen zu lassen. Die Zeit der Wiederkunft des Meisters währte dem rüstigen Burschen zu lange. Er hielt die Masse für reif zum Gusse, zog den Zapfen; der glühende Strahl ergoß sich in die Form und das Werk gelang. Da soll der Meister, welcher kurz nachher heimkam, entrüstet über die Nicht-Befolgung seiner Befehle, in der ersten Aufwallung des Zorns den Lehrling erschlagen haben. Ueber den peinlich prozessirten Todschläger wurde das Todesurtheil gefällt, und er bat die Blutrichter, daß er unter dem Geläute dieser verhängnißvollen Glocke zur Hinrichtung geführt werde; diese traurige Bitte wurde ihm gewährt und ihre Läutung auch bei nachherigen Executionen beibehalten. Wahrscheinlicher ist es, daß ihr weitschallender Ton bei solchen Veranlassungen, die Einwohner zum Gebete für die Seele des armen Sünders aufgefordert habe. Um diese Glocke in Schwung zu setzen, war die Kraft von 8 starken Männern erforderlich, und einer mußte den colossalen Klöppel am Ende der Läutung, um dem Nachschlagen vorzubeugen, mit einer Schlinge auffangen und ihn festhalten.

Im Jahre 1813 schlug auch ihr, die so Manchem zum Tode geläutet hatte, die Todesstunde; sie wurde auf dem Thurme zerstückelt, eingeschmolzen und das Metall zur Herrichtung einer großen Feuerspritze verwendet.

Auf dem Rathhausthurme hieng im Jahr 1412 das Rathsglöcklein in einem mit Zinn gedeckten Glockenhäuschen; 52 Jahr nachher bekam der Thurm eine Haube von Blei.

Im Jahr 1503 verfiel der Rath auf den sonderbaren Gedanken, den Thurm, nicht mit Lampen und Laternen, wie in der neuesten Zeit, sondern mit Farben illuminiren, und an-

streichen

streichen zu lassen, welches buntscheckige Gewand ihn übel gekleidet haben muß, denn er verlor es bald wieder.

Im Oktober 1527 wurde der Perlachthurm erhöht. Das Rathhausglöcklein und die Viertelstunden-Glocke weiter oben angebracht, und schon damals figurirte im unterm Raum, ein, wie wohl lange nicht wie jetzt so künstlicher und köstlich geschmückter Hampelmann, Thurmmichel genannt. Holl, der berühmte Baumeister, dem hier so viele ausgezeichnete Bauwerke einen bleibenden Nachruhm sichern, unternahm es, den Thurm im Jahre 1615 noch um 20 Schuh zu erhöhen, denn hieher mußte das Uhrwerke vom alten Rathhaus gebracht werden, welches nach des Meisters Plan, auf der neuzuerbauenden Curie kein geeignetes Unterkommen fand.

Dieser massive Zeitmesser wiegt nicht weniger als 4888 ℔. die 3 Zifferblätter haben ein Gewicht von 2796 ℔, die Zeiger und die Mondskugeln wiegen 1217 ℔., und das Ganze 8901 ℔.

Holls Kunstsinn erdachte ein sehr zweckmäßiges Gerüst, von welchem das Modell noch gegenwärtig in der Modellkammer auf dem Rathhause zu sehen ist. Dieses umgab den Thurm, ohne daß es nöthig gewesen wäre, von Außen Löcher hineinzubrechen. Doch lassen wir hier den biedern Holl selbst erzählen, was er in seinem Tagebuch über dieses von einem babilonischen Thurmbau ganz verschiedene Unternehmen, wo keine Verwirrung, sondern die höchste Einsicht waltete, herkommen läßt, und wie dieser vir justus et propositi tenax das herrlich begonnene Werk herrlich ausführte.

„Den 10. November 1614 habe ich in dem Namen „Gottes an dem Perlachthurm zu rüsten angefangen, und „die ersten zwei Standbäume gegen den Platz aufgerichtet und in die Erde 5 Schuh tief einrammeln lassen. „Diese Hölzer waren das Fundament des ganzen Gerüstes, in die Vierung 14 Zoll dick, und 66 Schuh hoch; es „wurden hernach am weiter Vorrüsten in die Höhe noch „zweimal solche hoch darauf gestellt, aneinander bewährt,

„mit Eisen abgegliedert, und zusammen befestiget, sind „also gemeldete 3 Hölzer 10 Schuh über den Gang am „Perlachthurm aufgerichtet, nemlich 160 Schuh hoch, „vom Boden oder Pflaster an, haben also fortgerüst bis „unter den Gang, auf den 13. Dezember 1614 ausge= „macht, darnach wegen des Winters einstellen müßen; „und ist an diesen sieben Gerüsten kein einziges Loch in „den Thurm eingebrochen worden.

„Am 4ten April 1615 haben wir im Namen Gottes „am Perlachthurm fortgefahren zu rüsten, über den „Gang hinauf, und die Züge von Holzwerk aufgerichtet, „habs selbst alle durch meine Leute künstlich anbinden „laßen, wie ich es abgerißen habe, war der ein und „dreißigste fürnehmste Zug also beschaffen, er war über „den alten Thurm, da das Dach schon herabgebrochen „war, 10 Schuh hoch, und war ein starkes langes „Holz, so zu beiden Seiten vorn und hinten über den „Thurm errichtet, also, daß das Zugseil von dem untern „Flaschenzuge über sich gieng, und zwar über eine höl= „zerne Zugscheibe, so in gemeltem großen Holze zuvor= „derst eingemacht war, und gieng gemeltes Zugseil über „das Holz hinüber. Zu hinderst hatte dieses Holz gleich= „falls eine solche Zugscheibe von Eichenholz, darüber „gieng das Seil hinab, bis zu den Sturmläden hinein; „da war ein großes von Holz gemachtes Rad, 7 Schuh „hoch, konnte wegen der Sturmglocke nicht höher seyn, „über der Gründel dieses Rades gieng das oben ge= „melte Seil, so darauf umwunden, und 1300 Schuh „lang war, und gieng in Thurm hinab, da dann so weit „war, einen Wellenbaum aufzurichten; um diesen Wel= „lenbaum gieng dieses lange Seil, und war über zwei „Scheiben zuvor gezogen, daß es fein richtig bliebe; es „zogen nur 2 Mann an diesem Wellenbaum und konn= „ten alles erziehen an diesem Zug. Dieser Zug, so

„ich selbst erfunden, war das vornehmste Stuck zu „diesem Thurmgebäude, und dann auch das Gerüst, so „mit solcher Kunst gemacht gewesen, daß dergleichen nit „wohl gesehen worden ist; habe alles durch meine eigene „Leute und Maurer machen laßen, hatte nur einen Zim„mermann, der mir sonst das ganze Jahr über an allen „Gebäuden gearbeitet, und rüstete wie ich es ihm angab; „auch hatte ich die besten Maurer aus meinen Arbeits„leuten, deren über 60 gewesen, insonderheit ausgewäh„let, die alle stark, frisch beherzt in die Höhe waren, „mit diesen hab ich durch die Gnade Gottes den gan„zen Thurmbau verrichtet.

„Es waren die Gerüste in die Vierung herum so „wunderlich gemacht und zusammengeschloßen, wie eine „gevierte Rahm von lauter Zimmerholz, welche ich dazu „aushauen laßen, die vierzig Schuhe in die Länge hat„ten, und sieben Zoll dick in die Vierung, und hatte „jedes Gerüst vorne gegen den Platz eine lange Lücke „am Thurm so breit der Thurm war, nemlich zwanzig „Schuh lang und 5 Schuh weit, also, daß man alle „Sachen, wie lang und groß sie auch waren, dadurch „hinaufziehen konnte; und obwohl die Züge außen „am Thurm waren, so war doch alles inwendig dadurch „hinaufgezogen, und gieng das Seil, wie oben gemeldet „über den Thurm hinüber, daß also die Last dem Ge„wicht über den Thurm wie auf einem Saumer-Sattel „gleich trugen, und konnte den Thurm nicht auf einer „Seite beschweren.

„Zu diesem vorhabenden Bau habe ich neue Fla„schenzüge von Metall, von unterschiedlicher Größe „gießen laßen, welche allein über 500 fl. gekostet haben; „sonsten auch ferner andere eichene Zugscheiben drehen „laßen, und in kurze Hölzer einstemmen, die man überall „hat anbinden können. Habe auch den Stadt-Seiler viel

8*

„gute Seile vom besten langen Hanf spinnen laßen, „bin selbst dazu auf die Mauer gegangen, und besich= „tiget, obs von guten Hanf gemacht werden. Diese „Seile waren etliche 600 Schuh lang, etliche 3= und „400 Schuh, somit ich mit Zügen und guten Seilen „versehen war, so habe ich nicht weniger von gutem „zähen Eisen gevierte Brüche machen laßen, die ge= „vierte Holz mit einander künstlich zu verfaßen, auch „andere Nothdurft mehr, so zu solchen gefährlichen „Werken hoch von Nöthen seyn, und ist vornemlich zu „merken, daß der vornemste Zug oben über den Thurm „wie gemeldet, also beschaffen geweßt, daß das große „Holz, so hinten und vornen Zugscheiben gehabt, oben auf „diesem Holze eine eiserne Windenstange darauf ge= „weßt; an dieser Stange ist an einem großen eisernen „Bruche der Flaschenzug abgehangen, und solches über „den Thurm hinaufgekommen, so man etwas hinaufgezo= „gen hat, da hatte ein jeder Bube können mit dieser „Winden den Flaschenzug mit sammt der Last, es sey „so schwer gewesen, wie es wolle, hineinziehen, und hat „man hernach eingehängt und solches auf den Thurm oder „Wachhäusl niedergelaßen, nnd hernach auf kleine Wal= „zen an seinen Ort geführt.

„Es wäre noch weiter von dieser Rüstung zu schrei= „ben, ein jeder verständige Mensch aber kann es von „selbst erachten, daß was besonders zu solchem Bau „werde gehört haben.

„Im Jahre 1615 den 7ten November haben wir im „Namen Gottes angefangen, das Steinwerk an diesem „Thurme aufzusetzen, nemlich die zehn Pfeiler, welche „also alle durchsichtig, wie noch vor Augen; ich habe den „Steinmez, Namens Leonhard Kränzer, so diese „Pfeiler gemacht, fleißig zugesprochen, daß alles mit „großem Fleiße gemacht werde, damit es recht zusam=

„mentreffe; dann sehr viel daran gelegen ist, sowohl bei „dem Steinmetz als bei dem Zimmermann, so den „Dachstuhl und Windberg gemacht, wohl und stattlich „verrichtet worden, und also mir nicht gefehlt hat.

„Ehe wir aber den ersten Ring beschlossen, mußten „wir die große Glocke, so wir auf dem kleinen Rath-„hause gelaßen hatten, hinaufziehen, dann wir sonsten „nicht mehr mit hineinkommen können, sintemahlen „die Glocke groß war, und 45 Centner gewogen. —

„Als nun diese große Schlagglocke am ersten Juny „nemlichen Jahres an einem Montag gegen Abend um „die 4te Stunde hinaufgezogen worden, da auf der Bür-„gerstube so eben eine stattliche Geschlechter-Hochzeit „war;*) die Fenster waren alle offen, daß die Hochzeit-„leute herübersehen konnten; waren beide Herren Stadt-„pfleger auch dabei, auch etliche Fugger und gemeine „Räthe und Bauherren.

„Ich legte die Glocke selbst an den Zug, machte mich „hurtig, und ordnete fein alle Leute auf die Ge-„rüste, also daß nicht daran mangelte, und zogen in „Gottes Namen auf: da sahen alle Herren auf der Bür-„gerstube zu, und war auch der Platz unten voller Leute. „Es gieng alles wohl von Statten, daß die Glocke in „einer Stunde oben und über dem Thurm aufkam, ich „war zu oberst, und wendete von gemelter Windenstange „mit einer Hand hinein. —

„Ich mußte hernach zu meinen Herren auf die „Stube gleich, und denselben anzeigen, wie die Züge „und alles beschaffen seyen, auch wie viel diese Glocke „gewogen hat, und anders mehr, unterdessen so brach-

*) Dieses adeliche Brautpaar war gewesen, Herr Hans Heinrich von Schrenk aus München mit der Augsburgischen Geschlechterin, Jungfrau Anna Maria Ilsung.

„ten mir die Herren, und sonderlich die Herren Fugger „einen Trunk über den andern; sprachen mir freundlich „zu, und war also bei einer Stunde bei ihnen; ich nahm „darnach meinen Abschied, und gieng mit Freuden von „ihnen nach Hause. —

„Den 27sten Juli war das Steinwerk mit sammt dem „Hauptgesimse ganz aufgesetzt, den 28sten darauf am Dachstuhl angefangen aufzurichten; ich habe dazu die Zimmerleute mit besonderer Rüstung angeordnet, daß sie „solches Zimmerwerk schneller aufgerichtet und beschlossen „haben, und bis 14ten August bei gutem herrlichen Wetter wohl vollendet worden. —

„Den 17ten August habe ich den Knopf selbst auf den „Thurm gesetzt, und zwar der alte Knopf, so zuvor darauf gestanden, aber verneuert und vergoldet, derselbe „ist 2 Schuh weit. — Dies geschahe am Abende um Vier „Uhr; ich habe meinen Sohn Elias, so eben vier Jahr „alt war, in diesen Knopf gesetzt, und denselben ob ihme „zugedeckt, ist eine gute Weile ohne Furcht darinn gesessen, hernach, als ich den Knopf gesetzt, und er eine „gute Weile gesessen, hat er zu mir gesagt: Siehe, Vater! wie viele Buben sind darunten auf der Gassen. —

„Seine Mutter forchte sich sehr, die war im Thurme „bei den Glocken; und war aller übel zufrieden, weinet „sehr und fürchtet, es möchte dem Kinde etwas geschehen; — der Bube war fast eine Stunde bei mir auf „dem Gerüste; habe ihn hierauf heimgeschickt zu seinem „Anherrn, er solle ihme sagen, was er gesehen habe, „und wo er gesessen. Den 20sten August habe ich den Fahnen, (das sitzende Bild, die Circe (Cisa) genannt) auch hinauf gesteckt; — da kamen meine gnädige Herren, die „Bauherren auch hinauf in den neuen Thurmbau, da „hatte ich meinen Wein, schenkte ihn in ein Gläschen, und „brachte den Bauherren Imhoff, Welser und Paler

„ständlings auf dem Knopf, daßelbe trunke ich aus; wra „mein höchster Trunk, so ich jemalen gethan habe! — „Hierauf lies ich noch diesen Abend drei Gerüste vom „Knopf herab, hinwegbrechen. —

„Den 12ten April 1616 haben wir angefangen den „Perlachthurm an allen Seiten mit einem neuen Wurfe „ausbreiten, es waren dazu 8 Maurer, auf jeder Seite „zweye, dieselben hiesen: Georg Heus — Hans Heus — „Leonhard Erlinger — alle von Göggingen, und Hans „Wischgatter — Basti Braun — Michel Reith — Mat„theus Mang — und Michel Ostertag, alle 5 von „Augsburg.

„Am 9ten September war dieser Bau bis auf die „Kramläden vollführet und durch Gottes Gnade glücklich „vollendet, daß nit einem einzigen Menschen ein töd„licher Schaden zugegangen ist."

Mathias Kager malte die Sonnenuhren auf den 4 Seiten nach Holls Zeichnung, welcher Letztere auch mit dem Uhrwerk, die Kunstfigur, den sogenannten Thurm-Michel in Verbindung setzte, der sogleich seinen Posten bezog, welchen er gegenwärtig noch unter dem Zujauchzen der jubelnden Menge von Gassenjungen, jedesmal am St. Michaelis-Tag tapfer zu behaupten wußte.

Diese durch das Uhrwerk gelenkte Marionette ist von Holz gearbeitet und stellt den Erzengel Michäel vor, der dem unter seinen Füßen sich krümmenden Satan mit seiner, oben mit einem Kreuze geschmückten Lanze, bei jedem Glockenschlage einen Stoß beibringt. Der Magistrat ließ ihn für seinen invalid gewordenen Vorgänger Anno 1616 von Christoph Murrmann neu verfertigen und von dem Uhrmacher Hans Schlym das Uhrwerk dazu einrichten. Schon wurde geglaubt, der Erzengel sey endlich einmal mit dem Dämon fertig geworden, allein nach mehrjähriger Quiescenz trat er neu geschmückt aus der Dunkelheit hervor, eine Blumenkrone um die hölzernen Locken, einen glänzenden Anzug um seine steifen Glieder, durch die Klosterfrauen von St. Maria-Stern aufs glänzendste dekorirt und kostumirt. Von dem Stadt-Uhrmacher Vogel durch die wieder hergestellte Verbindung mit dem Räderwerke der Schlaguhr mit neuer Kraft und Regsamkeit ausgerüstet, erneuerte sich in ihm dieses öffentliche Puppenspiel, in welchem einige poetisirende Dollmetscher, die Versinnlichung des Sieges des Christenthums über das Heidenthum erblicken wollten.

Dieser Triumph wäre jedoch ein viel zu erhabener Gegenstand für eine solche kleinliche Darstellung, welche bloß auf das Hereinziehen des Landvolkes und auf einen Spas für die liebe ungezogene Jugend berechnet ist. Das nemliche Uhrwerk setzt eine Mondskugel in Bewegung, welche halb von Messing, halb von Stein, die Veränderungen dieses Planeten anzeigt. Von der Höhe des Perlachthurms, welche 326 Werkschuh beträgt, der mithin um 26 Schuh höher als der Ulrichsthurm ist, und auf welche eine Wendeltreppe mit 300 Stufen führt, übersieht man rings herum die Stadt so wie die Umgegend. Es befinden sich auf ihm Feuerwächter, welche durch das Anschlagen an die größte Glocke die Gefahr verkünden und das Ab- oder Zunehmen der Feuersbrunst, durch vermehrte oder verminderte Glockenschläge kund geben.

Von der Altane des Perlachthurms begrüßte ein von Blas-Instrumenten begleiteter feierlicher Choral den schönen Morgen des 16. Februars 1824., des 25jährigen Gedächtnißfestes des Regierungs-Antrittes unsers verewigten Königs Max Joseph; in der Nacht aber erglänzte jener ehrwürdige Veteran auf Kosten des Handelsstandes, bis zum höchsten Gipfel beleuchtet, und sein weit in die Nacht hinstrahlender Lampenschmuck verkündigte der entfernten Umgegend die allgemeine Bürgerfreude.

Gleichfalls reich beleuchtet, erglänzte er am 31. Juli 1825 bei dem unvergeßlichen Besuche der allerhöchsten Herrscher-

Familie. Von unserm, der Verehrung so würdigen Herrn Baurath v. Hößlin rührte die schöne Idee zu dieser Beleuchtung und der Entwurf zu ihrer wohlgelungenen Ausführung her. Auf dem Thurm hängen 3 Schlagglocken, wovon die größte, welche vom Wächterstübchen aus gezogen werden kann, 4 Schuh 10 Zoll weit und 45 Centner schwer ist. Sie wurde 1388 gegossen und seit dem Jahr 1817 dient sie zugleich zur Feuer-Sturmglocke. Ueber der Kuppel ist das Glockenhaus, zu welchem man auf einer freistehenden eisernen Leiter, (welches Wagestück jedoch nicht Jedermanns Sache ist), und zur 12 Centner schweren Viertelstunden-Glocke, welche auf dem alten Rathhaus hieng, gelangt. Auf der mittlern oder ersten Stundenglocke wurden, schon in der Vorzeit, die Stunden angeschlagen. Das Rathhausglöckchen wurde später zum Sperrglöckchen, um die Schlußstunde der Thore anzudeuten und endlich gar zum Armensünder-Glöckchen degradirt, kurze Zeit aber im Jahr 1813 bei Feuersbrünsten geläutet. Jetzt hängt es unthätig zwischen den Stundenglocken.

---

b. Das Rathhaus.

Schon in den ältesten Zeiten hatte Augsburg eine, wiewohl nur von Holz erbaute Curie, das Dinkhaus genannt.

Die Berathung der öffentlichen Wohlfahrt kann nicht füglich von einem geordneten Denken und wohl überlegten Bedünken getrennt werden, daher ist die Ableitung jener frühern, nicht ganz unpassenden Benennung, eben nicht schwierig zu ergründen.

Im Jahr 1296 verzehrten dieses hölzerne Raths-Gebäude die Flammen, und bald darauf wurde ein anderes von dem nemlichen dürftigen Material aufgeführt, welches demungeachtet eine fast hundertjährige Dauer bewährte. Endlich beschloß der Senat im Jahr 1385 dieses abbrechen und an seiner Stelle ein steinernes Raths-Gebäude erbauen zu lassen, welches in der Folge mit einem steinernen Erker geschmückt wurde. Dennoch zeichnete sich selbst dieses Rathhaus vor andern bürgerlichen Gebäuden nicht besonders aus. Es war zu klein und mußte im Jahr 1449 erweitert werden.

Ein ganz eigenes und unverdientes Mißgeschick erfuhr der Magistrat bei Vergrößerung seines Dinkhauses. Es wurden nemlich dazu einige hundert Grabsteine von dem Begräbniß-Platze der im Jahr 1440 aus der Stadt verbannten Judenschaft benützt. Ihre Vertreibung geschah in Gemäßheit eines vom Kaiser Albrecht dem Zweiten, zwar zugesicherten, aber ohneachtet der dafür in die kaiserliche Kanzlei bezahlten 900 fl. nicht ausgefertigten Freibriefes. Auf die Beschwerden der Israeliten, forderte Albrechts Nachfolger die Väter der Stadt auf, sich mittelst Vorzeigung der kaiserlichen Genehmigung über diese Exilirungs-Maaßregel zu rechtfertigen. Allein da eine solche nicht expedirte Urkunde alles Nachsuchens ungeachtet, in dem Archiv nicht aufgefunden, der kaiserliche Befehl mithin nicht befolgt werden konnte, so mußte der Rath dem Reichs-Oberhaupt, unverdienterweise 12,000 fl. Strafe entrichten.

Jeder dieser Judensteine wurde daher mit circa 60 fl. bezahlt. Schwerlich würden selbst ihre gewinnsüchtigen Eigenthümer einen so hohen Preis dafür im Handel und Wandel gefordert haben. Sieben Jahre später erhielt dieses Rathsgebäude einen Glockenthurm, und nachher wurde es durch Meister Prenk gemalt. Ueber dem Portal befand sich das Stadt-Pyr zwischen 2 wilden Männern, über welchem 2 fliegende Genien ein Wappen mit der Inschrift halten:

Christi tibi gloria
In Augusta retica
Urbe vere regia.
1 4 5 0.

(Christus dir sey Ruhm und Ehre in der rhätischen Augusta, der wahrhaften Königs-Stadt.)

Dieses Stadtwappen wurde an der Aussenseite des im Jahr 1563 ausgebauten Bibliothek-Gebäudes im St. Annahof eingemauert, wo es noch gegenwärtig steht.

Dem oft erwähnten geschickten Baumeister Holl, einem gebornen Augsburger, welcher sich in Venedig mit dem edlern Baustyle vertraut gemacht hatte, mochte ein so unansehnliches Rathhaus in einer so angesehenen Stadt, wohl längst ein Dorn im Auge gewesen seyn. Die Baufälligkeit dieses Gebäudes, gab dem großen Architekten Veranlassung, den Stadtpfleger Johann Jakob Rembold für einen neuen Rathhausbau zu gewinnen; er durfte dem Magistrat einen Vorschlag zum Abbruch des alten, zugleich aber auch Risse zur Aufbauung eines neuen Rathhauses vorlegen. Diese wurden genehmiget, sofort das alte Gebäude im Jahre 1615 niedergerissen, die Erhöhung des Perlachthurms und die Versetzung der großen auf dem Rathsgebäude befindlichen Schlaguhr bewerkstelligt, und sodann der Grund zu der neuen Curie zu 10 Schuh Tiefe auf der vordern, und zu 40 Schuh auf der hintern gegen die Gefängnisse herabgehenden Seite, mit einer ausserordentlichen Behendigkeit gegraben.

In dem Hause des Lohnkutschers Kneule G. 258, befinden sich einige Reliquien aus der Rathsstube des abgebrochenen Rathhauses, nemlich ein Theil des gegenwärtig sehr schadhaften Getäfers mit einem Kaltenhoferschen Gemälde auf Holz, Salomons Urtheilsspruch vorstellend, welches der Erbauer dieses Hauses, Michael Reischle im Jahr 1615 zur Herrichtung seiner Stube benutzte, was ihm, als einem damaligen Rathsgliede, gestattet wurde. Die Legung des einen Grundsteines fand in Gegenwart der beeden Stadtpfleger, der Geheimen Räthe und Baumeister statt. Das bei dieser Gelegenheit in den Schoos der Erde niedergelegte silberne und vergoldete Blech enthält folgende Inschrift:

Accipe posteritas, quae per tua Secula narres.

Deo Ter Uni

Imp. Matthia Semper Augusto P. F. ejusque Sacrae Caes. Majest. a Consiliis

Johanne Jacobo Rembold } Duumviris
Hieronymo Imhoff }

Lapidem primum locantibus

Nec non

Hieronymo Welser }
Christoph Fugger Baro: }
Conrado Peutinger } Septemviris.
Bernhardo Rehlinger }
David Welser }

Probantibus

Curia Urbis Vindelicae Patriae ornamento atque sublevandae opificum penuriae a fundamentis instaurata est, curantibus

Constantino Jmhoff }
Joh. Barthol. Welser } Aedilibus.
Wolfgango Paller. }

Anno post Coloniam deductam MDCXXVI. Mense X. die XXIIX. post Christum natum MDXV. IIX. Cal. Septembris. Salvete et valete Posteri.

Diesem Rathhaus-Bau lag also der edle Zweck mit zu Grunde, der Nahrungslosigkeit, welche verschiedene Gewerbsstände drückte, unter die Arme zu greifen.

Am 16. Mai 1616. wurde der zweite Grundstein an der Ecke bei dem Eisenberg gelegt. Bei dieser Gelegenheit nahm Holl seinen Knaben, der auf der Spitze des Perlachthurms die Wolken begrüßt hatte, wahrscheinlich um ihn schon frühzeitig mit dem Anblicke der Gefahr vertraut zu machen, auch in die Tiefe des Grundes mit sich. Auf den ersten Grundstein wurde ein zweiter mit des kleinen Holls Namen und Alter aufgemauert, und dieser Einfall gefiel den Rathsherren so wohl, daß sie Holls Söhnchen mit 12 Augsburger Gulden beschenkten. Rasch schritt dieser Riesenbau vorwärts, denn schon im Jahr 1618 war das Dach vollendet. Holl überzeugte den Magistrat, dieses Gebäude würde ein tapferes, heroisches Ansehen gewinnen, wenn er auf beiden Seiten zwei starke 8eckige, 30 Schuh hohe Thürme aufführen dürfte. So geschah es auch, und der Baumeister befestigte auf ihren Spitzen die beyden vergoldeten Kugeln.

Auf den Giebel des Gebäudes gegen die Straße zu, kam ein hohles metallenes 1442 Pfund schweres Stadt-Pyr zu stehen, und ein ähnliches 60 ℔ schweres 7 Schuh hohes von Marmor, ziert den obersten Punkt des hintern entgegengesetzten Schießers. Im untern Rathhaus-Saale, das Flötz genannt, tragen acht 24 Zoll dicke und 13 einen halben Schuh hohe, viereckige rothe Marmorsäulen, welche im Jahr 1619. aufgerichtet wurden das Gewölbe; jede derselben hat ein Gewicht von 68 Centnern und ist mit metallenen Postamenten und Kapitalen, nach dorischer Ordnung geschmückt. Kaum ruhte das starke Gewölbe auf dieser Colonnade, so erhielt auch der obere Flötz eben so viele, 16 Fuß hohe, runde Corinthische Säulen von rothem Marmor, mit metallenen Postamenten und Kapitalen, deren jede 50 Zentner wiegt. Den leeren Raum an der Vorderseite des Gebäudes unter dem metallenen Stadt-Pyr, füllte ein trefflich gearbeiteter, 22 Zentner schwerer kaiserlicher Adler von Bronze aus; das Gießen und Poußieren dieses seltenen Vogels kostete 1400 fl. Die Vergoldung wurde mit 300 fl., das Aufrichten gleichfalls mit 300 fl., und das Ganze mit 2000 fl. bezahlt.

Mit dem Jahr 1806, als Augsburg unter den Scepter Bayerns kam, wurde dieser vorzügliche Schmuck des Rathhaus-Gebäudes abgenommen. Die leere Stelle beleidiget das Auge und es wäre zu wünschen, daß dieses kahle Feld, an welchem man eine Hauptzierde zu sehen gewohnt war, mit einem andern Emblem der Oberherrschaft, allenfalls mit dem bayerischen Löwen, ausgefüllt würde. Auf dem hintern, gegen Morgen hinsehenden, nun gleichfalls kahlem Giebelfelde, war ein 9 Schuh hoher Adler in die Nische gemalt.

Schon im Jahr 1620 stand dieses herrliche Denkmal des Kunstgeistes seines Schöpfers, vollendet da, und Holl erhielt dafür von dem dankbaren Magistrate einen silbernen und vergoldeten Becher mit 600 Goldgulden gefüllt.

Das Gebäude selbst ist 147 Fuß breit, gegen Morgen 152 und gegen Abend 175 Schuh hoch. An seiner Außenseite bei der Hauptwache, ist der hiesige Werkschuh neben dem Ellenmaaße fest gemacht.

Ein weites 20 Schuh hohes und 12 Schuh breites Portal von rothem poliertem Marmor mit 2 großen weißen Marmorsäulen, auf welchen ein steinerner Balkon ruht, bildet den Eingang. Zwischen diesem und dem Thore steht auf einer schwarzen Marmor-Tafel die sinnige Inschrift.

Publico Consilio
Publicae Saluti.
MDCXX.

(Der öffentlichen Berathung, dem allgemeinen Wohl.)

Ueber den Thorflügeln halten 2 Greifen das von dem städtischen Stück- und Glockengießer Wolfgang Neidhard, einem gebornen Ulmer, aus Metall gegossene Stadtwappen, und dieses sehr schön gearbeitete Gitter soll über 2000 fl. gekostet haben.

Der Fußboden des untern und obern Flözes ist mit weißen Marmor-Platten belegt. Rechts und links neben der Eingangs-Pforte sind 2 Hauptwachen; weiter rückwärts befinden sich Gewölbe und im Hintergrunde führt eine Thüre rechts in das Seitengebäude, welches sonst zur Eisen gehörte, links in das städtische Archiv. An den Wänden des untern Saales ragen die bronzenen Brustbilder der ersten römischen

Kaiser, von Julius Cäsar bis Otto hervor. Jede dieser Büsten wiegt 125 Pfd.

In der Mitte des Flötzes führen links und rechts steinerne Treppen in die obern Stockwerke. Auf dem Absatze der Treppe zur Linken, sind über der ehemaligen Baustube die Büsten von Vitellius und Vespasian, zur Rechten, ober dem Eingang zu den vorbestandenen Proviant- und Einnehmer-amts-Zimmern, die des Titus und Domitians angebracht.

In der Mitte zwischen den genannten gekrönten Häuptern stehen zwei Ovale aus Erz- und Glockenspeise gegossen. Das eine mit dem Bild des Kaisers Hadrian und mit der Inschrift:

Imperator Caesar, Hadrianus, Augustus, Geticus, Dacicus, Parthicus, Pontifex Maximus, Tribuniciae Potestatis XXI. Consul III. Pater Patriae.

Das Andere gegenüber, mit dem Brustbild des Kaisers Severus, enthält die Worte:

Lucius Septimius Severus, Augustus, Arabicus, Adiabenicus, Parthicus, Britanicus, Pontifex Maximus, Tribun. Potestatis Consul III. Pater Patriae.

Ueber der Thüre des einen Wachzimmers steht die Büste des Kaisers:

Helvius Pertinax Caesar, Divi Adriani Augusti Filius Consul III.

und oberhalb dem Eingange des Andern, der römische Kaiser

Aurelius Augustus, Armenicus, M. Parthicus M.

Von den hintern Fenstern dieses Flötzes aus, fiel sonst der Blick gegen die Mauern der Stadtgefängnisse, deren düstere Aussenseite Math. Kagers 20 Schuh hohes und 50 Schuh breites Gemälde auf nassen Wurf, den Besuch der Königin Saba bei dem weisen Salomo vorstellend, in etwas milderte.

Mit dieser Frohnfeste, durch deren Abtragung ein sehr geräumiger Hof gewonnen wurde, verschwand auch jenes Fresko-Gemälde, welches der Grabstichel des Franz Collignon von Nancy verewigte. Ueber dem Saale des mittleren Geschoßes erhebt sich eine schön gearbeitete hölzerne Decke. Hier befinden sich die Eingänge in die gegen die Straße zu gelegene ehemalige Rathsstube und in das Sitzungszimmer des ehemaligen Stadtgerichts, welches gegenwärtig die Kaufleute bis zur Vollendung des neuen Börsen-Gebäudes zu ihren Geschäfts-Zusammenkünften benützen. In diesem Zimmer hängen Gundelachs drei große Gemälde, die Belehnung des Herzogs Moriz von Sachsen vorstellend, wovon das Eine den feierlichen Zug Kaiser Carls auf dem Weinmarkt zur Vornahme dieses merkwürdigen Aktes, das Zweite, die Bitte des Churfürsten an den Kaiser um die Belehnung, und das Dritte die Belehnung selbst, darstellen. Rückwärts führen hohe Flügelthüren in das ehemalige Steuer- und in das Ober-Pflegamts-Lokal.

Ausser dem Rathszimmer haben gegenwärtig die Uebrigen, eine andere Bestimmung erhalten und dienen den verschiedenen jetzigen Geschäfts-Abtheilungen zum Vereinigungs-Punkte. So benützen die beiden gegen den Hof hinausgehenden Zimmer, die Stadtkämmerei und die Baukommission zu ihren Geschäfts-Verrichtungen. Aussen auf dem Saale, sowohl als in den verschiedenen Stuben sieht man mehrere Gemälde, als: die atheniensische Raths-Versammlung der 9 Archonten; die Sitzung des Areopagus, vor welchem zwei Angeklagte mit verhüllten Gesichtern stehen. Hiero und Archimedes vor einem vollendeten und einem dem Einsturz drohenden Thurme.

Unter den im Hintergrund stehenden Werkmeistern, ist das Portrait des Elias Holl angebracht. Das jüngste Gericht in der Rathsstube gereicht dem Maler desselben, Math. Kager, zur Ehre.

Samson und Delila von Lukas Cranach, war das vorzüglichste der hier aufgestellten Gemälde, welches gegenwärtig in der Bildergallerie eine passendere Stelle erhielt.

Die 6 Gesetzgeber, von Kager gemalt, Solon, Numa, Lykurgus, Minos, Moses und Christus, befinden sich noch gegenwärtig daselbst.

Die ehemalige Raths- und Stadtgerichtsstube werden durch die in den untern Gewölben befindlichen Oefen geheizt, die Wärme steigt durch eine in der Zimmer-Mitte angebrachte, mit einem Bronzegitter verkleidete Oeffnung, aufwärts.

Die größte Zierde des Rathhauses ist der im dritten Stockwerk befindliche goldene Saal. Vor dem Eingange hängt ein Kager'sches Gemälde, Alexander und Hephästion mit dem sechsjährigen Sohne des Darius Codomanus, und die demokratische Verfassung, von Johann König.

Merkwürdig als ein schätzbares Ueberbleibsel zur Anschaulichmachung der frühern Trachten und des Marktplatzes, Perlachthurmes und Rathhauses, ist ein altes hier hängendes Gemälde; die alten Senatoren verlassen die Curie, unter dem Voraustreten der sogenannten Stieglitzen oder damaligen Lictoren im dreifarbigen Anzuge. Es stellt dieses Tableau die drei letzten Monate des Jahres vor. Auch die Aristokratie und Monarchie ist hier im Gemälde personifizirt.

An der zum dritten Stockwerke führenden Treppe hängen zwei große Kager'sche Malereien, Virginius in dem schrecklichen Momente des eben vollbrachten Töchtermordes, mit der an der Rahme befindlichen Umschrift Virtusne major an scelus? und An virtus altius ire potuit? Das andere Bild von Kager stellt den Scipio Afrikanus vor, welcher dem Allutius die gefangene Braut ohne Lösegeld überliefert.

In dem Saal selbst, so wie in den vier daranstoßenden Fürstenstuben, ist die Gemälde-Gallerie aufgestellt. Der Saal selbst ist 52 Schuh hoch, 58 breit, 110 lang. Seine große, nur an Häng- und Sprengwerk befestigte Decke, wird nirgend von Säulen getragen, daher hemmt nichts die vollkommene Uebersicht dieses herrlichen, durch 52 Fenster erhell-

9

ten Raumes, beim ersten Eintritt. Ehedem versammelte sich hier der große Rath an den jährlichen Raths-Wahltagen um pro forma die beiden Herren Stadtpfleger zu bestätigen.

Die Decke prangt mit vielem vergoldeten Schnitzwerke, woher die Benennung des goldenen Saales rühren mag. Sie ist mit Kagerischen Gemälden geziert. Auf dem einen wird die Weisheit von Rechtsgelehrten und Philosophen gezogen, die Gerechtigkeit, die Stärke, der Friede, die Sanftmuth, der Sieg und der Ueberfluß begleiten den Triumphwagen und Genien umschweben den Zug. Per me regnant; ist die Devise zu diesem Gemälde.

Das mittlere große Deckenstück zeigt die Baukunst, und unter mehreren darauf angebrachten Architekten, das Portrait des Mathias Kager.

Weiter schmücken die Decke als Gemälde, Mars des Krieges ernster Gott und Bellona mit Waffengeräthe und dem Denkspruche: Hostes arceantur. Acht kleinere gemalte Darstellungen, nemlich Minerva mit den freien Künsten, die Religion mit dem Kreuze und Kelche; die Arbeitsamkeit mit einem Hammer und Arbeitszeuge; der Fleiß mit einem Fruchtbaume und einem Bienenkorbe; der Ueberfluß mit seinem Füllhorn; die Gesundheits-Pflege mit dem Heilmittel-Apparate; die Gerechtigkeit mit Lilie und Scepter; Treue und Glauben mit goldenen Gefäßen und Kaufmannswaaren, dienen den größern Deckenstücken gleichsam zur Einfassung, und zwanzig Sinnbilder mit lateinischen Denksprüchen aus Iacobi Typotii Symbolis divinis et humanis Pontificum, Imperat., Regum etc. sind regelmäßig um diese Darstellungen vertheilt. Zwischen den obern Fenstern stehen 24 unbekleidete Genien. Reich an schöner Bildhauer-Arbeit, sind die beiden großen Portale. Auf einer ansehnlichen Tafel steht über der einen Eingangs-Pforte die Inschrift:

S. P. Q. A.
Fieri curavit Anno post
Christum natum MDCXX.

Das darunter befindliche Gemälde von Joh. Rottenhammer enthält nebst dem Reichs-Adler, die 4 Fluß-Gottheiten, durch welche der Lech, die Wertach, die Sinkel, der Brunnenlech, angedeutet werden. Zwei Najaden mit Blumen, Zweigen und Conchylien, umgeben dieses schöne Kunstwerk der Malerei. Ueber dem andern Portale steht auf 2 großen Tafeln mit goldenen Buchstaben, und zwar

Oben: Ferdinando III. Imperatore Augusto Praetorium hoc perfectum est.

Unten: Duumviris praefectis
Ioanne Iacobo Remboldo
Hieronymo Imhof.
Quinqueviris
Hieronymo Waltero
Conrado Peutingero
Bernhardo Rehlingero
Davide Welsero
Ioanne Fuggero, Seniore.
Aedilibus
Constantino Imhof
Ioanne Bartolomeo Welsero
Wolfgango Pallero.

Neben den Inschriften und auf dem Portal sitzt Cybele und Minerva; der Schild der Erstern enthält die Worte: Amor civium; der der Weisheits-Göttin die Aufschrift: Tutela Principum.

Zu beiden Seiten des Saales sind die Bildnisse von acht christlichen und heidnischen römischen Kaisern mit ihren angeblichen Wahlsprüchen gemalt. Unter den Seiten-Fenstern schmücken 12 Darstellungen aus dem Leben geschichtlich merkwürdiger Frauen: Jael und Sißara, Susanna, die Königin Esther, Judith, die Mutter der Makabäer, Saras Vermäh-

9*

lung mit dem jungen Tobias, die eine; Perikles Tochter am Spinnrocken, Niobe und ihre Kinder, Tomyris das Haupt des besiegten Cyrus in Blut tauchend, Artemisia den Pokal mit der unter den Wein gemischten Asche ihres Gemahls Mausolus leerend, die sich selbst tödtende Lukretia, Semiramis, die andere Seite. Der Fußboden des Saales ist mit 2000 gerauteten weißen=, und 800 viereckigen, rothen und grauen Marmor=Platten ausgelegt. Von den erstern kostete das hundert 15 fl., von den letztern 25 fl. Die Seitenwände enthalten groteske Verzierungen nach dem damaligen Geschmack grau in grau gemalt. In den vier anstoßenden Fürstenzimmern befanden sich sonst, bevor die Gemälde der königlichen Bilder=Gallerie dahin kamen, einige merkwürdige Malereien. In allen diesen Zimmern stehen Oefen von besonders künstlicher Töpferarbeit, mit Figuren geziert, welche zusammen über 2000 fl. gekostet haben sollen.

Ueber den Fürstenstuben sind noch andere Gemache, welche zu verschiedenem Gebrauche, mitunter auch zur Aufbewahrung von vornehmen Staatsgefangenen, und in neuerer Zeit als Arrestzimmer für Landwehroffiziere, gedient haben.

Die Rathhausthürme, das Dach und die Altanen sind mit Kupfer gedeckt, von welchem Metall zum Rathhausbau 250 Centner verwendet wurden. Letztere werden zum Wäschetrocknen benützt, ein Gebrauch, der mit der Würde eines Dünkhauses nicht ganz im Einklange stehen möchte. Ein großes Lokal unter dem Dache enthält als Modellkammer viele künstliche und sehenswerthe Modelle; unter diesen ist das erwähnte Modell des von Holl bei Erhöhung des Perlachthurmes erdachten Gerüstes, und des alten Rathhauses, besonders merkwürdig. Zwölf Treppen mit 226 Stufen führen zur höchsten Höhe des Rathhaus=Gebäudes.

Verdient Elias Holl wegen dem Plan und der Ausführung dieses merkwürdigen Gebäudes Ehre und Ruhm, so sind die Namen der übrigen Gehülfen, welche beim Rathhaus-Bau ihre Meisterschaft bewährt haben, ebenfalls würdig, der Vergessenheit entrissen zu werden.

Als Zimmermeister arbeitete hier Hans Müller. Die Schreinerarbeit besorgte Lorenz Bair und Bonacker, und die Bildhauerarbeit ist von Christoph Murman. Der Stadt-, Stück- und Glockengießer Wolfgang Neidhart hat die metallenen Brustbilder, Wandleuchter, Schilde ꝛc. gegossen, und Wilhelm Vogt von Landsberg die künstlichen Oefen geliefert. Alle schien nur Ein Geist, nemlich der, etwas Vollendetes und Ausgezeichnetes herzustellen, beseelt zu haben.

Schon die Aussenseite des Rathhauses, dieser ersten und Haupt-Zierde Augsburgs, trägt den Stempel der Würde an sich und entspricht dadurch der ehrwürdigen Bestimmung, welche die einfache und sinnige Ueberschrift bezeichnet. Die vollkommene Uebereinstimmung der einzelnen Theile, bildet in diesem herrlichen Bauwerke ein vollendetes Ganzes, welches in seiner Art einzig genannt zu werden verdient. In fünf Jahren war es hergestellt und die Bau-Unkosten haben sich nach einer uns zugekommenen Spezifikation auf 112,077 Gulden berechnet.

Es ist sehr oft in Kupfer gestochen, und die diesem Taschenbuche angefügte Darstellung zeigt nicht nur das Rathhaus sammt dem vor demselben befindlichen Marktplatz, sondern auch das ehemalige Börsen-Gebäude, den Perlach-Thurm und das gleichfalls von Holl aufgeführte Bäckerhaus.

Gemälde-Sammlung.

Zu den vorzüglichsten Zierden und Merkwürdigkeiten Augsburgs gehört unstreitig die bereits beim goldenen Saale erwähnte königl. Gemälde-Sammlung.

Wer verweilt nicht gern unter einer solchen reichhaltigen

Kunst-Umgebung. Selbst dem mit Kunst-Kenntnissen spärlicher Begabten bietet sie schöne Genüsse dar. Bald haftet sein Blick auf Gegenständen der frommen Andacht, der kirchlichen Verehrung geweiht; bald denkt er sich um Jahrhunderte zurück versetzt, und wird Scenen aus dem frühern öffentlichen und häuslichen Wirken gewahr, welchem die Kunst eine Seele eingehaucht zu haben scheint; merkwürdige Momente der Geschichte wiederholen sich hier gleichsam vor seinen Augen. Schilderungen aus dem Gebiete der Naturreiche, in welchen die Kunst mit der Hervorbringung der Natur einen rühmlichen Wetteifer begann und ihre Geheimnisse ihr abgelauscht zu haben scheint, liegen vor seinen Blicken offen da; er sieht die Trachten der Vorzeit und fremder Nationen, kurz von allen Seiten findet er hier eine herrliche Ausbeute für eine würdige Unterhaltung und Belehrung.

Die Aufsicht über diese merkwürdige Kunstsammlung führt ein eigener Inspektor, und ein Gallerie-Diener macht mit zuvorkommender Bereitwilligkeit die Eintretenden auf die einzelnen Meisterstücke aufmerksam.

Aus den aufgehobenen Klöstern und Klosterkirchen wurden viele schöne Gemälde hieher versetzt. Aus der ehemaligen Dominikaner-Kirche prangt hier das schöne Altar-Blatt von Lanfranko, die Himmelfahrt Marias, so wie Sebastians Martyrer-Tod von Holbein dem Jüngern gemalt.

Aus der St. Salvators-Kirche ist der von Burgmair im Jahr 1519 gemalte Christus am Kreuz zwischen den beiden Uebelthätern, und die im Jahr 1504 von dem nehmlichen Künstler dargestellte heilige Ursula hier zu finden.

Die nun geschlossene Catharina-Kloster-Kirche, lieferte für diese Gallerie die Darstellungen aus dem Leben des heiligen Apostels Paulus, seine Enthauptung und seine Beerdigung von Holbein dem Jüngern.

Das schöne große und kräftige Gemälde: Maria in der Verklärung, mit des Malers Jasper Crayers von Antwerpen Porträt, im Vorder-Grunde, so wie Marias Himmelfahrt von Karl Cignani, sind Malereien, welchen der Kunstkenner mit vollem Recht seine Bewunderung zollt.

Von Rubens befindet sich hier das Portrait seiner Mutter; eine allegorische Darstellung des Sieges der Tugend über das Laster, und eine Anbetung der Hirten.

Venus und Amor; die Gemahlin Carls V., Isabella von Portugal; eine Magdalena; die Vermählung der heil. Katharina, und sein eigenes, von ihm selbst gemaltes Abbild, sind herrliche Darstellungen von Titians Meisterpinsel.

Fünf Gemälde von Schlachten, welche unter der Regierung Carls des V. geliefert wurden; dann eine Martha und Maria von Tintoretto; eine bereuende Magdalena von Leonardo da Vinzi; eine Beschneidung Christi von Rembrand; die Verspottung des leidenden Erlösers von Gottfried Schalk; eine Maria in der Andacht im Jahr 1491, und eine Madonna mit dem heil. Kinde Anno 1516 von Albrecht Dürer gemalt; dann ein Christus am Kreuz von Dürers Schüler, Georg Benz, verdienen die hohe Bewunderung der Kunstfreunde.

Ausser diesen sind hier noch Werke, welche aus Paul Veroneses, van Dyk, Nik. Poußins, Hans Holbein des ältern, Meisterhand hervorgiengen, und werthvolle Bilder von andern zum Theil unbekannten Malern.

Herrlich ausgeführt sind die Thierkämpfe von Franz Snyders, und merkwürdig zwei ganz ähnliche Naturgegenstände, nemlich 2 Wölfe, von welchen jeder ein Lamm zerfleischt. Joh. Paul Roßenhofer rang in dem einen dieser Gemälde um den Preis mit dem Maler Paudiz, und da dem Erstern der Vorzug zuerkannt wurde, so artete das beleidigte Ehrgefühl des Letztern in Wahnsinn aus.

Hier vermißt man auch nicht Kunstwerke neuerer Zeit, nemlich Gemälde von Wagenbauer, Quaglio, Koch, Wagner. Vor Zimmermanns herrlichem Abbilde, des unvergeßlichen Königs Maximilian Joseph im Königlichen Schmucke, weilt der Beschauer mit Gefühlen der Rührung und des Dankes, da seine Königliche Huld es war, welche uns diesen wahren Kunstschatz geöffnet hat.

Es wäre sehr zweckmäßig, wenn ein gedruckter Katalog mit Anführung der gemalten Stücke und ihrer Meister, dem Fremden bei dieser Beschauung zum Wegweiser dienen könnte, weil die mündliche, nicht selten durch neue Ankömmlinge unterbrochene Erklärung, oft störend auf die ruhige Betrachtung eines Kunstwerkes einwirkt.

Für diese ausgezeichnete Gemälde-Sammlung sollte nach einem früher besprochenen Plane ein angemessenes Lokal, wozu das Katharinenkloster in Vorschlag gebracht wurde, hergerichtet werden, eine Trennung, welche, da sowohl der goldene Saal, als die Gemälde-Sammlung zwei gesonderte Merkwürdigkeiten der Stadt darbieten, deren jede eine eigene Beschauung verdient, wünschenswerther als manche andere wäre.

Das alte Schrannengebäude, nunmehr das sogenannte Spritzenhaus.

Die Vorsichtsmaaßregeln in Augsburg gegen Feuersgefahren, so wie die Löschanstalten, waren von jeher musterhaft zu nennen. In neuern Zeiten reiften sie immer mehr ihrer Vervollkommnung entgegen. Eine glückliche Idee war die 1809 beschlossene Verwendung des alten im Jahr 1415 erbauten Schrannen-Gebäudes, zur Aufbewahrung der Löschrequisiten, da es mitten in der Stadt, ziemlich frei liegt und zu diesem Behufe geräumig genug ist. Im Jahr 1809 wurde es zur Niederlage für die Lösch-Geräthe hergerichtet, mit verschiedenen Portalen versehen und gegen die Maximiliansstraße zu, der Symmetrie wegen, neben das praktikable, ein bloß gemaltes Thor angebracht. Niemand wird aber versucht werden, diese

Copie für ein Original zu nehmen, da sonderbar genug, gerade vor dasselbe ein Röhrbrunnen hingestellt wurde, der die ganze Täuschung schon von weitem zu Wasser macht. Im Gebäude befindet sich ein sehr ansehnlicher Vorrath von Feuerlösch-Geräthschaften aller Art, schön und dauerhaft gearbeitete Feuerspritzen von jeder Größe, mit ledernen und hänfenen Schläuchen, lederne Feuereimer, kupferne Wasserkessel auf Schleifen, und ein Wagen, der mit einem vollständigen Apparat von Feuerleitern, Feuerhacken und Rettungs-Requisiten sogleich dem Orte der Gefahr zueilt. Tag und Nacht befinden sich in diesem Spritzenhause Feuerwächter und angeschirrte Pferde.

Die Feuerlösch- und Rettungs-Anstalt steht unter der Leitung der städtischen Polizei, unter Mitwirkung der Militär-Behörden. Angestellt sind dabei, ein Feuerlösch- und Requisiten-Inspektor, neun Rettungs-Inspektoren, fünf Ober-Spritzen- und Maschinenmeister, 47 Spritzen- und Maschinenmeister zweiter Klasse, 9 Rottenführer, somit einer für jede diesen Rotten zugetheilte Mannschaft von 60 Köpfen, eine Reserve und die erforderlichen Fuhrleute.

Wenn die große Stunden-Glocke auf dem Perlach-Thurm durch schnell aufeinander folgende Schläge den Ausbruch einer Feuersbrunst verkündiget, die Feuerwächter durch Sprachröhre und ausgehängte Laternen die Gegend, wo es brennt, näher bezeichnen, die Trommeln den schauerlichen Feuermarsch wirbeln, dann eilt alles an den Ort der Gefahr. Unbeschreiblich ist der Eifer der hiesigen Bürger, ihren bedrängten Mitbürgern zur Hülfe zu eilen; hier vergißt jeder seinen Rang, denkt nur an die drohende Gefahr, läßt sich bei den Spritzen anstellen und sich willig als Glied der helfenden Kette gebrauchen, welche, um die gefüllten und geleerten Löscheimer sich zuzubieten, rasch gebildet ward. Hiezu bedarf es keines rohen Antriebes, der den Rettungseifer eher abkühlen als beleben würde. Das Militär hält die nothwendige Ordnung aufrecht, Patrouillen streifen durch die Straßen, und dieser vereinte schöne Eifer wird gewöhnlich mit dem glücklichsten Erfolge gekrönt. Wirklich gehört es unter die Seltenheiten, daß ein Haus bis auf den Grund abbrennt. In dem edeln, bekannten Wohlthätigkeitssinne der Augsburger findet der durch Brandunglück Heimgesuchte, nach der Bekämpfung der Flammen, eine milde Theilnahme und eine tröstende Hülfe, und die Gebäude sind größtentheils in der Brand-Assekuranz-Anstalt versichert. Besonders greifen manche Innungs-Verwandten, den durch Brandschaden Heimgesuchten Zunft-Gliedern wohlthätig unter die Arme, um bald möglichst die Ausübung des Gewerbs wieder beginnen zu können. Unter diese gehören vorzüglich die Bierbräuer. Uebrigens sind in den verschiedenen Quartieren der Stadt Feuerspritzen vertheilt.

Die ehemalige Patriziat-Stube, nachmaliges Börse- und Harmonie-Gebäude.

Den, von dem unsterblichen Holl errichteten Rathhause gegenüber bildete die ehemalige Patriziat-Stube, die Straßenecke. Die frühere Geschlechter-Tanzstube auf dem Perlach wurde im Jahre 1396 wegen Baufälligkeit abgebrochen, und in der Mitte des Weinmarktes, der St. Moritzkirche gegenüber, ein neues Tanzhaus, in welchem sich auch die Trinkstube befand, erbaut. Bald wollte ihr beengter Raum bei Vermehrung der Geschlechter die Zahl der Gäste nicht mehr fassen, und die liebe Jugend zechte bald in Privathäusern, ja wohl gar in der Rathsstube und in den Klöstern. Darüber entsetzten sich die ehrbaren Eltern, und damit die Herrn Söhne der Geschlechter oder der Honoratioren nicht wohl gar am Ende in verdächtigen Winkeln, unanständigen mit dem Sittlichkeits-Gefühle nicht wohl verträglichen Ergötzlichkeiten fröhnen möchten, so suchten sie bei einem ihrer Collegen ein geräumiges Trinklokal, und fanden es bei dem alten Patrizier Peter

Riederer, dessen Häuser an dieser Stelle des Perlachplatzes standen.

Nach seinem und seiner Ehefrau im Jahr 1418 erfolgten Tode, miethete die Geschlechter=Gesellschaft die Eckbehausung von den Riedererschen Erben und machte sie zu ihrer Herrenstube, welche die Erholung suchende Jugend zu ihrem Vergnügen mit benützen konnte und wo gleichsam schon damals eine Art von Harmonie bestand, in welcher aber, da die Buchdruckerkunst noch nicht erfunden war, das Lesezimmer nothwendig fehlen mußte. Hier ließen sich die Standespersonen einschreiben, und mußten wohl, da die patres conscripti gegenüber die öffentliche Wohlfahrt berathschlagten, schon wegen der Nähe des Themis=Tempels, sich anständiger, mit keinem Lärm verbundener Lustbarkeiten befleißen.

Im Jahr 1429 acquirirten die Geschlechter das gemiethete Haus durch Kaufrecht, welches Besitzthum sie im Jahr 1515 durch den Ankauf der übrigen ehemaligen Riedererschen Häuser ansehnlich erweiterten.

Als Anno 1442 das Seiten=Gebäude abbrannte, blieb dieses, weil der nervus rerum gerendarum durch die Kriegs=Unruhen an der Abzehrung darniederlag, lange im Schutte liegen, über welchen bald eine üppige Vegetation, hier vor manchen Häusern eben nicht zu den Seltenheiten gehörend, einen grünen Teppich herwarf. Erst im Jahr 1563 wurde nach Niederreißung der schadhaften Neben=Gebäude, an dieser Stelle die Aufbauung eines Gebäudes durch Johannes Holl und Zimprecht Spitzert begonnen, und der Grundstein gelegt.

Die Kaufleute hatten ein eigenes Zunfthaus am Judenberge C. Nro. 1. Dieses wurde nach Veränderung des Zunft=Regiments verkauft, dafür aber eine Trinkstube, in dem von den Stubenmeistern 1549 erkauften Kotzen'schen Hause, am Schuch, dem gegenwärtigen Kanzleigäßchen, angelegt. Mit dem Aufhören der reichsstädtischen

Verfassung erloschen auch die Geschlechter und das Bedürfniß einer Geschlechterstube. Die Kaufmannschaft brachte das Haus käuflich 1808 an sich, ließ es niederreißen, mit der Kaufleutstube verbinden und neu aufbauen, und die Harmonie-Gesellschaft miethete hier ein Lokal. Auf der Kaufleutstube hatte der sogenannte Stubenwirth, früher Stubenknecht genannt, die Bedienung der Gäste über sich; in dem Saale des frühern Wirthschaftsgebäudes wurden auch die Hochzeiten der Verlobten aus dem Kaufmannsstande gehalten oder dafür dem Traiteur eine Entschädigung von 25 fl. bezahlt.

Er genoß nebst freier Wohnung auch noch andere Vortheile, mußte aber für die Reinhaltung des Börsenlokals sorgen, die Umlaufschreiben, welche das Gremium des Handelsstandes erließ, bei den übrigen Kaufleuten herumtragen und dergleichen Verrichtungen mehr besorgen.

In dem alten Börsengebäude selbst war ein Wappenzimmer, in welchem die gemalten Wappen aller Kaufleute aufgestellt waren, vorhanden. Diejenigen, welche fallirten oder mit ihren Gläubigern akkordirten, waren, wenn die Letztern in drei Jahren nicht vollständige Zahlung leisteten, des Stubenrechts verlustigt, und ihr Wappen wurde aus den Reihen der Uebrigen entfernt.

Auf der Börse hielt das Gremium der Kaufleute seine Sitzungen, welches zwar keine eigentliche Jurisdiktion in Merkantilstreitigkeiten auszuüben hatte, jedoch auf Verlangen von zwei streitenden Theilen, ein sogenanntes schiedsrichterliches parere ausstellen konnte.

In den Händen dieses Vorsteher-Amtes, ruht die Vertretung des Gesammt-Interesses des Handelsstandes. Es besteht dasselbe aus 2 vor- und 2 nachsitzenden Stubenmeistern, 2 Stubenkassiers, 6 Assessoren und einem Stuben-Aktuar. Das Gremium wählte sonst die ehemaligen 4 Wechsel- und 2 Waaren-Sensalen, zu welcher Bedienstung sie noch gegenwärtig die tauglichen Individuen vorschlägt. Die

Zahl der erstern ist, da die Geschäfte in Staatspapieren so sehr um sich gegriffen und ihr Verdienst sich ansehnlich vermehrt hatte, auf 6, dann auf 10 Wechsel-Sensale angewachsen.

An der Ecke der alten Geschlechterstube stand das auf einer Säule aufgerichtete metallene Standbild des heil. Ritters Georg im Moment der Besiegung des Lindwurms, welches mit dem Gebäude ein Eigenthum des Handelsstandes wurde.

Im Erdgeschoß der vorigen Börse waren viele Kaufläden angebracht, welche einen nicht unbedeutenden Miethzins abwarfen; über denselben befand sich die neue, schön hergerichtete Börsenhalle, mit einem von dem Gallerie-Direktor Deurer im Krönungs-Schmucke gemalten, lebensgroßen Bild des Königs Max Joseph. In einem Seitenzimmer fanden die Sitzungen des Wechselgerichts statt. Im ersten Stocke hatte die Harmonie, ein aus den Mitgliedern der gebildeten Stände zusammengetretener abonnirter Verein, ihr Gesellschafts-Gelaß, sammt einem mit den ausgezeichnetsten Zeitschriften reichlich ausgestatteten Lesezimmer. Unter dem Dache befand sich der geräumige Tanzsaal. Allein der Dachstuhl trug schon in seinem jugendlichen Alter, den Keim der Baufälligkeit in sich, und die über seinen Zusammensturz mit Angst erfüllten Gemüther, dachten hier: für uns ist Spiel und Tanz vorbei, und räumten das Gebäude, welches nebst der ältern Kaufleutstube 1826 abgebrochen wurde, um durch den Ankauf des v. Carl'schen Hauses, in einer schönen und edlern Form wieder aufgebaut zu werden. Zürnend mag Holls Geist vom Rathhaus her, auf das gebrechliche neue Bauwerk geblickt haben, welches nur vom Jahre 1811 bis 1826 dastand.

Es wurden eine Menge Baupläne gemacht, in öffentlichen Blättern besprochen, endlich die nicht unbeträchtlichen Fonds ausgemittelt, und Alles hoffte und erwartete ein neues dauerhaftes Bauwerk, als eine würdige Nachbarschaft der ehrwürdigen Curie aus dem Schutte emporsteigen zu sehen, das den

Namen seines Meisters noch nach Jahrhunderten verewigen würde — und diese Erwartung geht nun auch in Erfüllung.

Das neue Börsen-Gebäude.

Eine geraume Zeit hindurch ruhte zwar das vorige Börsengebäude, welches so zu sagen schon in dem Blüthenalter seiner Entstehung wieder abgetragen wurde, sammt der daran gebauten Kaufleutstube und dem dazu gekauften v. Carlschen, ehemals Pfäffelschen Hauses hindurch, in Schutt und Trümmern; denn man hatte hier über die Eile des Niederreißens, den Plan zur Wiederaufbauung vorher reiflich zu erwägen, übersehen. Für vorschnelle Scribenten war das eine erwünschte Gelegenheit, ihre Bauentwürfe in öffentlichen Blättern laut werden, ja ihre Bauweisheit lithographirt dem Publikum ad oculos demonstriren zu lassen. Inzwischen überlegte man mit Ruhe und Mäßigung die Art und Weise, wie die Wiederaufbauung zweckmäßig zu geschehen habe, damit eine neue Zierde der Stadt aus diesen Trümmern hervorgehe, und das festina lente wird sich hier abermals als beachtungswerth erproben.

Der Auferstehungs-Morgen dieses neuen Börsen-Gebäudes, wird in den Annalen unserer Augusta in mehr als einer Hinsicht, als ewig denkwürdig aufgezeichnet bleiben. Sehr glücklich wurde hiezu der 25ste August 1828, als das erfreuliche Doppelfest der Namens- und Geburts-Feier unsers allgeliebten Beherrschers Ludwig des Gerechten und Beharrlichen, ausersehen. Nach geendigtem Gottesdienste bewegte sich der feierliche Zug nach dem Bauplatze, um dort von dem Gremium des Handelsstandes unter Musik empfangen zu werden.

Unser erster Bürgermeister Hr. A. Barth, eröffnete diese wichtige Handlung, im Namen der Stadt, mit einer Rede, worauf der Hr. Stubenmeister Carl Freiherr v. Wohnlich als Sprecher des Handelsstandes, das Wort nahm, und sodann, das im Programm enthaltene Verzeichniß der in den Grundstein einzulegenden Gegenstände, als: mehrere bei dem Abbruche der ehemaligen Patrizier-Stube, im Fundament gefundene Gold- und Silbermünzen, dann eine auf Pergament geschriebene und in Glas verwahrte Urkunde über diesen Fund im alten Grundsteine vom Jahr 1563, mit der Inschrift Bernhard Zwinczell, Stadtmeister dieser Zeit, seines Alters 67 Jahr, Anno Dm. MDLXIII. B † Z; bayerische Gold- und Silberstücke vom Jahr 1828, eine auf diese Feierlichkeit von unserm geschickten Hofgraveur J. P. Neuß gefertigte Medaille mit der Facade des neu zu errichtenden Börsen-Gebäudes; der lithographirte Grund- und Aufriß, nebst der Situation des neuen Bauwerkes u. s. w., abgelesen; dann wurde der Grundstein von Sr. Durchlaucht dem Hrn. Fürsten Carl Crato von Oettingen-Wallerstein, königlichen General-Kommissär und Präsident der königlichen Regierung des Oberdonau-Kreises 2c. 2c., im Namen und auf Geheiß Sr. Majestät des Königs, nach einer die Gemüther im Innersten ergreifenden Rede, feierlichst gelegt.

Heilig bleibt jedem Augsburger die Stelle, an welchem der erhabene Redner folgende unvergeßliche Worte im Namen unsers hochherzigen Königes Ludwig mit eindringender Stimme sprach:

„Laut kann ich es betheuren, Er liebt sein Augsburg; „Er kennt die Treue, die Biederkeit der Bewohner; den uralten Ruhm der Stadt; die europäische Bedeutsamkeit ihres „Handels, die Regsamkeit ihrer Gewerbe sind seinem Herzen „nahe und theuer.“

Die nähere Beschreibung dieser Feierlichkeit ist aus dem erschienenen Programm und in dem gedruckten Denkmale der feierlichen Grundsteinlegung zur neuen Börse in Augsburg den 25sten August 1828, zu ersehen. Beides, so wie die in den Grundstein gelegte Urkunde, auf Pergament, wurde von dem Buchdrucker J. C. Wirth gedruckt.

Bei diesem wichtigen Bau geruhten Se. Majestät, unser, das Edle und Schöne hochherzig fördernde Souverain, dem königl. Oberbaurath Johann Nepomuck Pertsch, allergnädigst zu gestatten, den Bauplan zum neuen Börsen-Gebäude fertigen, und dem Bau selbst seine Leitung angedeihen lassen zu dürfen.

Die beigefügte Abbildung zeigt die Facade des neuen Börsen-Gebäudes und seine Situation gegen die Straße. Die Einfahrt befindet sich in der Mitte, an der rechten und linken Seite werden Verkaufs-Niederlagen angebracht. Da inzwischen die Einfahrt von der Ecke des vorigen Börsen-Gebäudes 46 Fuß entfernt, und ihr gegenüber angebracht wird, so erweitert sich die Straße, das herrliche Rathhaus bekommt gegen früher eine freiere Lage, und man genießt den Ueberblick des Meister-Bauwerkes schon beim Heraustreten aus der Steingasse.

Das Polizei-Gebäude.

Die städtische Polizei ist mit dem Magistrate verbunden, sie hat ihren Sitz in dem ehemaligen Stadtkanzlei-Gebäude Lit. D. Nro. 11. Dieses wurde zu dem genannten Zweck eingerichtet, und seine hübsche Aussenseite steht im Einklange mit seinem Standpunkte, von welchem aus es seine Facade der Hauptstraße zukehrt.

Die Direktion über das Polizeiwesen führt der erste Bürgermeister. Die Geschäfte besorgen 2 rechtskundige Magistrats-Räthe, und mehrere Polizei-Offizianten. Es ist auch ein eigener Marktinspektor und ein Polizei-Chirurg angestellt; 50 Polizei-Soldaten mit Ober- und Unterrottmeistern bilden die Polizeiwache.

Der

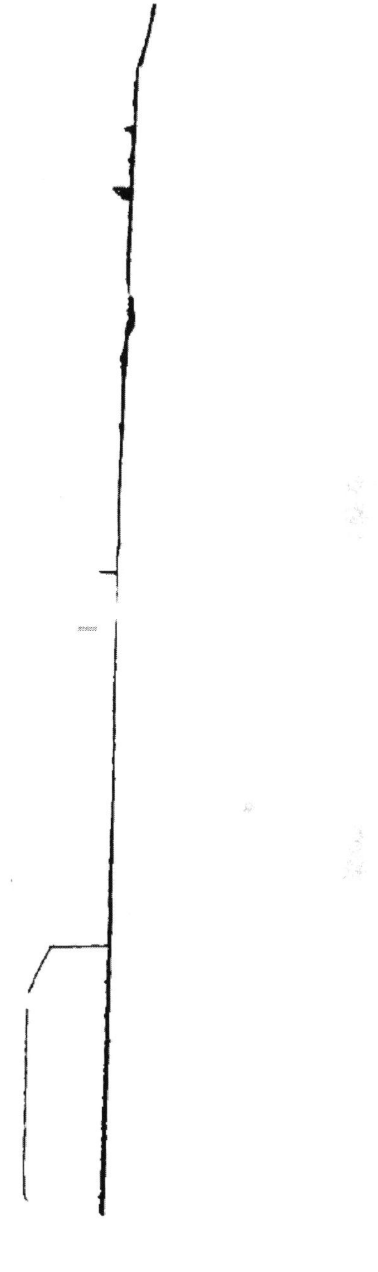

Der obere Brunnenthurm beim rothen Thor.

Die Wasserwerke, wodurch das Quellwasser in die Stadt geleitet wird, gewähren den Augsburgern die in wenigen andern Städten gekannte Bequemlichkeit, fast in allen Häusern fließendes Wasser zu haben. Ihre Anlage, Verzweigung und Unterhaltung kann mit vollem Recht eine der ersten und vorzüglichsten Merkwürdigkeiten von Augsburg genannt werden. Ein gewisser Leopold Karg entwarf schon im Jahr 1412 den ersten Plan, das Wasser, welches gegenwärtig aus 32 Quellen in der Aue und im Lechfelde gesammelt wird, in die Stadt zu leiten, von welcher die nächste Quelle beinahe 2½ Stunden entfernt ist. Dann wollte er das Wasser in einem Thurm am Schwibbogen und von da, nach sieben in der Stadt vertheilten Röhrkästen führen. Allein sein Werk bestand die Probe nicht; er wurde zum Schadenersatz verurtheilt, und verarmte gänzlich. Ein Werkmeister von Ulm, Joh. Felber, war 4 Jahre später in der Ausführung dieses Entwurfes weit glücklicher. Er legte sein Werk am rothen Thore an und leitete das Wasser bis zu einem Brunnen, welcher in der heil. Kreuz-Straße stand, und nach ihm der Felberbrunnen hieß. Oben auf der Säule stand ein Geharnischter von rothem Marmor, welcher für den Kriegs-Obristen, Sebastian Schertlin gehalten wurde, dann an den Judenberg zu stehen kam, endlich bei einem Springbrunnen nächst St. Ulrich angebracht wurde, jetzt aber in Burtenbach in dem Garten des ehemaligen Schertlinschen Schlosses, welches gegenwärtig dem Banquier Hrn. Friedrich v. Halder gehört, aufgestellt ist. Das Lob dieses Felbers spricht ein einfacher Reim, welcher dem Poeten nicht viel Kopfzerbrechens gekostet haben dürfte, aus:

Hanz Felber zu der Zierte und Nutzen uns'rer Stadt,
Die Wasserkunst um viel vermehrt und gebessert hat.

In der Folge der Zeit, nemlich im Jahr 1460 beschäftigte sich ein Webersohn von Ingolstadt, mit der fortschreitenden

10

Verbesserung dieses Werkes. Im folgenden Jahrhundert leitete man noch immer mehr Wasser herein, und die Vorrichtungen, dieses fast in alle Häuser zu treiben, vervielfältigten sich ungemein, was mit einem beträchtlichen Kosten-Aufwande verbunden war. Das Haupt-Wasserleitungswerk am rothen Thore, besteht aus 3 Thürmen, von welchen zwei mit Gallerien geziert und einer mit einem Kuppelhelm bedeckt ist. Der größte unter diesen, oder der sogenannte große Thurm wurde im Jahr 1669 erneuert und erhöht; er ist 103 Schuh hoch; eine sechszöllige Hauptleitung geht in den obern Zwinger und 34 Haus-Eigenthümer erhalten stündlich 3 Eimer Wasser. Der kleinere 84 Fuß hohe Thurm, wurde 1470 errichtet und 1672 erhöht. Der dritte heißt, wegen der Nachbarschaft des Spitals, der Spital- oder Kastenthurm, weil er zur Speißung der herrlichen, öffentlichen Brunnen hergerichtet wurde. Er steht auf einem 12 Fuß hohen Hügel und seine Höhe mißt, nachdem er im Jahre 1590 erhöht worden, 92 Fuß. In diesen drei Wasserthürmen sind 358 Wasserröhren, und unter diesen sind 40 für die drei öffentlichen Springbrunnen bestimmt, welche zusammen in einer Stunde 1074 Eimer Wasser, den Eimer zu 64 Maaß gerechnet, liefern. Diese Wassermasse windet sich durch 3000 unter der Erde liegende Deicheln von Forrenholz, an welchen sich 435 Hahnen von Messing befinden. Auf jedes Haus kommen stündlich 3 Eimer Wasser für den Röhrkasten, wofür jährlich ein gewisser Wasserzins bezahlt werden muß. Das Wasser steigt in den Brunnenhäusern und Thürmen durch das hier befindliche Druckwerk und die Zubringröhren 128 Fuß perpendikulair in die Höhe; bis in den hintersten Thurm wird es 350 Fuß, das Hinzutreten mitgerechnet, hinaufgetrieben. Von allen Reservoiren fällt das überflüßige Wasser durch eine besondere Abfall-Röhre herunter, und der Brunnenmeister kann sich alle Augenblicke überzeugen, ob zu viel oder zu wenig Wasser vorhanden, ob das Werk angehalten oder stärker gehen müße. Diese Abfallröhren und

Wasser = Behälter sind von Kupfer und fassen 32 bis 58 Eimer.

Eine nähere Beschreibung dieses merkwürdigen Wasserwerkes wäre deßwegen überflüßig, weil man damit umgeht, diese Wasserleitung noch mehr zu vereinfachen, der Mechanismus sich mithin verändert. In dem bei diesem Brunnenthurme befindlichen Hofe steht eine Art Grotte, die Clause genannt, mit verschiedenen Bronze-Figuren, um welche herum 27 Vexierröhre angebracht sind. Jeden Augenblick und ohne daß es der harmlose Beschauer bemerkt woher ihm die Taufe bescheert wird, kann er durch einen künstlichen Regen so ziemlich durchnäßt werden; denn der Mensch, nicht zufrieden der Macht der Elemente Schranken vorzuschreiben, bedient sich dieser zerstörenden Kräfte in Feuerwerken und Wasserkünsten auch zur Unterhaltung und zum Spiele.

Der untere Brunnenthurm

steht am Fuße des Mauerberges. Von diesem Brunnen wurde auf Ansuchen des Bischofs Friedrich im Jahr 1502 Wasser in die bischöfliche Pfalz geleitet. Er wurde in den Jahren 1538 und 1684 erhöht, und im Jahr 1737 mit einer Pfeiler-Mauer umgeben. Dieses Wasserwerk hatte nur einen Thurm oder Reservoir und hier waren 12 Stiefel im Gange.

Im Jahr 1821 hat der königliche Salinen = Direktor Hr. v. Reichenbach sehr sinnreich den Mechanismus dieses Wasserwerkes vereinfacht, so daß es sein Wasser in zwei Hauptleitungen theilt, welche zusammen 210 Wasserstiften enthalten.

Die hydraulische Maschine besteht hier aus einem eisernen Wasserade von 14½ Schuh Höhe und 6½' Breite, mit einer einfachen Kurbel oder Krummzapfen, welcher 2 Kunsthebel in Bewegung setzt, die an ihrem Ende mit Zugstangen versehen sind, an welchen sich die Kolben befinden.

Die 4 Zylinder stehen in einer Reihe und haben 11'' im

Durchmesser. Zwei und zwei Zylinder sind durch einen viereckigen Kasten verbunden, in welchem sich die beiden Saug- und die beiden Druckventile befinden, von welchen sodann das Wasser durch eine 7'' weite Röhre 102' hoch hinaufsteigt.

Das Wasserrad macht gewöhnlich 10 Umgänge in einer Minute und die Kurbel hat 15'' Steigung, mithin ist der Kolbenhub 30''.

In Dinglers polytechnischem Journale Bd. VII. S. 257. kann das Nähere über diese Einrichtung nachgelesen werden.

In verschiedenen Gegenden der Stadt befinden sich kleinere Wasserthürme; dahin gehören: der obere und untere St. Jakobs-Wasserthurm; der untere steht in der Nähe des Blatterwalls; der Wasserthurm am Vogelthor, und der in dem Hofe des Frauenklosters zu Maria-Stern. Um die Verbesserung dieser frühern Wasserwerke haben sich die Brunnenmeister Hillenbrand, Demp, Wahl und Caspar Walter verdient gemacht. Der Letztere hat eine mit Kupfern erläuterte Beschreibung dieser Wasserleitungen unter der Aufschrift: hydraulica Augustana herausgegeben; von Demp, seinem Schüler, und J. G. Wahl sind mehrere schätzbare Modelle vorhanden, welche mit andern hydraulischen Vorrichtungen und Bau-Modellen, im Brunnenthurm am rothen Thore, aufbewahrt werden.

Es liegt gegenwärtig im Plane, die ganze Stadt mit dem besten reinsten Quellwasser zu versehen; inwiefern derselbe glückt, wird die Folge der Zeit lehren. Beim Bau des untern Brunnenthurms wurde dieses wohlthätige Projekt gleich mit ausgeführt. Bei den obern Brunnenwerken am rothen Thore hingegen ward im Jahr 1827 der Anfang durch Grabung eines großen Brunnens gemacht und die Arbeiten werden wahrscheinlich fortgesetzt werden. Beim untern Jakober Brunnenwerk wird ein ähnlicher Brunnen gegraben. Diese sämmtliche Arbeiten geschehen unter der Leitung des Magistrats.

Ausser diesem fließenden Wasser haben die meisten Häuser

sogenannte Gumper oder Pump-Brunnen, dergleichen befinden sich auch auf der Straße zum allgemeinen Gebrauche.

Das Metzgerhaus, Lit. C. Nro. 243.

Schon im vierzehnten Jahrhundert, hatten die Metzger ein Zunfthaus auf dem Perlach-Platz. Die Fleischbänke waren bis 1449 unter dem Tanzhause, und als dieses neu hergerichtet wurde, verlegte sie der Rath an den Perlachberg. Das dort befindliche Metzgerhaus wurde im Jahr 1446 renovirt, und die Metzg gewölbt. Im Jahr 1533 ließ der Rath noch mehrere Bänke aufrichten und um dem üblen Geruche einigermaßen zu begegnen, 15 Jahre später, Hütten über die Lech-Bäche bauen. Im Jahr 1609 kaufte der Magistrat neun Häuser unten am Perlachberg, ließ sie niederreißen und Holl errichtete das neue Metzggebäude im nemlichen Jahre, welches 2½ Schuh tief im Brunnen-Wasser steht. Nach seiner Angabe und Leitung wurde der Grund während das Wasser zwischen der Arbeit durch 2 große Ziehbrunnen herausgepumpt ward, stückweise aufgemauert, bis das Mauerwerk über dem Wasser hervorragte. Die Herstellung der 350 Schuh langen Bachmutter erforderte, nach des Baumeisters eigenem Ausdruck: „eine mächtig große Arbeit.“

Unter diesem schönen Gebäude, rauscht der kleine Bach dahin und trägt zur Reinlichkeit, zur Erfrischung und Kühle das Meiste bei.

Durch die Nachläßigkeit einiger Nachtschwärmer, oder wie mehrseitig geglaubt wird, durch boshafte Brandstiftung veranlaßt, verzehrte in der Fastnacht 1634 eine entsetzliche Feuersbrunst dieses schöne Gebäude, sammt allen darinn befindlichen Fahrnissen und den bedeutenden Getreide- und Leder-Vorräthen, und verwandelte es bis auf den Grund in Schutt und Asche. Bald wurde es wieder in seinem vorigen nunmehrigen schönen architektischen Verhältnisse hergestellt. Das Gebäude selbst ist 200 Schuh hoch. An beiden Seiten führen 6 steinerne Stufen zu den beiden Eingangs-Pforten. Zwischen den Fenstern des dritten Geschosses ist das Stadtwappen angebracht. Im Innern stehen 126 mit Eisen stark verwahrte Metzbänke, von welchen mehrere sonst dem Bischofe lehnbar waren, nunmehr aber längst aus dem Lehens-Verbande gelöst sind; über diesen hängt das zum Verkauf hergerichtete Fleisch an eisernen Hacken. Mehrere dieser Bänke gehören den Metzgern eigenthümlich, die andern verändern jährlich ihre Besitzer nach dem Loose. Unter der Erde befinden sich rechts und links, zwar nicht tiefe, doch wegen der Wassernähe desto kühlere, zur Aufbewahrung des Fleisches dienliche Keller.

Da die hiesigen Metzger sich die höchste Reinlichkeit angelegen seyn lassen, so fällt selbst in den heißesten Tagen den Vorübergehenden der Fleischgeruch nicht zur Last.

Es sind auch für fremde Verkäufer, Lit A. Nro. 436. Freybänke errichtet worden. Diese sonst hier ungewöhnliche Einrichtung findet erst seit den Theuerungsjahren 1816 und 1817 statt, weil die Meister der Metzger-Innung den benöthigten Fleisch-Bedürfen nicht genügen konnten.

In früheren Zeiten wurde es als eine besondere Denkwürdigkeit erzählt, daß in dem Metzgebäude, weder Fliegen noch Ratten anzutreffen seyen. Man schrieb ihre Verbannung aus einem für sie sonst so anlockenden Tummelplatze, der Wunderkraft des heiligen Ulrichs zu, und die Erde aus seinem Grabe, wurde sonst weit und breit als ein sicheres Mittel zur Vertreibung der Mäuse und Ratten verkauft. Gegenwärtig fehlt es weder an den Erstern noch an den Letztern. Auf diesem Zunfthaus ist gleichfalls Wein zu haben. In dem Vorplatze des zweiten Geschosses verkaufen die Lodweber die von ihnen gefertigten Waaren. Die Säle und Zimmer wurden der früher bestandenen Stadt-Akademie eingeräumt, welche zur Uebung im Freihand-Zeichnen und nach dem Runden, bestimmt waren. Sie wurde im Jahr 1778 gestiftet, und im Jahr 1780 reifte sie einer höhern Vervollkommnung entgegen. Ein großes Verdienst um ihren Flor erwarb sich der einsichtsvolle und unvergeßliche Paul von Stetten der jüngere. In dem dortigen Saal fand sonst die jährliche Ausstellung der eingelieferten Kunstarbeiten und die in silbernen Medaillen bestehende Preise = Vertheilung, an ausgezeichnete Kunstschüler statt. Gegenwärtig ist hier eine beträchtliche Sammlung von Gyps=Statuen, Modellen und anderen Kunst-Gegenständen aufgestellt. Unter den erstern sind die am Herkules=Brunnen in Bronze angebrachten Najaden, Laokon, der Fechter, Apoll und andere sehenswürdig. Gegenwärtig findet die Ausstellung der Kunst=und Industrie=Erzeugnisse, in den auf Kosten des seel. Hrn. Finanzraths Frhrn. v. Schäzler erneuerten Sälen statt. Den vordern Saal schmückt ein, von Huber gemaltes, allegorisches Deckenstück, auf welchem Saturn die Zukunft enthüllt und Minerva, mit einem Gefolge von Genien, die Mißgunst und die Thorheit unter Merkurs Frohlocken in den Abgrund schleudert.

Auf die frühere Basis dieses sehr lobenswerthen Institutes, wurde die gegenwärtige königliche Kunstschule gegründet. Die damit vereinte Zeichnungsschule ist an den Sonntagen und an gemeinschaftlichen Feyertagen früh von 9 — 11 Uhr, Nachmittags aber von 1 — 2 Uhr geöffnet und den Schülern wird im Freihandzeichnen, in Figuren und Landschaften, so wie in Architektur = Gegenständen und Verzierungen, Unterricht ertheilt. Die höhere Kunstschule steht unter der Leitung eines Direktors und eines Professors. Das Oekonomische der Anstalt besorgt ein besonderer aus angesehenen Bürgern gebildeter Ausschuß. Den Unterricht ertheilen daselbst eigens angestellte Lehrer, welche auch der Unterweisung in der sonntäglichen Zeichnungsschule vorstehen.

Das Pfand= und Leihhaus.

Um die sich in Geld = Verlegenheit befindlichen Bürger den Klauen der Juden und Wucherer zu entreißen, schoß der

Magistrat schon im Jahr 1598 ein Kapital zur Errichtung eines Pfand- und Leihhauses zusammen, um die Bedrängten mit Darleihen zu 5 Prozent Interessen zu unterstützen.

Im Jahr 1732 wurde eine neue, den Zeitumständen angemessenere Leihhaus-Ordnung bekannt gemacht und eine besondere Deputation aus Rathsgliedern und Kaufleuten ernannt, welche an bestimmten Wochentagen ihre Sitzungen zu halten verpflichtet waren; ferner wurde ein bürgerlicher Buchhalter und Kassier, ein Pfänderverwahrer und Taxator aufgestellt. Man kann dort Gold und Silber, Prätiosen und Metallgeräthe, Leinwand und Kleider versetzen, und erhält die Hälfte des Schätzungswerthes jener Effecten, bekommt dann einen Zettel, welchen weiter zu verpfänden strengstens verboten ist. Die dargeliehenen Summen müssen mit 6 Prozent verzinst, die Pfänder aber nach Verfluß eines Jahres, bei Verlust des öffentlichen Verkaufes derselben, ausgelöst oder umgeschrieben werden.

Das im Jahr 1629 erbaute Pfand- und Leihhaus liegt hinter dem gegenwärtigen Salzmagazin, und ehemaligem Kornhause. Diese Abgelegenheit beurkundet ein gewisses Zartgefühl der Gründer dieses wohlthätigen Institutes, für die Noth des Nächsten, welche doppelt drückend wird, wenn man sie zur Schau ausstellen soll.

Leider liefern die vollgefüllten Niederlagen, der hier als Faustpfänder befindlichen Versatzstücke den Beweis, daß das Bedrängniß der hiesigen Einwohner eben nicht im Abnehmen ist.

Zu den der Commune gehörigen Gebäuden, gehört noch

Die Heuwaage

auf dem Kreuz, in der Nähe des Heumarktes; dort werden die zu Markte gebrachten Heuwägen, mit Ketten umschlungen, an der Balkenwaage in die Höhe gezogen, dann dem Käufer ins Haus geführt.

In dem Eichgebäude Lit. A. Nro. 435. am Schwal, wird die Prüfung der Flüssigkeitsmasse vorgenommen, und die seit dem Jahr 1817 errichtete Freibankmetzg befindet sich gleichfalls in seiner Nähe, am sogenannten Schnarrbrunnen, gehört aber eben so wenig zu den Annehmlichkeiten, als zu den Merkwürdigkeiten Augsburgs.

---

2. Zunft=Häuser.

Das Weber=Zunfthaus.

Unter den wenigen noch übrigen Gebäuden, deren Aussenseite Fresko=Gemälde zieren, verdient das Zunfthaus der Weberschaft einer vorzüglichen Erwähnung. Diese Mauer=Bilder sind von Mathias Kager gemalt, und weiter unten beschrieben, um, da sie bald vollends unkenntlich werden, ihr Andenken wenigstens zu erhalten. Das Haus selbst kaufte die Weberzunft i. J. 1390 von einem Georg Ilsung für 700 fl., und richtete es zu ihrem Zunfthaus her. Der steinerne Gang um dasselbe, dem Spritzenhaus gegenüber, wurde im Jahr 1605 angelegt. Es bildet auf beiden Seiten das Eck=Gebäude, auf der Maximiliansstraße, und gegen den Moritzplatz und seine gegen das Feuerhaus gekehrte Fronte steht frei da.

Durch das Weberhaus führt ein Durchgang aus der Maximiliansstraße gegen St. Moritz und den alten Heumarkt. Ueber dem Eingang von der Erstern aus befindet sich der in Stein gehauene und übermalte Schild, den die Weber in der am 10. August 955. auf dem Lechfelde von Otto I., welchem der Bischof Ulrich mit Gebet und Volk beistand, den Hunnen gelieferten Schlacht, von einem hunnischen Heerführer erbeutet, und von dem Kaiser zum Zunft=Wappen erhalten haben sollen.

Dieses Siegeszeichen wurde von der Innung bei mehrern

feierlichen Gelegenheiten zur Schau herumgetragen. Zu ebener Erde befinden sich mehrere Gewölbe, welche zu Waaren-Niederlagen für die Zunft dienen, und gegen die Straße zu sind zwei Keller, in welche man einige Stufen hinab steigt, um dort verschiedene Weberwaaren um billigen Preis zu kaufen. Im Weberhaus selbst werden noch Gewebe der Fugger aufbewahrt, ein Stück Barchent nemlich, vom Jahr 1461; dann ein silberner und vergoldeter Becher, ein Geschenk des Handelsstandes an die Zunft; mehrere Pokale und unter diesen wird ein aus einer Cokusnuß-Schaale gefertigter mit Silber verziert, aus Ulrichs Zeiten, gezeigt. Die ehemalige Amtsstube ist von Kaltenhofer gemalt. Im ersten Stockwerk wird Wein geschenkt.

Ueber die Gemälde an den ehemaligen 8 Stadtthürmen und am Weberhaus, so wie über den Auf- und Umzug des Weberhandwerks, ist von Hauppold eine Beschreibung mit Abbildungen im Jahr 1760 herausgegeben worden.

Eines Mannes müssen wir bei Gelegenheit des Weberhauses gedenken, welchen erst kürzlich das Berliner Conversationsblatt unter die Merkwürdigkeiten von Augsburg zählte, ja ihn unter diesen den ersten Rang einräumte. Es ist dieses der blinde Antiquar Wimprecht, welcher täglich am Weberhause alte Bücher und Kupferstiche feil bietet. Von Jugend auf seines Augenlichts beraubt, hat ihm die Natur diesen schmerzlichen Verlust durch eine ausserordentliche Schärfung seiner übrigen Sinne zu vergüten gesucht.

Es ist unglaublich, mit welcher Behendigkeit er unter Hunderten von Büchern, das Gewünschte blos durch das Gefühl herausfindet, nachdem er sich den Titel erst hat vorlesen lassen, und dann die Bücher einzeln betastet hat.

Er spielt mehrere musikalische Instrumente, zeichnet und schneidet Thiere und Figuren aus, hat bereits Vogelhäuser und Körbchen von Glasperlen, welche er auf Draht reihte, mit richtiger Vertheilung und Beobachtung der Farben-Verhältnisse verfertiget, besitzt ausgezeichnete litterarische Kenntnisse, und ist sonst ein heiterer Mann und glücklicher Vater, mit welchem man sich über verschiedene Gegenstände des Wissens angenehm unterhält.

Das Bäcker-Zunfthaus. C. 18.

Als im Jahr 1398 eine höchst verderbliche Feuersbrunst, die ganze Häuser-Reihe, von der St. Peterskirche an, bis hinab an das Barfüßerkloster in Schutt und Asche gelegt hatte, ließ der Magistrat auf dieser Brandstätte das sogenannte Brod- oder Bäckerhaus aufführen, welches jedoch mit dem gegenwätigen nicht verwechselt werden darf; der vor demselben gelegenen Raum, wurde zum Marktplatze bestimmt. Früher bot die Bäckerzunft ihr Brod blos in hölzernen Buden, welche sich vom Judenberg an bis an die Schmidgasse erstreckten, feil. Unser gegenwärtiges schönes Bäckerhaus C. 18., wurde von Holl im Jahr 1602 errichtet, und schon die Aussenseite dieses ausgezeichneten Bauwerkes läßt seinen berühmten Erbauer nicht verkennen. Der Eingang steht gegen die obere Karolinenstraße, dann zieht sich seine schöne, mit Gesimsen im italienischen Baustyle gezierte, abwärtsgehende Fronte gegen den Perlachberg. Das Erdgeschoß ist in viele Kaufläden abgetheilt. Das geräumige Zimmer des ersten Stockwerkes wird bisweilen zu Mobilien-Auktionen benützt, auch dient dasselbe reisenden Künstlern zur Ausstellung ihrer Wachs- und anderer Kabinete.

Bei der Bäckerzunft haben sich verschiedene merkwürdige Veränderungen zugetragen. In frühern Zeiten hatten die Bäcker das sonderbare Privilegium, nicht wandern zu müßen. Sie durften nach einem Rathsdekret von 1398 Bier brauen, die Bierbräuer hingegen Brod backen. Noch gegenwärtig sind mit mehreren Bräuhäusern reale Bäckersgerechtigkeiten, welche jetzt durch Beständner ausgeübt werden, verbunden.

Auch waren die Bäcker, welche schwarzes= oder Sauerbrod zubereiteten, von den Schön= oder Süßbäckern getrennt. Diese Trennung zwischen Schwarz= und Weißbrod=Bäckern hörte im Jahr 1529 auf; doch ersannen sie damals eine eigene Gattung Brod, das rothe Brod nemlich, dessen Bestandtheile nicht mehr bekannt sind, welches aber nach einer magistratischen Bekanntmachung, weil darin allerlei Beschwerniß, dem gemeinen Mann unleidlich erwachsen und sich erfunden hat, jeder Bäcker nicht mehr als einmal jede Woche backen durfte. Das nicht gut ausgebackene und zu leicht erfundene Brod wurde zerschnitten, der Bäcker aber ernstlich bestraft; dieses Zerschneiden ward durch ein Rathsdekret vom Jahr 1532 aufgehoben, dagegen aber das gegen den monatlichen Tariff zu geringhaltig befundene, in das Findelhaus oder in das Blätterhaus geschickt. Mit noch weit empfindlicheren Strafen, wurden die den Gesetzen die Achtung versagenden Bäcker angesehen, denn da sie während der großen Theurung im Jahr 1442 sich grobe Unterschliefe erlaubten, ließ der Magistrat bei der Pferdeschwemme nächst St. Ulrich einen Wipp= oder Schnellgalgen aufrichten, und sie an demselben hängend, mehrmals in das Wasser tauchen.

Diese Beschimpfung verdroß sie dergestalt, daß sie nach Friedberg auswanderten, allein durch den Hunger bald wieder zurückgetrieben wurden.

Merkwürdig ist die Strafe, welche ein Rathsdekret von 1558 für die Bäcker, welche schlecht gebackenes Brod lieferten, festsetzte; sie sollen nemlich in die Frohnfeste gebracht und ihnen nichts anders, als ihr übel gebackenes Brod zu essen gegeben werden. Diese drollige Zurechtweisung scheint ihrem Zwecke damals entsprochen zu haben.

In neuerern Zeiten wurden die pflichtvergessenen Bäcker auf ihre Läden öffentlich ausgestellt. Dergleichen ist aber lange nicht mehr vorgefallen, ohnerachtet das hiesige Brod, nach dem Urtheile aller Fremden, in der Regel eben nicht zu den preiswürdigsten Gegenständen gehört.

Auf dem Bäckerhause wird gleichfalls Wein geschenkt.

---

3. Die öffentlichen Springbrunnen.

Diese zum Theil ausgezeichnet schönen Denkmäler der Kunst, gehören zu den vorzüglichsten Zierden unsrer öffentlichen Plätze und sind als solche einer ausführlichern Erwähnung werth.

Der Augustus-Brunnen.

(Mit einer Abbildung.)

Auf dem Perlachplatze erhebt sich diese herrliche Fontaine und zieht den Blick aller Kunstfreunde auf sich. Das Brunnengefäß selbst ist von weißem Salzburger Marmor, von Simon Zwitzel und Leonhard Kreitzerer, zwei Augsburger Steinmetzen. Ein Gitter von Eisen zieht sich rings um dasselbe, an dessen Ende Kugeln von Stein auf Postamenten ruhen. An 4 verschiedenen Seiten sind die vier Jahreszeiten angebracht, hinter welchen das Wasser hervorspringt, das dem Brunnen aus den vor dem rothen Thore stehenden Wasserwerken, in 18 Haupt- und 32 Abtheilungsröhren zugeführt wird.

Die neuere Säule ist nicht tadellos von dem Stadt-Steinmetzen Wolfgang Schindel im Jahr 1749 aus rothem Marmor verfertigt, denn sie steht mit den übrigen Kunstgegenständen in keiner schicklichen Uebereinstimmung.

Aus vier an derselben befindlichen Brustbildern sprudelt gleichfalls der Wasserstrahl, welcher sich auch aus dem geöffneten Rachen der von Kindern in den Händen gehaltenen Fische und aus mehrern an der Säule befindlichen Larven ergießt.

Den höchsten Punkt des Piedestahls schmückt das 8 Fuß hohe und 27 Centner schwere Standbild des mit Lorbeeren bekränzten Kaiser August, welcher gleichsam seine Pflanzstadt segnend, den rechten Arm ausstreckt. Die Figuren sind von Hubert Gerhard, einem Niederländer, der in den Jahren 1586 bis 95 als Bildformer und Stukkadurer in herzoglich-bayerischen Diensten stand. Er erhielt für das Poussiren der 12 Bilder, 1200 fl.

Der Augustus-Brunnen wurde im Jahre 1594 vollendet und Anno 1672 mit 8 Röhren verstärkt. An der Säule befinden sich 4 kupferne im Feuer vergoldete Tafeln mit Inschriften, welche die Zeit der Errichtung dieses schönen Werkes, unter der Regierung des Kaisers Rudolph und die nach der Hand stattgefundenen Reparaturen unter dem Duumvirat der Stadtpfleger W. J. Sulzer und L. A. Imhof kund geben.

Von einem noch höhern Kunstwerthe ist

Der Herkules-Brunnen.

(Mit einer Abbildung.)

Er steht mitten in der obern Maximiliansstraße in der Nähe des ehemaligen v. Liebertischen Gebäudes. Das Wasserbecken ist gleichfalls von weißem Salzburger-Marmor, und wie an dem Vorigen, mit einem eisernen Gitter umgeben. Das Wasser springt aus dem Munde und den Conchylien der drei daran befindlichen Tritonen, dann aus den Schnäbeln dreier Schwäne, welche von drei Knaben gehalten werden. Vorzüglich schön sind die drei in Lebensgröße, an den drei Ecken der Säule sitzenden Najaden, von welchen die Eine ihr triefendes Haar, die Andere aber ein Tuch auswindet, und die dritte ihren Fuß aus einem Gefäße begießt. An der nemlichen Säule, befinden sich drei schöne Basreliefs, über welchen aus 3 Löwenköpfen sich gleichfalls Wasser hervordrängt, das der Fontaine aus 12 Haupt- und 24 Abtheilungsröhren zuströmt. Der auf dem Postament stehende kolossale Herkules, im Kampfe mit der Hydra, welche er, während die Linke das siebenköpfige Ungeheuer niederdrückt, mit kräftig geschwungener Keule erlegt, hat eine Höhe von 13 Fuß und ein Gewicht von 80 Centnern.

Der Zahn der Zeit, welcher von Kunstwerken sowohl, als von Stümperarbeiten seinen Zerstörungstribut einfordert, beschädigte auch die Marmorsäule, welche dem mächtigen ehernen Fuße des Herkules zum Stützpunkte diente. Man mußte befürchten sie unter dieser Last einstürzen zu sehen. Mit großer Anstrengung wurde daher jene Statue abgenommen, und das schadhafte Piedestal durch eine neue Säule aus Gußeisen ersetzt, welche, in der Maxhütte bei Berg gegossen, 250 Ctr. wiegt.

Im Jahr 1828 besorgte der sehr geschickte und der Auszeichnung in einem hohen Grade würdige Brunnenmeister Herr Georg Hävel, die Aufstellung der neuen Säule und die Vertheilung der verschiedenen Bronze-Statuen auf und um dieselbe, nach der frühern Weise.

Adrian de Vries, ein berühmter Bildhauer von Gravenhaag, vollendete dieses Kunstwerk im Jahr 1599.

Ein Meisterstück des nemlichen Künstlers ist auch das aus Bronze gegossene Standbild des Merkur, auf dem nach ihm genannten Merkurius-Brunnen, bei der St. Moritzkirche, dessen aus rothem Marmor gefertigtes Bassin gleichfalls ein eisernes Gitter umringt. In seiner Mitte erhebt sich eine 12 Fuß hohe Säule, mit mehrern metallenen Thier- und Menschenköpfen, aus deren Mund das Wasser, welches 10 Röhre der Fontaine zuführen, springt. Zu oberst steht der Götterbote, in der Rechten den Schlangenstab haltend, mit der Linken aufwärts zeigend. Cupido befestigt ihm die Flügel an die Füße und blickt zu ihm empor; diese ganze Gruppe macht einen herrlichen Effekt.

Einen weit geringeren Kunstwerth hat der metallene

Neptun auf einem Brunnen, welcher sonst in der Weißmahlerstraße stand, nun aber auf den Fischmarkt versetzt ist. Nur der Dreizack, nicht aber sein Würdevolles Aussehen beurkundet in ihm das Abbild des Gottes der Gewässer, dessen gebieterisches „quos ego“ durch das Tosen des Sturmes drang und ihn beschwor. Man hält ihn für ein Werk des Stadt-Glocken-Stück- und Bildgießers Wolfgang Neidhard, von Ulm gebürtig.

An kleinen Brunnenkästen, und Pumpbrunnen, welche in der Stadt vertheilt sind, fehlt es nicht.

Der große offene Springbrunnen in der St. Anna-Gasse wurde im Jahre 1812 abgetragen und der Platz eingeebnet, weiter unten aber ein neuer Röhrbrunnen mit zwei kleinen steinernen Sphinxen angebracht.

Im Hofe der St. Jakobs-Pfründe steht ein Brunnen mit der steinernen Statue des Apostels Jakobs des größern von Ingerl gearbeitet.

---

4. Gebäude, welche dem Königlichen Militair-Aerar gehören.

Außer den bereits angeführten und beschriebenen, dem Königlichen Militair-Aerar gehörigen Stadt-Thoren, Stadt-Mauern und Bastionen, dann der Kasernen, der Reitschule für die Kavallerie, sind folgende Bauwerke unter obiger Rubrik, der besondern Beschauung werth.

Das Zeughaus.

Das alte Zeughaus der Reichsstadt Augsburg stand ehemals an dem sogenannten Katzenstadel F. 143., woselbst sich gegenwärtig die Königliche Proviant-Bäckerei befindet. In dem geräumigen Hofe desselben, zeigten selbst noch in neuern Zeiten Kunstreiter ihre Schauausstellungen, es wurden darin Thierhatzen gegeben, Kunstfeuerwerke abgebrannt u. s. w. Das gegen-

Gruppe der Bronze-Figuren
am Zeughause.

gegenwärtige Königliche Zeughaus B. 224., ehemals ein Kornhaus, wurde im Jahr 1581 zum Arsenal hergerichtet. Die großen, von dem Stadt-Werkmeister Jakob Erschey, bei Herrichtung dieses Gebäudes begonnenen Fehler verbesserte Holl durch wichtige Reparaturen und vollendete dieses Werk im Jahr 1697, welches, zumal bei seiner jetzigen Einrichtung, zu den vorzüglichsten Sehenswürdigkeiten Augsburgs gerechnet werden darf.

Besonders fesselt den Blick des Beschauers die an der Vorderseite über dem Portal prangende Gruppe herrlicher Bronze-Figuren, in welcher man sonst einer allgemein herrschenden Meinung zufolge, den Kampf des Erzengels Michael mit dem Satan zu erblicken wähnte. Jetzt hält man dafür, der Künstler habe dadurch eine Allegorie, nemlich den Genius des Friedens, der die Furie der Zwietracht in den Staub tritt, darstellen wollen.

Dieses Meisterwerk wurde von Johann Reichel aus Rain in Bayern gebürtig, im Jahr 1607 im Stadt-Gießhause gegossen, die Haupt-Figur ist 16 Schuhe hoch und die ganze Gruppe 80 Centner schwer.

Die mit großen goldenen Buchstaben auf Platten von rothem Marmor angebrachten Inschriften lauten:

Belli instrumento.
(Zur Kriegsrüstung.)
Pacis firmamento.
(Zur Friedensbefestigung.)

Der geräumige Hof ist mit Gitterwerk eingefangen; in diesem erblickt man regelmäßig aufgeschichtete Kugeln und Haubitzgranaten, Bomben, Mörser, eiserne und metallene Kanonen. Vor demselben befindet sich gleichfalls sehr schönes, jedoch grobes Geschütz, ohne Lavetten. Es sind darunter Meisterstücke der frühern schönen Gußkunst in Altbayern. Auf Manchem sind alte, jedoch ziemlich nachdrucksvolle Verse zu lesen. Eine Kanone trägt die Jah-

11

reszahl MDXXXXIIII. und die Gewichts=Angabe 5146 ℔; sie ist in Landshut gegossen und der darauf befindliche Reim besagt:

Will niemand singen, so sing aber ich.
Ueber Berg und Thal, hört man meinen Schall.

Wahrlich eine Catalani mit viel Metall in der Stimme!

Von zwei andern Kanonen führt die Eine den Namen des Bauern und die Andere der Bäuerin. Diese ist mit einem Pferd und einer Egge abgebildet und verspricht ihrem lieben Manne, was vor ihr stehe, niederzuwerfen. Jener hingegen, der in der Abbildung einen, mit 2 Pferden bespannten Pflug leitet und sich in der gereimten Innschrift der Bekanntschaft des Herzogs von Bayern rühmt, kündigt seinen Entschluß an:

Mit meinem Pflug thu ich umkehren,
Thüren und Mauern, wenn man sich thut wehren.

Auf einem dieser Belagerungs=Geschütze ist ein Löwe mit den gewichtigen Worten: „Weck mich nicht auf!" abgebildet; ein rauher behaarter Mann hält eine Kugel in der Hand mit der Umschrift: „Triff!" ein Anderer aber zückt das Schwerdt, er nennt sich in einem dabeistehenden Reim den Scharf=Schir, welcher den Gesellen, die wider die Pfalz don wellen, den Part schirt.

Diese Seltenheiten können außerhalb betrachtet werden; der Zutritt in das Innere des Zeughauses selbst, welches unter der Aufsicht eines Königl. Artillerie=Hauptmannes steht, ist in der Regel untersagt.

Während der reichsstädtischen Verfassung besaß es einen ansehnlichen Vorrath alter Rüstungen, Harnische, Panzerhemden, Schlacht=Schwerdter Mauerbrecher; auch wurden daselbst die Feuerspritzen aufbewahrt.

Der österreichische General=Feldzeugmeister Latour ließ diese Vorräthe von alten und neuen Waffen auf Kosten der

Stadt nach Braunau bringen, ohne sie jedoch versprochenermaßen wieder zurückzustellen.

Dem Königl. Militär-Aerar gehört ferner das schön eingerichtete, von Elias Holl im Jahr 1601 statt dem im Jahr 1556 niedergebrannten, neu aufgeführten Gießhaus, welches Meister Elias mit starken Mauern und Gewölben, um es vor Brand-Unglück zu bewahren, versah, das jetzige Königl. Kanonengieß- und das stattliche Bohrhaus Lit. F. Nro. 133.

Gegenüber der Kanonengießerei befindet sich an der Stelle des alten Zeughauses oder des sogenannten Katzenstadels, die Militär- oder Proviant-Bäckerei, mit Remisen für das Fuhrwesen. Das Local der Königl. Verpflegs- und Bau-Commission ist in dem ehemaligen evangelischen Hospital-Pfarrhause bei dem rothen Thor. In dem sonst sogenannten Ulrikanischen Maierhofe befinden sich zum Theil Stallungen für die Cavallerie-Pferde.

---

5. Königliche Civil-Aerarial-Gebäude.

a) Das Gebäude des Königlichen Kreis- und Stadtgerichtes,
und
Die Königliche Mauthhalle nebst dem Hallamt und der Güter-Niederlage.

(Mit einer Abbildung.)

Die Bau-Zierden Augsburgs erhielten in der Herrichtung des neuen Königl. Mauth- und Hallgebäudes, des Hallhofes und der großen Güter-Niederlage, einen neuen bedeutenden Zuwachs. Im Jahr 1807 wurden mehrere im ehemaligen Hallhofe gestandene Gebäude abgebrochen, der Garten des im nem-

11*

lichen Jahr aufgehobenen Klosters zu St. Catharina geräumt, und der Bau der genannten Waaren = Niederlage begonnen.

Der 12. October 1807 war zur Grundsteinlegung bestimmt, welche zu einer großen Feyerlichkeit Veranlassung gab. In der Haupt=Pfarrkirche zu St. Anna hielt der würdige Hr. Dekan Kraus eine Predigt; bei der Grundsteinlegung paradirte die Garnison und das Bürgermilitair; sodann war feyerliches Hochamt in der Domkirche und ein Gastmahl beschloß den festlichen Tag.

Das vordere Gebäude mit der Fronte gegen die Maximiliansstraße heraus hat 2 Portale. Eines derselben ist bei Tage immer geöffnet. In den Zimmern der beiden Stockwerke hält das Königl. Kreis= und Stadt=Gericht und das Wechsel=Appellations=Gericht seine Sitzungen.

Am ersten Geschoß findet sich ein Erker, von welchem herab den zum Tode verurtheilten Verbrechern das Urtheil vor der Ausführung zur Vollziehung der Todesstrafe, wie dieses ehemals vom Balkon des Rathhauses geschah, vorgelesen und der Stab gebrochen wird. Vor dem Gebäude werden die zur öffentlichen Ausstellung verurtheilten Uebelthäter auf einer jedesmal hiezu aufgerichteten Bühne ausgestellt. In dem innern Seiten=Gebäude befindet sich die Stadtgerichtliche Registratur, und nebenan die Bureaus der Königlichen Kreis=Zoll=Inspektion, nnd des Königl. Hallamts.

Der sehr geräumige innere Platz dient zum Auf= und Abladen der Güter, zum Sammelplatze für die Fuhr= und Botenwagen, welche vom Mittwoch auf den Freitag den Verkehr, hier für die Nähe einer Justiz=Behörde fast zu lebhaft und geräuschvoll machen.

Rechts sieht man noch das Gebäude des Katharinen=Klosters in dessen Erdgeschosse sich die Keller für die beiden Weinhandlungen von E. R. Abendanz & C. und Viktor Friedrich Keller befinden. Gegenüber ist die große sehr geräumige und geschmackvoll aufgeführte Güter=Nieder=

lage, an deren Portale sich das schön gegossene bayerische Wappen befindet und dessen Facade am obersten Theile mehrere allegorische steinerne Figuren zieren. Das herrlich ins Auge fallende Gebäude, ist 126 Schuh lang und 48 Schuh breit. Im Innern dieses Magazins befindet sich eine merkwürdige, nach Anleitung des Königl. Hrn. Salinen-Direktors v. Reichenbach gefertigte Brückenwaage, deren inwendiger Mechanismus aus Eisen und Stahl zusammengesetzt ist.

Hinter dieser ansehnlichen Niederlage, zur Aufnahme sehr vieler Kaufmannsgüter Raum in Fülle darbietend, wird jetzt eine Remise, welche ihr an Größe nicht sehr nachsteht gebaut und unter Dach gebracht, damit die Fuhrwägen im Trockenen auf- und abgeladen werden können.

Die hieher gehörige Abbildung gestattet den vollen Ueberblick dieser Güter-Niederlage und des ansehnlichen Hofraumes, in welchem sie steht. Hier sehen wir allenthalben geschäftige Bewegung; vor der schönen Güter-Halle werden Fuhrwägen auf- und abgeladen, selbst in das Innere erlaubt uns die geöffnete Seiten-Pforte einen Blick zu thun. Den schönen Gebäuden gegenüber erblicken wir die erwähnten Wein-Niederlags-Gebäude und vor uns das Hallthor, durch welches alle zu behandelnden Güter, will der Fuhrmann sich nicht einer Defraudations-Strafe aussetzen, eingeführt werden müssen. Rechts, ehe man zum Thore kommt, steht das hübsche Wachhaus, und unsern Blicken scheinen in der Entfernung die Wipfel der Bäume zu winken und uns unter ihr gastliches Schattengewölbe einzuladen.

Fast zu entfernt für das Lokal des Königl. Kreis- und Stadtgerichts-Gebäudes, welchem in strafrechtlichen Fällen die Einleitung der General- und die Vollendung der Spezial-Untersuchungen bis zum Schluß- und Vertheidigungs-Verfahren obliegt, ist

b) Die neuerbaute Frohnfeste.

Nach dem bereits erwähnten Abbruche des vorigen Stadtgefängnisses, der Eisen oder Frohnfeste, mit ihren gräulichen unterirdischen Gefängnissen, die Hechsen-Löcher genannt; mit der schrecklichen Folterkammer und ihren schon durch den bloßen Anblick schaudererregenden Folter-Instrumenten: der Hauptfolter, Scheibe, den Glutstandern, Folterbänken, Hechsenfesseln, Stiefeln, Spitzschrauben, Terriermaschinen, Brandeisen, Zwick- und Kneipzangen, welche Schreckenspforte durch ihr dumpfes, düsteres Ansehen ihrer abschreckenden Benennung entsprach, wurde ein in der Karmelitergasse gelegenes großes Gebäude E. 168 für die Gefängnisse hergerichtet. Es liegt in einem geräumigen Hofe, von einer Seite mit einer kleinen Gartenanlage umgeben. Die Gefängnisse selbst sind trocken, erhalten das benöthigte Licht und Luft, und sind der Gesundheit nicht nachtheilig. Die Pflege der Gefangenen ist zweckmäßig, und ihre Behandlung zeigt, daß man über dem Verbrecher den Menschen nicht vergesse. Ihre Verpflegung ist dem Eisen-Gerichtsdiener, der mehrere Gehilfen hat, anvertraut. Die Gefangenen werden bei jedem Verhöre befragt, ob sie gesund sind, und gegen ihre Behandlung keine Klage vorzubringen haben. Die Verhöre selbst werden in einem eigens dazu hergerichteten Verhörzimmer vorgenommen. Meldet sich ein Eingekerkerter krank, so wird vom Gericht sogleich für seine zweckmäßige Behandlung durch den Stadt-Gerichts-Physikus Sorge getragen, und die zur Gefängnißstrafe Verurtheilten erhalten eine angemessene Beschäftigung.

Zu den Königl. Civil-Aerarial-Gebäuden gehört auch der bereits beschriebene, obere Zwinger. Hier finden dienstunfähig gewordene Militär-Personen, und von der Glücksgöttin stiefmütterlich behandelte bürgerliche Familien einige kleine freundliche Wohnungen, zu einem äußerst billigen Miethzinse.

c) Das Königliche Rentamt Augsburg.

Die ehemaligen der St. Maximilians-Stiftung gehörigen Gebäude D. 159 auf dem sogenannten Kesselmarkte sind seit dem Jahre 1806 den königl. Rentbeamten zur Wohnung und zum Locale für die in seinem Geschäftskreise liegenden Funktionen angewiesen. Vor alten Zeiten waren sie die Bestandtheile des im 16ten Jahrhundert aufgehobenen St. Martinsklosters.

In Gemäßheit allerhöchster Befehle hat auch das königl. Rentamt Göggingen sein bisheriges Amtslokal von dem benachbarten Dorf Pfersee, hieher nach Augsburg verlegt. Die über der Wagenremise im innern Hofe der königl. Residenz befindlichen Zimmer benützt es für seine rentamtlichen Zwecke.

d) Das Königl. Ober-Postamt D. 205, 206, 207.

Die stattlichen, mit den obigen Buchstaben und Ziffern bezeichneten Gebäude in der Ladwigsstraße, am Eingange der sogenannten Grottenau, enthalten die für die Expedition der ankommenden und abgehenden Briefschaften, der hiesigen und auswärtigen Zeitschriften und Tageblätter, zweckdienlich eingerichteten Gelasse. Nebenan wird die fahrende Post expedirt, die Post- und Eilwagen auf- und abgepackt; hier müssen sich auch zur bestimmten Stunde die eingeschriebenen Reisenden einfinden um eine jener gewählten Reise-Gelegenheiten zu besteigen, deren Einrichtung man gegenwärtig mit vollem Recht als vortrefflich rühmen kann. Der Oberpostmeister und der Oberpostamts-Cassier wohnen gleichfalls in dem Post- und dem angränzenden Gebäude. Der Poststall hingegen mit der Wohnung des Post-Stallmeisters ist entlegener, nemlich in der langen Gasse F. 230.

e) Zur Salz = Niederlage

oder zum sogenannten Salzstadel, so wie zum Geschäftslokal für den Salzbeamten, welcher seine Wohnung Lit. C. 50 auf dem Karolinenplatz hat, wurde das ehemalige städtische Kornhaus D. 201 im Jahre 1806 eingerichtet. Mit demselben stehen schöne, geräumige Weinkeller in Verbindung; der Speicher aber dient noch gegenwärtig zur Aufbewahrung von Gilt= Getreide = Früchten.

f) Dem Königl. Residenz=Gebäude auf dem Frohnhofe.

haben wir gleich bei Gelegenheit der Erwähnung des Parade= Platzes einen eigenen Abschnitt gewidmet.

Im Residenzgebäude befindet sich der Sitz der königl. Regierung für den Oberdonau = Kreis und der Kammer des Innern, sammt den Zimmern für die damit verbundenen Geschäftsbranchen.

Im Erdgeschosse links und rechts von dem Hauptportale des Residenz= Gebäudes ist die Special = Schulden=Tilgungskasse, in den ober ihr gelegenen Zimmern aber, hat das königl. Aufschlagamt sein Lokale.

Die Direktorial= und Sitzungszimmer der Regierung Kammer des Innern, nehmen den Flügel der Residenz D. 117 ein; in dem Pfalzgebäude, sammt der nunmehr geschlossenen und veränderten Veitskapelle, ist die Regierungs=Registratur, und die Gemächer über der ehemaligen fürstlichen Reitschule sind dem Forstfache zugetheilt; an diese stoßen die dem Rechnungs = Kommissariat eingeräumten Büreaus.

Die Kammer der Finanzen hat das ehemalige v. Seida=sche Haus auf dem Hafnerbergle D. 146, welches später der vorbestandenen königl. Polizei = Direktion zum Amtsgebäude diente, inne.

Der Königl. General-Kommissär und Regierungs-Präsident hat seine Dienstes-wohnung in dem ehemaligen Domdechanei-Hofe D. 112, und die Wohnung des Dompropstes D. 109 liegt zunächst dem bereits erwähnten Frauenthorthurme, der gleichfalls dem Königl. Civil-Aerar gehört.

Die gegenwärtige Residenz des Bischofs, oder die ehemalige Domkustorei, ist mit eine vorzügliche Bauzierde des Carolinen-Platzes. Das bischöfliche General-Vikariat und das Consistorium versammelt sich in dem Gebäude D. 110, wo zugleich die Domkapitelsche Kanzlei sich befindet.

Das königl. Stadtkommissariat funktionirt in dem ehemaligen Burggrafen-Thurm D. 119., wo auch die Pässe der Reisenden visirt werden.

---

6. Gebäude, welche dem öffentlichen Schul-Unterricht und den Lehranstalten gewidmet sind.

---

a) Das evangelische Gymnasium bei St. Anna und die Stadt-Bibliothek.

In einem geschlossenen, zunächst der evangelischen St. Annakirche gelegenen Hofraume, befindet sich zugleich mit der Rektorats-Wohnung und den für die Prediger an der genannten Pfarrkirche eingerichteten Wohnhäusern, das evangelische Gymnasium, nebst der auf der einen Seite mit demselben zusammenhängenden Stadtbibliothek. Nachdem der Baumeister Holl im Jahr 1630 das nur von Holz und Lehm aufgeführte Schulhaus abgebrochen hatte, erbaute er das gegenwärtige 84 Schuh lange und 36 Schuh breite Gymnasial-Gebäude, welches unstreitig unter die schönsten Holl'schen

Bauwerke gehört. Es enthält in der Mitte ein schönes Portal, eine gemauerte verhältnißmäßig breite Treppe und sechs hohe geräumige und helle Unterrichts-Zimmer. Auf dem Gibel des Hauses ist eine Schlaguhr angebracht. Zu der nemlichen Zeit wurde auch die Rektorats-Wohnung erhöht, deren Erdgeschoß gleichfalls für zwei Klassen hergerichtet ist, und der Thurm, an der Bibliothek, das sogenannte Observatorium um 20 Schuh höher gebaut und mit Kupfer gedeckt; schon seit vielen Jahren wird er nicht mehr zu astronomischen Beobachtungen gebraucht. Dem als Astronom hoch berühmten Herrn Domkapitular Stark, wird auf Kosten des Staats nun eine eigene Sternwarte bei seiner Behausung nächst dem Pfaffenkeller von St. Barbara C. 72. unter seiner Anleitung auf einer Stelle errichtet, die wegen ihres erhabenen Standpunktes, sich zur Beobachtung der glänzenden Himmelskörper vorzüglich eignet.

Die Entstehung der schönen Stadtbibliothek fällt in das Jahr 1587. Der Rektor Sixtus Betulejus sammelte, von dem Magistrat hiezu beauftragt, die besten Bücher in den von den Mönchen verlassenen Klöstern. Sie wurden anfänglich in dem Dominikaner-Kloster aufgestellt, kamen in der Folge zu den Barfüßern, und zuletzt wanderten sie im Jahr 1563, nachdem der im Jahr zuvor begonnene Bau vollendet war, in dieses neu errichtete Bibliothek-Gebäude. Das Andenken an seine Erbauungs-Periode berichtet eine dort befindliche Inschrift:

Bibliothecam hanc Senatus populusque augustanus bonarum artium Studio et doctorum hominum usui extruxit MDLXII.

„Zur Beförderung der wissenschaftlichen Ausbildung und zum Gebrauche für die Gelehrten, ließ der Senat und die Bürgerschaft dieses Bibliothek-Gebäude im Jahr 1562 errichten.“

Schenkungen und Vermächtnisse bereicherten in der Folge dieses schöne, ihren Gründer hochehrende Institut und der Magistrat bewilligte jährlich zum Ankaufe neuer Bücher die Summe von 50 fl. Belief sich auch anfänglich die Zahl der gedruckten Werke nur auf 7000, so vermehrte sie sich dadurch, daß ihr die Bücher- und Manuscripten-Sammlung des berühmten Welser und Doktors Lukas Schröck, in der Folge die nicht unansehnliche Bibliothek des eingegangenen evangelischen Collegiums bei St. Anna, so wie mehrere litterarische Werke aus den Bibliotheken der aufgehobenen Klöster einverleibt wurden, auf ihren gegenwärtigen Stand, von 40,000 bis 50,000 Bänden, worunter zum Theil schöne und seltene Kupfer- und Kunst-Werke sind. Unter diese gehört die für den Freund und Kenner der Antike schätzbare Daktylothek von Lippert mit den Abdrücken vorzüglicher antiker Gemmen und Kameen.

Der eigentliche Bibliotheksaal im obern Geschosse des dazu bestimmten Gebäudes, wird durch hohe, an allen vier Seiten angebrachte Fenster freundlich erhellt. Schon der erste Ueberblick dieser wohlgeordneten Reihen erregt in dem Gemüthe der Eintretenden Gefühle, angemessen der Wichtigkeit des Ortes, wo er die Schätze des menschlichen Wissens, die Resultate der rastlosen Forschungen des Geistes vor sich ausgebreitet erblickt. Er stimmt gern mit in die Aeusserung ein, zu welcher sich der gelehrte Cardinal Quirini hier beim Anblick dieser wissenschaftlichen Schatzkammer hingerissen fühlte: O egregium Palatium!

Zu den vorzüglichsten Zierden der Augsburger Stadtbibliothek gehörten früher mehr als 400 von dem griechischen Bischof Eparchus von Cocyra zu Venedig, auf Befehl des Magistrats für 800 Dukaten durch Philipp Walter im Jahr 1544 angekaufte griechische Manuscripte, so wie ein hebräischer auf eine Rolle geschriebener Pentateuchus. Im Jahr 1806 wurden diese mit noch andern wissenschaftlichen und artistischen Kleinoden in die Central-Bibliothek nach München abgeführt.

Auch schätzbare lateinische Handschriften hatte sie aufzuweisen und eigene Repositorien sind den vorhandenen ältesten Druckdenkmalen, so wie den Beiträgen zur Augsburgischen Geschichte gewidmet.

Von den griechischen und lateinischen Handschriften erschien im Jahr 1575 ein von einem ungenannten verfertigtes Verzeichniß. Im Jahr 1594 trat das bei weitem reichhaltigere mit einer Vorrede von David Höschel, ans Licht.

Auch haben die Gelehrten, Hieronymus Wolf, Georg Jenisch, Elias Ehinger Cataloge herausgegeben. Von dem verstorbenen Rektor Mertens wurde eine Abhandlung de Cimeliis bibl. Aug. und ein Programm über die Augsburger Stadtbibliothek herausgegeben.

In dem Bibliotheksaale befindet sich ferner eine Inschrift zum Andenken des Besuches, mit welchem der Papst Pius VI. am 5. Mai 1782 die Stadtbibliothek beehrte. Sie lautet:

PIO VI.
Pontifici. Maximo. Ob. Lustratam. Bibliothecam.
A. C. CIϽIϽCCLXXXII.
Ad Diem IV. Maii
Praefectis
Volfgang. Jacob Sulzer
Jo. Bapt. Christoph A. Rehlingen et Haldenberg.
Bibliothecario
Hieron. Andr. Mertens.

In der Folge erhielt die Stadtbibliothek von dem heiligen Vater zum Zeichen der Zufriedenheit mit seinem Besuche und der Erinnerung als Geschenk:

Sancti Maximi Episcopi Taurinensis Opera iussu Pii

Sexti. P. M. aucta atque anotationibus illustrata a Victorio Amadeo sard. Regi D. D. Romae. MDCCLXXXIV.

Die ehedem in dem Bibliotheksaal befindlich gewesenen Alterthümer und Seltenheiten, sind jetzt in gesonderten Lokalitäten, für welche ihre Bestimmung sie eher eignet, untergebracht, doch sieht man dort noch ein Werk der älteren Plastik, den Grundriß der Stadt Augsburg nemlich von Hans Rogel mit folgender Inschrift:

Als man zält nach Christi Jesu unsers lieben Herrn und Seligmachers geburt Tausend fünf hundert und Sechzig Jar den achteten Tag July hab ich Hanß Rogel formschneider u. der Zeit geschworner Gerichts Weibel angefangen die Statt des Heiligen Römischen Reichs Augsburg In Grund von Holz zu setzen Erstlichen von ainiß Eck oder Winkel auch weiten der Gassen ordülich abgeschritten dieselbigen Schritt aufgemerkt und in ein Register verfaßt, daraus ein Grund gestellt. Nachmalen die Häuser abgezeichnet seyn. Deren auf Reichsstrassen stoßen dem allū nach hetzlich von Holzstückweis geschnitzt wie alda vor Augen steht des ich um liebe meines Vaterlands auch der Edlen Ernvesten einem Ersamen Wolweisen Rath ermelter Statt meinen Günstigen Herrn Ir Vest und Herrlichkeitten damit zu verehren Gestelt mit underthēnigen bitten sie wollen diß Klein finzigwerk als von Ir. V. und Hr. gehorsamen willigen diener des nit mit wenig mühe daher kumū zur gedechtnuß aufnemen und behalten. Und ist vollendt worden den 16ten tag November des 1563sten Jars. HRM.

Hier befindet sich auch ein zu Aleppo von Joh. Theoph. Bauer verfertigtes Kaufhaus Khan des boctes; Campo delle Scatole. (Schachtel-Kahn.) In dem untern Saale des Bibliothek-Gebäudes, wurden die jährlichen Preisvertheilungen gehalten, welche der Rektor mit einer zweckmäßigen Rede eröffnete; auch die auf die Universität abgehenden Schüler hielten hier theils lateinische, französische, deutsche, selbst griechische Abschiedsreden. Bei der schnellen und ausserordentlichen Vermehrung der Bücher-Vorräthe wurde dieser in einen zweiten Büchersaal umgewandelt. Der sogenannte Redesaal enthält vorzüglich die das humeristische Studium umfassenden Werke.

Der gelehrte gegenwärtige Bibliothekar, Hr. Rektor Beyschlag, hat die Bibliothek im Jahr 1819 mit der ihm zu Gebote stehenden gründlichen Gelehrsamkeit und einer, hohe Kenntnisse beurkundenden Umsicht eingeordnet. Sie ist seiner besondern Aufsicht anvertraut und an bestimmten Tagen, nemlich am Montag, Donnerstag und Sonntag Vormittag, und am Mittwoch Nachmittag, dem Zutritte der Gebildeten, für welche ein solches Institut Interesse haben kann, geöffnet. Fremden wird sie auf Verlangen auch ausser jenen Tagen gezeigt.

Mit ächter Humanität und mit der zuvorkommenden freundschaftlichsten Bereitwilligkeit befriedigt der Bibliothekar die Wünsche und Anfragen der Besucher, und seine Gewandtheit im Fache der Literatur macht es ihm möglich, die erbetene Auskunft im Gebiete des Wissens auf der Stelle zu ertheilen.

Auf der gegen den Hof gekehrten Vorderseite des Bibliothek-Gebäudes ist das von dem alten Rathhause abgenommene bereits erwähnte Stadtwappen mit der gleichfalls dabei angezogenen Inschrift eingemauert.

Ein Denkmal neuer Kunst überrascht den Beschauer der Stadtbibliothek höchst angenehm. Unser als vielseitig gebildeter Künstler der Werthschätzung so würdige Mitbürger, Hr. Joh. Walch, hat sehr gelungene Versuche in Betreff der für verloren gehaltenen Glasmalerei der Alten gemacht und deren Resultate in den Bildnissen Conrad Peutingers, des Geschichtschreibers Welser und des berühmten Philologen Hieronymus Wolf, so wie des Bibliothekars David Höschel, nebst einer Madonna und mehrern Wappen hier aufgestellt.

Daß das untere geräumige Gewölbe des Bibliothek-Gebäudes zu einer Niederlage von Kalk und andern Baumaterialien dienen muß, während in den obern Sälen die Materialien zum Fortbaue an dem Tempel der Weisheit enthalten sind, ist eine eben so sonderbare Zusammenstellung, als die der Kunstschule mit den Fleischbänken unter einem und demselben Dache. Indessen muß man sich eben nach der Decke strecken, denn auch heutzutage fehlt es nicht an der Verbindung heterogener Gegenstände.

b) Das katholische Gymnasium.

Der Trennung des katholischen Gymnasiums von der Studien-Anstalt der Protestanten haben wir bereits gedacht und gemeldet, daß das erstere nunmehr in dem ehemaligen Monturmagazin und frühern St. Stephans-Gebäude, einem zwar weitläuftigen aber sehr abgelegenen Lokale, wirklich eröffnet ist. Das Militair-Aerar überließ dasselbe i. J. 1828 zur Benützung für das katholische Gymnasium und des katholischen Seminars, behielt sich aber das Eigenthumsrecht bevor. Am 20. Nov. 1828 war die feyerliche Einweihung dieser getrennten katholischen Studien-Anstalt, in Gegenwart Sr. Durchl. des Hrn. **Fürsten von Wallerstein**, als kön. General-Commissär des Oberdonaukreises, des Hrn. Bischofs, des königl. Regierungs-Personals und des Stadtmagistrats, unter den bei solchen Gelegenheiten herkömmlichen Formalitäten.

Hier lebte zugleich das ehemals in Augsburg bestandene St. Joseph-Seminarium wieder auf. In diesem sind einige königliche und magistratische Freiplätze zu vergeben. Zahlende Zöglinge müssen 10 Jahre alt seyn und jene Kenntnisse, welche wenigstens in die ersten lateinischen Vorbereitungs-Klassen qualifiziren, besitzen. Die katholische Religion, unbescholtene Sittlichkeit, körperliche Gesundheit und hinreichende Fähigkeiten sind gleichfalls, der Ausschreibung zufolge unerläßliche Aufnahms=Bedingnisse. Das jährliche Kostgeld ist auf 150 fl., nebst 1 fl. Trinkgeld für die Dienstboten, festgesetzt.

Zu einem Freiplatze muß der Kandidat das zurückgelegte 12te Lebensjahr, und wenigstens Kenntnisse, welche den Eintritt in die erste Gymnasialklasse bedingen, nachweisen.

c) Barbara v. Stetten'sches Töchter=Erziehungs= und Ausstattungs=Institut.

Eine sehr edle Frau hat ihren Namen in Augsburgs Annalen durch großmüthige Stiftungen zu wohlthätigen und heilsamen Zwecken verewiget.

Reiche Gaben legte sie schon bei Lebzeiten, fern von jeder Sucht zu glänzen, auf den Altar der allgemeinen Nächstenliebe; im herrlichsten Glanze aber leuchtet aus ihrem letzten Willen der hohe Sinn dieser edlen Menschenfreundin hervor, und die ansehnlichen Stiftungen, welche sie zum Wohl ihrer Mitbürger, zur Unterstützung der Leidenden und Verlassenen gründete, bezeichnen würdiger und dauernder, als es die Feder vermag, den hohen Werth dieser Edlen. Sie war die Stifterin eines Institutes, welches als Töchterschule für Mehrere, und als Erziehungs= und Ausstattungs=Anstalt für eine bestimmte Zahl von Alumnen, dient.

Durch diese Stiftung wurde eine wesentliche Lücke in dem öffentlichen Augsburgischen Erziehungswesen auf Seite der Protestanten ausgefüllt.

Ihrem Testamente war ein ausführlicher Plan über den Zweck, die Errichtung und Leitung dieser Schul= und Erziehungsanstalt beigelegt.

In der ersten, der Töchterschule nemlich, sollten Mädchen aus den mittlern und gemeinen Ständen, nach zurückgelegtem Elementar=Unterricht, in allen, dem weiblichen Geschlecht

schlecht nöthigen Kenntnissen und Fertigkeiten unterwiesen werden, wodurch man nicht bloß blendet, sondern nützt; zu brauchbaren Dienstboten und dann zu würdigen Hausfrauen sollen nach der Absicht dieser Wohlthäterin hier die Alumninen gebildet werden, und würde ihr schöner Zweck nicht erreicht, so läge es nicht an der Stiftung, nicht an dem reiflich erwogenen Plane.

Diese Erziehungs- und Pensions-Anstalt für einige vater- und mutterlose Mädchen, welche sich weder für das Armen- noch für das Waisenhaus eignen, wurde plangemäß zur Aufnahme von 5 bis 6 hiesigen Bürgerstöchtern bestimmt, welche dort, fern von klösterlichem Zwange, gleichsam eine Familie bilden sollen. Die Aufzunehmenden müssen in der Regel das 11te Jahr erreicht haben, und bis ins siebenzehnte Jahr als Alumninen im Institute bleiben. Eine Frau Direktorin steht an der Spitze der Erziehungs-Anstalt, welche Mutterpflichten und mütterliche Aufsicht zu üben hat, und die Mädchen an allen im Leben vorkommenden häuslichen Geschäften Antheil nehmen läßt, in welchen sie auch den gehörigen Unterricht empfangen sollen. Sie erhalten eine ordentliche gesunde Hausmannskost, und speisen mit der Direktorin an Einem Tische, bekommen, um sich ganz im elterlichen Hause zu wähnen, nützliche Christgaben, und wenn sie nach ihrem Austritte, zehn Jahre in Einem Bürgerhause treu und redlich gedient, wird ihnen aus den Zinsen eines besonderen, von der nemlichen Wohlthäterin niedergelegten Stiftungsfonds eine Aussteuer, nach hierüber im Stiftungsplane weiter erörterten Vorschriften, gereicht. Diesem Institut wurde das ehemalige Wohnhaus der Gründerin auf dem St. Anna-Platze B. N. 260, 261, 262, welche 10,000 fl. zum nothwendigen Bau und zur erforderlichen Einrichtung noch besonders ausgesetzt hatte, eingeräumt, und eine Inschrift über dem Haupteingang: „Anna Barbara von Stettensches Töchter-Erziehungs-Institut. MDCCCV.“ bezeichnet dasselbe.

12

Die Verwaltung dieses Institutes ist einer besondern Administration anvertraut. Der Direktorin sind zwei Gehülfinnen beigegeben, wovon die eine Lehrerin in den weiblichen Handarbeiten ist. Acht Lehrer besorgen den Unterricht in den Gegenständen, welche in der Töchterschule und bei den Alumnien gelehrt werden. Jährlich findet eine öffentliche Prüfung und Preisvertheilung an die sich auszeichnenden Schülerinnen und Zöglinge statt. Am Barbaratage, dem Namensfeste der, der Feier so würdigen Stifterin, wird Gottesdienst im Hause gehalten, und eine Alumnie bekränzt, begleitet von den Theilnehmerinnen an den wohlthätigen Spenden dieses Hauses, einen im Hausgarten befindlichen Aschenkrug, welcher in einem düstern Garten = Gange steht. Eine Marmortafel trägt die Inschrift:

Dem Andenken
der
Stifterin dieser weiblichen Erziehungs = Anstalt
Anna Barbara von Stetten
geborene v. Amann
geweiht
im Jahr 1805.

Der Stiftungsfond beläuft sich auf 229,938 fl. und die Renten auf 12,369 fl.

d) Das Institut der englischen Fräulein Lit. E. Nro. 10.

ist erst im 17ten Jahrhundert entstanden. Als erste Gründerin nennt man eine gewisse Maria Boinz de Akton Ireton aus England, aus der gefürsteten Grafenfamilie von Tarky abstammend. Mit Genehmigung des Magistrats widmete sie sich im Jahr 1662 dem Unterrichte der weiblichen Jugend, und ihre Anstalt wuchs und gedieh sichtbar. Es fanden sich bald Wohlthäter, die das Institut begünstigten und mit milden Gaben erfreuten. Der Bischof Johann Christoff, aus dem Geschlechte der Freiberg, beschenkte es mit 6000 fl. und der Magistrat ertheilte den englischen Fräuleins Anno 1690 die bürgerlichen Rechte. Im Jahre 1711 willigte der Magistrat in den Ankauf des dem Institute benachbarten gräflichen Thurn- und Taxisschen Hauses und Gartens, welchen die Erweiterung des Institutes nothwendig machte. Allein später verursachte üble Wirthschaft den Verlust des größten Theils am Vermögen des Institutes, welchem Schaden erst nach und nach wieder in etwas, jedoch nicht so, daß die Anstalt nicht anderweitiger Unterstützung bedürfte, abgeholfen werden konnte.

Das Institut besteht aus 30 Mitgliedern, aus Fräuleins und Jungfrauen, welche sich der Jugend-Erziehung widmen, theils aus Schwestern, welche die Oekonomie besorgen, insgesammt unter einer Oberin stehen, auf ein Jahr das Gelübde ablegen und dann es wieder erneuern, ohne auf Lebenszeit gebunden zu seyn.

In einer besondern Schule werden die Pensionärs unterrichtet. Für diese sind 4 Freiplätze gestiftet. Das Kostgeld der Uebrigen richtet sich nach dem Preise der Lebensmittel.

Die öffentliche Lehranstalt, welche aus zwei Lehrschulen und einer Industrieschule besteht, ist hiesigen Bürgersmädchen gewidmet, welche unentgeltlich Unterricht erhalten. In der Folge wurde damit zugleich eine höhere weibliche Unterrichts-Anstalt verbunden, und in der deutschen und französischen Sprache, Rechnen, Kalligraphie, Singen, Zeichnen, weiblichen Arbeiten und gemeinnützigen Kenntnissen Unterricht ertheilt. Das Alter der Aufnahme der Pensionärs ist auf 7 Jahr, des Austrittes bis zum 18ten Jahre bestimmt. In dieser Erziehungs-Anstalt findet ebenfalls jährlich eine öffentliche Prüfung und Preis-Vertheilung statt.

12*

e) Das Gebäude des evangelischen Collegiums und das darin befindliche Antiquarium Romanum.

Die Entstehung des Jesuiten-Kollegiums sowohl als die Vermehrung der Anzahl armer, hiesiger und fremder Schüler, brachte zuerst den Joh. Baptist Hainzel auf den Gedanken, ein ähnliches Institut für protestantische Studenten zu stiften. In Verbindung mit Martin Zobel und Niklas Pömer reifte dieser Plan immer mehr seiner Ausführung entgegen. Es wurde zu diesem Behufe die damals zum Verkauf ausgebotene Behausung des Christoph Fugger gekauft, das Vorderhaus abgetragen und zweckgemäßer aufgebaut, so daß der Bau im Jahre 1582 beendigt ward. Der Ausführung dieses Instituts traten indeß mehrere Schwierigkeiten entgegen, allein Zobel, welcher schon so nahmhafte Summen zur Errichtung dieses Zweckes hergegeben hatte, setzte seiner Freigebigkeit keine Schranken und reichlich flossen die Beiträge der protestantischen Bürger, um die sich entgegenstellenden pekuniären Hindernisse aus dem Wege zu räumen, was auch vollkommen gelang, denn am 3. Dezember 1582 konnte dieses Kollegium mittelst eines feierlichen Aktes eröffnet werden. Anfänglich wurden 32 Alumnen aufgenommen und der wohlthätige Sinn der Augsburger erweiterte diese Stiftung durch reichliche Vermächtnisse. Die ursprünglichen Gründer dieses Kollegiums faßten den Plan, eine gelehrte Schule zu errichten, ins Auge. In neuerer Zeit schwand die Zahl der Alumnen auf sechs herab. Die Einrichtung war so ziemlich klösterlich. Einer der Alumnen, der Wöchner oder Kustos war, mußte die andern wecken, zum Gebete läuten. Früh und Abends wurden lateinische Hymnen und das gloria patri bei den Gebetstunden angestimmt und die Tischgebete ertönten unter Orgelklang; besonders entleidete die auffallende Abbé-Kleidung den Jünglingen, welche noch überdieß des natürlichen Schmuckes ihrer Haare beraubt, den Kopf mit wohlgepuderten Perücken bedecken mußten, den Eintritt in diese Anstalt. Die Beköstigung, die Behandlung, der Unterricht war unter dem Letzten der Ephoren, sehr gut und unter der dankbarsten Rührung gedenken noch die Zöglinge der letztern Zeit, unter welche auch der Verfasser dieses Taschenbuches gehörte, des verdienstvollen, biederen und gelehrten Ephorus Harwen, dessen Grabhügel schon höheres Gras umwallt!

Das Vorderhaus ist schön hergebaut und dient angesehenen Familien zur Wohnung. Der geräumige Hof hat einen Röhrbrunnen. Auf 2 übereinander gebauten Gängen befanden sich in einer Reihe, die Zimmerchen für die Kollegiaten; 2 Alumnen bewohnten eine Zelle. In dem einen Gebäude war die ansehnliche, jetzt mit der Stadtbibliothek vereinigte Büchersammlung, reich an schönen Ausgaben der lateinischen und griechischen Klassiker, aufgestellt. In einem geräumigen gegen den Kollegiumsgarten sehenden Zimmer, hielt das protestantische Ehegericht, zur Zeit der reichsstädtischen Verfassung Augsburgs, seine Sitzungen. Das andere Gebäude enthielt die Ephorats-Wohnung und das Refektorium; mit diesen Gebäuden war ein schöner Garten verbunden. Hier im Kollegiums-Hofe war es, wo während des dreißigjährigen Krieges die Protestanten ihren Gottesdienst 14 Jahre lang unter freiem Himmel halten mußten. Die Inschrift, welche an dem Ephorats-Gebäude befindlich ist, giebt von diesen merkwürdigen Jahren eine ausführliche Kunde.

A. MDCXXXV. ipsis diebus Pentecostalibus Praeclusis omnibus Evangelicorum templis Coelum tamen ipsis hic patuit atque de fenestra hac Evangelio aperta et in Cathedram mutata M. Phil. Weber et M. Paulus Jenisch Deo vires ad miraculum sustentente Prae conium verbi divini fecerunt ad Populum Aug. A. C. addictum universum in hac area coarctatum, variaeque aeris intempestati expositum donec clavis illa, quae januas belli clausit Januas templorum divinitus reclusit.

A. MDCXLIX.

itidem diebus Pentecostalibus.

(Im Jahr 1635 in den Tagen des Pfingstfestes, während den Evangelischen alle Tempel gesperrt waren, stand ihnen hier der Tempel dennoch offen und aus diesem Fenster, das der reinen Lehre geöffnet zur Kanzel dienen mußte, haben M. Philip Weber und M. Paulus Jenisch deren Kräfte die Gottheit wunderbar stärkte, das göttliche Wort den versammelten der Augsburgischen Konfession ergebenen Einwohnern, welche in diesem Hofe zusammengedrängt, jeder Abwechslung der Witterung Preis gegeben, verkündiget, bis jener Schlüssel, welcher die Pforte des Kriegs verschloß, die Thüren der Kirchen auf Gottes Geheiß im Jahr 1649 gleichfalls in den Pfingstfeyertagen wieder eröffnete.)

Das Gebäude, an welchem jene Inscription steht, wurde im Jahr 1726 neu aufgeführt, die Inschrift kann daher nicht mehr das nemliche Fenster bezeichnen, aus welchem gepredigt wurde, wohl aber bezeichnet es die Stelle, wo dieses früher stand. Der Altar, vor welchem in jenen Tagen des Dranges und der Bedrückung das heilige Abendmahl in einer Nische unterm Kollegiaten-Gange ausgetheilt wurde, stand noch in den neuern Zeiten im Gartensaal, als eine ehrwürdige Reliquie. — Bekanntlich macht die Noth erfinderisch. Das lange Stehen unter freyem Himmel während des Gottes-Dienstes war nicht Jedermanns Sache; die Freunde der Gottesverehrung ersannen daher tragbare Stühle, welche sie gleich Regenschirmen zusammengelegt mit sich nehmen konnten.

Im Jahr 1799 trat der letzte Alumnus aus. Unsern Tagen war die Wiedereröffnung dieser Pflanzschule für wissenschaftliche und gelehrte Ausbildung unter allerhöchster königlicher Genehmigung vorbehalten. Das Innere des Gebäudes wurde mit einem, vielleicht zu verschwenderischen Kosten=Aufwande zur Aufnahme der 15 Freischüler sowohl, als der zahlenden, studierenden Jünglinge hergerichtet. Die feyerliche Wiedereröffnung des protestantischen Kollegiums fand am 14. Mai 1829 durch Se. Durchlaucht den Herrn Fürsten von Oettingen=Wallerstein, als königl. Generalkommissair und Regierungspräsidenten, statt. Manche wollten die Wiedergeburt dieser nützlichen Anstalt unzweckmäßig finden; doch wollen wir darüber nicht richten, und das Beste von der Zeit hoffen.

Im Kollegiums=Gebäude befindet sich auch das Armarium oder eine Sammlung von mathematischen Instrumenten, von Modellen und naturhistorischen Gegenständen, welches unter der Aufsicht des Lehrers der Mathematik am Gymnasium Hrn. Professor Ahrens steht.

f) Das Antiquarium Romanum.

Eine gegen die St. Anna=Straße am Kollegium=Gebäude stehende Inschrift, verkündiget sogleich den Zweck und den Inhalt der hier befindlichen Lokalität. Die allerhöchste Gnade Sr. Majestät des höchstseligen Königs Maximilian Josephs, dieses hohen Beschützers der Künste und Wissenschaften, brachte in unsern Zeiten das früher schon gehegte Vorhaben, die in Ausburg und in der Umgegend zerstreuten römischen Alterthümer zu sammeln und diese in einem angemessenen Vereinigungs=Punkte der völligen Zerstörung zu entreißen, zur Reife. Niemand wird in Abrede stellen, daß das große, feuerfeste, auf 4 Säulen ruhende Gewölbe, mit einem Flächenraume von 1725 Quadratschuhen, welches hiezu besonders hergerichtet wurde schon wegen der Nähe des Gymnasiums und der Bibliothek eine würdige und geeignete Stätte sey. Die erforderliche Helle erhält es durch 4 Fenster, und anpassende Verzierungen brachten eine dem Auge wohlthuende Uebereinstimmung in das Ganze.

Links sind die Sepulchral=Monumente und mehrere den Privaten gewidmete Denksteine aufgestellt. Eine Hauptstelle nimmt das merkwürdige im Jahr 1709 bei dem Dorfe Oberhausen 10 Fuß unter dem Boden aufgefundene aus 6 Bestandtheilen zusammengesetzte Römer=Denkmal ein. Es ist 15½ bayerische Schuh hoch und nach der daran befindlichen Inschrift ließ es Titus Flavius Martial sich, seinem Vater Titus Flavius Primanus, seiner Mutter Traiana Clementina, so wie seinem Bruder Titus Flavius Clemens, welcher im Jahr 195 nach Christi Geburt Consul zu Rom gewesen und sodann 24 Jahre als Soldat in der 3ten italienischen Legion diente, errichten.

Dieses wohl erhaltene römische Denkmal hat C. Bodenehr in Kupfer gestochen und eine Abbildung davon befindet sich in der äußerst schätzbaren Abhandlung des Hrn. Dr. v. Raiser, Königl. Bayerischer Regierungsdirektor und Ritter des Civilverdienstordens der bayerischen Krone, über die römischen Alterthümer zu Ausburg und andere Denkwürdigkeiten des Oberdonaukreises, welche auf 13 Kupfertafeln, 49 Abbildungen enthält.

Nebst den größern Monumenten finden sich im Antiquario auch mehrere Anticaglien oder kleinere bewegliche Alterthümer. Dahin gehört der schöne, auf der Stadtbibliothek aufbewahrt gewesene, aus Metall trefflich gegossene, 30 ℔ schwere Pferdekopf, welcher im Jahr 1769 in der Wertach gefunden wurde und allem Vermuthen nach zum Lagerzeichen in dem Feldlager der römischen Kavallerie gedient haben mag. Ausser der von Joh. Esaias Nilson in Kupfer gestochenen Abbildung dieser sehr schätzbaren Reliquie aus der Römerzeit ist dieser Pferdekopf auch in dem eben erwähnten v. Raiserschen Traktate abgebildet.

Der Alterthums=Freund findet in dieser Sammlung von

antiken Gegenständen noch römische Opfermesser, Libations-Becher, Kleiderschließen, Urnen, Thränengefäße, Grablampen, eine deutsche Streitaxt, eine große gläserne Flasche mit einem mit Blut gemischten Niederschlag als Opfer der Liebe für einen Verstorbenen, Armringe, Sporne, Hufeisen, Pfeile und Speerspitzen.

Eine hier gleichfalls niedergelegte Sammlung römischer Münzen wurde von dem würdigen Conservator des Antiquariums, dem Hrn. Rektor Beyschlag, welcher sich um die Auffindung und Zusammenstellung dieser Alterthümer eine ruhmwürdige Mühe gab, geordnet und darüber ein Katalog verfaßt. Aber auch einige aus Italien gekommene Gegenstände zieren unser Antiquarium; unter diesen zeichnet sich ein in Herkulanum aufgefundener 5′ hoher Herkules von Bronze aus.

Mehrere römische Alterthümer befinden sich noch in und an Privat-Häusern zerstreut. So sind in dem Soratroischen Hause D. 95. nächst dem Frohnhofe mehrere römische Inschriften, Merkur mit dem Bock und dem Hahn, ein Monument mit der Abbildung des Pusinius, der Viktorina und Pusinia, ein dem Aelius Crispus und der Julia gewidmetes Denkmal, eine antike steinerne Grabdecke u. dgl. zum Theil eingemauert.

Dieses Gebäude war ein Eigenthum des gelehrten Stadtschreibers Conrad Peutinger und wird von vielen noch gegenwärtig der Peutinger'sche Hof genannt. Der seltene Mann entbrannte so sehr im edlen Durste für Sprachen und Wissenschaften, daß er sogar seine Gattin, eine geborne Welser, in der Geschichte unterrichtete. Sie verstand weit vollkommener als jetzt mancher sogenannte Professor die Sprache der alten Römer und wußte sich darinn sehr gut auszudrücken. Selbst sein kaum 4jähriges Töchterchen Julia, welches, wie so viele zu früh gereifte Kinder, in ihrer blühenden Jugend dahinwelkte und starb, bewillkommte den Kaiser Maximilian I. bei seiner Anwesenheit in einer kurzen lateinischen Anrede, und erbat sich, als der durch diese seltene Erscheinung erfreute Monarch, unter Liebkosungen zu ihr sagte: „Liebes Kind, bitte dir eine Gnade aus, was soll ich dir schenken?" in kindlicher Genügsamkeit: „eine schöne Puppe." Peutinger huldigte neben seinem öffentlichen Geschäftsleben vorzüglich der Alterthums-Kunde und der Historie. Durch die sogenannte Peutinger'sche Charte, welche zur Zeit des Kaisers Theodosius I. gezeichnet wurde, und auf welcher die Märsche und Durchzüge des römischen Kriegsheeres durch den ganzen abendländischen Theil des römischen Reiches angezeigt sind, sicherte sich Peutinger, der sie durch einen Freund erhalten hatte, ihre Herausgabe aber nicht erlebte, einen ehrenvollen Ruf; er starb im Jahr 1547 in einem Alter von 82 Jahren. Das Original der Peutinger'schen Charte wird auf der kaiserlichen Bibliothek zu Wien als ein Schatz aufbewahrt.

An dem Vorstischen Hause Lit. H. Nro. 333. zunächst am untern neuen Gang, steht gleichfalls eine ächt römische Reliquie eingemauert. Wahrscheinlich stellt sie die Seitenwand eines Kinder-Sarkophages vor. Sechs nackte Kindergestalten in halb erhabener Arbeit, stehen in einer Reihe, theils in fröhlichen Gebärden, theils weinend, und eines derselben hält ein antikes Spielgeräthe Trochus (Kreusel) in der Hand. Unten liest man die in neuern Zeiten hinzugekommene Inschrift:

Priscae artis opus, infantium ludos vides.
Sed et omnis aetas, omnis ordo ludus est.
(Hier im Kunstwerk der Vorzeit, erblickst du die Spiele der Kinder.
Jegliches Alter ach! gleicht, jeglicher Stand einem Spiel.)

Der Stein selbst ist 6 Schuh und 2 Zoll lang und 1' 11" hoch.

Von jeher nannte man diese Straßen-Gegend „bei den Sieben Kindern," wahrscheinlich muß man das siebente Kind als im Sarkophag liegend, denken. Der gemeine Mann war mit der Auslegung der Allegorie gleich fertig; weil hier nemlich ein Wasser fließt, so mußte das siebente Kind in's Wasser gefallen seyn. Einer andern Sage zufolge sollen hier sieben Kinder miteinander gespielt haben, welche da sie sich einander angefaßt hatten, sammt und sonders eins das Andere nach sich ziehend, im Kanal ertrunken seyen. Dergleichen Volkssagen können als solche wohl mitlaufen, wenn aber neuere Schriftsteller dergleichen Mährchen als ein Evangelium glauben und blindlings nachschreiben, so verdienten sie selbst noch mit jenen sechs Kindern zu spielen.

Eine gedruckte Beschreibung des Antiquariums dient, bei dem Besuche dieser schätzbaren Sammlung, welche mit der Zeit, wenn Alterthumsfreunde ihr die gehörige Unterstützung nicht versagen werden, an Umfang und Bedeutenheit gewinnen wird, zu einem belehrenden Leitfaden.

Die Abbildung der früher in Augsburg zerstreut gewesenen Denkmähler sind in Marci Velseri duumv. Aug. antiquis, quae Aug. vindel. extant Monumentis und in Werlichs deutscher Augsburger Chronik beschrieben und zum Theil in Letzterer, in schlechten Holzschnitten zur Anschauung gebracht.

g) Evangelisches Armen = Kinderhaus D. 272.

Der bürgerliche Bortenmacher Kraus gründete 1699 diese wohlthätige Anstalt. Ergiebige Beiträge von Seiten der alles Wohlthätige von jeher so gerne befördernden Augsburger Bürgerschaft, gestattete im Jahr 1706 den Ankauf des dermaligen Lokals, auf dem alten Heumarkt, dessen Düsternheit, so wie der Mangel eines Gartens, es eben nicht sehr für ein solches Institut empfehlen, um 10,000 fl. Allein damals wurde es zu verschiedenen, zum Theil unpassenden Armen=Zwecken benützt und sogar von 1711 bis 1717 mit einem Zunfthause in Verbindung gesetzt.

Die segnende Hand der Vorsehung, waltete sichtbar

über diesem Hause und erweckte demselben reiche Wohlthäter.

Die ersten Hülfsquellen für diese Anstalt, fanden sich nur in der Wohlthätigkeit der hiesigen Bürger, die es mit Geld und Viktualien unterstützten; in den vor den Kirchenthüren gesammelten Allmosen; in, selbst auswärts, veranstalteten Collekten, und in Verabreichungen an Geld und Getreide, zu welchen jährlich einige Stiftungen sich bereit finden ließen. Dadurch sammelte sich die Anstalt ein kleines Kapital.

In neuern Zeiten kamen diesem Erziehungshause, welches bei dem Andrang armer Kinder, Gefahr lief, seine wohlthätige Wirksamkeit vermindern zu müssen, die Geschenke und Legate der edlen Anna Barbara v. Stetten zu höchst gelegener Zeit. Diese Edle, schenkte demselben, das ihr durch Erbschaft angefallene Goll'sche Haus, vermachte ihm testamentarisch 6000 fl. und 2 Wiesen und das großmüthige Testament des Silberjuweliers Johann Gottlieb Klauke riß es aus jeder Verlegenheit. Diese Letzteren können mit Recht, die zweiten Stifter, dieser Anstalt genannt werden.

Die Zahl der aufgenommenen Kinder beläuft sich gegen hundert.

Die ehelich oder uneheliche Geburt macht keinen Unterschied in den Aufnahms-Ansprüchen, zu deren Begründung ein Alter von 7 Jahren und die Abstammung von hier verbürgerten oder wenigstens hier ansäßigen Eltern, erfordert wird. Die Zöglinge erhalten gute nahrhafte Kost, Unterricht in der Religion, in gemeinnützigen Kenntnissen, im Schönschreiben, und wenn einige eine besondere Neigung und Talente besitzen, im Singen, Zeichnen, in Musik, und selbst Anleitung in gymnastischen und Waffenübungen.

Die Mädchen werden in den ihnen zu wissen nothwendigen Gegenständen, und in allen weiblichen Arbeiten unterwiesen.

Die Kinder sind hübsch und reinlich gekleidet, ihr gesundes Aussehen, ihr heiteres Wesen, zeigt, daß unter der jetzigen humanern Verwaltung, ein wahrer, heiterer, kindlicher Geist, an die Stelle eines entmuthigenden, durch unvernünftigen Zwang hervorgerufenen Sklavensinnes getreten sey. Die Stunden der Arbeit wechseln zweckmäßig mit den Stunden der Erholung und die Kinder bewegen sich unter Aufsicht ihres Lehrers, fleißig und lebhaft auf Spaziergängen.

Die Neigung der Kinder hinsichtlich der Wahl ihres künftigen Berufs unterliegt keinem Zwang, und in allen Fächern des bürgerlichen Gewerbslebens sind schon brauchbare und geschätzte Glieder der menschlichen Gesellschaft aus diesem Hause hervorgegangen. Das den Kindern geschenkte Geld, wird für sie als Sparpfenning aufbewahrt. Unmittelbar mit diesem Kinderhause ist die kleine Kinderanstalt, in welcher eheliche und uneheliche hiergeborne Kinder unter 6 Jahren aufgenommen werden, verbunden.

Diese Kleinen werden nach 3 Klassen eingetheilt, in die Gewöhnlichen, wozu 6 bürgerliche, eheliche oder uneheliche geeignet sind; in die Ungewöhnlichen, zu welchen die Ausgesetzten oder von obrigkeitlicher Behörde zur Verpflegung auf öffentliche Kosten hieher gewiesene Kinder gehören; in die Ueberzähligen, bestehend aus jenen Kleinen, für welche in der ersten Klasse zur Zeit keine Stelle offen war, und aus fremden Kindern; für diese muß wöchentlich ein Kostgeld von 1 fl. 12 kr. bezahlt werden. Sie werden verköstigt, erzogen und treten mit dem 7ten Jahr in die größere Klasse über. Die gegenwärtige Kinder-Zahl kann sich auf 30 Köpfe belaufen.

In einer innigen Verbindung mit dem Armen-Kinderhause, steht die Stiftung des obengedachten Silberjueliers

Klauke für die Erhaltung und den Nutzen des Armen=Kinderhauses.

Dieser Armenfreund, ein Bäckerssohn aus Küstrin, hatte die Handlung erlernt, kam im Jahr 1745 nach Augsburg und erwarb sich hier, theils durch Heirath, theils durch Fleiß und Sparsamkeit und klug ersonnene Spekulationen, ein sehr bedeutendes Vermögen; er erreichte ein Alter von 85 Jahren, und das Armenkinderhaus wurde durch sein Testament von 17. Juli 1801 Erbe eines Vermögens von 400,000 fl.

Von den Renten dieses Kapitals, können jährlich zu den nothwendigsten Bedürfnissen des Instituts ausser den Unterhaltungskosten 1500 fl. verwendet werden, 150 fl. sind zum Salair eines eigenen Lehrers, der die Kinder im Lesen, Schreiben, Rechnen und in den Grundsätzen der christlichen Sittenlehre, unterweist, und welcher von der Stiftung verpflegt wird, bestimmt. Eben so viel erhält derjenige Geistliche, welcher die Kinder in der Religion unterrichtet; 100 fl. nebst der freien Verpflegung sind der Lehrerin, welche die Mädchen im Nähen, Stricken und Spinnen unterrichtet und die Aufsicht über sie führt, ausgeworfen. Die Gattin des Verwalters führt die Aufsicht über das Haus gegen eine Remuneration von jährlichen 50 fl. für ihre Mühe, die Mädchen zu Führung einer geregelten Haushaltung anzuweisen. 350 fl., auch mehr, dürfen auf Anschaffung des zum Spinnen nothwendigen Materials verwendet werden.

Den fleißigen und sich auszeichnenden Kindern, werden jährlich nach der Prüfung Prämien an Geld von 5 fl. bis zu 2 fl., welche den Sparpfennigen der Zöglinge beigefügt werden, gereicht; 50 fl. erhält jeder Knabe, wenn er Lust hat, eine Profession zu erlernen, nach geendigter Lehrzeit zur Ausstattung auf die Wanderschaft und sechs dürfen jährlich nach erlangter Meisterschaft, zur Erleichterung der ersten Einrichtung mit einem Vorschuß von 200 fl. unterstützt werden; dieser Vorschuß wird in leidentlichen Fristen zurückbe=

zahlt. Den Mädchen werden gleichfalls, wenn sie mit Zeugnissen ihrer Fähigkeit und ihres Wohlverhaltens in einen Dienst treten, 50 fl. zur nöthigen Ausstattung gutgeschrieben.

Von den Erträgnissen jenes Kapitals, soll auch für Verbesserung der Kleidung und des Wäschbestandes der Zöglinge gesorgt werden.

Klauke hat aber mit dieser Hauptstiftung auch folgende Nebenstiftungen verbunden. 360 fl. sind für den unentgeltlichen Unterricht für 60 arme evangelische Bürgers-Kinder angewiesen; für 200 evangelische Arme, wovon jeder ¼ Klafter Holz jährlich unentgeldlich erhält, hat dieser ächte Menschenfreund eine jährliche Austheilung von Brennholz gestiftet; 400 fl. haben die wohlthätige Bestimmung, daß davon unbemittelten evangelischen Kranken, die benöthigte ärztliche Hülfe, die erforderlichen Heilmittel verschafft werden, und von 4 evangelischen Bürgerstöchtern, welche 10 Jahre lang in hiesigen Bürgershäusern mit Auszeichnung dienten, erhält jede 200 fl. bei ihrer Verheurathung, als einen Beitrag zur Aussteuer. Diese Aussteuerprämien-Vertheilung findet jährlich, gewöhnlich am allerhöchsten Namensfest Sr. Majestät des Königs und der Königin statt.

Die Verwaltung dieser isolirten Klaukeschen Stiftung über das evangelische Armen-Kinderhaus ruht in den Händen von zwei Direktoren und einigen bürgerlichen Vorstehern.

h) Das evangelische Waisenhaus.

„Vater und Mutter verlassen mich, aber der Herr nimmt mich auf“ heißt die sinnige Inschrift an einem, an dem evangelischen Waisenhause angebrachten Basrelief. Der schönen Bestimmung, den Waisen ein zweites Vaterhaus zu bereiten, entspricht diese treffliche Anstalt in jeder Hinsicht. Eine heitere freie Lage sichert der Lokalität dieses Institutes bei weitem den Vorzug, über das schwerfällige und dumpfige evangeliſche Armen-Kinderhaus, und ein ſchöner Garten, eine reine Luft, hohe und geräumige Schlafſäle, die höchſte Reinlichkeit und Ordnung im Innern, muß den Beſucher hier freundlich anſprechen.

Dieſes Haus gehörte in der Vorzeit mit zu dem Beſitzthum der reichen Fugger; der Grundſtein zum neuen Waiſenhaus, wurde am 30. September 1697 gelegt, und am 11. November, ward das vollendet daſtehende Gebäude bezogen.

Zur Aufnahmsfähigkeit wird die eheliche Geburt, Abſtammung von hieſigen bürgerlichen Eltern, das zurückgelegte sechste Jahr und ein geſunder, mit keinen ſichtbaren Gebrechen behafteter Körper erfordert.

Hier erhalten die Kinder Beköſtigung, Verpflegung, Kleidung und Unterricht; die Knaben bleiben bis zum 15ten, die Mädchen bis zum 17ten oder 18ten Jahr dort. Die erſten treten dann in eine Lehre, während welcher Zeit ſie in Kleidern und Wäſche verſorgt werden. Die Mädchen melden ſich um Dienſte, und genießen noch 2 Jahre die nemliche Wohlthat wie die Knaben, mit Kleidung und Wäſche verſehen zu werden. Jedes erhält eine Ausſtattung von 50 fl.

Im Hauſe wird Unterricht in den gewöhnlichen Schulkenntniſſen ertheilt, und ſelbſt in Muſik, Singen, Linearzeichnen, werden die Kinder unterwieſen. Die weiblichen Zöglinge haben Gelegenheit, in allen für ihr Geſchlecht paſſenden Hand-Arbeiten ſich unterrichten zu laſſen. Auch hier wird mit Lernen und Erholung zweckmäßig abgewechſelt und die Nebenſtunden werden mit Papparbeiten nützlich und angenehm ausgefüllt.

Geldgeſchenke, welche die Kinder erhalten, ſind ihr Eigenthum, und werden ihnen als Sparpfenninge aufbewahrt. Die Zahl der in dieſem Hauſe befindlichen Waiſen beläuft ſich gegen 50. Von Herrn Finanzrath Frhrn. v. Schäzler, jenem edeln und großmüthigen Menſchenfreunde, an welchem die leidende Menſchheit einen wahren Vater verlor, hat das

Waiſen-

Waisenhaus ein sehr reiches Geschenk, noch bei seinen Lebzeiten erhalten. Groß sind die Verdienste, welche der in gesegnetem Andenken stehende Pfarrer Wasser, um die wesentliche Verbesserung dieser Anstalt sich erwarb, auf welchen schönen Grund der gegenwärtige Vorstand, Hr. Pfarrer Geuder thätig fortzubauen, und mit zeitgemäßen Verbesserungen fortzufahren bemüht ist.

i. Das katholische Armenkinder- und Waisenhaus.

Die Katholiken hatten früher für die Armen- und Waisenkinder gesonderte Erziehungs-Institute. Armen-Kinder, welche das Unglück hatten, entweder beide Eltern zu verlieren, oder welche als Halbwaisen den Verlust des Vaters oder der Mutter beweinen mußten, während der überlebende Theil, wegen allzugroßer Dürftigkeit, die Kosten der Erziehung für das Kind nicht zu erschwingen vermochte, fanden in dem Letztern eine liebevolle Aufnahme. Sogar noch bei Lebzeiten beider Eltern, welche ausser Stand waren, ihr Kind zu ernähren, öffnete sich dem dürftigen Knaben oder Mädchen hier ein behagliches Asyl, in welchem eine sorgfältige Verpflegung seiner wartete. Diese Aufnahme im Waisenhause erstreckte sich nur auf ehelich erzeugte Kinder, wogegen hinsichtlich des Armen-Kinderhauses dieser Unterschied hinwegfiel.

Das katholische Waisenhaus wurde im Jahr 1649 für die Waisenkinder erkauft; das von dem edlen Dominikaner Pater Hiacinth Ferler, einem wahren Vater der Nothleidenden, begründete Armen-Kinderhaus, stand in der Kleesattlergasse. Seit dem Jahr 1811 sind beide Anstalten in dem erwähnten Waisenhause Lit. F. Nro. 215. vereinigt und die Waisen-Kinder genießen mit den Armen-Kindern eine gleiche Wohnung, Erziehung, Pflege und Unterricht. Sie bekommen gute nahrhafte Kost, werden in den erforderlichen Schul-

13

kenntnissen, und selbst im Zeichnen unterrichtet, die Mädchen in weiblichen Arbeiten unterwiesen, und bei den jährlichen, öffentlichen Prüfungen und Preisvertheilungen werden durch die öffentliche Ausstellung ihrer Arbeiten, Proben von ihren Fortschritten vorgelegt. Wer es nicht glauben will, daß der Geist der Humanität weiter vorwärts geschritten sey, der darf nur den gegenwärtigen Zustand dieser Erziehungs-Anstalten mit der frühern Einrichtung; das jetzige Aussehen, das Benehmen der Kinder selbst, ihr Aeußeres, ihre Kleider, mit dem Betragen der vor 30 bis 40 Jahre in solchen Häusern verpflegten und behandelten Zöglinge vergleichen, um auch hier einen sehr auffallenden Unterschied zwischen Sonst und Jetzt wahrzunehmen.

Beym Austritt aus dem Hause, erhalten Knaben und Mädchen, eine Ausstattung an Kleidungsstücken und nach vollendeter Lehrzeit und beginnender Selbstständigkeit, ihr Erspartes, oder, ihre sonst, während ihrem Aufenthalte im Hause eingebrachten und erworbenen Habseligkeiten zurück.

Nachdem das von den Franziskaner-Nonnen i. J. 1533 an der Haarbrücke am Schmidberge, gestiftete Findelhaus Lit. C. Nro. 231, Anno 1811, durch ein königliches Rescript für aufgelöst erklärt, und das Haus selbst im Jahr 1815 verkauft wurde, sollten die katholischen Findelkinder, jene unglücklichen Zeugen der Ausschweifung ihrer Eltern, theils zu Privat-Leuten, um ein bestimmtes Kostgeld, theils im katholischen Waisenhause untergebracht werden. In dem Letztern werden sie gegenwärtig auf Kosten der Findelhausstiftung so lange, bis die Knaben in eine Lehre, die Mädchen in einen Dienst treten, verpflegt.

k. Das Schauspielhaus.

Mancher wundert sich vielleicht darüber, das Schauspielhaus in der Reihe der zu wohlthätigen Zwecken bestimmten Gebäude aufgezählt zu sehen. Da wir aber nach systematischer

Ordnung bisher die öffentlichen Bauwerke mit zu Grundlegung ihrer Eigenthümer beschrieben haben, und unser Theater-Gebäude dem ältern Allmosen gehört, dem die Schauspiel-Unternehmer für jede Vorstellung mit einer gewissen Abgabe zinsbar sind, so durften wir keine Ausnahme, in dem uns vorgezeichneten Plane eintreten lassen.

Um den ersten Spuren der Darstellung von Schauspielen in Augsburg nachzuforschen, müßen wir bis auf das 16te Jahrhundert zurück gehen.

Damals bildete sich die Zunft der sonst hochgeachteten Meistersänger, sich der Abstammung von den alten Druiden, jenen Priestern der Germanen, welche die Thaten dieses Volkes und seine Geschichte, in Gesängen und Traditionen fortgepflanzt, rühmend, und zählte nach und nach über hundert Kunstgenossen. Neben den Gesängen, denen sie hauptsächlich huldigten, führten sie auch Schauspiele auf.

In ihren Haupt- und Staats-Aktionen spielte durchgängig der Hanswurst die Hauptrolle; sie gaben diese von 1540 bis 1560, in der Martinsschule; dann richteten sie einen eigenen Schauplatz bei der Sackpfeife ein, und veränderten denselben von Zeit zu Zeit. Meistens wurden die Damenrollen von verkleideten Jünglingen dargestellt; daher fügte es sich bisweilen, daß die Zuschauer, wenn der Barbier die Prima Donna sitzen ließ, lange auf das Emporrollen des Vorhanges warten mußten. Die belobte Sängerzunft wollte schlechterdings keine anderen dramatischen Darstellungen, nicht einmal Liebhaber-Theater neben sich dulden. Doch konnten sie es nicht hindern, daß die immer mehr und mehr um sich greifende Lust an Schauspielen, reisenden Schauspieler-Gesellschaften den Eingang in die Stadt bahnte. Diese waren indessen den Meistersängern von jeder Vorstellung mit einer gewissen bestimmten Abgabe gleichsam tributbar. Endlich mußte das: „Es kann ja nicht immer so bleiben,“ auch diese Sängerzunft anstimmen; denn sie schritten bei dem zunehmenden besseren Geschmacke ihrer Auflösung, welche im Jahre 1772 erfolgte, mächtig entgegen. Einer der letzten Meistersänger war der noch Vielen bekannte Marionetten-Direktor Sartor, welcher in einer großen hölzernen Bude, oder, was kunstgemäßer klingt, in einem sogenannten Sommertheater, an den gewöhnlichen Jahresdulten, theils mit Marionetten, theils aber auch mit lebendigen Histrionen, welche daneben als Obstner, Schuhflicker u. d. gl., ihre Vielseitigkeit beurkundeten, Theater-Stücke darstellte. Diese wurden stark besucht, und trugen noch ganz das Gepräge der früheren meistersänger'schen Hanswurststücke an sich. Der genannte Direkteur war als Repräsentant der lustigen Person ausgezeichnet, bis endlich vor 28 Jahren an der Michaeli-Dult, bei der ominösen Vorstellung von „Hanswursts Tod und Höllenfahrt," die auf dem Obstmarkt errichtete Bretterhütte in Flammen aufloderte.

Aus den Trümmern dieser Spiele gieng ein neues Marionetten-Theater hervor, welches noch immer hier zu gewissen Zeiten geistliche und weltliche Puppen-Komödien gibt, und sein Publikum zu amüsiren weiß.

Im Jahr 1776 erhielt der Plan zur Erbauung eines neuen Schauspielhauses die obrigkeitliche Genehmigung. Rasch wurde zum Werke geschritten, das zu diesem Behufe angekaufte Federlische Gartengut abgebrochen und geräumt, täglich 100 Menschen beschäftigt und der Bau mit einem Kostenaufwande von 21,147 fl. und 38 kr. hergestellt. — Allein statt einem würdigen Tempel Thaliens, brachte diese übereilte Thätigkeit ein höchst übereiltes, fehlerhaftes Machwerk zu Stande. Kühn, darf man diese Schaubühne, ein Modell, wie ein Theater nicht seyn soll, nennen. Das beste im Innern war der von dem Akademie-Direktor Huber, einem Schüler Bergmüllers, gemalte Platfond, welcher noch zu sehen ist. Der Vorhang, eine Scene aus Wielands Grazien, wurde im Jahr 1800 von dem nemlichen Künstler gemalt; allein bei einer spätern Restaurirung hatten diese Grazien das

Unglück, einem Pinsel Preis gegeben zu werden, welcher mit diesen edlen Gestalten sehr unsauber verfahren ist.

Das Gebäude selbst liegt in einem, durch ein mit zwei Ein- und Ausfahrtspforten versehenen Gitterthore geschlossenen ansehnlichen Hofraume und wurde von Innen und aussen, so viel es sich thun ließ, im Jahr 1827 erweitert und verschönert. Es hat im innern Raume einige Parterre-, dann noch zwei Reihen Logen in zwei über einander stehenden Stockwerken. Im obersten Range befindet sich die sogenannte Gallerie und an beiden Seiten derselben, der letzte Platz, das sogenannte Paradies. Im untern Raume sind die Sperrsitze, das Parquet und das 2te Parterre; das Ganze hat kaum etwas 27 Schuh Tiefe und faßt gegen 900 Zuschauer.

Man klagt allgemeir über die Beschränktheit des Raumes, allein wie oft ist dieser weit unter der Hälfte gefüllt! Wo fände man wohl ein Theater, welches bei allen und jeden Veranlassungen groß genug wäre, alle Schaulustige zu fassen. Der Direkteur wünscht ohnehin ein Stück öfter wiederholen zu können. Auch das Abgelegenseyn unserer Bühne in einem entfernteren Stadttheile hat Stoff zu vielseitigen Erörterungen gegeben; allein, seitdem die Jakobsstraße sehr verschönert worden, verlieren diese Beschwerden merklich an Gewicht. Für einen Theil der Bühnen-Freunde bleibt in einer großen Stadt das Schauspielhaus stets entfernt, und die Abonnenten haben ohnehin meist Equipagen.

Das Theater findet schicklicher an einem etwas entlegenern Platze eine geeignete Stelle, wo es von mehreren Seiten zugänglich ist; in einer Hauptstraße, in welcher nicht leicht eine Gelegenheit hiezu sich darbietet, bleibt es wegen besorglicher Feuersgefahr ein gefährlicher, wegen dem Lärm und Rasseln der Equipagen aber, ein beschwerlicher Nachbar. Die Erbauung eines neuen und größern Schauspielhauses für Augsburg, stellt sich in diesem Augenblicke nicht als absolute Nothwendigkeit dar.

Es waltet jetzt allenthalben über den Tempeln Thaliens ein unfreundliches Gestirn. Seit dem die Spektakelstücke Mode geworden, und das Auge mehr in dem Schauspielhause verlangt, als das Gefühl, ist die goldene Zeit, für Schauspieldirektoren entschwunden. Jetzt begehrt man zu viel, und thut zu wenig, für die darstellende Kunst.

Bisher sind alle Versuche, der Schauspielmuse hier eine bleibende Stätte zu gründen, gescheitert. Der letzte von den Direktoren, Schemenauer, strengte seine besten Kräfte an, das schwache Fahrzeug seiner Schauspielunternehmung über den Wogen zu erhalten. Auch er mußte, nach 10jähriger lobenswerther Bemühung, die Segel streichen. Auf ihn stellte sich ein Theater-Comitée, gebildet von sehr einsichtsvollen Männern, an die Spitze des Bühnenwesens. Mit ihrem Bunde schien auf einmal die Liebe zur Kunst unter den reichern Bewohnern der Stadt erwacht zu seyn. Ausgerüstet mit reichlicher Unterstützung auf Aktien, begann die neue Intendance-Uebernahme, und die Reform des Theaters wurde mit einem Eifer, der gerechte Anerkennung verdient, betrieben. In den kostspieligsten Opern blendete ein früher nie gesehener Glanz an Garderobe und Dekorationen die Augen der Zuschauer von der Bühne herab. Der Geist war sehr willig, aber das Fleisch war zu schwach, und der Bogen für die hiesigen Kräfte zu hoch gespannt. Er zerbrach schon nach zweijähriger Anstrengung, und selbst das Comitée mußte erfahren, daß:

Mit des Geschickes Mächten
Sey kein ewiger Bund zu flechten.

Die gewöhnlichen Spieltage sind, der Sonntag, Dienstag und der Freytag. Ein Logen- und Sperrsitz-Abonnement deckt zum Theil den monatlichen Gagebestand. Die übrigen Eintrittspreise sind für ein Provinzialtheater zu hoch. Jetzt schweben wir in Ungewißheit, wie sich die Bühnenleitung in Zukunft gestalten werde.

1. Das allgemeine Krankenhaus.

Die früher hier bestandene gesonderten Krankenanstalten, als das von Martin Zobel 1578 gestiftete Pilgerhaus Lit. H. Nro. 400, die Martinsstiftung und das Blatterhaus, das Rothhaus Lit. G. Nro 180 sammt der ehemals im Hospital befindlichen Irren-Anstalt, der unsinnige Gang genannt, wurden im Jahr 1811 in ein allgemeines Krankenhaus vereinigt, und das ehemalige Zucht- und Arbeitshaus Lit. H. Nro. 248 und 327, in der Jakober Vorstadt, zum allgemeinen Lokalkrankenhause bestimmt, das Blatterhaus, so wie das Rothhaus aber verkauft.

Ein eigener Arzt leitet dort die Behandlung und Pflege der Kranken, von einem Sekundär-Arzte unterstützt und ein Doktor der Chirurgie besorgt die wundärztlichen Fälle.

Hier werden Wahnsinnige, Venerische, Krätzige, an innern Krankheiten Leidende, behandelt, so wie jene, deren Uebel dem Messer des Wundarztes verfallen sind, aufgenommen, und bis zu ihrer Heilung oder bis zu ihrer Erlösung durch die Hand des Todes, verpflegt. Zur Aufnahme sind zunächst arme hiesige Bürger und Beysitzer nebst den Ihrigen geeignet. Dienstboten und Handwerks-Gesellen haben die Verpflichtung auf sich, reguläre Beiträge zu leisten, wofür sie dann in Krankheits-Zufällen hier gleichfalls die Aufnahme finden; gegen Bezahlung werden auch minder Dürftige, besonders Irren untergebracht.

Mit dem Krankenhause ist zugleich eine Gebähranstalt verbunden, in welcher nicht blos uneheliche, von hier gebürtige, dürftige Mütter, sondern auch arme, ganz unbemittelte Frauen, deren Männer während der Schwangerschaft gestorben sind, oder welche selbst bei Lebzeiten der Männer, wegen ihrer hülflosen Lage, die Entbindungskosten und die erforderlichen Ausgaben für das Wochenbett nicht bestreiten können, ihre Entbindung abwarten. Fremde, außerehelich schwanger gewordene Dirnen, können gegen Vorlegung des Heimathscheins, und ein tägliches Kostgeld von 30 kr. hier gleichfalls ihre Niederkunft halten.

Diese allgemeine Krankenanstalt ist ihrer Einrichtung nach musterhaft zu nennen und eine genaue Untersuchung in den neuesten Zeiten, hat gezeigt, daß die gegen sie angebrachten Beschuldigungen und Verläumdungen aus Leidenschaftlichkeit entsprungen, und völlig grundlos waren. Das Lokal selbst ist sehr geräumig, hat einen großen Hof und Garten, in welchem die Rekonvalescenten nach erhaltener Erlaubniß von den Direktoren der Anstalt, sich an die freye Luft und an Bewegung gewöhnen können. Es fehlt, da die Aerzte nicht im Krankenhause wohnen, nicht an Hülfsärzten im Hause selbst, welche bei unvorhergesehenen Vorfällen, mit Rath und That den Leidenden beistehen können. Die Kost schreibt der Arzt vor, sie besteht in der sogenannten Diät, in den viertels-, halben-, dreiviertels- und ganzen Portionen, und aus der Restaurations-Kost.

Auf 12 Kranke, welche vor ihrem Bette die nöthigen Geräthschaften stehen haben, wird eine Wärterin gerechnet. Eine Tafel über dem Bette des Patienten, bezeichnet sein Alter, seinen Geburtsort, seinen Stand, sein Gebrechen, so wie die ihm verordnete Kost, nebst dem Getränke, welches, je nachdem die Umstände es gestatten, in weißem oder braunem Bier, auch in Wein besteht. Die Betten sind 4 bis 5 Schuh von einander entfernt, und ihre Anzahl steht mit dem Raume des Zimmers im Verhältnisse.

Die Wäsche für Krätzige und Venerische wird besonders gewaschen, und von jener, der andern Kranken getrennt, aufbewahrt.

Den Leidenden fehlt auch der Trost der Religion nicht,

denn jede Religionspartheí hat ihre eigene Kapelle. Für die Katholiken wird täglich Messe gelesen, den Protestanten alle Sonn- und Festtage geprediqt; die Geistlichen besuchen auch an andern Tagen der Woche auf Verlangen die Kranken. Ist der Krankheitszustand gehoben, so bleiben die Rekonvalescenten noch 14 Tage unter der Beobachtung des Arztes, und die Entlassenen erhalten eine bei der Polizei abzugebende Austritts-Bescheinigung vom Direktor. Von der Verlassenschaft der Verstorbenen werden die Beerdigungs-Kosten getilgt und der Ueberrest den gesetzlichen Erben extradirt.

m. Das Inkurabelhaus vor dem Jakobs-Thore Nro. 246 bis 249.

Die St. Wolfgangs-, St. Servatius- und St. Sebastians-Siechenhäuser wurden von dem Magistrate in jenen Zeiten begründet, wo die aus dem Orient zurückkehrenden Pilger und Kreuzfahrer, wegen besorglicher Pestansteckung, jener Geisel des Morgenlandes, eine sorgfältigere Aufsicht nothwendig machten, um der Verbreitung einer Contagion vorzubeugen. Allmosen und milde Beyträge waren damals die einzigen Hülfsquellen zu ihrer Unterhaltung. Ueberzeugt von der Wohlthätigkeit solcher Sicherungs-Anstalten selbst für angränzende Länder, gestattete Kaiser Ludwig der Bayer und Stephan der jüngere, Pfalzgraf von Rhein, der Krankenverwaltung bei St. Servatius, im Jahr 1334 und 1365 in den ihrer Schutz- und Landeshoheit untergebenen Ländern, Almosen einzusammeln. Nichts wirkt wohlthätiger, als das erhabene Beispiel des Mitgefühls, welches gekrönte Häupter, wenn ein für menschliches Elend empfindendes Herz unter dem Purpur schlägt, vom Throne herab hochherzig zu geben bereit sind. Von dieser Zeit an, mehrten sich die edlen Wohlthäter für die St. Servatius-Stiftung, unser jetziges Inkurabelhaus, und Hartmann Langenmantl vom Sparrn, sammt seiner edlen Gattin Mathilde, dotirten es mit 125 ℔ Augsburger Pfenningen im Jahr 1288. Sieben Jahre später, beschenkten es die drei Brüder Schwicker, Siffried und Suicker von Mindelberg gleichfalls mit ihren Zehenten zu Langenerringen, und so dauerten dergleichen milde Gaben fort.

Auch hier hat in unsern Tagen die edelmüthige Barbara von Stetten ihren wohlthätigen Sinn glänzend bewährt, denn sie schenkte im Jahr 1803 dem Stiftungsfond nicht weniger als 30,000 fl. Von einem ziemlichen Theil dieses Geldes wurde ein Hauptbau unternommen, und das Siechenhaus fällt jetzt in der That von Aussen schön ins Gesicht.

In diesem Hause finden Leidende mit unheilbaren Gebrechen behaftet, und solche, welche durch eine Mißgestaltung nicht wohl sich öffentlich zeigen können, und zum hiesigen Gemeinde-Verbande gehören, ohne Unterschied des Geschlechtes und der Religion, Aufnahme und Verpflegung. Ihre Zahl beläuft sich gegen 40. Die Kost ist ihrem Zustande angemessen; statt des Getränkes erhalten sie ein bestimmtes Geldquantum; das Institut bestreitet ferner Feurung und Beleuchtung, und an gewissen Tagen dürfen die Anverwandten der Inkurablen, welche übrigens Kleidungsstücke und Bettgeräthe beim Eintritt mitbringen müssen, ihre Besuche machen. Bei gänzlicher Mittellosigkeit der Eintretenden, erhalten solche Unheilbare, auch die nothwendige Einrichtung. Alle genießen freie ärztliche Behandlung, und diejenigen, welche sich öffentlich zeigen dürfen, haben bestimmte Ausgehtage. Hat der Eintretende einiges Vermögen, so bezieht er davon die Zinsen; die Anstalt sorgt für die dringenden Bedürfnisse der Aufgenommenen, erbt aber in Todesfällen den Nachlaß ihrer Pfleglinge.

n. Die St. Jakobs-Pfründe.

Schon im Jahr 1348 war am sogenannten Lauterlech eine Jakobspfründe vorhanden, deren Stiftung die Aufnahme armer, kranker Greise zum Zwecke hatte. Allein auch für Rathsglieder, welche an des Schicksals rauher Hand ihre Glücksgüter und ihren Wohlstand überlebt hatten, sollte sich hier ein ruhiges Asyl öffnen. Die Gelegenheit eine solche heilsame Tendenz zu befördern, ergriffen die durch ihren Wohlthätigkeitssinn von jeher mit Recht gerühmten Augsburger mit zuvorkommender Milde, indem sie ihre Ausführung mit der regsten Theilnahme unterstützten. Bald war diese schöne Anstalt begründet, allein unter diesem edlen Waitzen wucherte ein häßliches Unkraut. Einige exaltirte Köpfe vereinigten sich, und bildeten eine Art Jakobiner-Klubb, welcher die St. Jakobs-Kapelle durch heimliche Zusammenkünfte entweihte. Diese Umtriebe erregten Verdacht, der heillose Plan, die Gemüther ihrer Mitbürger mit aufrührerischen Ideen zu erfüllen, wurde bald offenbar, und kräftige magistratische Einschreitungen zertraten im Jahr 1352 der Schlange den Kopf, ehe sie ihren Geifer weiter zu verspritzen vermochte.

Im Jahr 1541 überließen die Barfüßer-Mönche dem Senat die von ihnen geräumten Klostergebäude, der die Jakobspfründe dorthin einzulegen beschloß und der Bau wurde im Jahr 1546 vollendet. Eine Inschrift in dem vordern Gang bezeichnet das Jahr dieses Bau-Unternehmens in folgenden Worten:

Publica cura Patrum, pietasque benigna Senatus,
Christo magnificam dedicat hancce domum
Qua facilem ducat vitam veneranda Senectus
Et Christo vivat religione pia.
MDXXXXIII.

(Der Väter Sorge für das öffentliche Wohl, der fromme milde Sinn der Rathsverwandten, weiht dieses herrliche Gebäude Christo, damit das ehrwürdige Alter einen ruhigen Lebens-Abend hier genieße und bei frommer Gottesverehrung dem Erlöser seine Tage weihe.)

volle Armuth, gibt kein Recht zur Aufnahme in dieses Haus, denn die nach vollendetem fünfzigsten Lebensjahre Eintretenden, müssen sich hier einkaufen und zwar mit 428 fl. 15 kr. für eine eigene Stube mit Kammer, mit 288 fl. für eine Stube mit gemeinschaftlicher Kammer; mit 657 fl. 20 kr. für ein Ehepaar mit eigener Stube und zwei Kammern. Zu dem haben sie ihre benöthigte Einrichtung mitzubringen. Nach diesen verschiedenen Klassen sind gegenwärtig 51 Pfründner untergebracht, welche wöchentlich von der Stiftung 1 fl. 44 kr. und 4 ℔ Roggenbrod erhalten.

Die Besitzer eigner Stuben, erhalten jährlich eine Klafter hartes Holz, und ist mit diesen eine Küche verbunden, ein halbes Klafter Birkenholz dazu. In dem übrigen Theile der Pfründe ist eine gemeinschaftliche Küche vorhanden. Die ärmsten der hier Versorgten, erhalten den Arzt und die Medikamente auf Kosten der Stiftung.

Man drängt sich zur Aufnahme in diesen Hafen einer wohlthätigen Ruhe, nach einem oft von manchen Stürmen bewegten Leben, und das Innere dieser Anstalt gleicht einem heitern Familiengemälde, wenn man den edlen Zweck betrachtet, der hier waltet. Heil jedem Menschenfreunde, der das Alter ehrend, dieses seinem besondern Mitleid empfohlen seyn läßt!

o. Beschäftigungs- und Versorgungs-Anstalt, in dem ehemaligen Dominikaner-Gebäude.

Die wohlthätigste Unterstützung für den noch arbeitsfähigen Dürftigen, ist eine ihm zugewiesene, zweckmäßige Beschäftigung und ein damit verbundener angemessener Verdienst; dieses wirkt weit heilsamer auf sein physisches und moralisches Befinden, als das bloße Allmosengeben, welches dem so äußerst verderblichen Müssiggange und der Bettelei Thür und Thor öffnet. Von diesem Grundsatze giengen die in Augsburg mit der Armenpflege beschäftigten Behörden aus, als der höchstseelige König Maximilian Joseph von Bayern, jener wahre Vater des Vaterlands und der Armen, der hiesigen Armenanstalt, die ehemaligen Dominikaner-Gebäude Lit. A. Nro. 68, mit Ausnahme der Klosterkirche, im Jahr 1813 als eine großmüthige Schenkung überließ.

Die damalige Polizeidirektion beschloß den länger gehegten Plan zu einem Armenbeschäftigungs-Hause hier auszuführen auch damit eine Verpflegungs- und Armenkinder-Anstalt zu verbinden.

Es wurde rasch zum Werke geschritten, allein unvorhergesehene, zum Theil in den widrigen Zeit-Umständen liegende Hindernisse traten der definitiven Organisation dieser Wohlthätigkeits-Tendenz hemmend in den Weg. Erst das Jahr 1819 schien dem Unternehmen mehr Festigkeit und Dauer zu versprechen, denn am 16. August erfolgte die wirkliche und feyerliche Installirung des mit der Leitung dieser Anstalt beauftragten Comitées. Dem Zwecke dieser Beschäftigungs-Anstalt zufolge, soll hier theils in-, theils ausser dem Hause, der Dürftige Arbeit und Unterhalt finden. Menschen, welche eine bittere Armuth ausser Stand setzt, eigene Wohnungen zu miethen, sich jedoch zur Unterbringung in andere Wohlthätigkeits-Institute nicht eignen, auch für ihre unentbehrlichste Bedürfnisse nichts aufzuwenden vermögen, sollen hier Dach, Fach und nothdürftige Beköstigung finden, auch diese Arme, welche unter polizeiliche Aufsicht gestellt werden, dort in einem besondern Zimmer, einer besondern Aufsicht unterliegen.

Im Hause selbst werden 50 bis 60 Arme, und ausser dem Hause, 150 beschäftigt.

Die dort üblichen Beschäftigungsarten, sind das Streichen und Zupfen der Wolle, welches den Arbeitern täglich 15 kr. und eine Portion Rumfordersuppe einträgt. Einen mindern Arbeitslohn wirft das Spinnen des Flachses und der Baumwolle ab; den geringsten, das des Wergs, denn die mit der erstern Arbeit Beschäftigten, können sich täglich 6 kr., nebst einer Portion Suppe, die Letztern, die Wergspinnerinnen nemlich, nur 4 kr. nebst der nemlichen Beköstigung verdienen. Die ausser dem Hause Arbeitenden, spinnen Flachs. Im Hause werden auf Bestellungen auch andere Arbeiten, als das Sortieren der Kaffeebohnen und verschiedener Farb- und Materialwaaren vorgenommen.

Von den daselbst produzirten Leinwand und Baumwollenwaaren, werden im Hause und an den Jahresdulten, für mehrere tausend Gulden jährlich verkauft. Was der hier arbeitende Arme verdient, wird ihm bezahlt, und er genießt im Hause im Winter unentgeltlich die Feuerung und Beleuchtung. Die Suppe, welche er täglich Mittags zur Beköstigung erhält, wird in der gleichfalls mit der Beschäftigungs-Anstalt verbundenen Suppen-Anstalt zubereitet, welches gesunde und nahrhafte Gericht dort auch andere Dürftige, die Portion für sechs Pfennige, ablangen können.

Die Anstalt für die armen Kinder, welche hier, weil ihre Eltern plötzlich verstorben, bis zur Aufnahme in ein Armen- oder Waisenhaus momentan untergebracht werden müssen, oder deren noch lebende Eltern die Kosten der Erziehung, des Unterhalts ihrer Kleinen nicht zu bestreiten vermögen und zur Zeit in Armen-Kinderanstalten keine Aufnahme für sie finden können, versorgt die hilflosen Kleinen mit Nahrung und Kleidung und was sonst ihre Pflege erfordert. Eine eigene sogenannte Kindermutter führt die Aufsicht auf die Kinder, zwei Mägden ist ihre Reinigung und Verpflegung anvertraut. Knaben werden dort bis zum Eintritt in eine Lehre behalten, und mit Kleidung und Wäsche ausgestattet. Die Zahl der hier ohne Unterschied der Religion aufgenommenen Kinder beläuft sich auf 24.

In jener Liebes-Anstalt finden auch alte gebrechliche Personen, als Stumme, Lahme, welchen noch einige andere, doch nicht hinlängliche Subsistenzmittel zufließen, ein Unterkommen.

Die seit dem Jahr 1790 bestehende bürgerliche Privat-Holzaustheilungs-Anstalt, welche den Dürftigen in den Wintermonaten den Bedarf an Brennholz um den möglichst geringen Preis in kleinen Parthien verabreicht, erhielt durch die wohlthätige testamentarische Verfügung der oft erwähnten Menschenfreundin Frau Barbara v. Stetten den Charakter der Oeffentlichkeit, denn sie bestimmte 8000 fl. zu einem bleibenden Kapital, von dessen Zinsen ein verhältnißmäßiger Holzvorrath angeschafft und an die Armen um den Ankaufs-Preis in Portionen von 4 kr. verabreicht werden soll. Die Holzvertheilungs-Anstalt ist gleichfalls im allgemeinen Beschäftigungshause. Das Holz wird von den dort beschäftigten Dürftigen, im Taglohn zu 36 kr. gesägt und gespalten, die Instrumente zu dieser Bearbeitung aber auf Kosten der Regie-Holzgeschäfte angeschaft und in brauchbarem Stand erhalten.

p. Das paritätische Bürger-Hospital zum heiligen Geist.

Nach Ausweis der hierüber vorfindlichen Dokumente, fällt die Entstehung des ursprünglichen Hospitals in das Jahr 1224; seit Anno 1540 befindet sich dasselbe in dem dermaligen Gebäude Lit. A. Nro. 303. u. 304., am rothen Thore.

Unbekannt sind die Namen der ersten Gründer dieses wohlthätigen Hauses. Unter den Haupt-Gutthätern, welche sich große Verdienste um den Fortbestand desselben erworben haben, glänzen vorzüglich die Namen: Hartmann, Langenmantl vom Sparrn, nebst seiner wohlthätigen Hausfrau Mathilde, und der Gebrüder Sigfried und Ulrich von Banaker.

Hier finden dürftige und gebrechliche Bürger beiderlei Geschlechts, ohne Unterschied des Religions-Bekenntnisses, wenn sie unverheirathet oder im verwittweten Stande sich befinden, Wohnung und Pflege. Die Zahl der Aufgenommenen beläuft sich mit den Bediensteten über 200 Personen. Jeder derselben erhält 4 Pfd. gutes Roggenbrod und eine wöchentliche Geldgabe von 1 fl.; freye Wäsche und zu gewissen Zeiten noch ausserordentliche Geldspenden und freye ärztliche Behandlung.

q. Die Paritätische Versorgungs-Anstalt.

Unschicklich wurde früher mit dem allgemeinen Krankenhause eine Anstalt zur Aufnahme für ganz arme Personen verbunden, was sich in keinem Falle mit dem Armen-Zwecke vertrug. Sehr anerkennungswerth war daher die Bemühung jener Edlen, die zur Gründung einer neugebildeten Armen-Versorgunsanstalt im Jahr 1817 die erste Veranlassung gaben.

Diese besteht nun in der Wohnung des ehemaligen Spitalmeisters im Oekonomie-Hofe des Spitals, Lit. A. Nro. 311; in ihr finden alte, verwittibte Gemeinde-Angehörigen, und ganz Arme, sorgenfreye Verpflegung nach allen Bedürfnissen des Lebens.

Die weiblichen Versorgten haben ihr Zimmer im ersten Stockwerk des Gebäudes, die Männer aber zu ebener Erde. Die Zahl der Aufgenommenen beläuft sich auf 31 Köpfe. Diese erhalten Frühstück, Mittag- und Abendkost, Bier, Kleidung. Sie dürfen zu bestimmten Stunden ausgehen.

r. Die katholische St. Antons-Pfründe. Lit. A. Nro. 61.

Hier finden nach der neuern Bestimmung, zwölf alte Männer, gebeugt von Alter und Gebrechlichkeit, gegen eine, im Jahr 1820 durch Magistratsbeschluß bestimmte Einkaufssumme von 250 fl. Aufnahme, und erhalten dafür seit

im

im Jahr 1410 und 1411, Lorenz Egen, oder von Argon die Pfründhäuser der Stadt schenkungsweise überlassen, und andere Wohlthäter diese Stiftung durch Gaben der Mildthätigkeit, erweitert hatten, eine Wochenspende von 1 fl. 30 kr. nebst mehreren Geldspenden zu gewissen Zeiten, auch wochentlich 4 ℔ Roggenbrod, nebst freyer Wohnung, Feuerung und Beleuchtung. Acht Pfründner bewohnen eigene Zimmer, vier hingegen sind auf einer gemeinschaftlichen Stube beisammen. Sie können in einer gemeinschaftlichen Küche ihren Speisbedarf zubereiten und erhalten in kranken Tagen ihre volle Verpflegung.

s. Das katholische Bachische Seelhaus Lit. D. Nro. 139.

war zur Aufnahme von 8 hier verbürgerten Weibspersonen, welche sich auf Begehren als Krankenwärterinnen brauchen lassen mußten, bestimmt. Die Stiftung des Seelhauses rührte von Hans Rehm her, welcher zu Ende des 14ten Jahrhunderts den Plan dazu entwarf, den seine Wittwe Catharina von Bach, Anno 1511 ausführte.

Dieses Institut wurde im Jahr 1814 aufgehoben und das Stiftungsvermögen, mit den Fonds anderer Wohlthätigkeits-Anstalten verbunden, das Haus aber verkauft.

---

7. Privat-Gebäude.

Wenn gleich viele ältere Häuser und Gebäude noch gegenwärtig mannichfaltige von einander abweichende Formen zeigen, und an den meisten die an der Giebelseite angebrachte Fronte, den Anforderungen des geläuterten Geschmackes wi-

14

derstrebt, so verbannt die jetzige Architektur nach und nach diese, das Auge beleidigenden Mißverhältnisse, und gegenwärtig ruht es mit Wohlgefallen, besonders in den Hauptstraßen an den Reihen der, in einem schönen Style aufgeführten Privat-Gebäude.

Die innere Einrichtung in den meisten Häusern kann hübsch, bequem und zweckmäßig genannt werden. Breite, nicht selten steinerne Treppen, führen zu lichten, geräumigen Vorplätzen; die Zimmer sind hell und hoch, zweckmäßig angebrachte Zug-Kamine beugen dem nachtheiligen Rauchen vor. Was einer fleißigen Hausfrau am meisten am Herzen liegt, eine helle, geräumige, mit eigenen Vorrichtungen immer warmes Wasser zu erhalten, (sogenannten Schifflen) eingerichtete Küche, darf nicht fehlen. Viele dieser Häuser haben geräumige Höfe, gewöhnlich mit laufendem Wasser oder sogenannten Röhrkästen und Pumpbrunnen (Gumper), oft auch einen Hausgarten mit einer Fontaine. Beinahe jedes Haus erfreut sich einer eigenen Gelegenheit zum Waschen und Trocknen, oder einer sogenannten Waschküche, mit einem eingemauerten, zum Unterfeuern eingerichteten kupfernen Kessel und einer Altane, und sehr viele Privat-Gebäude sind gegen die verheerenden Wirkungen des Blitzstrahles durch zweckmäßig angebrachte Gewitter-Ableiter geschützt, welche unser noch immer thätige Blitzableiter-Verfertiger und Spenglermeister Gerlach hier zuerst in Aufnahme gebracht hat.

Allenthalben spricht die Eintretenden der Geist einer sorgfältigen Reinlichkeit wohlthuend an. Das Küchen- und Trinkgeräthe ist spiegelblank; alle Wochen, wo nicht täglich, wird geputzt und gescheuert, und einmal wenigstens findet das sogenannte Haupt-Auspußen statt, bei welchem die Wände frisch getüncht, die Fenster abgenommen und gereinigt und jeder Winkel gesäubert wird; eine Periode, welcher viele Männer, besonders wenn sie Studier-Zimmer zu ihrem Berufe nöthig haben, mit Seufzen entgegen sehen, denn in dieser Epoche tritt ein wahres Zwischenreich ein, wo der Hausherr (glücklich wenn er es nur für einen kurzen Zeitraum thun darf) sich seiner wirklichen, oder nur vermeinten Hausherrschaft entäußern muß.

Sehr viele Bewohner von Augsburg, sind Besitzer eines eigenen Hauses, wohl auch Mehrerer. Auf den meisten ruhen jedoch verzinsliche Kapitalien zur ersten, oft zur zweiten und dritten Hypothek, was hier sonst mit dem Namen der Uebertheurung bezeichnet wurde. Diese Kapitalien sind gewöhnlich einer sechsmonatlichen Aufkündigung unterworfen, und die Kapital- so wie die Miethzinse dafür, werden an Michaelis und Georgi entrichtet.

In dem oft erwähnten Brinhaußer'schen Häuser-Verzeichnisse sind die Haus-Eigenthümer namentlich aufgeführt, jedoch ist dieser Besitzstand gar mannichfaltigen Veränderungen unterworfen, wie dieses ein, an einem Privathause angeschriebener Reim drollig besagt:

„Dies Haus ist mein und doch nicht mein,
„Den Andern setzt mein Tod hinein
„Und dennoch bleibt es auch nicht sein."

Wer keinen eigenen Heerd Sein nennt, der wohnt zur Miethe. Die Miethzinse sind in der neuern Zeit ansehnlich gestiegen, allein gegen die, in dem benachbarten München geforderten, noch immer billig zu nennen.

In den Zeitungen und in den Wochenblättern werden die erledigten Miethwohnungen ausgeboten, auch verkünden an den Hausthüren angeschlagene Zettel, die im Hause zu vermiethenden Wohnungen.

Es wäre zu wünschen, daß in dergleichen Ankündungen, die Haus-Nummer, Straße und der Miethzins bemerkt, und dadurch mancher vergebliche Gang erspart würde.

Aus dem Inhalte solcher Vermiethungs-Offerte blicken oft gar wunderliche Prätensionen hervor. Der Eine will nemlich sein Haus nur an eine stille Familie vermiethen; der

14*

Andere vergißt die gemüthliche Lehre des großen Kinderfreundes: Lasset die Kindlein zu mir kommen ꝛc., und protestirt, an seine eigene Kinderzeit nicht zurückdenkend, förmlich gegen die Aufnahme von Haushaltungen, welche ein reicher Kinder-Segen beglückt; wieder Einige wollen nur an Civil-Personen vermiethen, und am häßlichsten klingt es, wenn sogar ein bestimmtes Glaubens-Bekenntniß zur Aufnahms-Bedingung gemacht wird.

Die Zeit zur Aufkündigung der Hausmiethe und zur Zahlung der Miethzinse ist Georgi und Michaelis. Der ausziehende Theil muß seinem Nachfolger die Wohnung völlig blank gescheuert und geputzt, so daß er nur einzuziehen braucht, zurücklassen.

Bei den Vermiethungen wird nach der Observanz ein Daraufgeld, Leihkauf genannt, in der Regel vom Gulden des Miethzinses 2 kr. gegeben. Beim Einziehen oder der Uebergabe der Schlüssel, kann nicht sogleich aufgekündet werden, auch bricht in Augsburg der Kauf die Miethe nicht, und der Hauskäufer muß dem Inwohnenden die gewöhnliche Miethzeit halten. — Ledige Herren und Frauenzimmer finden hier hübsch meublirte Zimmer, welche monatweise gemiethet und bezahlt werden.

Merkwürdige Privat-Gebäude.

a. Das v. Libert'sche Gebäude.

Das ehemalige von Libert'sche Haus in der obern Maximiliansstraße B. 16. zu welchem Bau der churfürstliche bayerische Hof-Baumeister Lespillies den Plan machte, den der Baumeister Stumpe aus Jauer in Schlesien ausführte, gehört gegenwärtig dem Hrn. Baron Wilhelm v. Schäzler. Sehenswerth ist in diesem, der schöne Saal mit seinen reichen Verzierungen und seinen schäzbaren Gemälden, zu welchem eine Reihe von Zimmern führt.

Das von Gregorio Guiglielmo gemalte Deckenstück über der Haupttreppe, so wie der Platfond im Saale, auf welchem die Vereinigung der vier Welttheile: Europa, Asia, Afrika und Amerika, durch die Handlung dargestellt ist, sind Zeugen von dem hohen Kunst-Talent dieses Malers.

Placidus Verhelst hat das vergoldete Schnitzwerk verfertiget, und von dem großen italienischen Thiermaler, Londonino, sind die über den Eingängen befindlichen Thierstücke. Mehrere Supports in den Zimmern, rühren von Joseph Christ aus Winterstetten her. In diesem von 365 Lichtern, in Uebereinstimmung mit der Zahl der Tage im Jahr, und von Kron- und Wandleuchtern erhellten Prunksaale wurden bei mehrern freudigen Veranlassungen glänzende Ballfeste gehalten. Die unglückliche Marie Antoinette, als Braut des damaligen Dauphins und nachherigen Königs Ludwig des XVI. von Frankreich, weihte ihn bald nach seiner Erbauung durch die erste Menuete, welche von dieser Prinzessin darin getanzt wurde, ein.

Schade ist es, daß sich die Fronte dieses schönen Gebäudes in einem engen Gäßchen gleichsam verliert.

b. Der Gasthof zu den Drei-Mohren

wurde ursprünglich auf dem Grunde eines großen, dem Anton Fugger am Weinmarkte gehörigen Hauses errichtet. Nachdem im Jahre 1690 die Flammen dieses Gebäude verzehrt hatten, ließ es der Gastwirth, Andreas Wahl, durch den bayerischen Baumeister J. G. Guntrainer wieder aufbauen. Die dort angebrachten 4 Jonischen Wandpfeiler gehen nur bis an die Mitte der Fenster des obersten Halbgeschosses, und scheinen mit der Breite des Gebäudes in keinem richtigen Verhältniß zu stehen, dadurch, meynten die Tadler, stelle sich das Ganze als zu gedrückt dar.

Der Gasthof selbst behauptet (unter dem letzten Besitzer

Hrn. Deuringer und jetzt seinem Sohn) seinen alten ehrenvollen Ruf, und mehrere gekrönte Häupter haben ihn als Absteig-Quartier benützt. In ihm befindet sich ein hübsch dekorirter Tanzsaal, dessen Raum jedoch für öffentliche Tanzbelustigungen, z. B. Redouten, zu beschränkt ist. Hier wurden sonst die Maskenbälle ausschließlich gehalten; jetzt wechseln selbige jährlich mit dem weit größern Saale im Gasthof zur goldenen Traube.

c. Der Gasthof zur goldenen Traube B. 5.

wurde seit einigen Jahren ganz neu hergerichtet und erfreute sich durch seinen vorigen Besitzer, dem Weinhändler Koch, der Wiedergeburt seines früher schon behaupteten ehrenvollen Rufes. Hier befindet sich der bereits erwähnte schön dekorirte, große 86 Fuß lange, 60 Fuß breite und 30 Fuß hohe Saal. Vier und zwanzig steinerne und marmorirte Säulen tragen seine Decke. Von ihr herab senken sich 8 schöne ganz moderne Lusters. An ihn stößt ein Rotunde-Saal, ein 40 Schuh langes und 40 Schuh breites Viereck bildend.

Die Säle mit ihren Logen und Gallerien, umgeben noch 8 geräumige Speisezimmer.

Reisende besuchen diesen Gasthof, welcher jetzt ein Eigenthum des Kochischen Tochtermannes, Herrn Stücklen, ist, gern, und befinden sich dort bei einer guten billigen Bedienung ganz behaglich. Seine angenehme Lage und die vornheraus nach der Hauptstraße gerichteten Zimmer, so wie der mit einer goldenen Riesen-Traube geschmückte Balkon geben den Fremden Gelegenheit die ununterbrochene schöne und unterhaltende Aussicht in die herrliche Maximiliansstraße zu genießen.

d. Das Fürstlich-Fuggersche Gebäude.

Jakob Fugger, bekannt durch seine Vorliebe für die Baukunst kaufte mehrere an dem Weinmarkte gelegene Häuser zusammen, ließ sie abbrechen und dort jenes Gebäude aufführen, welches unter dem Namen, das Fuggerhaus, bekannt und wegen seinem bedeutenden Umfange merkwürdig ist. In diesem befindet sich der von Titian gemalte Badesaal Kaiser Karls V. und in den Höfen sind noch die Spuren einiger von Christoph Amberger, Holbeins Schüler, herrührenden Fresko-Gemälde vorhanden. Im Hinter-Gebäude, gegen den Zeugplatz zu, ist ein hübscher Saal, in welchem früher Konzerte gegeben und von fremden Künstlern ihre Merkwürdigkeiten gezeigt wurden.

o. Das ehemalige Schranzische Haus C. 2,

gehört in gedoppelter Hinsicht zu den merkwürdigen Privat-Gebäuden. Erbaut wurde es nemlich von dem Vater des berühmten Elias Holl und sein damals 17jähriger Sohn verfertigte mancherlei Figuren und das Laubwerk aus Gyps und gebranntem Thon, mit welchem Geschmack der damaligen Zeit zufolge, der an dem Hause befindliche Erker verziert wurde.

Ueberhaupt haben unsere Vorfahren an schön dekorirte Erker, welche zum Theil mit sehr schöner Bildhauer- und Stukkatur-Arbeit geschmückt waren, bedeutende Summen gewendet. Noch sind welche vorhanden, die zu den öffentlichen Sehenswürdigkeiten Augsburgs gezählt werden dürfen. Hierher gehört der wirkliche größere Pracht-Erker am evangelischen Armenkinderhause Lit. D. Nro. 283 mit den Büsten der altrömischen Kaiser, dann der kleinere mit den Brustbildern der Kaiser, aus dem Hause Oesterreich von Friedrich IV. an bis Ferdinand II. Ein nicht minder schöner Erker befindet sich an dem v. Hößlinschen-, Lit. D. Nro. 44 und am Tannera'schen Gebäude Lit. D. Nro. 160.

Die Gebäude des Freiherrn v. Eichthal, des Herrn Banquiers Erzberger, der Freifrau und des Frhrn. Karl v. Schäzler, des Freiherrn v. Lotzbeck, des Herrn v. Frölich, des Hrn. Finanzraths Carli, des Freiherrn v. Süßkind, das v. Münch'sche, auf dem St. Annenplatz; das Haus des israelitischen Banquiers Jakob Obermaier, der HH. Kaufleute Burgett auf dem alten Heumarkt und Tröltsch in der hl. Kreuzstraße, gehören zu den ausgezeichneten Privat-Gebäuden. Alle anzuführen, würde zu weitläuftig seyn.

Das Gebäude des Freiherrn v. Imhof am Obstmarkte gehört unstreitig mit zu den ansehnlichsten alterthümlichen Bauwerken unserer Vaterstadt. Es steht auf einer Anhöhe und sein Anblick erinnert an eine stattliche Ritterburg. Sein Erbauer war Balthasar Eggenberger, welcher im Jahr 1527 die Augsburgische Geschlechterin Maria Walter freyte. Das altadeliche Geschlecht Eggenberg war aus fürstlichem Geblüte entsprossen und lebte seit dem Anfang des 16ten Jahrhunderts in Augsburg.

Dem v. Imhofischen Gebäude gegenüber befindet sich das sogenannte Schwalben-Eck, wo in der Vorzeit das Burgthor stand.

Merkwürdig wegen seines Erbauers ist das, auf dem Perlachplatz gelegene Haus D. 34., welches eine Länge von 64 Schuh und eine Breite von 20 Schuh hat. Dieses, in einem edlen Style aufgeführte Gebäude wurde von Johannes Holl, dem Vater des hier berühmten Architekten Elias Holl, erbaut. Es ist ein Eckhaus und steht auf der nemlichen Stelle, an welcher ehemals die Metzg befindlich war.

Einige Bierbräuer haben ihre ehedem nicht ausgezeichneten Bräuhäuser in schöne Gebäude umgewandelt, wovon das Bäuerle'sche, und dann in der Jakober-Vorstadt der Gasthof zum (bayerischen) Prinzen Karl, und mehrere andere Beweise liefern.

In stadtgeschichtlicher Hinsicht gehören zu den auszeichnungswerthen Gebäuden:

f. das Haus des Kaffeetiers Däumling D. 258.

Dieses war ehedem ein Eigenthum der v. Rehlingen, und hieher wurde die bekannte Elsbeth Rehlingen, nachdem sie dem Willenbacher entrissen ward, im Jahr 1408 gebracht, und so lange verpflegt, bis sie sich stark genug fühlte, mit ihrem verlobten Hans v. Königsegg auf seine Veste abzureisen.

In dem ehemaligen Kephalides'schen, jetzt Glogger'schen Hause D. 32. wurde die unglückliche Baderstochter Agnes Bernauer geboren, und das dem zweiten Herrn Bürgermeister und Abgeordneten bei der Stände-Versammlung Kremer gehörige, herrliche Gebäude auf dem alten Heumarkt D. Nro. 29. ist als die Geburtsstelle der durch ihre Schönheit sowohl, als durch besondere Schicksale berühmt gewordenen Philippine Welser, merkwürdig. Ihrem Vater, dem Patricier Franz Welser, vorzüglich aber ihrer Mutter Anna Adlerin von Zinnenberg, einer sehr klugen und gebildeten Frau verdankte Philippine eine treffliche Erziehung. So entfaltete sie sich, reich begabt mit hoher Anmuth, so wie mit Geistes-Bildung und holder Sittsamkeit zur lieblichen Blüthe, und war die Freude ihrer Eltern und der Gegenstand einer allgemeinen Bewunderung und Liebe.

Eine üppige Fülle schöner blonder Locken beschattete Philippinens holdes anmuthsvolles Gesicht; aus ihren großen sprechenden blauen Augen, leuchtete Liebreiz mit der sanften Milde; dem sanften frischen Roth, der Centifolie glichen ihre Wangen; den reinen Schmelz der Lilie übertraf noch ihre blendende Weiße, welche unter den Tyrolern zu dem noch heutzutage gebräuchlichen Sprichwort Veranlassung gab: „man habe können den rothen Wein durch ihren schönen weißen Hals fließen sehen", und ihre hehre Gestalt vollendete hier ein Ideal von Körper-Schöne, das Jeden bezauberte.

Prinz Ferdinand der Jüngere, Sohn des römischen Königs Ferdinand I., der seinen Vater im Jahr 1547 auf den Reichstag nach Augsburg begleitete, kam, sah hier zum erstenmal die schöne Welser, und der Liebe Götterstrahl schlug in seine Seele, traf und zündete. Er bot Allem auf, um zu Philippinens Besitz zu gelangen. Bald richtete er als bescheidener Fußgänger die Blicke der Sehnsucht nach ihrem Fenster, bald galoppirte er in schwarzer festlicher Rittertracht, auf seinem Schimmel als gewandter Reiter über den alten Heumarkt, welche Scene ein gleichzeitiges, bei der Welser'schen Familie lange als ein Schatz bewahrtes Gemälde versinnlichte.

Doch die Geliebte, eben so tugendhaft als schön, die Mutter eben so edel als vorsichtig und erfahren, raubte dem fürstlichen, durch Widerstand noch mehr entflammten Anbeter jede Hoffnung, sie auf irgend einem andern Wege als auf dem durch die Kirche, Sein nennen zu dürfen. Dem Erzherzog war ohne Philippinen sein Leben tod und freudenleer, er leistete, jedoch heimlich und gegen den Willen seines königlichen Vaters und seines Oheims Kaiser Karl des Vten, der Heißgeliebten am Altare den Schwur ewiger Liebe und Treue.

Lange konnte der Schleier des Geheimnisses eine solche Verbindung nicht verhüllen. Von dieser unterrichtet, erglühete der königliche Vater im höchsten Zorn; er verbannte den Prinzen aus seinen Augen, und mehrere Jahre hindurch fühlte dieser mit seiner liebenswürdigen Gemahlin die Bürde der väterlichen Ungnade, während diese liebliche Blume auf dem edlen Stamme des Welser'schen Geschlechtes, dessen Ursprung ausführliche Stammbäume bis auf den großen Ueberwinder der Ost-Gothen, den Bezwinger Roms und Afrikas, Belisar, zurückführt, an Tugend, Sanftmuth und Geistesbildung vollkommen des Diadems würdig war. Endlich gelang es ihren Freunden am Hofe, sie dem erzürnten Vater näher zu bringen. In einer schlichten Verkleidung schloß sie sich in Prag an die Reihe der bei dem Kaiser Audienz suchenden an, warf sich ihm zu Füssen und unter den heißesten Thränen erzählte sie die Geschichte ihrer eigenen Leiden unter einem fremden Namen. Der Monarch durch ihre Klage gerührt, durch ihre Schönheit, Anmuth und Sittsamkeit bewegt, hob sie auf und versprach, als Mann und Herr mit dem harten grausamen Vater der ihrer Liebe feindselig entgegen trete, ein ernstliches Wort zu sprechen. Da gab sich ihm Philippine zu erkennen; die Eisrinde, welche das väterliche Herz umzogen hatte, schmolz durch ihre Thränen und der göttliche Augenblick der Versöhnung war gekommen. Ferdinand verzieh ihr und ihrem Gemahl, und erklärte ihre beeden Söhne, welche jedoch nur die Titel Markgrafen von Burgau, nicht Erzherzoge von Oesterreich führen durften, für in rechtmäßiger Ehe erzeugte Kinder. Nun trübte nichts mehr den Himmel ihrer ehelichen Freuden, der in Innsbruck, wo sie mit dem geliebten Gemahl lebte, fortan unbewölkt und licht, 30 Jahre hindurch über ihnen strahlte, bis im Jahre 1508 sanft der Todes-Engel zu ihr trat, und sie in die Lichtgefilde eines schönern Jenseits geleitete.

Die Volkssage, als wäre Philippine verrätherisch im Bade durch Oeffnung der Adern gemordet worden, gehört dem Gebiet der Fabel an. — Mild und sanft wie ihr Leben, war auch ihr Ende; ihre Züge verklärten sich eine halbe Stunde vor ihrem Hinscheiden; sie versicherte die Umstehenden, sie sähe den Himmel offen und die Engel ihrer warten, und entschlummerte in den Armen ihres treu geliebten Ferdinands.

In der silbernen Kapelle der Hof-Kirche in Innsbruck steht ihr, von der Hand des geschickten Bildhauers Alexander Collin gefertigtes Denkmal. Auf der horizontalen Fläche eines großen, weißen $7\frac{1}{2}$ Schuh langen Marmorsteins ruht ihr liebliches Bild auf Parade-Kissen, und die beiden dort angebrachten Basreliefs verkünden Innsbrucks tiefe Trauer und enthalten Allegorien auf Philippinens zahllose Werke der Barmherzigkeit. In der Mitte steht eine einfache Inschrift:

„Der Erzherzog Ferdinand hat seiner heißgeliebten Gemahlin dieses Denkmal gestiftet."

Ihr Abbild wurde auf Münzen, auf Gemälden und in Kupferstichen vervielfältigt. Selbst die neuen Almanachs-Dichter halten ihre Geschichte noch immer für einen anziehenden Stoff zur Bereicherung ihrer Taschenbücher. An ihn hat sich jedoch auch ein, leider mit der höhern Weihe nicht begabter dramatischer Dichter gewagt.

Die Augsburger Stadtgeschichte nennt uns noch ein Mädchen deren Reitze einen Herzog fesselten. Es war die schöne Baderstochter Agnes Bernauerin, welche der Sage nach in dem oben erwähnten Hause geboren wurde.

Prinz Albrecht, Pfalzgraf zu Vohburg, der Sohn des strengen Herzogs Ernst in Bayern, huldigte ihren Reitzen, beschenkte sie mit einem Schlosse, und wollte ihr gleichfalls die Hand am Altare reichen. Allein ein unglücklicheres Gestirn waltete über diesem liebenden Paare. Statt dem Braut-Gemach winkte ihr das kalte, wogenreiche Bett der rauschenden Donau, in welche sie bei Straubing während der Abwesenheit ihres Verehrers gestürzt wurde und ihren Tod fand. Für sie wurde nachher ein Gottesdienst gestiftet, und Urkunden, so wie die Inschrift auf ihrem Grabe nennen sie die ehrsame Frau Agnes Bernauerin.

Auch ihr Geschick gab Gelegenheit zu einer besser gelungenen dramatischen Dichtung welche in frühern Zeiten, wenigstens in Augsburg, ein wahres Kassen- und Zugstück für die hiesigen Schauspiel-Unternehmer war.

Da es schwer fällt, sich so schnell von den Huldigungen, welche schönen und edlen Frauen gebühren, loszusagen, so verweilen wir noch ein wenig bei einigen merkwürdigen Augsburger Schönen.

Unter diesen darf die reitzende Elisabeth Egen, Wittwe Heinrich Rehlingens nicht vergessen werden. Sie war jung und reich. Um ihre Hand warb der sehr angesehene edle Ritter Marquart von Schellenberg und erhielt das Jawort. Außerordentliche Anstalten gingen ihrer Hochzeit voran. An ihrem Namensfeste sollte sie ein Gefolge von 70 Personen, auf die Burg ihres Freiers geleiten. Unter diesem befand sich Ritter Heinrich von Eisenburg, mit welchem Hans von Villenbach in Fehde lebte. Heimtückisch lauerte der Letztere mit 100 von Landsberg in Sold genommenen Reutern auf den Hochzeitzug, griff ihn an, erschlug den unglücklichen Bräutigam, welcher den Wegelagerer nie beleidiget hatte nebst seinem Bruder, und löschte grausam die Hochzeitfakel in dem Blute des unschuldig Gemordeten. Die trostlose Braut, jetzt vor dem Beilager zum zweitenmal Wittwe geworden, wäre in ihrem Schmerz vergangen, hätte sie nicht bald darauf in den Armen des Ritter Hansen von Königseck, ihrem nachherigen Gemahl, Trost und Ersatz gefunden. Als sie nach einer glücklichen Ehe, dahinschied fand ihr Leichnam in der sogenannten Rehlinger'schen Kapelle an der Barfüßer-Kirche seine Ruhestätte. Bei dem Abbruche des Barfüßer Thors wurde die Kapelle selbst mit in den Abbruch gezogen.

Der Kaufmann, welcher nachher Bürgermeister und zuletzt Geistlicher wurde, Herr Christoph Zabuesnigg, hat diese Geschichte unter dem Titel Elsbeth Rehlingin oder der Frauen-Raub gleichfalls dramatisch bearbeitet.

Berühmt durch Schönheit und Geistes-Gegenwart steht unter den Frauen Augsburgs die Gemahlin des Bürgermeisters Leonhard Langenmantel mit Namen Sibilla aus dem Geschlecht der Gossenbrot da. Ihr Gatte hatte sich die Ungnade des Herzogs Ludwig von Bayern, welcher im Jahr 1462 Augsburg belagerte und die Umgegend verheerte, zugezogen. Schon hatte er das Langenmantel'sche Dorf Radau zerstört und Hainhofen (gleichfalls sein Besitzthum) bedrohte eine ähnliche Katastrophe. Dort wohnte die kluge Sibilla, und da ihr kein anderes Vertheidigungsmittel mehr als ihre Thränen und ihre Geistes-Gegenwart zu Gebote standen, so benützte sie diese zu ihrer und ihres Gemahles Rettung. Mit einem goldenen von einer Perlenschnur umwundenen Lorbeerkranze nahte sie sich dem Sieger und kniend überreichte sie ihm die für seine Heldenschläfe schickliche Gabe mit der Anrede:

„Vergönnt mir Edler Herr, Euch mit diesen Perlen die
„Thränen bezeichnen zu dürfen, aus welchen der Hel-
„den Lorbeer aufsproßet. Gebietet den Flammen, welche
„täglich die friedlichen Hütten der Dorf-Bewohner
„verzehren: — Bis hieher und nicht weiter! — Färbt
„nicht länger mit Strömen von Blut unsere Fluren!
„Kann sich ein großes Herz wie das Eure an dem
„Greuel der Verwüstung laben?"

Diese kühnen, wohlgesprochenen Worte, gefielen dem Herzog, er hob die schöne Rednerin auf, würdigte ihre sinnige Gabe einer freundlichen Annahme; stellte die Feindseligkeiten gegen Hainhofen ein, uud hörte die Fürsprache, welche nun die durch den glücklichen Erfolg kühn gemachte Edelfrau für Augsburg wagte, gütig an."

Die holde Jakobina Lauber, deren Tugend selbst einem siegreichen Könige, nicht die mindeste Eroberung gestattete, mag die Gallerie dieser berühmten Augsburgerinnen schließen.

Gustav Adolph der königliche Held aus Norden, wünschte am ersten Pfingsttage des Jahres 1632 Augsburgs Schönen, auf einem Balle um sich versammelt zu sehen. Die holdeste unter ihnen war die benannte Jakobina, mit welcher der König oft und gern tanzte. Sein Blut gerieth in eine höhere Wallung, er näherte sich seiner liebenswürdigen Tänzerin immer mehr, wurde vertraulicher und machte Miene die süße Blüthe der Zärtlichkeit auf ihren Lippen zu pflücken. Doch diese wahre, edle Jungfrau, deren hohe Anmuth die Genien der Unschuld und Tugend umschwebten, setzte den königlichen Eroberungs-Versuchen einen lebhaften Widerstand entgegen und die abwehrenden Finger geriethen in Gustav Adolphs Spitzenkragen, der bei diesem Kampfe und dieser Abwehr mehrere Löcher erhielt.

Der König überrascht, von diesem hohen Sinne für Zucht und Sitte, besiegte sich selbst und zog sich, den Muth der Tugend bewundernd, mit Anstand zurück.

Den folgenden Tag übersendete er ihr die Trophäe der ruhmvoll bestandenen Fehde, den durchlöcherten Kragen mit andern Kleinodien, zu einem wahrhaft eben so sinnigen als ehrenvollen Andenken. Die Familie schätzte ihn als eine kostbare Reliquie des unbefleckten Rufes einer theuren Angehörigen über alles. Er wurde von dem glücklichen Ehegatten in der Folge unter Glas gelegt und neben dem in Wachs geformten Bildniß des Schweden-Königes mit einer Inschrift des Inhalts aufbewahrt:

„Diesen Kragen hat Gustavus Adolphus, König „in Schweden, getragen und meiner Eheliebsten Jakobina Lauber, gebornen Augsburgerin, nebst vielen „Pretiosis verehrt, weil sie zu der Zeit, als höchstgedachter König in Augsburg gewesen die schönste Jungfrau „allda war, daher sie auch von höchstgedachter Majestät gewürdiget worden, daß Dieselben mit ihr bei „einem angestellten Ball öfters getanzet; die Ursache „aber, warum der König ihr diesen Kragen verehrt, „war diese, weil sie sich als der König dieselbe gnädigst liebkosete, aus Schamhaftigkeit in etwas ge-

„wehrt mithin mit ihren Fingern die in dem Kragen „befindlichen Löcher, gerissen habe.“

Schade daß wir nicht mehr wissen, wo dieses seltene Denkmal von Frauen-Sitte gegenwärtig sich befindet. In der That ist es schwer zu entscheiden, ob hier mehr die Tugend der schönen Jakobina, oder die königliche Mäßigung und das sinnige Geschenk, oder das Zartgefühl ihres nachherigen Gatten, welcher in der Inschrift die gnädigsten königlichen Liebkosungen ganz leise berührt, zu bewundern seyn möchte.

Aus der vergangenen französischen Kriegsgeschichte soll indeß während der langen Anwesenheit dieser fremden Gäste in Deutschland kein dergestalt zerstückelter Ringkragen zurückgeblieben seyn.

So hübsch diese Erzählung übrigens auch klingen mag, und so sehr ihre Wahrheit zu wünschen wäre, so müssen wir leider bekennen, daß wir das Ganze, unerachtet alle Augsburger Geschichtsschreiber sie einander nacherzählt haben, nur für einen artig ersonnenen historischen Roman halten. Von diesem berühmten Kragen findet sich hier in Augsburg nicht die leiseste Spur mehr. Die Akten über die bei der Anwesenheit des nordischen Helden veranstalteten Feyerlichkeiten sind vollständig, allein von jenem Balle und dem erzählten Ball-Abentheuer — schweigen sie durchaus.

Bei Aufzählung der öffentlichen Gebäude und einiger merkwürdiger Privathäuser, bot sich uns manche Veranlassung dar, des unsterblichen Holls, eines Mannes zu erwähnen, auf welchen das te saxa loquuntur mit Recht angewendet werden kann.

Gewiß hat sein vorzügliches Talent, als Architekt, die Theilnahme der Leser erweckt, welche auf den Lohn, den dieser Biedermann eingeärntet, begierig seyn werden. Leider erfuhr er die Wahrheit des Sprichwortes: „Undank ist der

Welt

Welt Lohn" in einem hohen und bittern Grade. Seine ausgezeichneten Verdienste erwarben ihm für seine alten Tage die Ruhe nicht, welche ihm so sehr zu gönnen gewesen wäre. Als nämlich im Jahr 1630 alle Evangelischen, welche sich gegen den ihnen aufgedrungenen Besuch der katholischen Kirchen sträubten, verfolgt wurden, da traf auch ihn, der dreißig Jahre der Stadt, wie Keiner, gedienet hatte, am Abende seines Lebens, dieses harte Loos, weil er, galt es seine Ueberzeugung, fest und unerschütterlich, wie seine Gebäude, stand. Er durfte die Stadt nicht verlassen, um anderswo seiner Ueberzeugung gemäß zu leben, ja sogar sein Vermögen wurde ihm dergestalt heruntergesetzt, und verringert, daß er, als gemeiner Maurer um Taglohn arbeiten mußte.

Als die Schweden die Stadt eingenommen hatten, erhielt er seine Stelle wieder, und arbeitete an den Befestigungswerken; starb aber 62 Jahr alt, Anno 1636 und wurde auf dem obern Gottesacker beerdiget. Rechts von dem Todtengräber-Hause an der Gottesackermauer, in der Mitte der Gräberreihe, ruhet dieser seltene Mann; ein alter, sehr schadhafter Stein mit seinem Bilde, deckt seine sterblichen Ueberreste. Auf ihn kann man mit vollem Rechte die vielsagende Grabschrift anwenden, welche über dem Grabe des Erbauers der Pauls-Kirche in London steht: Monumentum quaeris, circumspice.

Einen zarten Cypressenzweig hat der königlich-bayerische Regierungsrath Hr. L. J. Wagenseil, in seiner biographischen Skizze:

„Elias Holl, Baumeister zu Augsburg,"

um Holls Urne gewunden.

Eine schätzbare Reliquie von diesem Meister wird im Stadt-Archive, in seinem 3½ Schuh langen Maaßstabe, nach Augsburger Werkschuhen eingetheilt, den er als das Zeichen seiner Bedienstung als Werkmeister trug, aufbewahrt.

In obiger, interessanter Schrift, finden die Bewunderer

des unvergeßlichen Baukünstlers, ein genaues Verzeichniß der von ihm errichteten öffentlichen und Privatgebäude.

Statuen und andere Bilder an den Häusern.

Wir haben ihrer größtentheils schon bei der Beschreibung der Häuser, welche sie zieren, erwähnt. An mehreren Gebäuden befinden sich Basreliefs mit der Abbildung der Mutter Jesu.

An dem Lokal der ehemaligen Normalschule bei den Jesuiten, ist ein ähnliches in Stein, den Heiland unter den Kindern vorstellend, von Ingerl, angebracht.

Herr Kaufmann Ernst, Chef der Materialhandlung J. C. Reblinger & Comp., ließ in einer Nische über dem Eingange seines am Judenberg gelegenen Hauses Lit. C. No. 1. (die Kaufleutsstube vor alten Zeiten) die Büste des für Bayerns Bewohner unvergeßlichen Königes Maximilian Joseph mit der Inschrift: „Hic ames dici pater atque princeps" aufstellen.

In dem zu dem Hause Lit. G. Nro. 261. gehörigen Garten, ist ein Basrelief von einem unbekannten Meister an der Haus-Ecke eingemauert. Der Tod, nicht als Gerippe, sondern als ein abgezehrter Mann, und durch das gewöhnliche Attribut, der Sense, kenntlich, entreißt einer sich sträubenden Mutter, welche ihm mit der Stärke der Mutterliebe ihr kostbarstes, ihr weinendes Kind streitig macht; neben ihr, in dumpfem Schmerz versunken, steht der Vater. Die Gruppirung der handelnden Figuren, zeigt von keinem gemeinen Kunsttalent. Wahrscheinlich setzten die durch den Tod eines einzigen Kindes tiefgebeugten Eltern dieses Denkmal, dem geliebten Verlornen und ihrem eigenen Schmerze. Ein zweites Basrelief zeigt das Hosleisische Wappen.

Dem Wirthschafts-Gebäude zum Bauerntanz genannt, ge-

Der ſteinerne Mann

am Hauſe Litt. H N:326.

genüber, an dessen Ecke ein Hirschkopf mit 3 Körpern sich präsentirt; stand das von einer gewissen Afra Heine, zur Verpflegung der vom heiligen Grabe zurückkehrenden Pilger gestiftete Pilgram-Haus. In unsern Tagen wurde es verkauft; der Eigenthümer des gegenüberstehenden Bräuanwesens brachte es käuflich an sich, ließ es abtragen, die Baustelle in einen hübschen Garten umschaffen, und den an jenem Stiftungs Hause befindlichen Stein, an der Gartenmauer befestigen. Auf ihm ist der Apostel Jakobus sichtbar, mit folgender sehr alter Inschrift:

„Das Huß ist ain Ellend Herberg,
vond soll zu Ewigkeit also pleiben."

Diese Ewigkeit wurde indessen schon seit mehreren Jahren vom Ozean der Zeit verschlungen.

Unterhalb dem evang. Waisenhause steht eine Art Wahrzeichen, der sogenannte steinerne Mann. Er ist an der Ecke des Hauses Lit. H. Nro. 326 aufgestellt. Ueber den Ursprung dieses steinernen Gastes, welcher in der Kriegskleidung, mit einem Käppchen, wie sie vor Alters die Bäckermeister zu tragen gewohnt waren, auf dem Kopfe, doch ohne Füße sich zeigt, waren viele abentheuerliche Gerüchte im Umlauf. Folgendes ist das geschichtlich Wahre über die Entstehung dieses in artistischer Hinsicht nicht ausgezeichneten, jedoch gewissermassen historisch-merkwürdigen Standbildes.

Der bayerische General-Feldmarschall v. Wahl blockirte die Stadt, vom Anfang des Monats November 1634 bis in den Monat März 1635 dergestalt, daß, da die Zufuhr an Lebensmitteln unter die Unmöglichkeiten gehörte, ein unbeschreiblicher Mangel, eine totale Hungers-Noth einriß. Der Magistrat mit den Vornehmsten der Bürgerschaft, ersuchten den tapfern schwedischen Kommandanten Johann Georg aus dem Winkel lange vergeblich, der Noth durch Uebergabe der Stadt an die Befehlshaber der Heere der Verbündeten, ein Ende zu machen. Doch ein Entsatz ließ sich nicht

15*

erwarten, die Magazine waren erschöpft, die Soldaten und das Volk murrte laut, und dem Befehlshaber blieb nichts übrig, als die Genehmigung zu einem Versuche für den Magistrat, durch Abgeordnete ins kaiserliche Hauptlager zu Löwenberg, einen ehrenvollen Akkord für die Stadt und die schwedische Besatzung zu erwirken.

Als nun die Noth den höchsten Grad erreicht hatte, ersann ein Bäckermeister, Conrad Hacher, ein geborner Augsburger, welcher sich im vierzigsten Jahre seines Alters mit Felizitas Lauter, einer hiesigen Bäckerstochter am 23 Sept. 1618 verehlicht hatte, die List, den Belagerern zeigen zu wollen, daß die Stadt keinen Mangel an Lebensmitteln leide, und an ihre baldige Uebergabe nicht zu denken sey.

Von den Zinnen eines Stadtthurmes zeigte er den feindlichen Vorposten seinen letzten Laib Brod; allein eine Kanonenkugel riß ihm den ausgestreckten rechten Arm, sammt dem Brode hinweg, und der Unglückliche endete nach wenigen Tagen sein Leben. Die bald nachher erfolgte Aufhebung der Belagerung war jedoch nicht die Folge dieser List, sondern des Löwenbergischen Akkordes, welchen die Abgeordneten der Stadt Augsburg aus dem kaiserlichen Hauptlager am 24 Mai 1635 ausgewirkt hatten.

Um nun die wohlgemeinte Absicht ihres Mitbürgers zu ehren, veranstalteten die Einwohner Augsburgs eine Collekte, und ließen zum Andenken an Hachers Patriotismus die erwähnte Statue, welche ihn mit einem Laib Brod in der Hand darstellt und neben welcher sonst eine Hellebarde zum Zeichen, daß er ein bewaffneter Bürger gewesen, abgebildet war, verfertigen.

Von einem weit höhern Kunstwerthe war das Standbild des Ritters Georg, von Bronze, im Kampfe mit dem Lindwurme, welches auf einer an der Ecke der ehemaligen Patrizier-Stube angebrachten Säule stand.

Vor Zeiten scheinen die Häuser eigene Aushängschilde gehabt zu haben, um sie, ehe die Bezifferung derselben eingeführt wurde, darnach zu benennen. In der Maximiliansstraße steht noch ein stattlicher Bär mit einem goldenen Halsbande, und das Haus selbst wurde lange Zeit: „Zum Bären am Brodmarkt“ benannt. Dieses Bild enthält eine Anspielung auf den Namen des damaligen Hausbesitzers Johann Bär, der dort eine Material-Handlung begründete. Die Material-Handlungen hatten nemlich ähnliche bildliche Symbole, wie heut zu Tage die Apotheken; Bärs Söhne ließen im Jahr 1616 diesen Bären mit Erlaubniß des geschwornen Amtes, so wie er noch dasteht, am Hause befestigen.

Gemälde an öffentlichen Gebäuden.

Es war im Geschmacke der Vorzeit, die Aussenseite der Häuser bemalen zu lassen, und zur Ausführung dieses kostspieligen Luxus, wählten die Vornehmsten auch die berühmtesten Meister. Die meisten dieser Gemälde sind nunmehr beinahe gänzlich verwischt, so daß man kaum mehr erkennt, was sie vorstellen sollten. Indeß hat uns der Grabstichel Manches davon aufbehalten, und der Kupferstecher Nilson hat mehrere derselben in Kupfer herausgegeben.

Die Hexe am Barfüßerthurm, oder Attila vor Augsburg, von Freyberger gemalt, findet man in Striedbecks Diss. de Sagis und in Paul v. Stettens Erläuterungen abgebildet.

Die Gemälde am Weberhaus von Kager sind gleichfalls durch die Witterung größtentheils unscheinbar geworden. Viele derselben beziehen sich auf die edle Weberei, und die damit verbundenen Verrichtungen.

Gegen das Spritzenhaus zu, stellt ein Gemälde die kunstreiche Lukretia, mitten unter ihrem mit Spinnen und Nähen beschäftigten Gesinde vor; ein anderes aber die Ankunft ihres Gatten Lucius Tarq. Collatinus und den Empfang seiner treuen fleißigen Gattin.

Ein weiteres Bild zeigt die personifizirte Stadt Rom und einen Flußgott, die Tiber andeutend, mit dem an der Wölfin säugendem Brüder-Paare, Romulus und Remus. Weiter unten sieht man eine Vorstellung von Spinnerinnen, welche ihre Kunstarbeiten, dem Urtheile eines antiken polytechnischen Vereins zur Prüfung und Begutachtung vorlegen.

Ferner erblickt man auf einem andern Gemälde Venetianer, welche von türkischen Kaufleuten gewirkte Stoffe einhandeln um sie in ihrer Vaterstadt wieder abzusetzen. Zwischen den Fenstern sind die 4 Monarchien, die Assyrische, die Persische, die Griechische und die Römische angedeutet.

Unter den Fenstern stehen die 4 Stationen des Menschen-Alters. Gegen die Maximiliansstraße, ist Otto's Sieg über die Hunnen auf dem Lechfelde, und der Einzug des siegreichen Kaisers mit dem heiligen Ulrich, nach glücklich vollendetem blutigen Kampf dargestellt. Auf einem andern Bilde legen die Weber dem Kaiser Otto einen uralten, in gelb und roth gemalte Felder getheilten Schild, zu Füßen und werden damit als Zunftzeichen begnadigt. Man sah ferner unter diesen Freskobildern den heiligen Ulrich mit einem Fische, und die heil. Afra in den Flammen. In diesen Fisch hat sich nemlich ein Stück Fleisch verwandelt, welches dem heiligen Ulrich aus Irrthum an einem Fasttage vorgesetzt wurde. Diese vermeinte Sünde trachtete ein Uebelwollender, der Herzog von Bayern, zu benützen um die Frömmigkeit des heil. Ulrichs und seines Vetters Konrad, der mit ihm zu Tische sitzen wollte, anzutasten. Er steckte daher das Fleisch als Corpus delicti zu sich, um damit seine Denunciation zu unterstützen, als er es aber herausziehen wollte, war es in eine Nase, einen hier beliebten Fisch, verwandelt, welche sich der Angeber durch dieses Mirakel wirklich geholt hatte.

Die hier abgebildete heil. Afra soll zu Gajus auf dem Scheiterhaufen folgendes gesprochen haben:

„Peiniger tödte immerhin meinen sündigen Leib, doch
„meine gereinigte Seele wird sich nie wieder dem
„heidnischen Götzen-Opfer zuwenden.“

Auf dem Scheiterhaufen aber sprach die Märtyrin:

„Allmächtiger, der du den reuevollen Sünder nicht ver-
„wirfst, o! nimm dieses Opfer einer aufrichtigen Bü-
„ßung gnädig an, und blicke herab auf meine Leiden!“

Vier Kinder haben Flachs, Wolle und Seide in den Händen. Ueber der Thüre ist die Muse der Geschichte mit 4 Genien, welche ihre Attributen tragen, abgebildet.

Das nemliche Schicksal der Verwitterung droht den Gemälden an dem Gebäude F. 406, welche von dessen Besitzer dem Maler Georg Johann Bergmüller herrühren.

Von Peter Drümmer, einem Schüler von Alois Mack, ist der heil. Martinus an dem Martinsstiftungs-Gebäude D. 159; der barmherzige Samariter an dem Hause daneben D. 159 ist von Johann Georg Bergmüller gemalt.

Der Bauerntanz, an dem Wirthshause gleichen Namens, unten am Judenberg, wurde von Holzer gemalt, von Nilson in Kupfer gestochen. In unsern Tagen hat das Gemälde der Maler Tänzel restaurirt. Gegenüber an einem Gerbershause tragen 2 Männer eine kolossale Traube aus dem gelobten Land.

Am Gasthofe zu den drei Kronen F. 15 stellt das Fresko-Gemälde den Olymp dar. Die Behausung des Herrn Magistratsraths Moll, auf dem alten Heumarkt, D. 278. soll von Julio Roman mit Mauer-Gemälden geziert seyn.

An manchen Häusern fehlt es nicht an, zum Theil scherzhaften Gemälden und Inschriften. So prangt an einem Hause am Lech ein stattlicher Bock mit natürlichen Hörnern, und einer Unterschrift.

An einem Gebäude auf dem obern Graben sieht man einen Greis im Gängelwagen mit der lehrreichen Inschrift: „Mein Kind, ich lerne noch!" An einem Andern glaubte der Erbauer seine Tadler durch die egoistische Ueberschrift: „Mir hat es so gefallen," verstummen zu machen.

Bei dem geänderten Geschmacke im Bauwesen, und den vielen Renovationen, welche mit Häusern vorgenommen werden, verschwinden diese Gemälde immer mehr, welche ohnehin hier nie an ihrer geeigneten Stelle stehen. Es heißt die Kunst verschwenden, wenn man sie so geflissentlich der Vergänglichkeit Preis giebt.

Kurze Statistik.

a. Bevölkerung.

In Augsburgs Bevölkerung trat von Periode zu Periode eine sehr auffallende Ebbe und Fluth ein. Während die Einwohnerzahl in früher Vorzeit kaum etwas über 28,000 Seelen betrug, war ihr Stand im Jahr 1635 zur Zeit der Blokade der Stadt, durch den bayerischen General = Feldmarschall Wahl, auf 80,000 angewachsen, sank aber nach und nach weit unter die Hälfte herab.

Nach einer im Monat April 1807 von der königl. bayerischen Polizei = Direktion veranstalteten Volkszählung wurden hier

16,944 Katholiken,
11,534 Protestanten,
56 Israeliten;

im Ganzen 28,534 Einwohner aufgezeichnet.

Eine weitere, im Jahr 1819 vorgenommene Zählung, lieferte folgendes Resultat:

Männer:
Ledig 3,913. Verheirathet 3,749. Wittwer 476.

Weiber:
Ledig 4,422. Verheirathet 3,749. Witiwen 1,192.

Kinder:
männliche 3,956. weibliche 4,868.

Dienstboten:
männliche 2,813. weibliche 3,296.

Bürger 3,503. Oekonomen 18.
Beysitzer 283. Geistliche 88.
Fabrikarbeiter 488.

Im Ganzen Einwohner:

katholische 16,178. reformirte 49.
evangelische 10,058. Juden 104. —

Mit Einschluß der Garnison kann die gegenwärtige Bevölkerung, welche im Zunehmen begriffen ist, über 30,000 Seelen betragen.

Die Vergleichung der Geburtslisten mit den Todesverzeichnissen liefert die eben so befremdende, als unerfreuliche Gewißheit, daß bis jetzt die Mehrzahl der Heimgegangenen, die Summe der Ankömmlinge im Lande der Lebendigen, fast immer übersteige.

Eine tabellarische Zusammenstellung der in den 27ziger Jahren, der letzten 3 Jahrhunderte stattgehabten Bevölkerungs = Vermehrung und Verminderung gewährt folgende Uebersicht:

J. Jahr	Getraut	Geboren	Gestorben	Mehr	Minder gestorb.
1527	438	1833	1522	—	311
1627	313	1198	2494	1296	—
1727	277	966	995	29	—
1827	279	815	868	53	—

Diese Berechnung beginnt nach der hier üblichen Observanz, mit dem 1. Dezember, anstatt mit dem 1. Januar; dieß zu bemerken, ist um so nothwendiger, als davon die richtige Beurtheilung dieser Verhältnisse abhängt.

Der gegenwärtige lebhaftere Aufschwung der Population, scheint in der Erweiterung der Gewerbsfreiheit, welche die Verehelichungs = Gesuche vervielfältiget, und die Heiraths = Bewilligungen erleichtert, zu liegen. Dadurch vergrößert sich freylich die Menschenmasse; kehrt aber mit der auf solche Weise steigenden Volksmenge jener gediegene Wohlstand unter den mittlern und untern Gewerbsklassen, der für das Allgemeine so wünschenswerth wäre, zurück? Diese Frage mögen die Armenpflegräthe beantworten, welche mit der anwachsenden Bevölkerung immer mehr Kompetenten für Beiträge aus den Almosen-Anstalten erhalten, mögen die Vorsteher der Versorgungs- und Armenkinder-Häuser beantworten.

Verhältnißmäßig muß die Sterblichkeit hier bedeutend genannt werden und auffallend ist die Erscheinung, daß so vielen zarten Blüthen der Menschheit, den Kindern, so häufig, so frühzeitig, das Todesloos aus schwarzer Urne fällt. Viele welken in der ersten Lebensperiode dahin, Konvulsionen oder die sogenannten Gichter bereiten ihnen ein frühes Grab.

Zu den angenehmen Ueberraschungen gehört ferner nicht die große Zahl der unehelichen Geburten.

Im Jahr 1827 wurden 813 Kinder, nemlich 317 Knaben und 294 Mädchen, ehelich geboren; in ausserehelicher Verbindung erzeugt, erblickten mit Inbegriff der Fremden, 202 das Licht der Welt. Dieses Mißverhältniß der ehelichen, gegen die uneheliche Vermehrung, erklärt wohl einigermaßen die reiche Erndte des Todes in der Kinderwelt, denn größtentheils werden solche bedauerungswürdige Opfer des Leichtsinns und der Sittenlosigkeit, im eigentlichen Sinne des Wortes, verwahrlost.

Nach den verschiedenen Stufen des Lebensalters, berechnet sich die Sterblichkeit des Jahrs 1827 folgendermaßen:

Achtzehn Kinder wurden todtgeboren; 47 starben vor dem Ablaufe des ersten Lebens-Jahres; 84 innerhalb des ersten Monats nach der Geburt. 148 erreichten ein 1jähriges Alter; 63 vollendeten in einem Alter von 2 bis 10 Jahren ihren Lebens-Lauf; 21 vom 20sten—30sten; 43 vom 30sten—40sten; 55 vom 40sten — 50sten; 76 vom 50sten — 60sten; 110 vom 60sten — 70sten; 124 vom 70sten — 80sten; 39 vom 80 — 90sten, über 90 Jahre wurden 6 Personen alt.

Zu den sehr seltenen Erscheinungen gehört in Augsburg ein 100jähriger Greis. Gegenwärtig hat jedoch dieses Alter eine arme Weberswittwe Namens Anna Kugler (Lit. F. Nro. 251.) erreicht.

Die beträchtliche Anzahl der Verstorbenen, muß um so mehr befremden, als im Ganzen die Lebensweise hier nicht ungeregelt ist, und es weder an gesunden und wohlfeilen Nahrungsmitteln, noch an heitern Wohnungen gebricht.

Zudem greift die Mildthätigkeit den Dürftigen liebreich unter die Arme. Soviel ist indeß gewiß, daß die verschiedenartige Beschaffenheit der hier gebrauten Biere, welche von so Vielen im Uebermaße genossen werden, dieses tägliche Getränk eben so wenig zu einem Lebensverlängerungs-Tranke erhebt, als gewisse neue, zum Theil unbegreiflich wohlfeil ausgebotene Weine, welche mitunter sich als wahre beißende Pasquille auf den edlen Rebensaft darstellen, die Lebensdauer zu befördern geeignet seyn möchten. Auch wird in einigen Gassen und abgelegenen Stadttheilen, die Reinlichkeits-Polizey nicht gehörig gehandhabt. Davon kann Jeden ein Besuch an den sogenannten Mäuern überzeugen. Hinter der Mauer wohnen doch auch Leute, und da dem sich hierher Verirrenden, die mephitischen Ausdünstungen der pontinischen Sümpfe vor der Nase schweben, so kann man denken, wie es den Dortwohnenden zu Muthe seyn muß, wo man unwillkührlich an Schillers Taucher und die Worte erinnert wird: „Da Hinten aber ist's fürchterlich!!“

---

b. Bürgerliche Verhältnisse.

Mit einem gewissen edlen Stolze rühmte sich sonst der reichsstädtische Bürger seines Bürgerrechtes und lieber hätte er Alles verloren, ehe er seinem bürgerlichen Range, etwas vergeben haben würde. „Ich bin ein freier Reichsbürger!“

entgegnete er mit Selbstbewußtseyn, unwürdigen geringschätzenden Zumuthungen. Diese freye Reichsbürgerschaft ist nun erloschen, und die damit verbunden gewesenen Vortheile haben mächtige Beschränkungen erfahren. Das Bürgerrecht kann nicht mehr wie sonst, für Fremde, durch Verheirathung mit einem hiesigen Bürger, oder einer Bürgerin erworben werden, ebensowenig gilt seine ehemals festgesetzte unentgeldliche Erwerbung, durch 10jährige getreue Dienste in einem Bürgerhause, als Regel, und die Berücksichtigungen, welche dem Bürger ehemals bei Verleihung von Stadtdiensten gewiß waren, sind gleichfalls untergegangen. Beisitzer giebt es ebenfalls nicht mehr in der früheren Bedeutung des Wortes. Der Fremde, welcher hier ein bürgerliches Gewerbe ausüben will, muß das Bürgerrecht für sich und seine Eheverlobte kaufen; die Bürgerrechtstaxen belaufen sich gegen 100 fl. Ueber die Ansässigkeits-Gesuche entscheidet der Magistrat in erster Instanz. Fremde, welche sich über den Zweck ihres Aufenthaltes, über ihren Erwerb, ihre Subsistenzmittel genügend auszuweisen vermögen, erhalten Aufenthaltskarten von der Polizeybehörde, welche von Zeit zu Zeit erneuert werden müssen. Heiraths- und Ansässigmachungs-Gesuche, werden dort mündlich angebracht. Der Ausländer, welcher sich hier zu verehlichen gedenkt, muß sich über sein Herkommen, über sein Vermögen, über seine Entlassung aus dem bisherigen Unterthans- und Militairs-Pflichtigkeitsverbande, hinlänglich ausweisen können. Die hinterbliebenen Wittwen, der hier verstorbenen Gemeinde-Glieder, sind nach den früheren, hier noch geltenden, statutarischen Verordnungen verpflichtet, sich zwei Beistände zu wählen, diese vor der königlichen Kreis- und Stadtgerichtlichen Pupillencommission verglübten zu lassen und sich in wichtigen Angelegenheiten, ihres Rathes und ihres Assistenz zu bedienen.

Unmündigen werden Vormünder oder Pfleger bestellt, welche das Beste ihrer Pflegbefohlenen zu wahren haben.

Die zur zweiten Ehe schreitenden Wittwer oder Wittwen müssen mit den aus ihrer früheren ehelichen Verbindung vorhandenen Kindern wegen dem Nachlaß der verstorbenen Eltern, theils unter Mitwirkung der hiezu gewählten Abkommspfleger vor dem Pflegamt wegen der väterlichen oder mütterlichen Hinterlassenschaft ein Abkommen treffen, und Sicherheit für das Kindervermögen leisten. Ehegatten beerben sich unter einander, wenn keine Ascendenten oder Descendenten am Leben sind, ab intestato.

In den Ehepakten kann kein Gatte dem Andern mehr als den Betrag eines Kindstheiles auswerfen, und dieses bezieht der Hinterbliebene, nach Vorausnahme seines Eingebrachten, oder sonst erworbenen Vermögens.

In der Gütergemeinschaft stehen hier die vier Gewerbe: die Metzger, Bäcker, Wirthe und Branntweiner. Man nennt dieses die offen Tasche, weil hier die Ehefrauen, ihrer Illaten halber, keinen Vorzug bei einem ausgebrochenen Konkurse ihres Gatten, vor den übrigen Gläubigern genießen, sondern für die Schulden des Mannes gemeinschaftlich mithaften müssen, dagegen aber auch ihre gesetzlichen Antheile an der Errungenschaft beziehen.

Bei Verträgen um und über liegende Güter, in dem Weichbilde der Stadt, gilt ebenfalls noch das frühere reichsstädtische Statut.

Dergleichen Kaufs- und andere Kontrakte sind nemlich, ohne gerichtliche Protokollirung, vor der königlichen Hypothekenkommission, nichtig und kraftlos, und ein über dergleichen Realitäten verabredeter Kauf erhält erst seine Gültigkeit nach der geschehenen gerichtlichen Anzeige und Verbriefung.

Dieser Verbriefung unterliegen auch Kapitalien, welche auf Gebäude und liegende Gründe, verzinslich dargeliehen werden. Dem Hypothekar-Gläubiger wird zu seiner Sicherheit der Haus- und Schuldbrief zu Handen gestellt.

In dergleichen Anlehensverhältnissen erlaubt der angenommene Zinsfuß 5 vom Hundert als Interessen zu nehmen. Die platzmäßigen Interessen oder die Suporti der Kaufleute in ihren Geldnegozen lassen $6^1/_2$ Prozent als gesetzlich zu.

Eine Ueberschreitung dieser Gränzen setzt den Gläubiger der Strenge der gegen die Zinswucher, erlassenen Gesetze aus. Dieser Dämon spukt unter verschiedenartigen Masken, und richtet die bedrängten Schuldner zu Grunde.

Daß in einer so bedeutenden Stadt wie Augsburg die dienende Klasse ziemlich zahlreich seyn müsse, versteht sich von selbst. Es fehlt hier nicht an Hausknechten, Ausgängern, Thürstehern, Comptoirdienern, Kammerdienern, Jägern, Bedienten, Kutschern, Köchinnen, Kindsmägden, Stuben- und Kammermädchen, welche untereinander ihre eigene Rangordnung beobachten.

Das weibliche Dienstpersonal kommt zahlreich aus dem Ries zu uns; hier kultivirt sich die ungeschliffene Bauerndirne nach und nach zu einem dienenden Wesen, das nicht selten an Prätentionen die Herrschaft selbst übertrifft. Es ist zu verwundern, daß so viele umsichtige Hausfrauen den Dienstboten, zumal in Hinsicht des Kleiderluxus, eine so ungezügelte Freiheit gestatten, denn nicht selten ist es schwierig, dem Anzuge nach, die Dienende von der Gebieterin zu unterscheiden. Da ein solcher Aufwand oft nur zu sehr mit dem Einkommen im Mißverhältnisse steht, und es damit nicht immer mit rechten Dingen zugehen kann, so dürfte dieser Unfug einer etwas strengern häuslichen Polizei untergeordnet werden. Viele Frauen haben sich im Unterlassungsfalle die Schuld der allgemeinen und oft gerechten Klagen über die steigende Verdorbenheit unter der dienenden Klasse selbst beizumessen. Ausschweifend ist ferner die Freigebigkeit, mit welcher, zumal in den Haushaltungen der Protestanten, an Weihnachten die Christgaben an die Mägde, oft bis zu 25, bis 50 fl.

an Werth, vertheilt werden; dadurch entsteht unter den Minderbeschenkten Neid und Unzufriedenheit mit ihren weniger einträglichen Dienstverhältnissen, und mürrisches, widerspenstiges Betragen gegen die sparsamern Dienst-Herrschaften. Indessen ist nicht zu läugnen, daß es hier auch brave und arbeitsame Dienstboten gebe, und die Polizei-Behörde ist bemüht, durch Belohnungen, Aussteuer-Prämien und Belobungen für mehrjährige treue Dienste, den Diensteifer unter der dienenden Klasse aufzumuntern.

Der Mägdewechsel oder das hier sogenannte Schlenkern geht vierteljährig nach geschehener gegenseitiger Aufkündigung an Georgi, Jakobi, Michaelis und Lichtmeß vor sich. Dienstboten erhalten auf der Polizei ein sogenanntes Dienstbüchlein, in welches die Dienstherrschaft den Eintritt und die Zeit des Austrittes sammt der Diensteigenschaft einzeichnet und zugleich das Zeugniß über sittliches Betragen, Fleiß und Treue beifügt. Indessen muß es sich manche Herrschaft gefallen lassen, dieses Letztere auf Kosten der Wahrheit, nach einer allgemein angenommenen Formel einzurichten, denn ein allzugetreues Sittengemälde hat nicht selten zu Klagen Anlaß gegeben, welche zum Nachtheile der Herrschaft entschieden wurden. Mancher Dienstbote glaubt Alles gethan zu haben, wenn man ihm keine Entwendung und keine grobe Verletzung des sechsten Gebotes beweisen kann, und in diesem Falle pochen sie auf ein ehrenvolles Zeugniß. Vorstände auf der Polizei sind nicht Jedermanns Sache. Des besten Friedens halber, zeichnet man den Mägden das oftbesprochene „treu und fleißig" ins Dienstbuch, und diese gehen dann beschwichtigt, aber nicht gebessert, um eine neue Herrschaft mit ihren gerühmten Eigenschaften zufrieden zu stellen, oder zu täuschen, und so bleibt der Zweck der Dienstbücher unerreicht.

---

c. Volks-Charakter.

Biedersinn und deutsche Treue, wurde den Augsburgern als ein höchst ehrenwerthes Vermächtniß von ihren Altvordern hinterlassen. In allen ihren Handlungen spricht sich Offenheit als Grundzug ihres Charakters aus. Dabei sind sie gutmüthig, gastfrei, herzlich und gern untereinander gesellig. Besonders waltet unter manchen Gewerbsständen noch jene achtungswerthe Biederkeit, eine Münze von scharfem, aber reinem Gepräge, welche durch den sehr veränderlichen Kurs des sogenannten guten, oft verkehrten Tones, weder abgeschliffen wird, noch ihre Beschneidungsurkunde zur Schau trägt. Sie führen den Wahlspruch: „Ein Wort, ein Mann!" und ihr kräftiger Händedruck gilt ihnen eben so viel, als ein geschworener Eid.

Wohlthätigkeit wird allenthalben, als eine hier einheimische Haupttugend gerühmt, aber auch bei allen Gelegenheiten fleißig in Anspruch genommen. Wo läge wohl die Stadt, welche an Zahl und Reichthum der milden Stiftungen, unserer Augusta das Gleichgewicht hielte? Und dieser edle Sinn ist noch nicht ausgestorben. Das neueste und glänzendste Beispiel hievon, stellte der in unsern Tagen verstorbene protestantische Kaufmann Calmberg auf, welcher die Armenpflege zum Universalerben seines Vermögens von mehr als 120,000 fl. in seinem Testamente ernannte, und keinen Religionstheil von dem Ertrage der wohlthätigen Stiftungsrenten ausschloß. Eine herzliche Theilnahme an Menschennoth und Menschenelend beurkundet hier das Zuhülfeeilen von allen Seiten, bey öffentlichen Kalamitäten, und die reichlichen Ergebnisse der, in den Kirchen und in den Häusern zur Beförderung wohlthätiger Zwecke veranstalteten Sammlungen. Treue und Anhänglichkeit an ihre Verfassung und an das Vaterland machen ebenfalls einen schönen Bestandtheil des Augsburgischen Volkscharakters aus. Nach Um-

16

wandlung der früheren Regimentsverhältnisse, huldigten Augsburgs Bewohner ihrem neuen Beherrscher, willig und aufrichtig. Sie schwuren, fern von gleißnerischem Redeprunk, mit redlichen Herzen, unverbrüchliche Treue und Anhänglichkeit, dem Monarchen, dem königlichen Hause, dem Vaterlande!

Diesen Schwur haben sie gehalten und werden ihn auch ferner heilig achten. Jede Gelegenheit ist ihnen willkommen, wodurch es ihnen vergönnt wird, ihre treuen Gefühle laut aussprechen und bethätigen zu können.

Noch regt sich in jeder Brust, bei der Erinnerung an die festlichen Tage, welche Augsburg, die Feyer der 25jährigen Regierung des verewigten Königs Maximilian Josephs, und später sein huldreicher unvergeßlicher Besuch brachte, der freudigste Nachklang.

Da bedurfte es keines Zwanges, keiner Aufforderung. Jeder, auch der Geringste, wetteiferte seinen Jubel durch mannichfaltige Beweise, kund zu geben. Keiner glaubte genug thun zu können; kein unangenehmer Auftritt störte die Wonne der Bürger, und überflüssig waren handgreifliche Maaßregeln, um Ordnung zu erhalten. Als am Abende dieser unvergeßlichen Festtage die Dämmerung begann, da entfaltete sich plötzlich die herrlichste Beleuchtung, wie durch den Wink eines Zauberstaabes hervorgerufen. Niemand schien es erwarten zu können, sein Licht leuchten zu lassen, und die an den öffentlichen Gebäuden veranstalteten Illuminationen stockten nicht; denn keiner, selbst nicht der Geringste der dabei angestellten Arbeiter, hätte sich an jenem hehren Tage eine Ausschweifung durch Unmäßigkeit erlaubt. Unverkennbar war es, daß hier ein reines, heiliges Fest der Herzen gefeyert wurde, daß die Ehrfurcht für den erhabenen Gegenstand der allgemeinen Verehrung und die Schranken des Anstandes, sich ungezwungen mit dem allgemeinen Jubel paarten. Wer wollte es in Abrede stellen, daß ein solcher schöner Einklang der lauten

Wonne mit dem Zartgefühle, einen unendlich höhern Werth habe, als ein unmäßiges Jubelgebrülle, wozu nichts weiter, als gesunde Brustorgane erfordert werden.

Als der königliche Aufruf das Volk für die heilige Sache des Vaterlandes begeisterte, legten auch die Augsburger willig ihre Gaben auf seinen Altar. Der Handelsstand rüstete eine Anzahl von Landhusaren aus, die Landwehrmänner versahen, während oft ihre Wohnungen von Einquartirten überfüllt waren, mit ausgezeichnetem, unermüdlichem Diensteifer, die Garnisonsdienste, und leisteten von Ehr- und Pflichtgefühl begeistert, den heiligen Schwur, dem Feinde, wenn er die Gränzen des Vaterlandes betreten sollte, muthig die treue Brust entgegen zu stellen. Treu erwiedert der Augsburger die Liebe des guten Landesvaters, mit unauslöschlicher Liebe und unverbrüchlicher Anhänglichkeit.

Mit dem Ende der reichsstädtischen Verfassung, wurden auch die früher bestandenen Paritäts-Verhältnisse zu Grabe getragen. Sie gaben oft und vielfältig gewissen Leuten Anlaß zu Sarkasmen, welche nicht einmal das Wesen derselben kannten.

Ein richtig aufgefaßter Gesichtspunkt zeigt jedoch, daß diese Einrichtung den früheren Verfassungs-Verhältnissen vollkommen angemessen war; daß der Katholik, wie der Protestant wußte, welche Ansprüche, welche Rechte ihm zu Gebote stunden, daß namentlich bei Diensterledigungen keine aus Bigotterie und Sektengeist entstandene Zurücksetzung statt finden konnte. Dadurch wurde mancher Willkühr, mancher Reibung vorgebeugt, denn nur zu oft wird der Begriff der Duldung mit dem der Erduldung verwechselt, und es werden unter jenem Aushängeschild, dem einen Theile Dinge zugemuthet, welche sich die zumuthende Seite, im entgegengesetzten Falle, nimmermehr zumuthen lassen würde.

Unvernünftige Schreier legen wohl in ihren kopf- und geistlosen Flugschriften, ihre fantastischen Träume von Religionshaß, Partheiwuth, Verfinsterung, welche hier spucken

16*

sollen, nieder, allein diese grauenerregenden Gespenster werden nicht durch die hiesigen aufgeklärtern Einwohner aus ihren Gräbern heraufbeschworen.

Ein Religionstheil achtet den andern, die kirchlichen Feste des Einen, sind auch dem andern ehrwürdig. Der Protestant schließt von dem Mitgenusse wohlthätiger Gaben und Vermächtnisse zum allgemeinen Wohlthätigkeitszwecke selten seine katholischen Mitbrüder aus; eine Menge katholischer Dienstboten dienen in den Häusern der Protestanten; viele katholische Studenten genießen Kosttage an ihren Tischen, und den Unterstützungen, welche der Hülfsbedürftige sich erbittet, wird nicht die Frage vorausgeschickt: wes Glaubens bist du? Darin liegen wohl keine Anklänge der Verfinsterung und des Mangels an Toleranz, und dieser Ausdruck sollte eigentlich da, wo man sich einer mächtig vorgeschrittenen Aufklärung rühmt, wo die Verfassungsurkunde die Gleichstellung der Religionstheile und nicht ein bloßes Geduldetseyn ausspricht, nicht mehr gehört werden, weil der Stifter der christlichen Religion nicht gebietet: duldet Euch, sondern: liebet Euren Nächsten wie Euch selbst! Die Bekenner des einen Religions-Theiles, welche den andern verfolgen und geringschätzen, handeln offenbar gegen das Fundamental-Gesetz der allgemeinen christlichen Nächstenliebe, und eine Religion, in welcher der Sektengeist seine Wesen treibt, hört auf, den ehrwürdigen Namen einer Religion zu verdienen.

Religiöser Sinn ist gleichfalls ein schöner Zug des Volkscharakters. Der Augsburger besucht gern und fleißig die der Gottesverehrung geweihten Tempel, läßt früh seine Kinder in den Glaubenslehren, in den Lehrsätzen der christlichen Moral unterrichten, hält sie zum Gebete an, und prägt ihnen ein festes Vertrauen auf Gott ein.

Drei schöne Blüthen glänzen ferner in dem Kranze der Bürgertugenden, welcher Augsburgs Bewohner schmückt, sie heißen Kunstfleiß, Gewerbsthätigkeit und Arbeitslust. An den Wochentagen sieht man die Werkstätten belebt, die Erholungsplätze und Spaziergänge leer. Auch der Erfindungsgeist würde seine Schwingen hier gerne und kräftig regen, allein die Zeitumstände sind dem Absatze und der Theilnahme an kostspieligen, industriellen, litterarischen und artistischen Unternehmungen nicht sehr günstig. Ehedem fehlte es nicht an reichen und angesehenen Kunst-Mäcenaten, welche dem Kunstsinne, nicht blos aus Liebhaberei für ein ihrer Neigung zusagendes Kunstprodukt, sondern aus Gemeinsinn, um den Künstler selbst zum Fortschreiten auf der Bahn zum Ruhme zu ermuntern, huldigten und ihn unterstützten, und ihm die Erzeugnisse seiner Betriebsamkeit abkauften, nicht abdrückten. Jetzt ist der Wunsch nach Wohlfeilheit das allgemeine Losungswort, und der Handel mit Staatspapieren verschlingt manche schöne Summe, welche sonst der Unterstützung im Kunst- und Gewerbsleben, mit edler Liberalität gewidmet war. Die Lücken, welche sich bei manchen Kunstdarstellungen, Konzerten u. dgl. in den Reihen der Zuschauer zeigen, dürfen nicht dem mangelnden Kunstsinne, sie müssen eher mancher ökonomischen Berücksichtigung zugeschrieben werden, nach welcher gar oft in einer geregelten Haushaltung, der Nothwendigkeit, das Angenehme und Schöne zum Opfer gebracht werden soll.

Die Lebensweise in Augsburg ist einfach und geordnet zu nennen. Selbst in angesehenen Häusern wird selten einem ausschweifenden Tafelluxus gefröhnt. Mit gesunder kräftiger Hausmannskost begnügen sich auch die höheren Stände, und diese wissen die Augsburgischen Hausfrauen sehr reinlich und schmackhaft zuzurichten. Eine hiesige Predigersgattin, die verstorbene Frau Sophie Weiler, hat ein noch immer sehr geschätztes Kochbuch geschrieben, welches bereits in der 19ten Auflage erschienen ist, und im Gebiete der Kochkunst eine gewisse klassische Berühmtheit erlangt hat.

Selbst in den höheren Ständen suchte man schon in der Vorzeit die Töchter zu gewandten Hausfrauen zu bilden.

Die in der Geschichte so berühmt gewordene Philippine, Welser huldigte dieser schönen häuslichen Sitte, und glaubte weder ihrem Stande, noch ihrer Geistesbildung, noch ihren Reitzen, durch den Besuch der Küche etwas zu vergeben. Mit eigener Hand schrieb sie eine Sammlung von Küchen- und Hausmittelrezepten nieder, welche in einem Quart- und in einem Foliobande, in der großen kaiserlichen Bibliothek zu Wien aufbewahrt werden. Der Quartband enthält die Aufschrift:

„Philippinä Welserin gehört dies Buch."

In den Häusern begrüßt den Eintretenden eine sehr erfreuliche Reinlichkeit; alles ist blank gescheuert, und aus den zinnernen und kupfernen Geräthen strahlt dem Beschauer, als aus eben so vielen Spiegeln sein Bild entgegen. Kein Stäubchen wird geduldet, alle Wochen ein paarmal von Grund aus geputzt, ja zuweilen tritt diese Reinlichkeits- und Ordnungsliebe etwas über die Schranken des in allen Dingen so nothwendigen Zieles und Maaßes, und schweift bis zu einem der Gesundheit nachtheiligen Grade aus.

Zu dieser Reinlichkeits- und Ordnungspflege gesellt sich auch die mütterliche Zärtlichkeit der Hausfrauen für ihre Kinder. Das Kindszimmer ist für ihre Muttertreue ein angenehmer Aufenthalt; sie selbst übernehmen den größten Theil ihrer Pflege, und ihren Vergnügungen und Spaziergängen fehlt, können sie dort ihre Kleinen nicht um sich her versammelt sehen, der wesentlichste Theil des Freudengenusses. Selten sieht man die Frauen in Augsburg unbeschäftigt, und ihr Strickstrumpf begleitet sie sogar auf die öffentlichen Erholungsplätze.

Das liebliche Bild einer sorgsamen Hausmutter, welches Schiller in seinem herrlichen Liede „die Glocke" so treffend gezeichnet, dürfen unsere fleißigen Augsburgerinnen, so bescheiden sie übrigens auch sind, mit vollem Rechte auf sich anwenden, denn auch von ihren Wohnungen kann man sagen:

Und drinnen waltet
Die züchtige Hausfrau,
Die Mutter der Kinder;
Und herschet weise
Im häuslichen Kreise,
Und lehret die Mädchen
Und wehret den Knaben,
Und reget ohn' Ende
Die fleißigen Hände
Und mehrt den Gewinn
Mit ordnendem Sinn,
Und füllet mit Schätzen die duftenden Laden
Und dreht um die schnurrende Spindel den Faden
Und sammelt im reinlich geglätteten Schrein
Die schimmernde Wolle, den schneeigen Lein,
Und füget zum Guten den Glanz und den Schimmer
Und ruhet nimmer.

Solche brave Hausfrauen richten denn auch ihr ganzes Augenmerk darauf, die eigene Tugend der Häuslichkeit auf ihre blühenden Töchter zu verpflanzen, um in ihnen, sich selbst wieder verjüngt zu erblicken.

Schon im Jahre 1500 sang ein alter Dichter:

Die Augsburgischen Jungfrauen
Lassen sich wahrlich beschauen,
Sind holdselig von Angesicht,
Und mit Geberden abgericht.
Mit Kleidung allso angethan
Daß sie gefallen Jedermann
Im Haus, auf der Gaßen, beym Tanz,
Haben sie Acht auf ihre Schanz.

Ein Blick auf unsere jungfräulichen Schönen zeigt, daß zu diesen freylich sehr veralteten, poetischen Contrefei, sie noch gegenwärtig die Originale in einer freylich ganz neuen eleganten Auflage aufstellen. Ohne Zweifel würde sich ein jetziger Almanachs Dichter weit zierlicher und poetischer über ihre Reitze vernehmen lassen, und von blonden und braunen

Lockenköpfchen, von Korallenlippen und Vergißmeinnicht-Augen und dergl. Wunderdingen mehr sprechen, aber kernhafter und wahrer könnte sie jener neumodische Klingklang gewiß nicht schildern. Niemand wird es ihnen absprechen, daß der Blick mit Lust auf ihren holden Gesichtszügen verweile, daß Offenheit in Mienen und Geberden ihre angeborne Herzensgüte bezeichnen, die Nettigkeit ihres Anzuges, ihre Ordnungsliebe ausspreche und daß sie einer wahren, nicht blos scheinbaren Sittenreinheit huldigen. Auch sind sie gegenwärtig weit geschmackvoller, wie dazumal als jenes alten Dichters Leyer ertönte, mit Kleidern also angethan, daß sie gefallen Jedermann. Die eigentliche sogenannte alte Augsburgertracht, deren sich in der zweiten Hälfte des 17ten Jahrhunderts die Frauenzimmer bedienten, ist nun, Dank sey es dem geläuterten Geschmacke unseres Zeitalters, bis auf die letzten Spuren verschwunden. Etwas steiferes und gezwungeneres als jene Gewänderbollwerke giebt es nicht. Man denke sich ein holdes Frauenantlitz, unter einer runden, netzförmig gestalteten Hirnkappe; die dicht anliegenden zurückgestrichenen und reichlich gepuderten Haare ließen keine Spur, weder von natürlichen noch künstlichen Locken wahrnehmen; ein mit Perlen, Edelgesteinen und Gold geschmückter Reif, Horbet damals genannt, stellte ein geschmackloses Diadem vor, das weit über der Stirne den sonderbar mit Gold-, Silberbändern und Spitzen reich verzierten Kopfputz umschloß. Der Hals war mit schweren goldenen Ketten und Perlenschnüren, an welchen Anhängstücke von Diamanten und farbigen Edelgesteinen baumelten, mehr belastet, als geschmückt. Der Kragen, welchen die jetzt sogenannte Chemisette ersetzt, bestand aus sehr breiten und kostbaren Brabanterspitzen. Den Leib umpanzerte ein sogenanntes Brüstlein, unter welchem der schwere Küraß des Fischbeinmieders nicht fehlen durfte, welches dem Busen das üppige Wallen und Wogen für immer untersagte, und ein massiv silberner Gürtel schloß diese unbequeme Bedeckung an einen gewaltigen, mit Sammet oder Gold- und Silberstoffen verbrämten Reifrock, der es seinen Trägerinnen unmöglich machte, anders als seitwärts die ansehnlichsten Kirchenportale zu passiren, und jene wahren, damals modischen Zwangsjacken vervollständigte.

Die Jungfrauen trugen über ihren Hirnkäppchen, ein hohes Geflecht von bunt seidenen Zöpfen, welche man gewissermaßen, als die Vorläufer, der jetzt so beliebten Seidenlocken betrachten könnte. Dieses Kopfzeug, Gestrick genannt, war besonders an den Bräuten zu einer sehr ansehnlichen Höhe aufgethürmet. Ein Hochzeitzug in der damaligen Zeit, hatte viel Originelles, oder vielmehr Maskenzugähnliches. Schon der dreifarbige Stieglitz, nicht etwa jener beliebte Singvogel, sondern ein sogenannter Schaarwächter oder Stadtknecht, eröffnete diesen. Sein Habit glich einem der auffallendsten Carnevalanzüge. Den Kopf bedeckte ein weißer dreieckiger Hut mit dreifarbigen Kordons und Schnüren, und der Kragen bildete ein paar mosaische Gesetztafeln in vergrößertem Maaßstabe. Die kurze Toga mit weiten Aermeln, war aus breitem, der Länge nach zusammengesetzten Streifen von weißem, rothem und grünem Tuche die Stadtfarben andeutend, verfertigt, die Strümpfe aber Zeisiggrün anzuschauen. Der weiße Stab in seiner Hand, winkte den Zuschauern ein gebieterisches Locum date zu.

Auch die Anzüge der Herren, sowie der Brautfrauen, entsprach an Steife und Schwerfälligkeit dem damaligen Kleidergeschmacke vollkommen.

Hohe Herrschaften ließen sich noch in neueren Zeiten bei ihrer Anwesenheit in Augsburg, Frauen mit dieser alterthümlichen Kleidertracht angethan, vorstellen. Jetzt sieht man diese nur noch zuweilen auf Maskenbällen. Die letzte ehrsame Bürgersfrau, welche sich bis an ihren Tod, von diesen ihr so theuren Gewändern nicht trennen konnte und an hohen Festen die Einzige war, welche so gekleidet die Kirche besuchte, starb erst vor zwei Jahren.

Unter den Frauen der mittlern gewerbtreibenden Stände, herrscht noch gewissermaßen eine eigene Art sich zu kleiden, welche den Fremden, sehr auffallend scheint, allmählig jedoch mit der modernern Kleidungsweise verschmolzen wird. Schwere goldene und silberne Bockelhauben, mit Maschen von dem nemlichen Stoffe, welche sich gleich ein paar Merkurius-Flügeln am Nacken ausbreiten, bilden den Kopfputz. In dem Schnitte der aus schweren Stoffen gefertigten Kleidern, ahmen sie den höhern Ständen nach, übertreffen sie auch nicht selten, durch eine auffallende Anhäufung eines kostbaren und bald vorübergehenden Kleidergepränges.

Es wird viel über schlechte Zeiten geklagt, allein so gegründet zum Theil dergleichen Jeremiaden seyn mögen, so tragen sie doch gar oft das Gepräge der Selbstverschuldung. Ein übertriebener, gehaltloser Luxus, ein kindisches Nachäffen der höhern Stände, an Kleidung, Schmuckwerk, und Hauseinrichtung droht bei Vielen, die sonst gerühmte, weise Sparsamkeit verdrängen zu wollen, wodurch der ehemals gediegene Wohlstand nothwendig untergraben wird. Dem weisen Spruche: „Halt Ziel und Maaß in allen Dingen;" wollen sich manche Gewerbsstände im Innern ihrer zu eleganten Wohnungen nicht unterwerfen. Dem Prunke, welcher sich jedoch mit gediegenern Gegenständen, deren Trümmer selbst noch einen innern Werth behielten und eingeschmolzen werden konnten, befaßte, huldigten zum Theil schon unsere Vorfahren; dieß bezeichnet der alte Reim.

Nürnberger Witz,
Straßburger Geschütz,
Venediger Macht,
Augsburger Pracht,
Ulmer Geld,
Geht durch die ganze Welt.

Noch gegenwärtig scheint sich diese Prachtliebe nicht ganz verloren zu haben, doch rauscht sie nicht wie ehedem auf goldenen, sondern, zumal in den mittlern Ständen, auf seidenen Fittigen einher; welche durchaus keinen innern, bleibenden Werth haben.

Die ältern Augsburger kommen in ihren Gesprächen noch immer gern auf die reichsstädtische Verfassung zurück und die Spuren des reichsstädtischen Charakters, zeigen sich noch hier und da, bis sie endlich durch die geänderten Verhältnisse und die Zeit, ebenso verwischt seyn werden, wie die alten Gemälde an unsern früheren Bauwerken. Zuweilen regt sich hier noch immer eine zu gesprächige, kleinstädtische Klatsch-Sucht; doch durch das Verschwinden der Wochen-Besuche und Kaffeekränzchen, jener priviligirten Lästerschulen, verliert die geschwätzige Neugierde, welche sich so gerne mit dem guten Rufe des Nächsten mästet, die bedeutendsten Magazine für den Stoff zu unnützem Geplauder.

Die höheren Stände bemühen sich, die reine deutsche Mundart zu sprechen, was ihnen jedoch, zumal dem eingebornen Augsburger, den sein Geschick an die Erdscholle fesselte, auf welcher er geboren war, nicht recht gelingen will, ohne daß manche Provinzialismen mit zum Vorschein kämen.

Unter den niedern Ständen, hört man jedoch Ausdrücke, welche dem Fremden schlechterdings unverständlich sind. Wenn zum Beispiel eine Mutter aus dem gemeinen Stande dem Liebling auf ihrem Schooße, ihrem Kinde, eine Grusel eine Mutschel, einen Hottel zeigt, so wird er schwer errathen können, daß damit eine Gans, eine Kuh, und ein Pferd gemeynt sey. Doch verlieren sich auch diese Provinzialismen immer mehr und mehr, was eben kein Verlust zu nennen ist.

d. Lebens-Bedürfnisse und Consumtion.

Nach der größern oder geringern Menschenmasse deren Anwachsen oder Abnahme durch gewisse Zeitumstände in einer bedeutenden Stadt bedingt wird, richtet sich in der Regel der erhöhtere, oder verminderte Absatz und Verkehr mit den unentbehrlichsten Lebens-Bedürfnissen. Wir finden demnach in der Consumtion keinen zuverlässigen Maaßstab für ihre Bevölkerungs-Bestimmung. In manchen Jahren und bei ausgezeichneten Ereignissen, kann das Zuströmen der Fremden oder der Bewohner der Umgegend weit lebhafter seyn als dieses in andern Perioden der Fall ist. Die Erhebung des Leichnames einer frommen Märtyrin für den christlichen Glauben, wie z. B. der heiligen Afra, zog eine Menge Andächtiger nach Augsburg; die Anwesenheit hoher Potentaten und die ihnen zu Ehren angestellten Feste und Illuminationen locken aus der Nähe und Ferne, Besucher an; fremde Heere überschwemmen in Kriegszeiten eine Stadt und Gegend, und diese ungebetenen Gäste machen aus jedem Bürgers-Hause eine Herberge, in welcher es die Obrigkeit den Bewohnern, auch ohne vorhergehende Schenkrechts-Conzession gern überläßt, ihren zudringlichen, zechfreien Mitessern, Speisen und Getränke zu verabreichen; alle diese und noch andere Ursachen, lassen die Consumtion von Zeit zu Zeit bald ab- bald zunehmen.

Zudem sind die Consumtions-Listen, welche in öffentlichen Blättern erscheinen nichts weniger als zuverläßig; das Verzeichnen der Lebens-Bedürfnisse wird nicht selten Personen überlassen, welche es damit nicht so genau nehmen, und froh sind, damit fertig zu werden; viele zur Leibes-Nahrung und Nothdurft dienlichen Gegenstände, werden in die Häuser gebracht, ohne vorher den Markt berührt zu haben ꝛc.

Der Marktplatz in einer bevölkerten Stadt bietet an den

Markttagen ein sehr belebtes, nicht uninteressantes Bild dar; man lernt dort Fragmente des Volks-Charakters kennen, bereichert seinen Sprachschatz durch Anhörung verschiedener Provinzialismen, mit welchen mancherlei Lebens-Bedürfnisse, hier so, in einer andern Stadt wieder anders bezeichnet werden; beobachtet das zuweilen originelle Benehmen der Landleute beim Verkauf oder die größere oder geringere Freigebigkeit der Einkäufer, welche nicht selten dergestalt markten und dingen, daß sie dem armen Producenten seinen Vorrath lieber gar umsonst abdrücken möchten. Hier verwandlen zungenfertige Domestiken den Viktualienmarkt in einen Schwätzmarkt, und geben dem Verkäufer, um die verplauderte Zeit einzubringen, für bereits ausgesuchte, schlechte Waare, schnell das Geforderte. Der Gehörsinn wird ebenfalls durch das Schnattern der Gänse, das Kreischen der Ferkel, das Gackern der Hühner u. s. w. verschiedenartig angesprochen, und einen unangenehmen Contrast für die Geruchsnerven bilden in der Nähe der mit Floras Spenden hübsch ausgestatteten Gärtners Verkaufs-Tische, die Waaren-Ausstellungen der Käsehändler.

Die Markt-Gegenstände sind an manchen Orten verschieden; manche richten sich, wie Wildprett, wie Spargel und dergleichen nach den Jahreszeiten. Hier liefern wir blos eine Uebersicht der im Jahr 1827 auf dem Markte verkauften Lebens-Bedürfnisse. Die Quantität war folgende:

Schmalz 106,570 ℔. Butter 114,288 ℔. Eyer 43,442. Hennen 2580. Hühner 48,879. Indiane 1353. Capaunen 1528. Gänse in Federn 12,145; Gänse ohne Federn schon für die Küche hergerichtet 17,657; Enten lebende 9355; Enten ohne Federn 5416; das Junge 5416. Tauben 6541. Spanferkel 619. Wilde Gänse 126. Wilde Enten 674. Rebhühner 1552. Schnepfen 1220. Hasen 1456 Stücke, und 12 Wägen; Lerchen 1324. Halbvögel 210 Stücke; Krautsköpfe 306 Wägen. Wersichköpfe 120 Wägen. Erdäpfel oder Kartoffeln

6570 Metzen und 2018 Säcke; Bayersche Rüben 120 Metzen. Toppen 7288 Gelten. Toppenkäse 587 Körbe und ausser diesen 20,920 Stücke. Flachs 8342 ℔. Aepfel 191 Wägen. Birnen 238; desgleichen Nüsse 100 Säcke und 67 Schäffel; 10 Säcke Zwetschken und 156 Wägen desgl. Karpfen 21,530 ℔. Hechte 10,258 ℔. Rothfische 1456 ℔. Forellen 833 ℔. Backfische 25,704 ℔. Stockfische 4016 ℔. Krebse 14 Körbe und 191,062 Stücke. Frösche 64 Körbe und 447,919 Stücke. Schnecken 43 Körbe und 85,900 Stücke. Grundeln 649 Maas. Kramets-Vögel 1053. Erdbeeren 136 Maas und 376 Kretzen. Kirschen 154 Wägen. Weichseln 18 Wägen. Wachteln 992 Stück. Weiße Rüben 106 Wägen.

Diese, nebst mehreren Artikeln, welche die menschliche Eßlust nicht in Anspruch nimmt, und dennoch den Bedürfnissen beigezählt sind, werden auf den bereits benannten Hauptmarkt-Platze feil geboten. Am Mittwoch, Freitag und Sonnabend bringen diese die Landleute in die Stadt, allein auch ausser der gewöhnlichen Marktzeit kommen durch die Bewohnern der Umgegend Viktualien herein. Die Lokal-Polizei-Behörde wacht über die Handhabung der städtischen Marktordnung; ein eigener Markt-Inspektor führt persönlich an Markttagen die Aufsicht über Käufer und Verkäufer und beugt den Unordnuugen und der Uebertretung der Markt-Gesetze vor; er gebietet über 2 ihm untergebene Markt-Offizianten und 5 Marktknechte. Bedürfen die Landleute zur Aufstellung der von ihnen zum Kauf ausgebotenen Gegenstände, z. B. die Hühnerhändler, tragbare Hühnerställe; die Fischverkäufer, sogenannte Gelten zur Feilbietung lebendiger Fische und Krebse, so versehen sie die sogenannten Steigen- und Brentensetzer mit diesen Geräthschaften gegen eine billige Abgabe und verwahren solche nach dem Gebrauche, in besonders dazu bestimmten Lokalitäten.

Das Schmalz wird in einem eigenen Gewölbe ausgewogen. Zahmes Geflügel bekommt man auch ausser den Markttagen, zur Zubereitung höchst reinlich hergerichtet, bei den Geflügelmästern, und alle Gattungen von Wildprett bei den Wildpretthändlern. Besonders beliebt sind die hier in den Herbstmonaten nicht seltenen Waldschnepfen, welche nach dem bekannten Waidsprüchlein:

Oculi, da kommen sie!
Laetare, das ist das Wahre!
Palmarum, Trallarum!

auch im Frühjahr streichen.

Während der eigentlichen Schnepfenzeit in den Monaten September und Oktober, gehört eine Schnepfen-Pastete zu den Lieblingsdelikatessen der Augsburger, und die gefälligen Gastwirthe veranstalten dergleichen, unter dem Namen der Schnepfen-Pasteten bekannte Schmausereien, wo man jedoch nicht blos bei dem Genusse jenes Waldgeflügels stehen bleibt. Die jeweiligen Kaufleutstuben-Wirthe suchen sich dabei immer in der Kochkunst auszuzeichnen.

Die Fischer bilden hier eine eigene Innung. Ihr Anzug, wenn sie auf den Fischfang ausgehen ist ebenso originell als auffallend. Er besteht in einer kurzen weiß linnenen sehr reinlich gehaltenen Jacke, langen Beinkleidern von dem nemlichen Zeuche und großen Wasserstiefeln. Auf den Schultern schützt sie ein dicker schwarzer Filzfleck vor dem Drucke der darauf ruhenden, langen und schwankenden Stange, mit welcher schlanken Wasserlanze, sie die Fische ins Netz treiben. Den Leib umgürtet ein lederner Riemen an welchem ein breites, scharf geschliffenes Messer in einer hölzernen, mit Metall beschlagenen Scheide hängt; statt der Patrontasche tragen sie an einem über die Schulter gehenden Bande, den sogenannten Fischlägel, in welchem sie lebende Fische nach Hause tragen, die Oeffnung aber gewöhnlich mit Schilf verschließen. Ihr Gewerbe gehört mit zu den ältesten in unserer Stadt und sie übten seit uralten Zeiten das Recht aus, im Lech, in der Wertach und in der Sinkel zu fischen. Die

Berechtigung in verschiedenen andern Gewässern Fische zu fangen war sonst ein bischöfliches Lehen; mit diesem wurde für die gesammte Zunft einer belehnt, welcher der Ferg hieß.

Die Fische werden hier in dem, im Jahre 1545 zunächst der Barfüßer Kirche angelegten Fischgraben, welchen fließendes Wasser durchströmt, in geräumigen Fischkästen die immer Zufluß von frischem Wasser haben, aufbewahrt. Diese Anlage darf mit unter Augsburgs Merkwürdigkeiten gerechnet werden; wenige Städte werden eine ähnliche zweckmäßige Einrichtung aufzuweisen haben. Hier sind zu allen Tagszeiten Fische und Krebse zu bekommen. Der Fischmarkt wird zunächst dem Rathhause am Freitage gehalten und auch von fremden Fischern besucht. Die beiden wichtigsten Epochen für den Fischfang in unsern Gegenden ist die Zeit der sogenannten Nasenlaiche und der Rothfischfang. Es gehört nicht unter die Seltenheiten, unsere Fischer 40 — 50 Pfund schwere Rothfische in die Stadt hereinbringen zu sehen.

Die gewöhnlichsten Fische, welche den Reichthum unserer Gewässer ausmachen, benennt das oben mitgetheilte Verzeichniß mehrfältiger Markt-Gegenstände. Ausser diesen findet man hier auch die mehr zur Zierde der Fontainen und Teiche als zur Speise gehaltenen Gold-Orfen (rothe Orfe) welche wir oben bereits unter ihrem Trivial-Namen (Norfe) aufführten. Aalfische giebt es nicht in unserer Gegend; Liebhaber dieses herrlichen aber theuren Fischgenusses, verschreiben sie aus entferntern Gegenden, von Ulm und München.

Am Sonntage dient der Fischmarkt den Vogelstellern zur Feilbietung ihrer armen gefiederten Gefangenen, der lieblichen Singvögel, und zum Verkaufe der fälschlich sogenannten Ameisen-Eyer, schöner Tauben, Kaninchen, Eichhörnchen und dergl. Junge Hunde dürfen jetzt nicht mehr wie sonst dort verkauft werden, durch diese Maaßregel glaubt man dem übermäßigen Hundehalten vorzubeugen, allein durch dieses Verbot tritt keine sichtbare Verminderung dieser Hausthiere ein.

Die

Die Häringe, welche schon im 13ten Jahrhundert in Augsburg bekannt waren, werden in den Spezereihandlungen einzeln verkauft. Sorgfältig wachten in der Vorzeit die Polizei-Anordnungen unserer Vaterstadt darüber, daß keine alte, verlegene gesalzene Fische verkauft werden durften, weil man sie für äusserst schädlich, ja Pest erzeugend hielt. Die bei den Krämern gefundenen alten Häringe, wurden sogar durch den Nachrichter verbrannt. Getrocknete Stockfische werden gleichfalls in den Niederlagen der Spezereihändler verkauft, gewässert bieten sie berechtigte Stockfischhändler auf dem Fischmarkte in gesonderten Läden feil. Zum Verkaufs-Gewölbe wurde ihnen im Jahr 1770 das auf dieser Stelle am Fischmarkt gestandene sogenannte Narren-Häusl eingeräumt, welches im Jahr 1475 für Nachtschwärmer, Trunkenbolde und Raufbolde erbaut worden war. Blos hinter einem hölzernen Gitter wurden dergleichen Störer der öffentlichen Ruhe verwahrt; die Gassenjungen durften ungestraft solche lebende Stockfische in menschlicher Gestalt, welche Nacht in Tag verwandeln, ihr Leben durch den unmäßigen Genuß berauschender Getränke abkürzen und durch Brutalität andern das Leben verbittern, hohnnecken. Mit der Bestimmung des Narren-Häusls zu einem andern Zwecke, wurde auch der auf dem Fischmarkte gestandene hölzerne Esel, welchen strafbare Stadtsoldaten besteigen mußten, quiescirt.

Andere Seefische, als Scheelfische, marinirte Aale, Bricken, Bicklinge, werden nebst verschiedenen Seeprodukten, Austern, Muscheln und dergl. in den Waaren-Gewölben feil geboten; mit dem Verkaufe der aus dem Bodensee hieher gebrachten frischen und marinirten Gangfische beschäftigen sich eigene Personen.

Im Herbst wird auf dem obern- und mittlern Graben das sogenannte weiße Kraut nebst dem Wersich auf Wägen zum Verkauf ausgestellt, und die Krautsköpfe entweder Wagenweise verkauft oder zu Hunderten und darunter ausgezählt.

17

Die Gärtner kaufen es Wagenweise, um dieses geschätzte Gemüse für den Winter als Sauerkraut einzumachen. Steckrüben und sogenannte bayerische Rüben werden gleichfalls in dem dortigen Stadttheile feilgeboten.

Gemüse aller Art ist auf dem Gemüsemarkt am Obstmarkte durch Landleute verkäuflich. Die hiesigen Gärtner verkaufen dieses gleichfalls an den Markttagen sowohl, als ausser der Marktzeit, in den sogenannten geschlossenen Gärtnerständen, deren es in verschiedenen Stadttheilen giebt; sie geben Kräutelwaare aber auch in ihren Gärten ab.

Die ökonomische sowohl, als die elegante Gartenkultur hat hier in der neuesten Zeit bedeutende Fortschritte gemacht. Unsere Gemüse sind schmackhaft und wohlfeil. Die Blumenliebhaberei, in welcher Augsburgs Bewohner sich schon vor alten Zeiten auszeichneten, indem in Heinrich Herwarts Garten die ersten Tulpen auf deutschem Boden 1559 blühten, hat sehr überhand genommen und mit vielem Glücke beschäftigen sich die hiesigen Gärtner mit der Blumenpflege. Die schön geschmückten Blumentische, welche am 11. Mai in der Ludwigsstraße aufgestellt sind, oder am Vorabende vor dem Frohnleichnamsfeste den Augustus-Brunnen gleichsam mit einem blühenden Kreise umschließen, und an der Jakobskirchweih am 25. Juli, in der Vorstadt sich an einander reihen, sind Beweise von einem schönen Vorwärtsstreben im Gebiete der Blumistik. Die Garten-Anlagen des bekannten Blumisten Schulz, die Saamenhandlung und die weitläuftigen Gärten des Handlungs-Gärtners Richter, einem Nachkommen des in der Augsburgischen Gewerbs-Geschichte rühmlich bekannten Sigmund Richter, dessen herrlicher, schon mehrmal sogar poetisch besungene Tulpenflor alljährlich die zahlreichen Besucher desselben bisher überraschte; das Gewächshaus des Kaufmanns Remmele, in welchem die seltensten exotischen Gewächse zur Blüthe gebracht werden; des würdigen kunsterfahrnen Becks, Gartengut zwischen dem Vogelthor und dem Schwibbogen; der Garten des Gärtnermeisters Ollmann, dessen Besitzer vorzüglich mit Gemüse-Saamen handelt, verdienen einer vorzüglichen Erwähnung. Blumen und Gemüse-Saamen werden im Frühjahr und Sommer an den Markttagen dem Perlachthurm gegenüber in kleinen Ständchen verkauft. Die Gärtner-Innung theilt sich in die sogenannte Kunstgärtner und die Kräutler ab. In der Stadt und vor den Thoren wohnen nicht weniger als einige 70 Gärtnermeister. Bedenkt man nun die vielen Hausgärten, das Hereinbringen des Gemüses aus der Umgegend, die Blumisten-Dilettanten, welche gleichfalls für Geld ihren Ueberfluß loszukriegen suchen, dann werden die häufigen Klagen der Gärtnermeister, daß ihr Wohlstand wegen Uebersetzung bei weitem nicht so üppig wie ihre Blumenbeete floriren, kaum mehr befremden. Mehrere derselben finden durch die Besorgung von Hausgärten im Taglohn einigen Verdienst, welche Beschäftigung indeß nur in der mildern Jahreszeit eine Erwerbsquelle öffnet. Spargel werden in Gärten gezogen, aber auch von dem Lande, besonders aus der Gegend von Scherneck von vorzüglicher Schönheit und Wohlgeschmack hieher gebracht und an den Markttagen auf dem Obstmarkt, wo auch Zwiebeln und Kartoffeln zu haben sind, ausgeboten. Der Markt für die weißen Rüben ist in der ehemaligen Judengasse, jetzt Carls-Straße.

Daß in den Gärten alle Gattungen von edlen Früchten gezogen werden, haben wir bereits erwähnt. Gewöhnliche Obstgattungen bringen Landleute aus der Umgegend auf den Obstmarkt, wobei zu wünschen wäre, daß die Zeit der Reife gehörig beobachtet und das unreife Obst sorgfältig vom reifen, durch die Gesundheitspolizei-Beamten gesondert, das erstere aber unnachsichtlich konfiscirt würde. Aus dem Tyrol und aus dem Würtembergischen kommen viele Baumfrüchte hieher; die Tyroler bringen besonders herrliche Birnen, Borsdorfer-, selbst Granat-Aepfel, Trauben,

17*

Citronen, Pomeranzen ꝛc.; die Würtemberger Kirschen, Zwetschken, Trauben ꝛc. Sogar Winzer aus den Rheingegenden tragen die schönsten Spenden ihrer herrlichen Rebenhügel nach Augsburg, um sie hier um einen sehr billigen Preis hinzugeben. Nicht nur am Obstmarkte selbst, sondern auch in den Häusern und in eigenen Obstständen, bieten die sogenannten Obstner und Obstnerinnen, deren es hier eine ziemliche Anzahl giebt, verschiedene Obstarten feil.

Das auf der Achse hieher gebrachte Brennholz wird auf den beiden Holzmärkten in der untern Stadt und in der Jakobs-Vorstadt verkauft. Dieses Brennmaterial wird theils Klafterweise, theils überhaupt, nach Wägen abgesetzt. Mit dem Messen beschäftigen sich eigens hiezu aufgenommene Holzmesser, welche sich eines genauen Holzmaaßes bedienen, das aus vier, zum Theil eisernen Stangen, die ineinander gesteckt werden können, beim Messen zusammengesetzt wird. Die Klafter ist 6 Schuh hoch und eben so breit. Die gewöhnlichen Gattungen Brennholz sind Buchen, Birken, Fichten und Forrenholz. Im Jahr 1828 wurden auf den Holzmärkten 4665 Wägen Buchen-, 8630 Wägen Birken- und 23,472 Wägen Fichten-Holz verkauft. Arme Personen kaufen ihr Brennholz Batzen- und Kreuzerweise bei den Kleinholz-Händlern. Einem dringenden Bedürfnisse für die arme Klasse der Bewohner hilft die bereits erwähnte Holzaustheilungs-Anstalt bei den Dominikanern ab. Im Verhältnisse der Größe des hiesigen Klafters sind die Holzpreise nicht übertrieben. Die Klafter Buchenholz kostet in der Regel 8 bis 9 fl.; Birkenholz 6 bis 7 fl.; und das weiche Brennholz 5 bis 6 fl. Auch auf den Flößen wird hartes und weiches Holz hieher gebracht, am Proviantenbach ausgeladen, und auf dem außerhalb der Stadt gelegenen Holz-Platze Klafterweise verkauft. Das weiche, dort zum Kaufe stehende Floß-Holz ist ohne Rinde und wird daher nicht so theuer bezahlt, wie das mit der Rinde versehene. Bisweilen finden auch Holzverkäufe in Waldklaftern, in den benachbarten Forsten nach dem Meistgebote statt. Baumrinden für die Gerber kommen gleichfalls auf der Achse hieher, eben so auch das Wellenholz oder die sogenannten Borzen. Bauholz wird in ganzen Flößen auf der Wertach und dem Lech hier hergebracht, und die Vorräthe davon sind auf dem Zimmerhofe und bei den Sägmühlen aufgeschichtet, wo sie zu Brettern und Latten zugeschnitten und verkauft werden. Die vier vorhandenen Sägmühlen sind sämmtlich vor der Stadt gelegen. Zunächst am Zimmerhofe und den dazu gehörigen Magazin-Gebäuden ist eine Deilbohrhütte, in welcher die zu der unterirdischen Wasserleitung erforderlichen Fichtenstämme ausgehöhlt werden. Der sich in den Sägmühlen ergebende Abfall an Sägmehl oder Sägespänen, welches in den Küchen zum reinigen der metallenen Gefäße und zu mancherlei häuslichem Gebrauch verwendet werden kann, wird, so wie der Anschnitt von den Balken und das Ende der Schneidbäume, unter der Benennung der Schwarten und Köpfe, als wohlfeileres Brenn-Material verkauft. Kohlen bringen die sogenannten Kohlenbauern theils in Säcken, theils auf Wägen in die Stadt; der Kohlenmarkt ist auf dem untern Kreuz; die Zuberweise Ausmessung derselben besorgen eigene Kohlenmesser.

Der Verkaufsplatz für Heu und Stroh befindet sich in der Nähe der Heuwage. Im Jahr 1827 wurden 2453 Wägen Heu, und 1478 Wägen Stroh auf den Markt gebracht. Indessen sind mehrere Bürger, als: Metzger, Schweizer rc., welche zugleich einen ansehnlichen Viehstand haben, Eigenthümer oder Pächter von Wiesen.

Große Steinmassen aus den Steinbrüchen für Baumeister und Steinmetzen, so wie große Fragmente von Kalktuff für Kalkbrenner, kommen aus dem sogenannten Oberlande, oder aus Tyrol auf Flößen, die Pappenheimer und Sollenhofer Marmore aber auf der Achse hieher. In der Nähe von Augsburg und in ihren Bezirken stehen gegen Göggingen hin, zwei Ziegelbrennereien, in welchen alle Arten von Ziegeln und Backsteinen gebrannt werden, und 2 Kalköfen versorgen die Stadt mit diesem unentbehrlichen Baumaterial. Zum Stadtpflaster werden die Kiesel aus dem Lech und der Wertach verwendet. Ein eigenes Baugewölb oder eine Niederlage für Baumaterialien besteht im erwähnten St. Anna-Hof unter dem Bibliothek-Gebäude, und ein anderes ähnliches Magazin für Bauwerkzeuge und Baumaterialien, am Oblaterthor-Thurm.

Der wöchentliche Getreidemarkt wird jeden Freitag auf dem Platze vor der bereits beschriebenen neuen Schranne bei St. Ulrich gehalten. Den Verkauf der Brod- und anderer Feldfrüchte regulirt die königl. bayer. Schrannen-Ordnung. Für die Gerstenschranne ist der Donnerstag bestimmt. Erbsen, Linsen, Wicken, Hanfsaamen u. dgl. gehören ebenfalls unter die dort feilgebotenen Gegenstände. Die nicht verkauften Getreidefrüchte werden aufgezogen und bis zur nächsten Schranne aufbewahrt.

Wöchentlich erscheinen die Schrannenanzeigen in einigen hiesigen Zeitungen und im Wochenblatte; es werden aber auch eigene Schrannenzettel ausgegeben. In dem wöchentlichen Anzeiger findet sich das Verzeichniß des in der vorigen Schranne verbliebenen Getreide-Restes, die neue Zufuhr, das Totale des Marktbestandes, die höchsten, mittlern oder Durchschnitts- nebst den niedrigsten Schrannenpreisen aufgeführt; der Betrag der gesammten Verkaufs-Summe, mit der Bemerkung des Abschlages oder Aufschlages der Getreide-Preise ist gleichfalls darin angegeben.

Die Schranne beschäftigt mehrere Bedienstete, nemlich 2 Schrannenkehrer, 8 Sackträger, 12 Kornmesser und einige Schrannenkarrer. Das hier übliche Getreidemaaß heißt Schaff, das 8 Metzen in sich faßt, jeder Metzen hat 4 Vierling, der Vierling 4 Viertel, das Viertel 4 Mäßlein. Das

Schaff enthält 10,348 franz. Cubikzoll oder 328 nach demselben gestellte Pfunde.

Die Menge der im Jahr 1827 in die Schranne gebrachten Getreide=Früchte betrug:

7893	Schäffel (Schaff)	Weitzen.
14,933		Kern.
12,046		Roggen.
36,226		Gerste.
12,141		Haber.

Nach dem Verhältnisse des Fallens oder Steigens der Schrannen=Preise, wird den Bäckern tariffmäßig das Gewicht des Brodes, den Huckern und Müllern die Mehltaxe vorgezeichnet.

Mahlmühlen giebt es acht in der Stadt, als:

Die Kreuzmühle A. 343.
Die Schwalmühle A. 348.
Die Spitalmühle C. 137.
Die Belzmühle C. 186.
Die Rainmühle C. 204.
Die Kressismühle C. 275.
Die Pfladermühle C. 331.

Vor den Thoren aber die Pfeiffermühle Nro. 4,
die Bergmühle = 212,
die Neumühle = 29.

Die Mehlarten, welche der polizeiliche Mehlsatz namentlich aufführt sind Mund=, Semmel=, Schönes=, Mittel=, Nach= und Roggenmehl. Im kleinen verkaufen 54 Hucker oder Melber, Getreide, Mehl, Linsen, Erbsen, Hirse, Graupen, Schmalz, Salz, Taglichter, Schmeer, Schwefelhölzchen u. dgl.

Ausser den Mahlmühlen giebt es hier auch Gerstenrentelmühlen und Gerstenrändler, welche nebenbei sich mit dem Geflügelmästen befassen.

Das Backen des Brodes und den Verkauf dieses unent=

behrlichen Lebensbedürfnisses nemlich des Kern-, Mittel- und Roggenbrodes, besorgen die Bäcker; ihre Backöfen gewähren den Bürgern eine nicht überall gekannte, und mit einer wahren Ersparniß verbundene Bequemlichkeit. Dort kann man nemlich um ein geringes Geld, nicht nur sein Hausgebäck als Kuchen und dergleichen feinere Backereien, sondern auch Braten und andere Speisen unter Aufsicht eigener Backofen-Mägde, backen, braten und kochen lassen. Einige Bäcker bedienen sich gegenwärtig zum Kneten des Taiges der Knetmaschine, welche in Hinsicht der Reinlichkeits-Kultur der Teigbereitung mit schweisbedeckten Händen, weit vorzuziehen ist. Mehrere Bäcker backen auch mürbes oder Kaffeebrod; in neuern Zeiten wird ihnen die sogenannte Mannsnahrung neben dem Brodsatze gestattet. Bei Gelegenheit der Beschreibung des Bäckenhauses wurde mehreres auf die Bäckerzunft bezügliches, angeführt.

Im Allgemeinen wollen die hieher kommenden Fremden die Beschaffenheit des hiesigen Brodes nicht loben. Allein auch hierin ist keine Regel ohne Ausnahme.

Eigens angestellte Brodwäger sollen von Zeit zu Zeit durch Nachwägen das tariffmäßige Gewicht des Brodes erforschen. Die Güte und Kraft desselben bleibt unausgemittelt, und lediglich der Gewissenhaftigkeit der Bäcker überlassen. Die Bäckerläden sind in den verschiedenen Straßen der Stadt, mit den Bäckerbehausungen in Verbindung und das Brod wird hier noch auf offenen Läden verkauft. Uebrigens sind die Bäcker Gerechtsame, reale Gerechtigkeiten. Eigentliche Brodmärkte, welche von fremden Bäckern besucht werden, giebt es nicht mehr, wie in den vorigen Zeiten. Ein Lechhauser Bäcker allein genießt seit alter Zeit, das sich auf seine Kinder und Kindeskinder fortpflanzende Privilegium, an jedem Donnerstage einen Karren mit Brod, so viel dessen ein Pferd zu ziehen vermag, in die Stadt zu bringen, und dieser setzt stets schnell und reißend seinen Vorrath ab. Sonst waren noch vier fremde Bäcker, aus Schongau, Friedberg, Aichach, Landsberg, berechtigt, Brod in die Stadt zu bringen, in der theuren Zeit blieben sie jedoch aus, nur der Lechhauser-Bäcker verließ sie nicht zur Zeit der Noth, mit seinen Zufuhren; daher wurden jene ihres Rechtes verlustigt, der Letztere aber mit dem Vorrechte belohnt, auf ewige Zeiten, Brod herein zu bringen, und das von Rechtswegen!

Auch mit dem Mästen der Schweine dürfen sich die Bäcker befassen und selbst das Fleisch dieser Thiere an bestimmten Tagen in der sogenannten Bäckermetzg verkaufen. Die Mästung dieser unreinlichen Hausthiere soll nicht in den, den Bäckern gehörigen Stadthäusern besorgt werden, sie ist gesetzlich auf die der Bäckerzunft gehörigen, ausserhalb der Stadt vor dem Wertachbrucker- und dem Jakobsthor gelegenen Schweinsställe beschränkt. Gegenwärtig besteht die Bäcker-Innung aus einigen 80 Meistern.

Das Verlangen des Publikums nach gesundem, frischen und schönem Fleische, suchen die hiesigen Brat-, Rind- und Schweinmetzger nach ihren besten Kräften zu befriedigen. Ausser diesen giebt es hier noch sogenannte Kuttler, welche sowohl die Extremitäten und die Eingeweide des Großviehes, der Ochsen und Rinder nemlich, als die Gaumen, die sogenannten Ochsenmäuler, Ochsenfüße, Kuttelflecke u. dgl., was alles mit der höchsten Reinlichkeit hergerichtet ist, verkaufen. Sonst bestanden hier auch die sogenannten Wämstler, welche die genannten Theile von den Kälbern und Schafen, eben so herrichteten. Diese sind nun abgeschafft, und der Verkauf dieser Fleischtheile bleibt den Bratmetzgern überlassen.

Die Metzger waren ehedem ein geschlossenes Handwerk, in welches nur Metzgers-Söhne in die Lehre und zu Meistern aufgenommen wurden. Auch durften sie nicht wandern. Alles dieses ist nun mit den geänderten Gewerbsverhältnissen gleichfalls anders geworden. Sonst wurde vieles Schlachtvieh aus Ungarn und Polen hieher getrieben, gegenwärtig beziehen die Metzger aus dem Ansbachischen schönes Mastvieh. Die sogenannten Kauderer oder Viehhändler bringen sogenanntes Kleinvieh, als Kälber und Schafe, auch Schweine hieher. Die erstern werden am Donnerstag in der Bäckengasse, als den hiezu angewiesenen Marktplatz verkauft.

Der eigentliche Schweinmarkt ist im Quartier G. 97. — 211. Die Metzger fahren aber auch selbst aufs Land, um Kleinvieh bei den Landleuten zu kaufen, sie nennen dieses „in's Gäu fahren", ein Ausdruck, der wahrscheinlich von Gauen abzuleiten ist. Hammelfleisch ist hier nur vom Winter bis zu Sommer-Johannis zu haben. Alle Monate bestimmt die Regierung die Fleischtaxe, welche in dem Wochenblatte angezeigt wird. Eigene Fleischbeschauer prüfen die Gesundheit und Preiswürdigkeit des Schlachtviehes; geringere und wohlfeilere Fleisch-Gattungen werden in der sogenannten Schmalmetzg verkauft.

Das Schlachthaus steht durch ein Seitengäßchen von dem schönen bereits beschriebenen Metzger-Gebäude getrennt, seitwärts; über dem Portale sind in Stein ausgehauene Schlacht-Thiere. Die Metzger sind ein eigener biederer Schlag Menschen, welche sich unter einander selten nach ihrem eigenen Namen, sondern nach gewissen sogenannten Spitz- oder Scherznamen benennen, welche ihre Jovialität bei gewissen Gelegenheiten den Mitmeistern beilegt.

Die Fleischmärkte der fremden Metzger Lit. A. 436 haben wir bereits erwähnt.

Die hiesigen Metzger schlachten des Jahrs ungefähr 3445 Ochsen, 22,967 Schafe und Kälber und 4449 Schweine.

Die Fremden 373 Ochsen, 1660 Rinder und Kühe, 1879 Schafe, 6796 Kälber und 1346 Schweine.

Der städtische Fleischaufschläger sorgt für die richtige Verzeichnung der geschlachteten Viehstücke zum Behufe der Fleisch-Ungelds-Berechnung.

Zu den Metzgern gehören auch die Wurstmacher, welche

aus dem noch warmen und zartgehackten Rindfleisch, hier Prät genannt, die frischen, sogenannten rindernen Würste bereiten, welche man anderswo nicht kennt, deren Zubereitung, soll sie nicht mißlingen, die höchste Reinlichkeit erfordert; daher können diese Würste mit Appetit gegessen werden. Neben ihrer Schmackhaftigkeit, sind sie zugleich eine nicht theure Speise. Es werden auch Lungen=, Brat= und geräucherte Würste verfertigt, welche letztere selbst im Auslande eine ziemliche Celebrität erlangt haben; nebenbei handeln sie mit Schinken und anderen geräucherten Fleisch=Arten. Außer diesen, der Metzgerzunft einverleibten Wurstmachern giebt es eine Menge weiblicher Hände, welche sich mit Verfertigung verschiedener Wurstgattungen beschäftigen. Die Schweinmetzger verkaufen Blut= und Leberwürste. Salami, nebst andern Wurstwaaren und Schwartenmagen, werden hier gleichfalls nicht übel copirt; die, wenigstens dafür angepriesenen Original=Ausgaben, werden in den Kaufläden mehrerer Handelsleute ausgeboten.

Die Innung der hiesigen Metzger besteht aus 38 Bratmetzgern, 34 Rindmetzgern, 8 Schweinmetzgern, 3 Küttlern und 11 Wurstmachern. Die fremden Metzger können der Zahl nach nicht angegeben werden, denn sie kommen und bleiben aus, wie es ihnen gutdünkt, und machen es jenen fremden Bäckern nach, die, wie wir bereits erwähnt haben, zur Zeit des Ueberflusses hereinkommen, zur Zeit des wahren Bedürfnisses hingegen, wo weniger zu gewinnen ist, wohlweislich ausbleiben.

Käse kann man in den Spezereiläden und bei einigen Käsehändlern bekommen, welche diesen Genuß=Artikel in ihrer Behausung und in den Straßen in eigenen Ständen feil haben.

Weißes und braunes Bier brauen die hiesigen 98 Bierbräuer, welche sich rühmen, ihr Gebräude sey eine königliche Erfindung. Sie verehren nemlich den König Gam=

brianus von Flandern und Brabant als ihren Zunftgenossen, der wie ein Vers besagt:

„Zuerst das Bier erdacht
Und aus Gersten Malz gemacht"

habe.

Ein Bräuhaus führt sein Bild im Schilde, und den Namen: „Zum Bierkönig."

Schon im Jahr 1156 waren hier „tabernarii qui cerevisiam faciebant" vorhanden.

Im Jahr 1433 wurde aus eben so unbekannten als unbegreiflichen Gründen den Bierbräuern verboten, aus Gerste Bier zu brauen, sie durften blos Haber dazu nehmen. Dieses Haberbier wurde aber im Jahr 1550 bei Strafe der Confiskation gänzlich verboten. Schon damals wechselten die Verordnungen wie die Moden.

Vor alten Zeiten wurden auf dem Perlach die Woche zweimal Biermarkt gehalten, jedoch bald wieder abgestellt.

Es giebt Bierbrauer, welche blos weißes Bier sieden, andere brauen ausschlüssig braunes Bier und wenige sind Weiß- und Braunbier-Wirthe zugleich. Der Wein-Gastgeber zum weißen Roß hat vor Kurzem ein Privilegium erhalten, sogenanntes Augsburger Berliner-Bier verfertigen zu dürfen.

Die Bierbrauer-Gerechtsame sind gleichfalls Real-Gerechtigkeiten.

Unter den Bräuhäusern sieht man mitunter herrliche Gebäude. Alle führen ihre eigene Aushängschilde; und mehrere derselben sind zur Beherbergung für Fremde eingerichtet. Mehrere Braunbier-Wirthe besitzen auch sehr schön eingerichtete Sommerkeller, in den höher gelegenen Stadtheilen.

Das Sieden des braunen Biers kann nur im Spätherbst und Winter mit Erfolg vorgenommen werden, denn diese Verrichtung muß, da die Witterung auf ihr Gelingen einen wesentlichen Einfluß hat, mit Vorsicht betrieben werden.

Die königliche Regierung regulirt die Biertaxe für das Sommer- und Winterbier. Das weiße Gerstenbier unterliegt einer neuerlichen königlichen Verordnung zufolge keiner obrigkeitlichen Taxe mehr.

In Augsburg bezieht die Commune als einträgliche Revenue noch gegenwärtig den sogenannten Bierpfenning.

Das Augsburger Bier war von jeher berühmt, besonders wässert noch manchem sogenannten Bierbruder der Mund, gedenkt er an die herrlichen Sorten der ehemals hier gebrauten Klosterbiere. Gegenwärtig hat der Ruf des hiesigen Gebräudes gegen sonst, merklich abgenommen; in die Ursachen wollen wir jedoch nicht eingehen.

Es herrscht hier eine auffallende Verschiedenheit in Hinsicht der Beschaffenheit der Biere, welche bei der Einheit des Stoffes, aus welchen sie sämmtlich gebraut werden sollen, nicht herrschen sollte. Theuer genug ist jetzt das braune Bier, um durchaus gut seyn zu können. Die Maaß per fünf Kreuzer ist ein zu hoher Preis für die arbeitende Klasse, welcher nach des Tages Lasten und Mühen mit ihrer Familie, dieser theure Labetrank, den Manche flüßiges Brod nennen, ein unentbehrliches Nahrungsbedürfniß ist. In jenem Bierpreise ist der städtische Bierpfenning und der Aerarial-Aufschlag mitbegriffen.

Im Sudjahr vom Oktober 1828 bis 1829 wurden von den hiesigen Bierbräuern auf 86,414 Schaff Gerste zum braunen, und eine ansehnliche Quantität dieser Getraideart zum weißen, jetzt immer beliebter werdenden und gesündern Biere eingesotten.

Sehr viel Augsburger Bier geht auch auf das Land und in die Umgegend, dagegen will hier die Einfuhr der fremden Biere nicht recht gedeihen. Uebrigens befinden sich die Bierbräuer in einem sehr behaglichen Wohlstande, den ihnen jeder Vernünftige gewiß gerne gönnt; denn was kann erfreulicher und für den Staat selbst ersprießlicher seyn, als wenn unter den Gewerbsklassen sich eine gediegene Wohlhabenheit zeigt. In den Bräuhäusern werden den Gästen auch Speisen verabreicht. Dergleichen Gaumengenüsse giebt es auch in den Kaffeehäusern und auf den öffentlichen Plätzen in und außerhalb der Stadt, auf welchen wir bei den, den Vergnügungs-Anstalten gewidmeten Abschnitten zurückkommen werden. Mit edlem Rebensaft versorgen die Weinhändler und Weinschenken im Großen und Kleinen die Bewohner der Stadt Augsburg.

Es existiren hier 8 Weinhandlungen, 11 Gasthöfe und Gastgeber, welche Fremde logieren, und 16 Weinschenken. Die hier beliebten Weinsorten sind Neckar, Würzburger, Wertheimer, Markgräfler und die Reinbayerischen Weine, welche Letztere zum Theil außerordentlich wohlfeil ausgeschenkt werden.

In unsern Tagen besuchen sogar fremde Weinhändler die Jahr-Märkte, schenken dort die Maaß von einem

Gewächs, sieht aus wie Wein,
Ists aber nicht, man kann dabei nicht singen,
Dabei nicht fröhlich seyn,

in den Buden um 12 kr. aus, wo diese Pasquille auf das ächte Traubenblut, von Manchem gleich stante pede getrunken werden.

Die Branteweinbrenner besitzen hier gleichfalls reale Gerechtigkeiten. In Augsburg giebt es 24 solcher Brennereien, wo auch Schnapps Gläserweise, und weißes Bier in Flaschen ausgeschenkt wird.

Feine Liqueure bekommt man bei den Konditoren, in den Kaffeehäusern und in einigen dem Verkaufe von dergleichen Leckereien gewidmeten Läden. Gegenwärtig besitzt Augsburg sehr geschickte Zuckerbäcker. Der Konditor Hr. Königsberger, welcher auch das Buffet im Theater besorgt, macht die schönsten Arbeiten in diesem Fache, das nach und nach zum Gebiete der Kunst aufstrebt.

Die Niederlage des Herrn Konditor Rex, welcher auf

die Verfertigung der schönen, geschmackvollen Cartonage-Arbeiten ein Privilegium erhalten hat, ist mit den nieblichsten und schönsten Erzeugnissen von Zucker- und Tragant-Waaren, besonders zur Weihnachtszeit reich ausgestattet. Herr Konditor Burkhardt, welcher nach dem Vorbilde der in andern großen Städten bestehenden Schweizerbäckereien, Gebackenes aller Art neben seinen Konditorei-Artikeln abgiebt, reicht in seinem schön hergerichteten Laden den Liebhabern solcher Erfrischungen Punsch, Gefrornes u. dgl. Die Herren Schlundt und Prieser stehen keinem der Erwähnten an Geschmack und Nettigkeit in ihren Gewerbserzeugnissen nach. Schokolade erhält man unzubereitet in Tafeln bei den vier hier bestehenden Schokolade-Fabrikanten, aber auch in den Apotheken und in manchen Spezereiläden.

Die Zahl der hiesigen Kaffeehäuser beläuft sich seit dem Jahre 1717 auf sechs, auf welchen sämmtlich die Kaffeeschenk-Gerechtsame als Real-Gerechtigkeiten haften. Es sind folgende:

Das Abtische B. 241.
Das Bloßfeldische A. 24.
Das Däumlingische D. 258.
Das Friedrich'sche D. 252.
Das Gingele'sche D. 50.
Das König'sche D. 128.
Das Lutzische A. 4.
Das Oexle'sche D.

Dort bekommt man weißes und braunes Bier, was gegen das, in den Bräuhäusern ausgeschenkte, um einen Kreuzer per Maaß theurer bezahlt wird; auch warme Getränke, als Kaffee, Punsch, Glühwein u. s. w.

In neuern Zeiten erhielten die Kaffeetiers die Berechtigung die Gäste mit warmen Speisen zu bedienen. In einigen wird nach der Charte, in andern an der Wirthstafel gespeist.

Das Lutzische Kaffeehaus erfreut sich schon seiner angenehmen Lage, als auch der zahlreichen Tagsblätter wegen, welche hier zum Lesen bereit sind, bei seiner Geräumigkeit, hübschen Einrichtung und guten Bedienung eines zahlreichen Besuchs.

Sämmtliche Kaffeestuben sind im Erdgeschos, was für die Gäste sehr bequem ist. Hier finden Freunde vom Karten-, Billard-, Schach- und Damenspiele Gelegenheit, sich unter diesen Unterhaltungsweisen zu zwählen. In unsern Tagen haben alle Kaffeeschenken darnach getrachtet ihre Kaffeestuben, welche sonst zum Theile wahren Rauchhöhlen glichen, geräumiger herrichten und elegant dekoriren zu lassen. Ueberall wird man jetzt in diesen, gut, schnell und reinlich bedient.

Zu Mittag und Abends wird in den Gasthäusern, auch wohl in einigen Bräuhäusern gespeist; Augsburg zählt mehrere Traiteurs, Speisewirthe, Garköche, Kostgeberinnen. Man geht theils in diesen Kosthäusern zu Tische, theils kann man sich dort beliebige Gerichte, oder die Mittagskost holen lassen.

In neuern Zeiten hatte sich ein Italienerkeller, jedoch nur für kurze Zeit gebildet. In einer Stadt, wie Augsburg, wo man in allen Wirthshäusern billig und gut bedient wird, gedeihen dergleichen Neben-Restaurationen nur selten; in wenigen Jahren stehen sie gewöhnlich verödet und Gästeleer da.

Mit Verfertigung der welschen Nudeln oder Makaronen, beschäftigen sich hier ein paar Frauens-Personen.

Meth ist in Augsburg kein besonders beliebtes Getränk, Freunde dieses honigsüßen Saftes finden ihn bei den Wachsmachern, welche zum Theil auch zugleich Lebzeltner sind. Die vor Kurzem errichtet gewesenen Methschenken wurden mit keinem besondern Erfolg betrieben.

Schmalzgebackenes, nebst den hier sogenannten Küchlein sind die vorhandenen 14 Küchleinbäcker zu verfertigen berechtigt. In ihren sogenannten Küchelhütten erhalten ärmere Perso-

ärmere Personen um geringes Geld wohlfeile Suppen, gewöhnliche Backfische und andere Kost.

Das Salz wird auf der Maximiliansstraße am Freitage in größerer Quantität verkauft, im Kleinern aber von den Huckern feilgeboten.

Woher und durch welche künstlichen Vorrichtungen das Quellwasser in die Stadt geleitet werde, haben wir bei der Beschreibung der Brunnenthürme und ihrer Einrichtung gezeigt.

Kolonialwaaren, Tabak, Farbwaaren ꝛc. erhält man in den hier sogenannten Kauf- und Spezereiläden und bei den Krämern. Spezerei- und Farbwaaren-Handlungen giebt es hier 35, welche dergleichen Artikel theils im Großen verkaufen, theils in Pfunden und Lothen auswiegen; Spezerei-Krämer sind 42 vorhanden.

Mit alten Kleidern und Hausfahrnissen handeln die geschworenen Käufler und die sogenannten Erdkäuflerinnen. Die erstern, 24 an der Zahl, besitzen reale Käufler-Gerechtsame. Sie rufen bei den hier häufig vorkommenden Mobilien-Auktionen, die dort zum Kaufe bereitstehenden Hauseinrichtungs-Gegenstände aus, schlagen sie nach dem dritten Mehrgebote dem darauf Zuletztbietenden zu und erhalten dafür ihre Prozente.

Die 23 Erdkäuflerinnen erstehen und verkaufen minder werthvolle Gegenstände, besonders aber Kleidungsstücke und Küchengeräthe, und bieten diese an jedem Montage und Freitage auf einem eigenen Markte am obern Graben zum Verkaufe aus; die geschworenen Käufler hingegen haben größtentheils reich ausgestattete, offene Läden; sie besorgen auch den Ausruf der aus freier Hand zum Verkaufe ausgebotenen Häuser.

Zur Zeit der reichsstädtischen Verfassung war der Unschlitthandel ein Monopol für die Kommune, und die Metzger mußten dasselbe nach einem bestimmten Preise in den städtischen Unschlittstadel abliefern. Jetzt verkaufen die Metzger selbst an Jedermann ausgelassenes und rohes Unschlitt.

18

Gegossene und gezogene Kerzen erhält man bei den Lichterziehern, Hudern und einigen Seifensiedern, Wachslichter aber bei den Wachsarbeitern, bei welchen man auch zum Theil die schönsten Wachsarbeiten und sehr zierliche Wachsstöcke zum Kaufe erhält.

Der Wachsarbeiter Hr. Sieber hat bei öffentlichen Ausstellungen von Kunst- und Industrie-Erzeugnissen schon die herrlichsten Blumen-Gebilde aus Wachs dem Publikum vorgelegt; auch der Wachsbossirer Hr. Wiedemann verfertigt niedliche Kleinigkeiten aus diesem Stoffe; besonders betreibt er mit Glück die Nachahmung italienischer Wachsmasken zur Carnevalszeit, und bessert die beschädigten um billige Preise aus.

In Augsburg werden zwei Hauptmärkte oder Dulten im Jahre, an Ostern und Michaelis gehalten und auch von auswärtigen Kaufleuten besucht. Nach und nach werden sie mit neuen Buden ausgestattet, vor welchen sich ein bedeckter Gang hinzieht, unter dessem Schirm-Dach man bequem und trockenen Fußes hinwandelt. Der Dultplatz auf welchem die doppelte Buden-Reihe eben so langsam aufgeschlagen, als abgebrochen wird, zieht sich vom Polizei-Gebäude an, bis gegen St. Ulrich. — Zu dieser Zeit bieten im Weberhause die hiesigen, und vor demselben die fremden Schreiner, schönes und geringeres Schreinwerk feil. Die fremden und einheimischen Töpfer oder Hafner legen ihre glänzenden und zerbrechlichen Artikel auf dem obern Graben aus.

An Jakobi findet eine Art Dorf-Kirmse in der Jakobsstraße statt, wobei reichlich geschmaust und lustig getanzt wird.

Den Kindern ist der Christmarkt ein willkommener Vorbote heiß ersehnter Weihnachts-Spenden; ist dieser hier bei weitem nicht so glänzend, als in andern Städten, so jubeln ihm doch die Kleinen mit inniger Freude entgegen. Ehedem wurde mit Anschaffung von Kinderspielwerk in Augsburg wahrer Luxus getrieben, welches von hohem Werthe, mithin nur einmal theuer war, da es sich von Nachkommen auf Nachkommen fort vererbte und selbst dann noch immer einen Werth behielt. Dahin gehörten die vollständig eingerichteten sogenannten Dockenküchen, in welchen alle Geräthschaften aus dem nemlichen Material gearbeitet anzutreffen waren, aus welchem sie in den Herrschaftsküchen im Großen aufgestellt sind. Nebst diesen fand man hier große Schränke, welche viel Geld kosteten und im verjüngten Maaßstaabe die nemliche Eintheilung in Zimmer, Kammern, Gärten, Höfe, Stallungen und der sonstigen Gelasse großer Gebäude darstellten. Man nannte sie Dockenhäuser. Hier erblickte man Gesellschaftszimmer mit Nußbaum-Meubeln, Wochenstuben, Küchen, Kinderstuben, Gärten mit Fontainen, Geflügelhöfe, sammt allen nur denkbaren Hausfahrnissen en mignature; nicht selten war auch das Silbergeräthe von dem nemlichen edeln Metalle aufs Niedlichste nachgebildet und die Hausbewohner repräsentirten in der Hauskleidung, Wachspuppen. Durch diese Dockenschränke erhielt die Jugend schon frühzeitige Begriffe von der innern Einrichtung eines Hauses, und von ihrem Gebrauche; diesen Zweck erreichten die Eltern auch durch niedliche Bilder-Bücher, welche offenbar in der frühesten Jugend, wenn anders eine faßliche Erklärung der Gegenstände damit verbunden wird, sehr zweckmäßige Belehrungs- und Unterhaltungs-Behelfe sind. Jetzt entwöhnt man die Kinder frühzeitig vom Spielwerk und drängt sie, verkehrt genug, in den Erholungskreis der Erwachsenen.

---

e. Handel.

Ein ausführliches Gemälde der verschiedenen Epochen, welche in dem Bereiche des Augsburgischen Handels eingetreten sind, hier mitzutheilen, hieße die Gränzen des Planes zu dem gegenwärtigen Taschenbuche allzukühn überschreiten.

18*

Ueberall sind die merkantilischen Verhältnisse von den Bewegungen der Politik abhängig und an die politischen Schwankungen knüpfen sich gewöhnlich auch die merkantilischen an.

Die Gediegenheit der letztern Verhältnisse auf unserm Platze, hat sich durch ihr siegreiches Heraustreten aus den stürmischen Bewegungen der Zeit glänzend bewährt; mußten auch einige Häuser einer den Handelsstand ernstlich bedräuenden Katastrophe zum Opfer fallen, so erschütterte dieses die Grundfeste der Gesammtheit unseres Commerzes doch nicht im Mindesten. Noch immer funkelt das Diadem, welches Merkur unserer Augusta um die Schläfe wand, im lebhaften Glanze, und schirmend hält der in Augsburg von jeher hochverehrte Gott seinen Schlangenstab über ihrem Haupte, ihr einen ausgezeichneten Rang unter den deutschen Handelsstädten, den europäischen Wechselplätzen sichernd.

Wie allenthalben, so hat auch hier der Handel mit Staatspapieren sich auf eine hohe Stufe emporgeschwungen. Bayerische Obligationen und Lotterie-Anlehenslose, Oesterreichische Metalliques, Bankaktien, Rothschilder-Loose, sind das Loosungswort des gegenwärtigen Verkehrs. Wie sehr ein regeres Leben in diesem gar oft zum Hazardspiel gemißbrauchten Papierhandel die ehemaligen weltberühmten Wechselgeschäfte jetzt überbiete, dafür spricht die Vermehrung der ehemaligen 4 Wechselsensale bis auf 10, welche man füglicher Staatspapiersensale nennen könnte, deren sich mancher in seinen Sensarie-Emolumenten, welche 1% per Mille abwerfen, eines sehr namhaften, glänzenden Einkommens erfreut.

Mehrere Umstände vereinigen sich freilich, welche das Eigenthum von Staatspapieren und den Umsatz derselben, für manchen Kapitalisten sehr anziehend zu machen geeignet sind. Die Zinsen gehen richtig und regelmäßig ein, die Zins-Coupons können an jedem Geschäftsplatze erhoben, oder mit einem geringen Abzuge verwechselt und das Kapital selbst, unter den gegenwärtigen Konjunkturen leicht versilbert werden. Man kann dem Vermöglichen seinen Reichthum in Staatspapieren nicht mehr so leicht nachrechnen, sie unterliegen keiner Kapitalsteuer und können unter manchen Verhältnissen leicht verborgen und mit sich geführt werden. Reiche Leute sind im Stande ihr gesammtes Papier-Vermögen untern Arm zu nehmen, und können dann, wiewohl mit behaglicherer Miene als Bias sagen: omnia mea mecum porto!

Troß den seit zwei Jahren eingetretenen häufigen Kurs-Veränderungen und den aus denselben fließenden Differenzen, brach kein einziges Falliment, selbst nicht unter den Papier-Spekulanten zweiter und dritter Klasse aus. Diese wohlthuende Erscheinung bürgt dafür, daß unser Platz dem Rufe seiner alten Solidität noch immer ehrenvoll entspreche.

Der Handel mit Kolonialwaaren ist allenthalben in Deutschland, von seiner ehemaligen Höhe tief herunter gesunken; in Augsburg war derselbe nie von außerordentlicher Wichtigkeit und beschränkte sich, wegen der hohen Land-Fracht und dem jetzigen geringen Waarenwerth, meistens auf den örtlichen Absatz, auf den für die Umgegend und auf die hier ihre Vorräthe einkaufenden Handelsleute aus benachbarten Städtchen und vom Lande. Mit Offerten im Waarenhandel befassen sich hier zwei öffentliche Waarensensale.

Bei Beschreibung der alten Börse wurde bereits des Handlungs-Gremiums und der Mitgliederzahl, aus welchen dasselbe besteht, gedacht.

In wechselrechtlichen Streitigkeiten gilt noch als entscheidendes Statut die im Jahr 1778 erneuerte Wechselordnung; die Berufungs-Frist in Wechsel-Prozessen ist durch die Novelle gegen sonst, abgekürzt. Hat das Wechselgericht in erster Instanz entschieden und findet sich ein Theil beschwert, so entscheidet das Wechselappellations-Gericht für den Oberdonau-Kreis, welches hier gleichfalls seinen Sitz hat, in zweiter und letzter Instanz. Das Wechselgericht besteht aus dem Wechselrichter, 6 Assessoren und einem Aktuar, das königl. Wechsel-Appellationsgericht hingegen aus einem königl. Wechsel-Appellationsgerichts-Direktor, 3 Appellationsgerichts-Räthen, 3 funktionirenden Wechselgerichts-Assessoren vom Handelsstande und einem Appellationsgerichts-Sekretär.

Augsburg hat indeß kein eigentliches Merkantil-Gericht, welcher Mangel auf einem so wichtigen Handelsplatze eine oft sehr fühlbare Lücke bildet.

Eine Eigenthümlichkeit in den hiesigen Wechselgeschäften besteht darin, daß die Wechsel 14 Tage vor der Verfallzeit zur Annahme vorgewiesen werden müssen. Verfällt ein Wechsel gerade am Zahltage, dann springt die Zahlung auf den folgenden Zahltag hinüber. Außer diesem finden hier keine Wechsel-Respekttage statt.

Am Mittwoch Vormittag ist Scontro, an welchem die Kaufleute auf der Börse ihr Soll und ihr Haben gegen einander berechnen, zuweilen auch gegen den Dritten und Vierten kompensiren.

Nachmittags wird das, was beim Scontro nicht ausgeglichen werden kann, durch Anweisung oder per Cassa bezahlt. Fällt der Scontro- oder Zahltag auf einen gebotenen Feiertag, dann wird den Tag vorher Zahlung geleistet. In Fallimentsfällen kann derjenige, welcher beim Ausbruche eines hiesigen oder auswärtigen Banquerots Briefe oder Effekten von dem insolvent gewordenen Handelshause in Händen hat, seine Forderung damit ausgleichen. Dieses, schon durch unsere statutarischen Wechselgesetze bestimmt ausgesprochene Retentions-Recht, wurde von dem allerhöchsten königlichen Justiz-Ministerium nach dem Erscheinen der neuen Prioritäts-Ordnung bestätigt.

Ueber nicht acceptirte und nicht bezahlte Wechsel werden durch die Wechsel-Notarien, welche königl. Advokaten zugleich sind, Proteste ausgefertigt. Außerdem sind die Notariats-Beglaubigungen aufgehoben. Die Protestformulare sind mit dem Stempel des Handelsstandes versehen, für dessen Ausdruck per Stück 30 kr. bezahlt wird.

Ehedem wurde den Juden kein Domizil in der Stadt gestattet, nicht einmal übernachten durften sie in Augsburgs Mauern. Gegenwärtig haben wir hier Hebräer in Hülle und in Fülle, und mehrere jüdische Wechselhandlungen, welche auf einem hohen Fuße leben. Bei dem auserwählten Volke Gottes gleicht sich das ehemalige: „sic transit gloria mundi“ mit Riesenschritten aus.

In den verschiedenen Handlungszweigen sind in Augsburg folgende Handlungen zu finden:

Christliche Wechselhandlungen 15. — Jüdische Wechselhandlungen 4. — Außer diesen wohnen hier noch mehrere israelitische Handels- und Gewerbsleute, und Kriegshaber, Pfersee, Steppach u. s. w. versieht uns täglich mit einer Menge solcher ambulirenden Schachergenossen. — Bergwerksprodukten-Handlungen giebt es 1. — Eisenhandlungen 4. — Waarenhandlungen, welche italienische Seeprodukte zugleich führen 4. — Lederhandlungen 6. — Rauhwaaren-Handlungen 2. — Leinwandhandlungen 2. Leinwand verkaufen aber auch die sogenannten Brüchler, deren 15 an der Zahl sind. — Strumpfhandlungen haben wir 8. — Materialhandlungen 10. — Papier- und Schreibmaterialien-Handlungen 7. — Porzellainhandlungen 4. — Spezerei- und Farbwaaren-Handlungen 35. und Spezerei-Krämer 42. — Speditionshandlungen 1., wobei zu bemerken, daß Speditions- und Kommissions-Geschäfte von vielen andern Handlungen mit ihren übrigen Handlungs-Gegenständen verbunden werden. — Tuch-, Seide- und lange Waarenhandlungen 15. — Kotton-, Baumwolle- und Weberwaaren-Handlungen 7. — Uhren- und Galanteriewaaren-Handlungen 10. — Weinhandlungen 8.; zählt man indeß die mit Wein handelnden Gastwirthe, Schäffler und Weinschenken dazu, dann ist ihre Zahl ungleich größer.

Die Zahl der hiesigen Handlungen vermehrt sich im Ganzen eher, als daß er sie sich vermindern.

f. Manufakturen, Fabriken und Gewerbe.

Wenn es gleich nicht zu läugnen ist, daß hier zum Theil noch sehr schöne und geschmackvolle Erzeugnisse aus den hiesigen Manufakturen und Fabriken hervorgehen, so zeigt uns dennoch eine Vergleichung der frühern mit den jetzigen Zeiten, eine auffallende Verminderung, welche in Hinsicht der Anzahl dieser der Kunst und der Gewerbsthätigkeit gewidmeten Etablissements eintrat. Wie vielen tausend fleißigen Händen gaben nicht ehedem die Kattunfabriken Beschäftigung und reichlichen Verdienst. Seit dem Ableben des in den Augsburger Annalen in mehrseitigen Beziehungen merkwürdigen Joh. Heinrich Edlen v. Schüle, den das traurigste aller Geschicke traf, seinen ehemals so blühenden Wohlstand, man möchte beinahe sagen, seinen fürstlichen Reichthum überlebt zu haben, ist die Zahl von 9 Kattunfabriken, auf 3 zurückgegangen. Bei einer solchen auffallenden Erscheinung darf man sich über die bedeutende Anzahl der aus den milden Stiftungen Unterstützungs-Beiträge fordernden Hülfsbedürftigen, nicht wundern.

Unter den Kattunfabriken müssen wir die des Hrn. Forster (Firma: Schöppler & Hartmann) die v. Frölichsche und die Dingler'sche aufführen. Sie zeichnen sich durch Herstellung herrlicher Fabrikerzeugnisse rühmlichst aus, und ihre Produkte können an Trefflichkeit des Stoffes, an geschmackvollen Dessins, an Höhe und Dauer der Farben mit den Fabrikaten des Auslandes kühn in die Schranken treten. Die Forstersche Fabrik ist im Besitz kostspieliger Maschinen zum Walzendrucke. Der in dem Gebiete der Chemie und der Farben-Lehre rühmlichst bekannte Hr. Dr. v. Kurrer leitet dort, mit reichen Kenntnissen und Erfahrungen ausgestattet, diesen wichtigen Zweig der Kattunfabrikation. Als Dessinateurs haben diese Fabriken ausgezeichnete Künstler, welche die schönsten Muster ausführen, weshalb auch, nebst ihrem herrlichen Colorit, die industriellen Erzeugnisse dieser ausgebreiteten Etablissements so geschätzt und gesucht sind. In der Bildungsschule solcher Männer reifen nach dem wohl überdachten Plane der Eigenthümer, fähige Jünglinge zu geschickten Männern heran, welche den Ruhm dieser ausgezeichneten Fabriken stets auf der ehrenvollsten Stufe zu erhalten geeignet seyn werden.

Fabrikate aus Pflanzenstoffen liefern in Augsburg folgende Fabriken. Die Maschinen-Baumwoll-Spinnerei der Herren Gebrüder Heinle am mittlern Lech, und die von dem königl. Kämmerer Hrn. v. Paris auf dem untern Graben begründete, welche jetzt an Hrn. Frisch übergegangen ist.

Webermeister giebt es hier über 250, unter welchen sich mehrere durch Herstellung schöner Kottonaden, Siamoisen und Leinenzeuge auszeichnen. Die hier gefertigten Weberwaaren unterliegen einer Geschau, die Geschaumeister bezeichnen die geschauten Stücke mit dem Stadtwappen. Die Weber-Innung war sonst eine der ersten Innungen in Augsburg, und kam nach der Regiments-Ordnung, gleich nach den Kaufleuten. Ihre Anzahl belief sich in jenem goldenen Zeitalter auf nicht weniger, als dritthalbtausend Meister.

Vorzügliche Geschirre für Weber verfertigt ein eigener Blättersetzer.

An Leinwand- und Garn-Bleichen bestehen hier die Klauke- und Kramersche und die Weißbleiche des Herrn Sensal Amüller, nebst den chemischen Schnellbleichen des Hrn. Dr. Dingler und Hrn. Forsters.

Hübsches Leinzeug und ein Vorrath von Leinwand-Cilindern, hier Löden genannt, aufzuhäufen, ist das unausgesetzte Ziel des Bestrebens für unsere fleißigen Hausfrauen, welche es nicht unter ihrer Würde erachten, im Winter ihr

Spinnrädchen munter schnurren zu lassen. Es ist ein Festtag für diese emsigen Penelopen, begleitet von ihren, mit ungebleichter Leinwand beladenen Domestiken die Resultate ihres Fleißes, meist auf die untere Leinwand- und Garn-Bleiche zu tragen und bei der Endigung der Bleichzeit wieder abzuholen. Selten wird dabei der am Oblater-Thor gelegene Wurstgarten übergangen, in welchem die dienenden Lastträgerinnen ihre erschöpften Kräfte mit einem Labetrunk, wohl auch mit einem Würstchen (ehemals Bleichwürstle genannt) wieder auffrischen und stärken dürfen.

Die untere Weißbleiche im gemeinschaftlichen Eigenthume des evangelischen Armenkinderhauses und einer Wittfrau, gleicht mitten im Sommer, durch den Reichthum der dort ausgebreiteten Bleichwarren, einem Schneegefilde.

Die Maschinen-Schafwoll-Spinnerei der Herren v. Schüle und Vannoni liefern herrliches Gespinnst.

Baumwollen- und Leinfärber, welche hier in Schwarz- und Schönfärber, und Kunst- und Waidfärber abgetheilt sind, giebt es hier 15; Türkischroth-Färbereien 4 (worunter besonders die der HH. Tröltsch und Gscheidlen und die Zornsche), und Seiden-Färbereien zwei.

Die Papierfabriken der Herren Fabrikanten Nebinger und Loher liefern die schönsten gefärbten, gedruckten und gepreßten Papiere; Druck- und Schreibpapiere werden auf den Papiermühlen der HH. Ebner, Sieber und Stegmann fabriziert.

Die Blätter der Tabakspflanze wurden früher nur als Arznei-Mittel gebraucht, gegenwärtig sind sie aber zum allgemeinen Bedürfniß geworden, unerachtet ein Prediger aus Quedlinburg das Tabackrauchen als ein seelenverderbliches Wesen, als ein unmittelbares Werk des Satanas von der Kanzel herab verdächtig zu machen suchte.

Eine nach den zehn Geboten eingetheilte Berner Polizei-Verordnung setzte das Tabakrauchen und Schnupfen sogar unter die Rubrik: „Du sollst nicht Ehe brechen" und verbot dasselbe bei Strafe des Prangers und empfindlicher Geldbuße. Allein, ist die Gewohnheit zur andern Natur geworden, dann frägt sie nichts nach Gesetzen, welche aus einer finstern Epoche sich herschreiben.

Für Augsburg bleibt es besonders merkwürdig, daß von diesem in der zweiten Hälfte bekannt gewordenen Kraut, der Doktor Adolph del Occa, ein Sohn des Augsburgischen Stadtphysikus und Verfassers der siebzehnmal aufgelegten Augsburgischen Pharmacopöa, den ersten Tabaks-Saamen, der nach Deutschland kam, erhielt, und daß dieses nach und nach zu einer solchen Bedeutenheit gewordene Gewächs von hier aus verbreitet wurde.

Mit der Fabrikation des Rauch- und Schnupftabaks beschäftigen sich hier die Fabriken der HH. v. Lotzbeck, welche ehedem in dem v. Schüleschen Gebäude vor dem rothen Thor bestand, jetzt aber auf der ehemaligen Eberhardischen Sägmühle und in den v. Lotzbeck'schen Häusern in der St. Annagasse betrieben wird. Der Hr. Tabak-Fabrikant Schmidt hat in den neuesten Zeiten ein königl. Privilegium auf die Bereitung einer eigenen, unter der Benennung Cumana bekannt gewordene Rauchtabak-Sorte erhalten. Außer diesen verfertigen die Herren de Crignis, Samassa, J. Jakob Wirth, sehr preiswürdige Gattungen von Rauch- und Schnupftabak.

Der Gewerbsstand zählt hier in allen seinen Zweigen geschickte Meister.

Unter den hiesigen 53 Schreinern liefern viele die schönsten, geschmackvollsten Meubles auf Bestellungen sowohl, als auf den Verkauf in einem von ihnen errichteten Meubel-Magazin, ein solches hält auch der Tapezier, Hr. Franz Jos. Glocker.

Die hier gefertigten Drechslerarbeiten sind gleichfalls recht hübsch; neun Drechslermeister beschäftigen sich mit diesen.

Tapezler=Arbeiten liefern die in Augsburg bestehenden 4 Tapezier= und 3 Taschenmacher=Meister.

Wagnermeister giebt es in Augsburg 7, welche sowohl geschmackvolle Staats= und bequeme Reisewägen, aber auch alle Arten von gewöhnlichen Wagnerarbeiten herstellen. Schon früher bestand hier eine Wagenfabrik, welche bald wieder eingegangen ist, eine neue Konzession zu Errichtung einer solchen, wurde dem Wagnermeister Ottmann ertheilt.

Oelmühlen giebt es hier 2, Sägmühlen 5, und Gewürzmühlen zwei.

Unter den Laboratorien und Fabriken zur Erzeugung chemischer Fabrikate zeichnet sich die chemische Fabrik des Herrn Dr. Dingler, mit ihren Dampf= und Gasbeleuchtungs=Apparaten, dann die des Hrn. Joh. Thomas Strauch G. 113 aus. Die Schwefelsäure=Fabrik entstand erst in der neuern Zeit, nach mannichfaltigen sauren Kämpfen, welche die Unternehmer mit der Nachbarschaft zu bestehen hatten, vor dem Klinkerthor.

Die Balsam= und Essenz=Fabrik der HH. v. Kiesow, J. C. Reblinger & Comp. und Schauer Kasp. seel. Erben, Schauer Dan. Wittwe, Karl Stiehle, ehemals Schäfer, erfreuen sich eines sehr reichlichen Absatzes ihrer Fabrikate in das Ausland.

Parfüms und wohlriechende Wasser und Essige werden in der Blum'schen Fabrik, Fruchtessig aber von den Herren Volk, Graß und Adam bereitet.

Siegellack=Fabrikanten sind die Herren Rebinger und Schwegerle.

Unter den Werkstätten und Fabriken, welchen das Mineralreich die Stoffe zur Veredlung liefert, müssen wir 15 Hafnermeister, welche zum Theil sehr schöne Arbeiten, als Oefen und Geschirre liefern, aufführen; die Hafnermeister Meischel und Wolf fertigen bronzirte Figuren; Letzterer hat auch eine unschädliche Glasur für Geschirre erfunden.

Eine Bleiweiß-Fabrik ist in dem benachbarten Göggingen, und eine Steingut-Fabrik auf dem entfernten v. Höslin'schen Gute Louisenruh bei Aynstätten begründet.

Sehr sehenswürdig sind die schönen Eisenhammerwerke der Herren Kirchmair, Woydt und Max Mayer, auf welchem letzteren die sehr sinnreichen Vorrichtungen zum Eisenstrecken und Walzen, eine äußerst zweckmäßige Eisendrechselbank und die Schraubenmaschine, so wie das neu eingerichtete Cilindergebläse ihrem Begründer zur großen Ehre gereichen.

Der Preßwerk- und Windenmacher, Hr. Geuß, ist in seinem Fache ein ausgezeichneter Meister von eigenem Erfindungsgeiste, und berühmt sind die Arbeiten der hiesigen 8 Messerschmiede, der 9 Zirkelschmiede oder Geschmeidmachermeister. Schöne Zinnarbeiten werden von den 6 Zinngießern, hergestellt; 21 Schlossermeister; 10 Nagelschmiede, 5 Feilenhauer, 11 Hufschmiede arbeiten in Eisen; 10 Kupferschmiede verfertigen die großen und kleinern kupfernen Gefäße.

Die Büchsenmacher Fiedler und Mond liefern die schönsten Gewehre und unter diesen die neuerfundenen Percussionsflinten, welche mit chemischem Feuer losgebraunt werden.

Unter der Leitung des königlichen Kanonen- und Stückgießers Hrn. Reißer herrscht in der, unter der Firma: Ducrue und Schmidt begründeten Messing-, Tomback-, Kupfer- und Zinkfabrik, (jetzt Firma: J. A. Beck & Comp.) mit den damit verbundenen Streck- und Walzwerken, deren Besitzer in den neuern Zeiten ein allerhöchstes königl. Privilegium auf die verbesserte Herrichtung der Holzschrauben erlangt haben, eine außerordentliche Thätigkeit. Zu den bedeutendern Gewerben gehören die Kupferhämmer der Herren Christeiner und Käbitz.

Fünf Stahlarbeiter und Uhrfedernfabrikanten liefern zum Theil den englischen Stahl, die Uhr- und Schlagfedern von einer ganz vorzüglichen Güte.

Als Glockengießer und Glöckleingießer verdienen die Herren Beck, Zeilinger, Bachter und Hubinger mit

Auszeichnung genannt zu werden. Kreutzlengießer giebt es hier vier.

Die HH. Vielhuber, Gradmann, Rieser, Wiesmayr haben es in der Gürtler=Arbeit sehr weit gebracht.

Als Spenglermeister, welche sich zugleich mit Verfertigung der Blitzableiter befassen, stehen die Herren Gerlach, Gerhäußer, Müller, Steichele, Vollhard, Rebl und Carius der Sohn, welcher aus Blech Figuren und Gruppen herstellt, in einem ehrenvollen Rufe.

Mit dem Schleifen und Schneiden der Diamanten und der gefärbten Edelsteine beschäftigen sich die Herren Alschner und Weindel, welche es darinn zu einem hohen Grade der Kunstvollkommenheit gebracht haben.

Die in Augsburg gefertigten Silberarbeiten sind noch immer sehr geschätzt. An vielen Höfen prangte das hier verfertigte Silbergeschirr auf den Tafeln der gekrönten Häupter. Man nannte vor Zeiten die Verfertiger massiver Silbergeräthe: Goldschmiede, und manche von ihnen haben ehedem in der sogenannten getriebenen= oder Ponzen=Arbeit im Ciseliren und Stechen auf die Silberfläche, einen hohen Grad von Kunstfertigkeit erreicht. Die schönsten Gruppen und Zeichnungen, von Figuren, Blumen, Thieren u. s. w. giengen sonst aus den Werkstätten der Augsburger Silberarbeiter hervor. Ein in diesem Fache äußerst berühmter Künstler, Hans Lenkert hat vor Zeiten die Steinigung des heil. Stephans herrlich, und so genau in getriebener Silberarbeit verfertigt, daß die Falten des Gewandes, ja selbst der Stoff der Kleidung, welche dieser Märtyrer in jenem entsetzlichen Momente trug, mit dem höchsten Fleiße dargestellt waren. Im 15ten Jahrhundert war es gewöhnlich, sich in Silber porträtiren zu lassen, und schon im 16ten Säculo hatten die Augsburger Silberstücke im Auslande eine solche Berühmtheit, daß Jeder, der etwas Vorzügliches von Silber=Arbeit zu besitzen wünschte, es hier bestellte; selbst die auf den Kunst= und Gewerbefleiß ihrer Insel stolzen Britten, räumten den Augsburger Silberarbeitern den Vorzug vor ihren englischen Gewerbs-Verwandten ein.

Ein gewisser Heinrich Manlich verfertigte i. J. 1713 ein großes, 600 Mk. schweres, silbernes Altarblatt für den Churfürsten von der Pfalz. Es war nach Düsseldorf bestimmt und enthielt das lebensgroße Bild des heil. Hubertus, dessen Gesicht das Portrait des Churfürsten darstellte; auch der darauf befindliche Hirsch war von natürlicher Größe, und die Jäger mit ihren Hunden, die Bäume und Gesträuche getreue Nachbildungen der Natur. Der nemliche Künstler bearbeitete für den Churfürsten Maximilian Emanuel ein goldenes Kaffeeservice mit den Bildnissen des durchlauchtigsten Bestellers.

Aus Johann Ludwig Bühlers kunstreichen Händen gieng die künstliche Arbeit an einem nach Berlin bestimmten Tafelservice nach des berühmten Thiermalers Jak. Elias Ridingers Erfindung und Zeichnung hervor; der nemliche Silberarbeiter verfertigte auch ein, mit Darstellungen aus der Geschichte des Churbayerschen Hofes geschmücktes Goldservice mit 2 Podoglien und ein nicht minder herrliches Silberservice, welches der kaiserliche Hof als Geschenk für den türkischen Kaiser bestimmt hatte.

Selbst Künstlerinnen gab es in diesem Fache, eine gewisse Reinhardin zeichnete sich durch sehr schöne Filigran-Arbeiten aus.

Die hiesige Silberprobe ist 13 Loth die feine Mark. Ein beeidigter Zeichenmeister, der zugleich Silberarbeiter ist, schlägt mittelst eines Stempels die Augsburger Silberprobe auf die hier gefertigten Silberarbeiten, das Augsburger Stadtwappen nemlich, nebst dem Zeichen und der Namens-Chiffer des Meisters. Unter den Silberarbeitern sind die schönen Silberwaaren der Herren Brugglocher, Kröner, Christian Neuß, Rollwagen und Anderer sehr geschätzt.

Im schönsten Silber- und Goldglanz strahlen die Silberniederlagen der HH. Seethaler & Sohn, und Röder. Beide haben auch äußerst kostbare Schmucksachen und Bijouterie-Waaren. Hier ist ein Vereinigungspunkt von den herrlichsten, geschmackvollsten Arbeiten aus diesen edlen werthvollen Metallen. Der Erstere besitzt auch eine Argentan-Fabrik. Die schön gearbeitete, massive Equester-Statue des Fürsten Wrede, welche die Augsburger Kaufmannschaft, dem Feldmarschall in Ellingen zu überreichen die Ehre hatte, wurde hier gefertigt, und von Hrn. Seethaler besorgt.

Die Goldarbeiter sind vorzüglich in der Fassung des kostbaren Geschmeides berühmt, in welchen Arbeiten die Herren Gemmer, Fichtel, Gündorfer, Priefer, Ridinger, Wickh und Andere, sich sehr hervorgethan haben.

Die Goldarbeiter, Silberarbeiter und Uhrgehäusmacher bilden hier ein vereintes Gewerbe, das 42 Genossen zählt. Herr Sebald liefert sehr schöne getriebene Silberarbeiten.

Es besteht hier auch ein eigener Silberhammer, und sehenswerth ist die Manipulation in der sogenannten Grätzmühle, wodurch der sich in den Attelieren der Silber- und Goldarbeiter ergebende Abfall aus dem Schmutze und Staube, mit welchem sich diese edlen Metalle vermischt haben, so wie das Gold und Silber, welche beim Schmelzen sich in die Schlacken und in die Tiegel eingezogen, mittelst des Quecksilbers durch Amalgamation gereinigt und wieder gewonnen wird.

In Augsburg giebt es auch Silberstecher und Glanzschneider in Gold und Galanteriewaaren.

Mit dem Scheiden des Goldes und des Silbers beschäftigen sich die Herren Schneider und Stippelder.

Unter den Gold- und Silbertressen-Fabrikanten behaupten die Fabriken der Herren v. Gutermann, Gscheidle und Stocker ihren schon früher erworbenen ehrenvollen Rang.

Goldschlager giebt es in Augsburg 6; Gold und Silberdrahtzieher aber 3.

Blei-

Bleibüchsenmacher für die Herren Tabackfabrikanten sind die Herren Deschler und Neumayr.

Noch verdient die Zundel- oder Feuerschwamm-Fabrik des Hrn. Lutz angeführt zu werden.

Von den Manufakturen, Fabriken und den vorzüglichsten Gewerben, welche sich mit Verarbeitung der animalischen Stoffe beschäftigen, sind folgende merkwürdig. Die Fischbeinfabrik unter der Firma Michael Dellefant.

Die Wachsbleichen der Herren Gebrüder Münch und Sieber. Eine Wachstuch-Fabrik besitzt Herr Stoib.

Zwei Seidenweber, 2 Seidenfärber beschäftigen sich mit den Fabrikaten aus dem Gespinnste der Seidenraupen.

In Augsburg giebt es 20 Bortenmacher und Posamentierer, von welchen einige sehr schöne, künstliche Arbeiten in Haaren verfertigen; ferner 4 Regenschirm-Fabrikanten, 7 Lodweber, 2 Tuchmacher, 4 Tuchscheerer, 7 Hutmacher, 1 Fabrikanten lakirter Leder, 2 Pergamentmacher. Das Augsburger Pergament war stets ein sehr gesuchter und geschätzter Artikel. Napoleons Staatskanzlei bediente sich desselben, und der Kaiser selbst trug welches in der Brieftasche; vielleicht entschied er Augsburgs Schicksal auf einem Blättchen Augsburger Pergament. Ferner sind hier: 12 Rothgerber, 8 Weißgerber, 6 Bürstenbinder, 2 Saitenmacher, 7 Beinringler, 11 Kirschner, unter welchen die Herren Leu und Hartenkeil einen ausgebreiteten Rauchwaarenhandel treiben, und 11 Kammmacher.

Daß es an Schuhmacher- und Schneidermeistern nicht fehlt, versteht sich von selbst. Unter den Letzteren hat Hr. Niedergesees eine Kleider-Zuschneidmaschine erfunden, und ein Werk angekündigt, in welchem das Ganze der Schneiderei in ein System gebracht werden soll.

Die Innungen in Augsburg haben ihre eigenen Herbergen.

---

d. Verfassung.

Die Regiments-Verfassung der Stadt Augsburg hat einen mannichfaltigen Wechsel erfahren. Es dürfte nicht uninteressant seyn, etwas weiter auszuholen, um hier einen Ueberblick über diese Veränderungs-Epochen zu erhalten.

Unter römischer Oberherrschaft wurden die Bewohner Vindelicas nach den Gesetzen der Römer regiert und gerichtet. Wann und wie sich aber die Verfassung unserer Vaterstadt selbstständiger zu bilden begann, darüber müssen um so mehr die genauern Aufschlüsse fehlen, als in den bereits geschilderten, sich immer wiederholenden Zerstörungs-Perioden die wichtigsten Urkunden den Flammen Preis gegeben wurden.

So viel scheint indeß gewiß, daß die neuere Gestaltung der städtischen Regierungsform, in die nach der Völkerwanderung begonnene Periode fällt, in welcher nach und nach sich die deutschen Angelegenheiten geregelter gestalteten. In diesem Zeitraume dürften auch die ersten Spuren der ehemaligen reichsstädtischen Verfassung unserer Augusta zu suchen seyn, welche schon damals den deutschen Königen und Kaisern als ihren Schutzherren huldigte.

Ein Burggraf war zugleich der Obrist im Kriege und der höchste Richter in bürgerlichen und peinlichen Fällen; er gebot als Befehlshaber über die Wehrmannen der Stadt, und schlichtete privatrechtliche Zwiste. In Augsburg selbst residirte ein kaiserlicher Vogt als Stellvertreter des Reichsoberhauptes, welcher sich im höchsten Ansehen zu behaupten wußte.

Im Besitze nicht minder ausgezeichneter Vorzüge waren die Bischöfe, welche sich als die Herren von Augsburg betrachteten, und als solche ihre Rechte geltend zu machen suchten.

Mächtige Geschlechter erblühten, dem Gewerbsfleiße wuchsen kräftigere Schwingen, die Bevölkerung nahm, mit dem regen Leben, das sich in der erhöhten Gewerbsthätigkeit aussprach, zu, und die Gemeinde, sich immer mehr ausdehnend, gewann an Wohlhabenheit wie an Selbstständigkeit und an Vertrauen auf die eigne innere Kraft.

Mit dem behaglichen Bewußtseyn, eines sich erweiternden Wohlstandes, zog in die Brust unserer Altvordern ein gewisses stolzes Selbstgefühl ein; die Bande des Gemeinsinnes umfaßten verhältnißmäßig alle Stände und lenkten ihren Sinn auf das, was dem Staatsbürger zunächst am Herzen liegen muß, auf das allgemeine Beste. Ihrer eigenen Kraft sich bewußt, sträubten sie sich gegen jeden fremden Einfluß rc.; ihr Losungswort war Unabhängigkeit.

Der Magistrat, oder die damals sogenannten Rathgeben, wurden aus den alten Bürgern mit Schild und Helm, (so nannte man damals die Adelichen) gewählt. Mit dem Zunehmen der Volksmenge, stieg das Ansehen des Senats, sank die Macht der Vögte, um welche kaiserliche Freiheitsbriefe immer engere Gränzen zogen. Die Väter der Stadt, widmeten dem Emporblühen der Handlung, dem gedeihlichen Fortschreiten der Gewerbsthätigkeit ihr Hauptaugenmerk; dadurch erwarben sie sich den schönen, ehrenvollen Lohn, ihre Verwaltung weise, ihr Regiment gesegnet genannt zu hören.

So wuchs der Wohlstand unter der Bürgerschaft immer mehr und mehr, und mit der Zunahme des Vermögens, mit der Erweiterung der Besitzthümer, steigerte sich der Muth, der, beschränken ihn nicht die Grundsätze der Bildung, der Klugheit und Mäßigung, nur zu leicht in Uebermuth ausartet.

Das letztere traf unter dem Handwerksstande wirklich ein, die Glieder desselben überschätzten ihre eigenen Kräfte und Einsichten und dachten sich das Herrschen als eine äußerst angenehme und leichte Sache; dieser Sinn breitete seine Wurzeln immer mehr und mehr aus, und schoß zu dem üppigen, in der Folge nicht mehr geheimgehaltenen Wunsche empor, mit Antheil an der Stadt-Regierung nehmen zu dürfen.

Unverkennbare Vorboten dieses Strebens der Gewerbs-

19*

stände nach den Zügeln der Stadtregierung, zeigten sich schon in dem Jahre 1302. Doch scheiterten die ersten noch schüchternen Versuche an der Festigkeit des Rathes und an seinen durchgreifenden Maaßregeln. Zu sehr hatte sich aber dieser Freiheitssinn der Gemüther bemächtigt, heimliche Zusammenkünfte wurden verabredet, und in der St. Jakobskirche gehalten, aber auch entdeckt, und jene regimentssüchtigen Jakobiner, mit 10jähriger Verbannung aus dem Weichbilde der Stadt bedroht. Durch solche Drohungen wurde jedoch der Gährungsstoff in den Herzen der nach Herrschaft lüsternen Gemeinen nicht gedämpft, er durchbrach vielmehr am 21. Oktober des Jahres 1368 gleich dem verhaltenen Grimme eines Vulkans, alle Schranken.

Ein Bäcker, ein Kürschner, ein Metzger, ein Schreiber und ein Bräuer bildeten eine eigene Deputation. Zum Sprecher hatte sich der damals sogenannte witzige Weber Hans Weiß aufgeworfen. Während die übrigen Handwerker in voller Rüstung die Thore und das Rathhaus, damit angeblich Alles ordentlich zugehen möge, besetzt hielten, traten jene Repräsentanten der Gemeinen vor den versammelten Rath.

Ihr Verlangen bezielte nichts Geringeres, als daß dieser die Regierung niederlegen und der Gemeinde übertragen, zugleich aber auch die Schlüssel zur Sturmglocke, zur Schatzkammer, zum Rathhause, nebst dem Insiegel und dem Stadtbuche ausliefern solle.

Unvorbereitet auf den Ausbruch dieser Volks-Bewegung und durch diese überlegene Gewalt überrascht, mußten die Senatoren nachgeben, und das Zunftregiment hatte sich faktisch konstituirt.

Ehe zur Rathswahl geschritten wurde, mußten sich alle Bürger, mit Ausnahme der Schild- und Helmfähigen, in Zünfte vereinigen; aus den Adelichen, welche von dieser Zeit an Geschlechter hießen, und aus den Zünften, wurde der neue Senat gewählt, und nach manchen beträchtlichen Geld=opfern, die Bestätigung Kaiser Karls IV. für das Zunftregiment erworben.

Diese Regiments=Umwälzung ward ohne Schwerdtstreich und Blutvergießen, gleichsam im Fluge vollendet, doch manche verdrießlichen Folgen und Unannehmlichkeiten blieben nicht aus. Viele darüber mißvergnügte Patricier verließen die Stadt, traten auf die Seite der gegen sie feindlich gesinnten Adelichen, und veranlaßten von Außen her mancherley Befehdungen. Im Innern Augustas hingegen ging aus dieser Umwandlung anfänglich manches Ersprießliche und Nützliche hervor; später aber erhoben mehrfältige, durch diese Usurpation erzeugten Mißbräuche ihr Schlangenhaupt.

Gewaltig übernahmen sich mehrere Zunftmeister in ihrer Amtsführung und überschritten bey weitem die Gränzen ihrer eigentlichen Sphäre. Es wurde allzusichtbar, daß die Verbindung der Axt mit der Feder, der Handwerks=Satzungen mit der Regimentsordnung, keine so leichte und geringfügige Sache, ja daß es weit leichter sey, ein oft nur vermeintliches, selbst ein entschiedenes Mißgeschick zu beherrschen, als sich auf der Höhe des Glücks ohne schwindlich zu werden, zu erhalten.

Lehrreich in dieser Hinsicht ist das warnende Beyspiel, welches die Stadtgeschichte in der Begebenheit des berüchtigten Bürgermeisters Schwarz aufgestellt hat. Durch Ränke aller Art wußte er es dahin zu bringen, daß siebenmal auf ihn die Wahl zum Consul fallen mußte, ohnerachtet diese Würde, nach den Fundamental=Normen, alljährlich wechseln sollte.

Die schändlichsten von ihm begangenen Verbrechen gehörten zur Tages=Ordnung seines Consulats; auf seinen Wink fiel des Henkers Beil, auf dem Fischmarkte, auf den Nacken des durchaus unschuldigen, biedern, allgemein geschätzten Brüderpaars, Vittel, deren Hinrichtungstag ein Tag der allgemeinen Trauer war, und zu deren Rettung das kaiser=

liche Schreiben wenige Stunden zu spät anlangte. Ihre Leichname wurden auf die ehrenvollste Weise, in der Dominikaner Klosterkirche beerdigt und ihre Gebeine sollen bey der Säkularisation des benannten Klosters, im Jahre 1807, dort aufgefunden worden seyn.

Doch bald erreichte nach jener blutigen Catastrophe die furchtbare Nemesis den verabscheuten, nirgends geliebten städtischen Tyrannen, die Vorhersagung des ältern Bittel bey seiner Ausführung zum Schaffot, nach welcher er seinem Mörder, als einem Erzdiebe, sein schmähliches Ende, durch den Strang binnen Jahresfrist prophezeihte, pünktlich erfüllend. Die von ihm ohne Maaß und Ziel begangenen Uebelthaten beschleunigten seine in der Mitte des versammelten Senats, durch den Stadtvogt vollzogene Verhaftung, und nachdem er auf der Folter die höchsten Schändlichkeiten, Mord, Raub, Erpressungen und Entwendungen einbekannt hatte, mußte er mit seinem Spießgesellen, dem Bäckerzunftmeister Joh. Tagelang im Sammtkleide, und mit dem mit Perlen besetzten Barett, einer Hauptzierde, welche er sich den Patriziern zum Trotz, denen sie eigentlich gebührte, angemaaßt hatte, zu eben demselben Galgen, den er kurz vorher, doch gewiß nicht als sein eigenes Memento mori, hatte ausbessern lassen, wandern. Er ging dem Tode nicht mit der Standhaftigkeit, mit welcher ihm die Bittel im Bewußtseyn ihrer Unschuld, ohne Zittern ins Auge blickten, entgegen. Sein ängstliches Winseln, sein feiges Beben und Zagen, verließ ihn bis zum letzten Augenblicke nicht, denn:

Das Leben ist das einz'ge Gut des Schlechten.

In Karl V. Seele reifte schon länger der Entschluß, das zünftische Regiment abzuschaffen. Die Augsburger Patrizier übergaben eine Vorstellung, in welcher sie die Herrschaft der Handwerker als die Quelle alles Unheils schilderten. Diese Eingabe mag die Ausführung des kaiserlichen Vorhabens befördert haben, denn die Aufhebung des Zunftregiments erfolgte am 3. August 1548.

Es wurden zwei Stadtpfleger, 5 geheime Räthe, 6 Bürgermeister mit alternirender Amtsführung, im Ganzen ein aus 41 Gliedern bestehender Magistrat erwählt; die Zunfthäuser, mit Ausnahme der den Webern, Bäckern und Metzgern gehörigen, geschlossen, die Zunftbücher und Register zum Verbrennen abgefordert, und nebst diesen mußten die Insiegel, Schlüssel, Briefe und die Kanzley an den neuerwählten Rath überliefert werden.

Eine neue Regiments Periode begann für Augsburg, mit dem Erscheinen des Churfürsten Moritz von Sachsen am 1. April 1552, zur Zeit des zwischen diesem und Kaiser Karl V. ausgebrochenen Krieges.

Augsburg ergab sich dem Churfürsten bedingungsweise und für eine kurze Zeit kam das Zunftregiment durch die Einsetzung eines aus 15 Patriziern und 15 Zunftgenossen, gebildeten Magistrats wieder zum Vorschein.

Diese Herrlichkeit verschwand aber schon wieder im Monat August des nemlichen Jahres, in welchem die Zunftherrn den Geschlechtern Platz machen mußten. Diese verwalteten sodann das Gemeindewesen bis zum Ausbruche des 30jährigen Krieges.

Nach dem westphälischen Frieden erfolgte unter vielseitigen, sehr heftigen Debatten, die Wahl eines paritätischen Magistrats. Bey dieser wurde der Senat, das Stadtgericht, alle Aemter und Stadt-Dienste, zur Hälfte mit Katholiken, zur Hälfte mit Protestanten besetzt.

So blieb es bis zum Jahre 1806, dem Sterbe-Jahr von Augsburgs reichsstädtischer Verfassung, in welchem die Stadt mit ihrem Gebiete Bayerns erhabenem Königsscepter unterworfen wurde.

Bereits vergoß Augusta heiße Thränen am Sarkophage Maximilian Josephs, des Titus seiner Zeit. Jetzt verehren ihre Bewohner, den allgeliebten König Ludwig mit unvertilgbarer Treue und Anhänglichkeit, und Augusta hofft, von dem Gerechten und Beharrlichen, der die väterliche Krone mit den beglückenden Tugenden seines erhabenen Vorfahren erbte, von seiner Huld und Weisheit, er werde das schöne Sinnbild verwirklichen, das bei der Anwesenheit des höchstseligen Vaters, im herrlich beleuchteten Tempel strahlte, und der zu ihm flehenden Augusta die trostreichen Worte zurufen: Augusta resurges!

Nach der am 3ten März 1806 erfolgten feyerlichen Besitznahme, dauerte die ältere Einrichtung noch bis zum 1. Juli fort. Dann aber gestaltete sich diese nach den Bestimmungen des im Jahre 1804 für die ehemaligen Reichsstände in der bayerschen Provinz Schwaben, ergangenen Organisations-Patentes. Ein einstweiliger Verwaltungsrath wurde, nach Ausscheidung der Justiz und Polizeypflege, ernannt, so wie ein provisorisches Stadt- und Wechselgericht, nebst einer Polizey-Direktion eingesetzt.

Bey der später erfolgten Eintheilung des Königreichs Bayern in 15 Kreise, erhielt Augsburg die ehrenvolle Auszeichnung zum Sitz des Generalskommissariats und der Finanz-Direktion des Lechkreises bestimmt zu werden. Ein königliche Verordnung vom 20. Febr. 1817 theilte jedoch den bayerschen Staat in 8 Kreise ein. Jeder dieser Kreise erhielt eine in 2 Kammern, in die Kammer des Innern, und in die Kammer der Finanzen abgetheilte Verwaltungsstelle, deren Gesammtheit die Kreisregierung bildet und Augsburg blieb der Sitz der königl. Regierung für den Oberdonaukreis.

Eine höchst merkwürdige Epoche für ganz Bayern, und mithin auch für Augsburg, begann mit dem 26. May 1818, an welchem unvergeßlichen Tage, Maximilian Joseph sein treues Volk mit dem köstlichen Geschenk einer auf Volks-Vertretung beruhenden Konstitution beglückte; ihr voran ging das weise Gesetz des Gemeindewesens, und so wurde für

Bayern unwiderruflich die konstitutionell=monarchische Regierung begründet.

Der feierliche Schwur auf die Verfassungs=Urkunde wurde geleistet, und gleich nachher begannen die vorbereitenden Arbeiten für die Magistratswahlen.

Die höchste Behörde in Augsburg ist die Königl. Regierung für den Oberdonau=Kreis, in deren Bereich die Leitung aller öffentlichen Angelegenheiten des Kreises liegt. Königlicher General=Kommissär und Kreis=Regierungs=Präsident ist gegenwärtig Se. Durchlaucht der Herr Fürst Crato Carl Otto von Oettingen=Oettingen=Wallerstein, Sr. Königl. Majestät von Bayern Kron=Ober=Hofmeister, Reichsrath des Königreiches Bayern, General=Major und Kommandant der Landwehr des Rezat= und Oberdonau=Kreises, fürstl. Ritter des Königl. Bayerischen St. Hubertus=Ordens, Großkreuz des Civilverdienst=Ordens der bayerischen Krone, des Königl. Würtembergischen großen goldenen Adler=Ordens und des großherzoglich=Baden'schen Ordens der Treue.

Die Kammer des Innern ist aus einem Regierungs=Direktor, 6 Regierungsräthen, 2 Registratoren, 3 Rechnungs=Kommissären und die Kammer der Finanzen, aus einem Regierungs=Direktor, 6 Regierungs=Räthen, 2 Kreis=Forst=Inspektoren, einem Fiskal=Adjunkt, einem Regierungs=Assessor und 2 Registratoren, und 8 Rechnungs=Kommissären zusammengesetzt. Damit verbunden ist das Wasser=, Brücken= und Straßenbau=Büreau und die Kreis=Forst=Buchhaltung, die Königl. Kreiskassa, das Königl. Oberaufschlagamt, die Kreis=Land=Bau=, und die Lokal=Bau=Inspektion, die Wasser=, Brücken= und Straßenbau=Inspektion Augsburg, welcher die gehörigen Werk= und Wegmeister beigegeben sind, in welchen Inspektions=Bezirk die Stadt Augsburg und die Landgerichte Göggingen, Schwabmünchen, Zusmarshausen, Friedberg, Buchloe, Türkheim, Mindelheim, Kaufbeuren, Aichach, Schrobenhausen und Wertingen gehören.

Für beide Kammern besteht das Sekretariat aus einem Präsidial-Sekretär und 4 Sekretären.

Unmittelbar unter der Regierung, steht der städtische Magistrat, welcher für Augsburg als eine Stadt erster Klasse durch 2 Bürgermeister, 4 rechtskundige Magistratsräthe, aus einem technischen Baurathe und aus 12 bürgerlichen Magistratsräthen, gebildet ist. Zu diesen gehören noch die erforderlichen Offizianten und das Kanzlei Personal. Dem Wirkungskreise des Magistrates welcher seine Sitzungen auf dem Rathhause hält, ist die Verwaltung aller und jeder Zweige des Communal- und Stiftungswesens, nebst der Handhabung der städtischen Polizey anvertraut. Daher theilt sich der Magistrat auch in den Verwaltungs- und Polizey-Senat; jeder dieser gesonderten Senate besteht aus einem Bürgermeister, als Vorstand, und aus rechtskundigen und bürgerlichen Magistratsräthen. Ein besonderer, aus 36 Mitgliedern gebildeter Gemeindeausschuß steht unter dem Namen des Collegiums der Gemeinde-Bevollmächtigten, dem Magistrate zur Seite, die wichtigsten Gegenstände der städtischen Verwaltung begutachtend. Ihnen kommt es zu, neu eintretende Bürgermeister und Magistratsräthe mit zu wählen; ihrer Prüfung werden die jährlichen Gemeinde-Rechnungen vorgelegt; überhaupt ist ihr Wirkungskrgis in Betreff der Gemeinde-Angelegenheiten, ehrenvoll und ausgebreitet.

Die Stadtkämmerey besorgt die Einnahme der städtischen Gefälle, die Ausgaben, das Rechnungswesen über dieselben, unter welcher, als Unterperceptur-Aemter, die städtischen Zoll- und Aufschlag-Aemter, die gegenwärtig verpachtete Einnahme der Pflasterzölle, der städtische Fleisch-Aufschlag, die Getreide-, Bier- und Floß-Aufschlag-Einnehmerei stehen. Dem Magistrate sind die erforderlichen Sekretaire, Expeditoren, Rechnungsführer, Registratoren und Kanzellisten beygegeben.

Die Censur der erscheinenden Tagsblätter, das Paßwesen, die Mitwirkung bey dem Geschäfte der Militär-Conskription, der Einquartirung und dergleichen, ruht hingegen in den Händen eines königlichen Stadt-Commissärs dem eigene Offizianten beigegeben sind.

Der Magistrat entscheidet in erster Instanz als Lokal-Polizey-Behörde, über Ansäßigmachungs-, Verehlichungs- und Gewerbs-Conzessions-Gesuche, welche dort mündlich angebracht werden müssen; gegen Beschlüsse der ersten Instanz findet der Rekurs an die königliche Regierung statt.

Das Wechsel- und Wechsel-Appellations-Gericht wurde in dem der Handlung gewidmeten Abschnitte bereits erwähnt, so wie auch bei Beschreibung der öffentlichen, zum Sitz einiger Behörden ausschließend bestimmten Gebäude, das wesentliche von dem Personal-Bestande der Stellen und Aemter mitgetheilt wurde.

Alle Gegenstände der streitigen und freiwilligen Gerichtsbarkeit verhandelt und erledigt das königliche Kreis- und Stadtgericht für die Stadt Augsburg und für die Privilegirten, der denselben zugetheilten Landgerichte. Seine Kompetenz als Untersuchungs-Gericht haben wir bereits berührt. Gegenwärtig steht an der Spitze dieses Gerichtshofes 1 Direktor, da die Stelle des früheren zweiten Direktors nicht wieder besetzt wurde; ferner besteht es aus 10 Kreis- und Stadtgerichts-Räthen, 2 Assessoren, 3 Raths-Accessisten, einem Gerichtsarzte, 5 Protokollisten, einem Expeditor, 2 Registratoren, aus dem erforderlichen Kanzleipersonal, dem Rathsdiener, 3 ordentlichen und 2 Aushülfsboten.

Ein gerichtlicher Schätzmann besorgt die Taxationen bei den im Gerichtswege vorgenommenen Inventuren und Vergantungen.

Fünfzehn Rechtsanwälte führen in privatrechtlichen Streitigkeiten die Sachen ihrer Clienten, und sind zur unentgeldlichen Uebernahme der Partheisachen, welche im Armenrechte vor den Richter gelangen, zur unbezahlten Vertheidigung mittelloser Inquisiten verpflichtet.

Gegen Winkel-Agenten bestehen zwar strenge, gesetzliche Verfügungen, allein das ubi lex ibi fraus, tritt hier oft genug ein.

Die Civilstreitigkeiten werden hier nach dem gemeinen Rechte, in so weit dieses nicht durch neuere Gesetze aufgehoben ist, entschieden; die bayerische Gerichtsordnung, mit den in neuern Zeiten hinzugekommenen Novellen, bestimmt die Form, nach welcher die Prozesse verhandelt werden müssen.

Es gelten hier in gewissen Fällen noch die früheren, zum Theil sehr alten Augsburger-Statuten. Für diese bestand nie keine eigene Sammlung, welche als ein zusammenhängendes Gesetzbuch hätte betrachtet werden können.

Das von Kaiser Rudolph im Jahr 1276 bestätigte Stadtbuch, schätzbar als eine wichtige Urkunde für alterthümliche Gesetzgebung, kam in der Folge der Zeit ganz außer Gebrauch.

Die einzeln abgedruckten statutarischen Verordnungen, als die Wechsel-Ordnung, Pfleg- und Bauordnung, deren Festsetzungen noch gegenwärtig im Gebrauche sind, haben sich ziemlich selten gemacht; daher war es ein sehr verdienstliches Unternehmen des gegenwärtigen Herrn Wechselrichters v. Huber, eine erneuerte Herausgabe dieser noch gültigen Statuten und Dekrete zu veranstalten.

In strafrechtlichen Fällen erläßt das königl. Appellations-Gericht, als Civil- und Kriminal-Strafgericht, die Straf-Erkenntnisse in erster Instanz.

Wird ein Todes-Urtheil gefällt, und von dem allerhöchsten Gerichtshofe des Königsreiches bestätiget, so wird dasselbe dem Inquisiten, vor der Hinrichtung von dem Balkon des Stadtgerichts-Gebäudes abgelesen, die Hinrichtung aber auf einem, auf dem Holzplatze vor dem Wertachbruckerthore eigens errichteten Schaffot, mit dem Schwerte vollzogen.

In den Ehestreitigkeiten der Katholiken entscheidet das bischöfliche Konsistorium; die der Protestanten werden vor dem einschlägigen königl. Appellationsgerichte verhandelt.

---

b. Militair.

Von den höhern Militair-Behörden befinden sich hier das königl. bayerische 2te Divisions-Kommando Augsburg.

Einem General-Lieutenant, als Chef, sind 2 Divisions-Adjutanten, ein Stabsarzt, 2 Administrations-Kommissäre, 1 Stabs-Auditor, 2 Divisions-Aktuare, 1 Administrations-Aktuar und eine Ordonnanz beigegeben. Die Division Augsburg befehligen drei General-Majore mit 3 General-Adjutanten.

Die königl. Stadt-Kommandantschaft, welche aus einem General als Stadt-Kommandanten, einem Platzmajor, einem Platz-Hauptmann und Regiments-Adjutanten besteht, hat das Geschäfts-Lokal D. 287.

Die Lokal-Verpflegungs-Kommission hat einen eigenen Vorstand, dann 3 Mitglieder und einen Aktuar.

Als Garnison steht hier das 3te Linien-Infanterie-Regiment (Prinz Karl), so wie das 4te Chevaurlegers-Regiment (König), dann eine Kompagnie Artillerie und eine Pontonniers-Kompagnie.

Die Garnisons-Truppen kaserniren in den bereits aufgezählten, zu Kasernen umgewandelten Klostergebäuden; die Herren Offiziers wohnen auf ihre Kosten in Privathäusern.

Zum Militair-Lazareth sind die Kloster-Gebäude zu St. Georgen eingerichtet.

Die königl. bayerische Gensdarmerie-Kompagnie, befehligt von einem Hauptmann und einem Oberlieutenant hat das Geschäfts-Büreau B. 237.

Die herrlichen Militair-Paraden unserer, in jeder Hinsicht ausgezeichneten bayerischen Krieger, werden bei feierlichen

Gelegenheiten auf dem Frohnhofe gehalten, sie ziehen bei dem überraschend schönen Anblick, den sie gewähren, eine Menge Zuschauer an.

Der Exerzier-Platz für die Garnison befindet sich auf der schönen Ebene, zwischen der Wertach und dem Dorfe Kriegshaber.

Eine Militair-Schwimmschule wurde hinter dem evangl. Stadtjäger vor dem Klinkerthor in einem Arm der Sinkel, neueingerichtet.

Die Hauptwache ist in den Erdgeschoßen zu beiden Seiten des Rathhauses; vor derselben stehen rechts und links 2 Kanonen. In der Mittagsstunde werden die Wachen abgelöst, und die herrliche Militair-Musik bietet den Musik-Freunden einen erfreulichen Genuß dar.

---

f. Die Landwehr.

Das königl. bayerische Landwehr-Regiment Augsburg besteht aus einem Infanterie-Regiment von 2 Bataillons, einer Division Schützen von 2 Kompagnien, einer Kompagnie Artillerie und einer Division Kavallerie von 2 Eskadronen.

Den Infanterie-Stab bildet ein Obrist, 1 Oberstlieutenant und 2 Majors. Am Anfange dieses Jahrs betrauerte das Regiment den Tod seines würdigen Obristen, Friedrich Dietz, dessen vielseitige Verdienste um das Bürger-Militair und nachherige National-Garde, ihm die allerhöchste königl. Anerkennung durch Ertheilung des goldenen Verdienst-Ehrenzeichens erwarben.

Bisher waren alle dienstfähigen Bürger bis zum vollendeten 60sten Lebensjahre dienstpflichtig, die nicht persönlich Dienenden aber zur Leistung eines jährlichen Reluitions-Beitrages verbunden, indessen sieht man einer neuen Organisation der bayerischen Landwehr entgegen.

Unsere Landwehr hat sich in den Zeiten des Dranges und der Kriegs-Gefahr durch Diensteifer und Unverdrossenheit rühmlichst ausgezeichnet.

Die Uniform ist im Ganzen geschmackvoll und die seit kurzem eingeführten Tschakkos zieren dieses Regiment noch mehr, das sich durch Ehrgefühl und im Dienste, durch eine gute Haltung bei feierlichen Gelegenheiten auszeichnet.

---

g. Gesundheits-Pflege und Sanitäts-Anstalten.

Augsburgs für die Erhaltung der Gesundheit der Einwohner günstige Lage, wurde schon am Eingange unseres Taschenbuchs gerühmt. Die Wohnungen sind größtentheils wohl gebaut, und den meisten fehlt es weder an Luft, noch an Licht. Mit vielen Gebäuden ist die erwünschte Gelegenheit eines daran befindlichen, oft sehr weitläuftigen Hausgartens und Hofes zur Beförderung einer angenehmen Bewegung verbunden, und der den hiesigen Frauen angeborene Sinn für Reinlichkeit, welcher sich im Hauswesen, in der Wäsche, in der Zubereitung gesunder und kräftiger Speisen ausspricht, sollte im Vereine mit der polizeilichen Obsorge für Herbeischaffung der Gesundheit zuträglicher Lebensmittel, für Straßenreinigung und für Sanitäts-Anordnungen, dem Gedanken Raum geben, als müßte der Gesundheits-Zustand der Einwohner in der erfreulichsten Blüthe stehen, und die Sterblichkeit in die Gränzen der gewöhnlichen Schranken dieses allgemeinen Natur-Gebotes eingeengt seyn. Von eigentlichen ansteckenden Krankheiten oder Pestübeln, welche in der Vorzeit in Augsburg eine bedeutende Anzahl Menschen dem Grabe entgegenführten, und die angesehensten Einwohner zur Auswanderung bewogen, weiß man in neuern Zeiten nichts mehr. Das Andenken an das Schreckensjahr 1463, welches durch die damals grassierende

Pest, eilftausend Menschen dem Seuchentode überlieferte, so wie die Erinnerung an die Periode von 1627, in welcher wöchentlich hundert Leichen auf den Todtenacker getragen wurden, bewahrt, Gott sey Dank, nur noch die Geschichte auf. Bei der entferntesten Kunde von den in andern Ländern herrschenden Krankheiten, widmet man den von dort ankommenden Fremden und Waaren, durch Anwendung einer wohlthätigen Fürsorge, die strengste Aufmerksamkeit, und als vor mehreren Jahren die Schreckenskunde über die fortschreitende Verbreitung des gelben Fiebers, die Sicherheits-Maßregeln zu verdoppeln gebot, mußte selbst ein hiesiger, angesehener Kaufmannssohn, welcher aus Italien hieher kam, in dem ehemaligen Lazarethe bei St. Sebastian seine Kontumaz gestehen. Dennoch äußern dergleichen erfreuliche Vorkehrungen zur Beförderung und Erhaltung der Gesundheit den gedeihlichen Einfluß nicht in dem Grade, wie man dieses erwarten sollte, denn mit weniger Ausnahme übersteigt beinahe in jedem Jahre die Zahl der Gestorbenen, die der Geborenen.

Den Ursachen dieser auffallenden Erscheinungen hat man, ohne zu einem erwünschten sichern Resultate zu gelangen, schon oft nachgespürt. Freilich trift man, so lobenswerth die Bauart im Ganzen ist, doch in vielen, in engen Gäßchen gelegenen Wohnungen, manche feuchte und ungesunde Gemächer an, in welchen ganze Familien auf einem engen, dumpfigen Raum zusammengedrängt, noch überdieß die Regeln der für die Gesundheit so wohlthätigen Reinlichkeit gänzlich vernachläßigen, und der frischen Luft den Eingang verschließen. Viele nehmen bei Krankheiten ihre Zuflucht zu Quacksalbern, Hausmitteln und den so äußerst schädlichen Universal-Medicinen, welche nicht selten den Gang der Krankheit gewaltsam unterbrechend, lebensgefährliche Erscheinungen hervorbringen müssen. Ein Hauptgrund für die Untergrabung der Gesundheit mag wohl auch in dem, von Vielen nicht

aus

aus Durst, sondern aus Gewohnheit gehuldigten, übermäßigen Genusse des braunen Bieres zu suchen seyn, über dessen theilweise, sehr verschiedenartige Beschaffenheit und Verkünstlung durch angewendeten Surrogate bei der Bierbereitung häufige, wohl auch nicht selten zum Theil gegründete Klagen gehört werden. Sonderbar bleibt es immer, daß bei den vielerlei Gebräuden der Art, oft ein auffallender Unterschied in Hinsicht des Geschmackes und der Folgen für die Gesundheit bemerkbar wird, und daß in den Mägen selbst der geübtesten Biertrinker, das in verschiedenen Wirthshäusern an Einem Abende genossene Getränke, welches doch allenthalben aus den nemlichen Ingredienzien zusammengesetzt seyn sollte, sich nicht zusammen vertragen will.

Unter den Kindern besonders ist die Sterblichkeit auffallend stark. Bei den vielen unehelichen Geburten und dem Mangel an Pflege, welchem diese unglücklichen Zeugen ungeregelter Begierden ausgesetzt sind, darf man sich darüber nicht wundern, wenn viele dieser Bedaurenswerthen frühe schon die Schuld ihrer Eltern mit dem Leben bezahlen müssen.

Wenig Mütter reichen ihren Kindern die eigene Brust, und ziehen es vor, ihre Lieblinge mit künstlichen Mitteln und dem oft sehr unverdaulichen Mehlbrei zu ernähren. Manche glauben ihren Kleinen durch übertriebene Reichung von Näschereien wahre Wohlthaten zu erweisen, und legen dadurch schon frühzeitig den Grund zu lebensgefährlichen Krankheiten. Es wäre sehr wünschenswerth, wenn denkende Aerzte dieser unerfreulichen Erscheinung des frühern Dahinwelkens jener zarten Blüthen der Menschheit, so wie der Ursachen, warum die Zahl der Geburten die Zahl der Sterbfälle überwiege, nachspüren und die einzelnen Erfahrungen zu einem Ganzen zusammen reihen wollten, woraus sich für die Handhabung der Gesundheits-Polizei und für die häusliche Diätetik, merkwürdige Behelfe ergeben müßten.

Schlagflüsse, Lungen = und Wassersuchten gehören zu den hier sehr häufig vorkommenden Krankheiten.

Körperliche Verunstaltungen, durch äußerliche Gebrechen, sind auch nicht selten. Vorzüglich befremdend ist in Augsburg der Mangel an schönen Zähnen. Man will dem Wasser hievon die Schuld beimessen, während die Landleute in der Umgegend die Schönheit dieser natürlichen Mundzierden in einem hohen Grade vor den Städtern voraushaben. Eher möchte der Grund in dem vielen Zuckerwerk zu suchen seyn, dessen Genuß zu gewissen Zeiten, als an Weihnachten, an Namens = und Geburtstägen rc. im Uebermaaße den Kindern gestattet wird.

Die Aufsicht über das Medicinalwesen in der Stadt, ist den Aerzten im königlichen Staatsdienste, dem königl. Regierungs = und Medicinalrath und dem königl. Kreis = und Stadtgerichts = Arzte, anvertraut. Die Ausübung der Heilkunde ruht in den Händen der hier recipirten 17 praktischen Aerzte, welche zum Theil sich auch mit Ausübung der Geburtshilfe und der Wundarzneikunde beschäftigen. Ausser diesen befassen sich hier 3 Landärzte mit Ausübung der Chirurgie und mit der medicinischen Praxis zugleich; 11 Wundärzte, zum Theil auch sogenannte Bader, besitzen Barbierstuben, und 12 Hebammen leisten bei Entbindungen ihren Beistand.

In Augsburg bestehen ferner 6 wohl eingerichtete Apotheken, nemlich die Sallinger'sche = oder Kreuz = Apotheke, B. 171; die Appel'sche = oder St. Afra = Apotheke, B. 85; die Roth'sche = oder Stern = Apotheke, A. 2; die von Alten'sche = oder Engels = Apotheke, C. 32; die Biermann'sche = oder Marien = Apotheke, B. 8., welche sämmtlich einer jährlichen Visitation unterliegen.

Die wohlthätige Impfung der Schutzpocken ist auch in Augsburg gesetzlich eingeführt, und wird theils in Privathäusern, theils fürs Allgemeine, im Dominikaner = Gebäude unentgeltlich, nach vorhergegangenem Aufrufe des Magistrats an die Eltern, vorgenommen.

Zu dem für die Erhaltung der Gesundheit so wohlthätigen Baden, fehlt es in Augsburg nicht an Gelegenheit. Schon zur Römerzeit existirten hier prachtvolle Badanstalten. Im Jahr 1571 stießen die Arbeiter in einem Garten bei St. Stephan, bei Auswerfung eines Grundes, als sie ungefähr 4 Schuh tief gegraben hatten, auf die gemauerten Ueberreste eines Kanals und einen Estrich von Mosaik, auf welchem sich in sehr künstlicher Arbeit die Kampfspiele der Römer, ihre Wettrennen und das Ziel, nach welchem sie rannten, Streithähne und Raben, die Sinnbilder der Kampflust und der Weissagung, nebst sehr hübschen Verzierungen, als Ueberreste eines römischen Badhauses abgebildet befanden. Schade daß diese schätzbaren Trümmer, vor der äußern Luft nicht sorgfältig verwahrt, durch Schnee und das Ungestüm der Witterung aufgelöst und als fast gänzlich unscheinbar, wieder mit Erde bedeckt wurden.

In frühern Zeiten herrschte hier eine sehr ärgerliche Gewohnheit, das öffentliche Baden der Manns- und Weibspersonen in dem sogenannten Schwal-Lech, bei St. Ursula nemlich. Diesem Unfuge wurde endlich durch kräftigen Einspruch von Obrigkeitswegen, jedoch nicht ohne Störung der öffentlichen Ruhe, ein Ende gemacht.

Von den 16 sonst errichteten Badstuben, bestehen in der Stadt gegenwärtig nur noch 4, ausserhalb derselben, aber 6 Bäder, zum Gebrauch für das Publikum. In der Stadt ist das Mauerbad Lit. C. Nro. 137, eines der ältesten. Es rühmt sich im Besitze einer Mineralquelle, welche auch eingefaßt ist, zu seyn. Ein warmes Bad wird dort mit 30 kr., und 6 kr. Trinkgeld, bezahlt.

Der gegenwärtige Besitzer des Rößles-Bades, Lit. H. Nro. 335, Herr Spengler, hat dasselbe sehr elegant herrichten lassen. Auch diese Quelle soll, nach den neuesten Untersuchungen, kohlensaures Natron, kohlensauren Kalk und kohlensaure Bittererde, ferner schwefelsaures Natron, salz-

20 *

saures Natron, Extractivstoff, nebst etwas freier Kohlensäure enthalten. Mit dem Wasserbade ist ein Lohschwitzbad verbunden. Die hübsch möblirten, heizbaren Badezimmer enthalten kupferne Badwannen. Ein Wasserbad kostet im Sommer 30 kr., im Winter, mit Einschluß der Heizung, 36 kr, und 3 kr. Trinkgeld.

Man kann sich auf mehrere Bäder abonniren.

Das Juden=, nachher Rabbi=, Rabbiner=, auch Raben=, und jetzt Rappenbad genannt, A. 310, ist das älteste Bad. Ein Schwitzbad, unter dem Namen Beckenbad Lit. A. 371, besteht ebenfalls noch gegenwärtig.

Vor dem Stephinger Thor, Nro. 287, übt ein bürgerl. Lohmüller das Recht, ein Lohbad halten zu dürfen, aus.

Zwischen dem Jakober= und Oblaterthor Nro. 258=62, hat ein Eisenhammerschmiedmeister ein sogenanntes Stahl= oder Schlackenbad hergerichtet; ein ähnliches findet man bei dem Eisenhammerschmied Mayer vor dem Jakoberthor. Vor diesem Letztern befindet sich auch die schöne Breyvogel'sche Badanstalt Nro. 182—186, welche man als eine wahre Zierde in Augsburgs Umgebungen betrachten darf, in dem deren Gründer, der Magister der Chirurgie, Herr Breyvogel, dieser Anlage in Hinsicht auf Geschmack und Zweckmäßigkeit ein vorzügliches Augenmerk widmete. Es mag daher die hier beigefügte Ansicht dieses Bades unsern Lesern keine unwillkommene Erscheinung seyn.

Vor dem Klinkerthor, Nro. 7—9, ist von dem dort wohnenden Gewürzmüller, Hrn. Bosch, ein Flußbad angelegt, wozu 8 Badhäuschen am Gestade der Senkel errichtet wurden, mit diesem ist auch eine sichere Gelegenheit für Freunde vom Schwimmen verbunden.

Das von dem Hrn. Doktor Niedhammer gegründete Siebenbrunnenbad in der Mehringer Au ist jetzt nach einem momentanen Stillstande gleichfalls wieder im Gange.

In der Wertach, dem Senkelbach und Schäfflerbach, sind eigene sichere Plätze, für die im Freien Badenden, ausgesteckt.

Zu Versuchen der Wiederbelebung im Wasser ertrunkener, durch schädliche Dämpfe betäubter und sonst verunglückter Personen sind eigene Rettungs-Apparate vorhanden. Um den schrecklichsten Folgen des Scheintodes, und des Lebendig-Begrabens, vorzubeugen, hat jedes Stadtviertel einen eigenen Todtenbeschauer, nach dessen wiederholter Besichtigung erst die Beerdigung, nach Verfluß von dreimal 24 Stunden vorgenommen werden darf. Zur Aufbewahrung der Leichname, welche an Krankheiten, die den Uebergang zur Verwesung beschleunigen, starben, sind auf den Kirchhöfen beider Konfessionen Leichenhäuser eingerichtet.

Der Beschreibung des hiesigen Lokal-Krankenhauses, so wie dem Inkurabel-Hause, und andern der Kranken-Pflege gewidmeten Instituten, haben wir bereits einen eigenen Abschnitt gewidmet.

Dem Ausbruche der Hundswuth oder Wasserscheu so viel als möglich Einhalt zu thun, sind die Hunde einer jährlichen Besichtigung, wegen ihres Alters und Gesundheits-Zustandes, unterworfen; es muß zweimal im Jahr ein Zeichen für jeden Hund um 48 kr. gelöst und ihm angehängt werden, damit man daran erkenne, daß er gehörig der Visitation unterworfen gewesen sey. Vielleicht wär es das zweckmäßigste Mittel der Entstehung und Verbreitung dieser schrecklichsten aller Krankheits-Uebel vorzubeugen, jeden herrnlosen, auf der Straße herumlaufenden Hund, ohne Berücksichtigung, wem er gehöre, wegzufangen, und ihn zu tödten; denn rechtfertigt irgend etwas durchgreifende Maßregeln, so ist dieses die Verbannung und Verhütung eines Unheiles, dessen Erscheinungen und Folgen nicht grell genug geschildert werden können.

Für die Straßenreinlichkeit wird durch fleißiges Gassenkehren an bestimmten Tagen gesorgt, welches die Hausbesitzer mit den Hauseinwohnern durch ihre Dienstboten besorgen zu lassen, verpflichtet sind; der Straßenkehrich wird auf Kosten der Verwaltungs-Behörde weggeführt. Im

Sommer müssen die Hausbesitzer die Straßen zweimal des Tages mit Wasser besprengen, oder vielmehr begießen lassen; ein eigener Sprenzwagen mit einem Schlauche und einem Gießkannenkopfe fährt unter Tags herum, um gleichfalls die Straßen zu wässern. Für den Winter finden zweckmäßige polizeiliche Vorsichtsanordnungen hinsichtlich des Bestreuens beim Glatteise, der Sperrung der Röhrbrunnen, des Abwassers und dgl. statt.

I. Milde Stiftungen zu wohlthätigen Zwecken.

Die begüterten Bewohner Augsburgs, von edlen und großmüthigen Regungen beseelt, widmeten schon in grauer Vorzeit den Bedrängnissen ihrer Mitbüger eine thätige Theilnahme. Diese sprach sich in reichen Vermächtnissen zu frommen und milden Zwecken glänzend aus, wodurch sie sich die dauerndsten Monumente, welche der Zahn der Zeit verschont, und das Andenken der Stifter, bei den spätesten Generationen im Segen fortblühen lassen, selbst errichteten.

In Hinsicht des Reichthums und der Ergiebigkeit milder Stiftungen, steht Augsburg unter den übrigen deutschen Städten, als einzig und unerreichbar dar. Dieser edle Wohlthätigkeitssinn ist auch in unseren Tagen gewiß nicht ausgestorben. Hochgefeiert erglänzen die Namen der großmüthigen Barbara v. Stetten, Gottfried Klauke, Johannes Calmberg, in den Annalen der Augsburgischen Wohlthätigkeit.

Ausser den bedeutenden Wohlthaten, welche die Frau Anna Barbara v. Stetten in reichem Maße der Dürftigkeit spendete, fundirte sie die bereits erwähnte Töchter-Erziehungs- und Aussteuer-Anstalt; nebst dieser bestimmte sie die Zinsen von 16,000 Gulden zu einer Stiftung für ganz arme, verlassene Kranke; 2000 fl. zu Beiträgen an den Leichen- und

Begräbniß-Kosten; von 6000 fl. für arme Kindbetterinnen; von 5000 zu Vertheilung von Gaben an den hohen Festtagen, an würdige, evangelische Hausarme; von 5000 fl. zu Hauszins, Beiträgen für Dürftige, und für solche, welche sich in der Ausübung ihres Berufes eine Krankheit zugezogen, und 2000 fl. für arme, blinde Personen; ferner von 12,000 fl. zur Armenanstalt und zur Verbindung einer Arbeitsanstalt, mit dem Lokal-Armen-Institute; endlich von 8000 fl. zu der im Jahr 1790 durch eine Kollekte gegründeten Holzanstalt.

Die sämmtlichen von ihr herrührenden Stiftungen übersteigen die Summe von 297,433 fl. Die Wohlthaten des seel. Silber-Juweliers Klauke haben wir bereits in einem andern Abschnitte, bei Gelegenheit des evangel. Armenkinder-Hauses, erwähnt, mit welcher Hauptstiftung er noch als Nebenstiftung über 300 fl. für den Schulunterricht armer, evangelischer Bürgerkinder; 200 fl. zu einer jährlichen Holzaustheilung; 400 fl. zur unentgeltlichen ärztlichen Hülfe, und zur Bezahlung der Arzneien für Kranke evangel. Konfession, verband; 200 fl. erhält jährlich eine jede der 4 evangelischen sich verheirathenden Bürgerstöchter, welche 10 Jahre mit Auszeichnung in Einem Hause gedient, als Ausstattungs-Prämie, und die Zinsen von 60,000 fl. vermachte der Selige zur Verbesserung des Gehaltes der evangelischen Prediger.

Der protestantische Kaufmann Johann Calmberg hat den hiesigen Armenfond zum Universalerben seines, über 120,000 fl. betragenden Vermögens eingesetzt; das Vermächtniß des katholischen Regenschirm-Fabrikanten Geneve zum Behufe der Trennung der katholischen Studien-Anstalt, von der der Protestanten, haben wir bereits erwähnt. Ausser diesem eigenen Vermächtnisse bestimmte er noch bedeutende Summen für Wohlthätigkeits-Zwecke. Die Stiftungs-Kapitalien für kirchliche, Erziehungs- und Wohlthätigkeits-Zwecke umfassen ein Gesammt-Vermögen, welches den Betrag von 6 Millionen übersteigt. Die einzelnen Wohlthätigkeits-Institute und ihre innere Einrichtung wurden bereits bei den öffentlichen Gebäuden beschrieben.

Die Armenpflege ist dem Armenpflegschafts-Rath anheimgestellt, an dessen Berathungen der königl. Hr. Stadt-Kommissär, die beiden HH. Bürgermeister, 2 HH. Pfarrer beider Konfessionen, und der jeweilige Hr. Kreis- und Stadt-Physikus Antheil nehmen. Der Armenpflegschaftsrath besteht aus einem Vorstande und 2 Magistrats-Räthen. In den sämmtlichen Stadtdistrikten sind eigene Pflegräthe aufgestellt, bei welchen sich die Unterstützung bedürftigen Armen zur Erhebung der Motive ihres Gesuches melden.

Die Almosen-Anstalt hat zur Hülfsquelle die monatlichen Subscriptions-Beiträge der Bürger, die Renten-Ueberschüsse der Wohlthätigkeits-Stiftungen und außerordentlichen Zuflüsse der als Vermächtnisse, Schenkungen, Strafgelder, Einnahmen von den zum Besten der Armen veranstalteten Theater-Vorstellungen, Konzerten u. dgl. Die freiwillig subscribirten Beiträge belaufen sich auf etwas über 20,000 fl. Diese werden von einigen Bürgern, welche dieselben unentgeldlich einsammeln, einem, in jedem Achtel ernannten Austheiler eingehändigt, welcher wöchentlich nach Maaßgabe des, jedem Armen zugetheilten Unterstützungs-Beitrages, diesen davon gegen Vorweisung eines Armenscheins an einzelne Dürftige verabfolgen läßt. Die Armen selbst werden in verschämte, und in solche, die sich ihrer Armuth nicht zu schämen brauchen, abgetheilt, und einige beziehen Unterstützungs-Beiträge aus den Stiftungsrenten. Jährlich werden dem Publikum die Rechnungen über Ausgabe und Einnahme der Almosenanstalt vorgelegt. Die wochentlichen Almosen-Reichungen steigen von 12 kr. bis höchstens auf einen Gulden; gewöhnlich werden sie im Winter erhöht, im Sommer hingegen vermindert. Daß die wahre Wohlthätigkeit sich nicht aufs Almosengeben beschränke, darüber herrscht wohl keine Meynungsverschiedenheit. Das wohlthätigste, was eine große Stadt zur Abhilfe der Dürftigkeit, des leiblichen- und Seelenwohles der Armuth thun könnte, wäre die Beförderung zweckgemäßer Organisirung von Beschäftigungs-Anstalten, welche indessen durch die Physiognomie eines Zuchthauses, den Dürftigen vor dem Eintritte in ein solches Institut zurückzuschrecken, nicht geeignet seyn dürfte.

Die Kompetenten um wöchentliche Allmosen könnten gar wohl in gewisse Klassen, nemlich in Arbeitsfähige und durchaus Arbeitsunfähige abgetheilt werden. Der, welcher arbeiten kann, soll auch arbeiten, oder, wie die heilige Schrift sagt: „wenn er nicht arbeiten will, auch nicht auf öffentliche Kosten gefüttert werden." Je größer die Freigebigkeit in Darreichung von Allmosen ist, um desto zahlreicher ist auch der Andrang der Allmosen Begehrenden; wir leben gegenwärtig in Zeiten, in welchen keine öffentliche Kalamität ausserordentliche Opfer erfordert, die Fonds für die Armenpflege haben sich in unsern Tagen durch Calmbergs reiche Erbschaft bedeutend vermehrt, und demungeachtet wird gegenwärtig über die Unzulänglichkeit der der Armenpflege zu Gebote stehenden Mittel zur Befriedigung der Allmosen-Gesuche geklagt, und der Wohlthätigkeitssinn der Augsburger bei jeder Gelegenheit in Kontribution gesetzt. Diese auffallende Erscheinung wäre einer gründlichen Untersuchung werth.

Die hier bestehenden Wohlthätigkeits-Institute, als das paritätische Bürgerhospital, die Versorgungs-Anstalt; die Jakobspfründe, die Allmosen-Anstalt; die Armenbeschäftigungs- und Holzaustheilungs-Anstalt, die katholische St. Antons-Pfründe, das von Hans Rehm gegen das Ende des 14ten Jahrhunderts gestiftete, im Jahr 1814 aufgehobene Bachische Seelhaus zur Unterhaltung von 8 verbürgerten Weibspersonen, welche zur Besorgung der Krankenwartung auf Begehren verpflichtet waren, der konsolidirte katholische Wohlthätigkeits-Fond, das Findelhaus, Waisen- und Armenhaus, der evangelische konsolidirte Wohlthätigkeits-Fond, das evangelische Waisenhaus, das Armenkinderhaus mit der dort bestehenden dreifachen Abtheilung, das Lokalkrankenhaus und das paritätische Inkurabelhaus haben zusammen ein Stiftungs-Stamm-Vermögen von 3,085,891 fl., welches an Renten 193,883 fl. abwirft, und wozu noch in neuern Zeiten die reiche, von Joh. Calmberg der Armenpflege zugedachte Erbschaft geschlagen werden muß.

Die ganz dürftigen Armen werden durch Distrikts-Armenärzte unentgeldlich behandelt, sie erhalten aus Stiftungsmitteln Arzneien und die Hinterbliebenen in Todesfällen, Beiträge zu den Beerdigungskosten. Ein sehr wohlthätiges Institut ist dasjenige, welches durch Bezahlung des Lehrgeldes, arme Lehrlinge in den Stand setzt, ihre Ausbildung zu nützlichen Gliedern der bürgerlichen Gesellschaft zu vollenden.

Unter den Magistratischen Administrationen stehen die Pflege-Verwaltungen des katholischen Kultus, des katholischen Studien- und deutschen Schulfondes, der Antonipfründ und der Findelhaus-Stiftungen, dann des evangelischen Studien-, des deutschen Schul- und Industrie-Fonds, sowie das Kollegium bei St. Anna, der evangelischen Wohlthätigkeit und die Verwaltung der v. Garbe'schen Stiftung, der paritätischen Jakobs-Pfründe, der Versorgungs-Anstalten, der katholischen Wohlthätigkeits- und der paritätischen Kranken-Anstalten.

Die bisherigen isolirten Stiftungs-Administrationen umfassen die Fürstlich-Fugger'schen gesammten Wohlthätigkeits-Stiftungen, das katholische Waisen- und Armenkinderhaus, das evangelische Waisen- und Armenkinderhaus, nebst der Klaukeschen, zum Besten des Letztern, fundirten Stiftung; die Adeliche-, die Paul von Stettensche Familienstiftung, die v. Langenmantelsche Patriziat-Stiftung, die Jesaias Preuische Stiftung, die evangelische Prediger-Wittwenkasse, die Wittwen-Kasse der evangelischen Gymnasial-Lehrer, der Aerzte, der evangelischen

Volks-Schullehrer, und die Administration des Volks-Schullehrer-Wittwen- und Waisen-Unterstützungs-Vereines des Oberdonau-Kreises.

Zu den isolirten Stiftungs-Administrationen gehört ferner die Verwaltung des A. B. von Stettenschen Töchter-Erziehungs- und Ausstattungs-Institutes unter Respicienz der Königl. Regierung als Oberstiftungs-Kuratel.

An Privaten sind zur Verwaltung extradirt, die von Prechtische und die Sautier-Mainonische Stipendien-Stiftung, die v. Imhoffische und v. Langenmantelsche Fräulein-Stiftung. Von der k. Administration des evangelischen Schulfondes, dann der katholischen und evangelischen Wohlthätigkeit sind folgende Stiftungen unter Privat-Verwaltung: die Leonhard von Imhoff'sche, Peter Lairesche, Joh. Jakob Müllersche, Conrad Hirnersche Stiftung. Unter unmittelbarer k. Verwaltnng ruhen einstweilen noch: der vereinte Domkirchenfond, die Dom-Stipendien-Stiftung, die von Schadensche Stipendien-Stiftung, der evangelische Institutsfond, die Domherr- von Staufenbergische Landschul-Stiftung.

Die historisch-statistische Beschreibung aller Kirchen-, Schul- Erziehungs- und Wohlthätigkeits-Anstalten, von Franz Eugen Freiherrn v. Seida gibt über diese wichtigen Gegenstände der Augsburgischen Stiftungen in zwei Bänden gründliche und umfassende Aufschlüsse.

So reich die Augsburgischen Stiftungen ausgestattet sind, eben so reich und unerschöpflich ist der Wohlthätigkeitssinn der edlen Bewohner dieser Stadt an Gaben der besondern Spende der Privatmildthätigkeit. Viele Reiche, üben im Stillen diese schöne Tugend, und lassen die Rechte nicht wissen was die Linke thut. Die meisten wohlhabenden Familien haben ihre Hausarme, die sie mit wöchentlichen und ausserordentlichen Gaben bei besonderen festlichen Veranlassungen unterstützen. Sie erquicken arme, kranke Personen und Wöchnerinnen mit kräftigen Speisen, und reichen ihnen die nothdürftigsten Lebensbedürfnisse.

Zu den höchst wohlthätigen Einrichtungen in Augsburg gehört ferner: das bereits beschriebene Leihhaus; die seit dem Jahre 1822 gegründete Ersparnißkasse; die durch einen wechselseitgen Vertrag der Bürger untereinander selbst begründeten bürgerlichen Begräbniß-Anstalten, durch welche sich jeder, der sich in eine solche Leichenkasse einschreiben läßt, verbindlich macht, bei den Sterbfällen eines in diesem Vereine aufgenommenen Mitgliedes 12 kr. zu den Begräbnißkosten zu kontribuiren, so daß die Familie des Verstorbenen, zu den Beerdigungskosten Beiträge von 50—100 fl. erhält. Es existiren in Augsburg 3 katholische, 4 evangelische und 2 paritätische Leichenkassen, welche durch eigene Vorsteher verwaltet werden.

Durch die Ersparnißkasse ist Jedem die Gelegenheit eröffnet, seine monatlichen und vierteljährlichen Ersparnisse verzinslich anzulegen, und dadurch bei der Verehelichung oder Errichtung eines eigenen Geschäftes, ein kleines oder größeres Kapital nach und nach zusammenzubringen. Der Verein der Augsburgischen Ersparnißkasse besteht aus 5 der vornehmsten Banquiers, der Stadt Augsburg, welche für die eingelegten Summen die Garantie übernommen haben, aus 6 Assistenten, einem Kassier und Buchhalter. Für die Einlagen, so wie für die Erhebung der aufgekündigten Gelder sind eigene Tage bestimmt; die Einleger erhalten über die Einlage eigene Quittungsbücher, und die eingelegten Summen übersteigen gegenwärtig bedeutend den Betrag von einer halben Million Gulden.

m. Oeffentliche Anstalten zur Erhaltung und Beförderung der Sicherheit und der Bequemlichkeit.

Die Handhabung der öffentlichen Sicherheit, ist der Obsorge der an den Magistrat übergegangenen Polizei anvertraut. Die Direktion über dieselbe führt der erste Bürgermeister, unter Assistenz eines rechtskundigen Magistratsrathes, und unter Mitwirkung eines Aktuars, dreier Offizianten, eines Marktinspektors, Polizei-Chirurgs und eines Veterinärs. Die uniformirte 50, Mann starke Polizei-Wache, steht unter einem Ober-, Unter- und Vice-Rottmeistern, und versieht die Wache an den Polizei-Gebäuden, so wie die Patrouillen-Dienste in den Straßen der Stadt; auch bei öffentlichen Veranlassungen, Schaustellungen und besondern Gelegenheiten, wachen sie über die Aufrechthaltung der Ordnung.

Unter der Leitung der Polizei-Behörde steht das Personal über das städtische Bauwesen: der Bau-Ingenieur, Magazin-Verwalter, Bau- und Brunnen-Meister, Brunnenballier, die Schleußenwärter, Schäufel- und Pflästermeister, und städtische Wegmacher, so wie das Marktpersonal.

Von den Feuerlösch-Anstalten war bereits bei der Beschreibung der zum Aufbewahrungs-Depot für Feuerlösch-Requisiten bestimmten Gebäude, in so weit es uns der Zweck dieses Taschenbuches gestattet, die Rede.

Die ersten Spuren einer zweckmäßigen Einrichtung der Feuerlösch-Anstalten findet man im Jahr 1047. Damals wurde in dem Perlachthurm eine eigene Glocke dazu bestimmt, bei Feuersgefahren die Inwohner zum Löschen aufzufordern. Eine verbesserte Lösch-Ordnung erschien im Jahr 1529, und von dort an richtete die Obrigkeit immer mehr und mehr ihre Aufmerksamkeit auf eine fortschreitende Vervollkommnung der

Lösch-Anstalten. Die letzte Instruktion der Art erschien während dem Bestande der reichsstädtischen Verfassung im Jahre 1793, auf deren Grundlage die neueste Feuerordnung vom Jahre 1816 verfaßt wurde.

Die Eicht sorgt dafür, daß die Einwohner das richtige Flüssigkeits- und Ellenmaaß, so wie das gehörige Gewicht beim Einkaufen der Lebensmittel, erhalten.

Eine Beleuchtungs-Anstalt besteht seit mehreren Jahren, und wird unter der Aufsicht eines Rottmeister, durch eigene Laternen-Anzünder, nach Angabe des Beleuchtungs-Kalenders, der die Beleuchtungs-Tage nach der Quadratur des Mondes, die Anzünde- und Verlöschstunden der 552 Laternen bestimmt, welche theils an den an den Gebäuden befestigten eisernen Aermen hängen, theils aber an den Ecken breiter Straßen auf Pfählen ruhen und mit sogenannten Scheinwerfern versehen sind. Im Jahre 1519 forderte eine eigene Ordnung die hiesigen Einwohner auf, beim Einbruche der Nacht nicht ohne Handlaternen über die Straße zu gehen. Reiche Privatleute ließen nach und nach an ihre Häuser Laternen anbringen, und zum Theil auch die vielen heiligen Bilder bei nächtlicher Weile beleuchten.

Es währte lange bis die allgemeine Stadtbeleuchtung in gehörigen Gang kam, unerachtet schon im Jahr 1758 dem Bauamt ein Beleuchtungsplan vorgelegt wurde. Erst im Jahr 1808 trat die Sache ins öffentliche Leben, in welchem Jahre auch eine Laternensteuer eingeführt wurde.

Polizei-Gefängnisse befinden sich in dem Polizei-Gebäude; die Frohnfeste, als Stadtgefängniß, wurde bereits beschrieben.

Die Fremden werden hier in den größern und kleinern Gasthöfen sehr billig und nach Wunsch verpflegt. Die vorzüglichsten Gasthöfe zur Aufnahme der Reisenden sind:

1. Der Gasthof zu den Drei=Mohren B. 13.
2. Die goldene Traube B. 5.
3. Das weiße Lamm D. 179.
4. Der grüne Hof D. 59.
5. Zum Mohrenkopf A. 72.
6. Das weiße Roß A. 6.
7. Zum Prinzen Carl H. 16.
8. Zum goldenen Posthorn B. 165.
9. Zum goldenen Falken B. 232.
10. Zum Schönefelderhof oder zu den 3 Rosen D. 96, und
11. Zu den drei Königen G. 23., mit welchem jetzt eine Caffeestube und Bierschank verbunden ist.

Die Listen der ankommenden und abgehenden Fremden müssen der Polizei=Behörde täglich übergeben werden; woselbst auch von den Hausbesitzern und Miethleuten die Anzeige über die von ihnen in Privathäusern beherbergten Gäste geschieht. In der Augsburger Abend=Zeitung und in der Neuen Augsburger Zeitung erscheinen die täglich hier ankommenden Fremden gedruckt.

Fremde finden auch in einigen Bräuhäusern eine wohlfeile und bequeme Herberge. Die Zahl der kleinern Wirthshäuser, Wein= nnd Bierschenken, so wie der Garküchen, Kostgeber, ist in Augsburg äußerst zahlreich. — Mehrere Weinhändler betreiben neben ihrem Weinhandel auch den Weinschank, so findet man bei Hrn. Gottlieb Fried. Koch, am Fuße des Eisenberges C. 324, gute Weine, Speisen und eine heitere Gesellschaft, eben so trinkt man ein gutes Getränk bei dem ehemaligen Stubenwirthe Hr. Metzler, dann auf der Bürgerstube des Hrn. Chevery, dem Hrn. Weinhändler Bertele, auf dem Weber= und Bäckerhause; bei Hrn. Schwaderer, bei der Wittib des Weinhändlers Stock D. 145 auf dem Hafnerberg, bei Andreas Wunner C. 362 an dem mittlern Lech ꝛc.

Weinwirthe, welche Speisen und Getränke den Gästen, vorsetzen, giebt es 17. Einige dieser Weinhäuser haben sonderbare Aushängeschilde und heißen z. B. die Weiberschule oder das A B C, und um auch den Alphabetschluß zu haben, befindet sich bei dem Hühnerstäpfeln, das Weinhaus X Y Z. Selbst die Benennung zur „Froschlache" gehört, so vieler Empfehlung die dort vorgesetzten Weine verdienen, nicht zu den einladenden Benennungen.

Für die Stadt selbst vermissen wir noch immer die Einrichtung von **Fiakern**; hingegen finden sich solche besonders an Sonn= und Festtagen unter den Thoren, zu Spazierfahrten in die Umgebungen Augsburgs. Es giebt hier 30 berechtigte Lohnkutscher und Fiaker und mehrere Pferdeverleiher oder Lehnrößler.

In allen Gasthöfen finden sich zur Bequemlichkeit der Fremden einige **Lohnbediente**.

Leichenansager und Hochzeitbitter gibt es hier 2 katholische und 2 evangelische, so wie 6 katholische und 5 evangelische Leichensagerinnen und Hochzeitsbitterinnen, welche sich mit den zwei Extremen des Menschenlebens, den Ankömmling aus der Wiege in die Kirche zur Taufe zu fördern, und dem Auswanderer aus der Zeitlichkeit in seine letzte Wohnung in den Sarg zu betten, beschäftigen.

Fahrende Boten sind hier 4, nemlich der Münchener, Lindauer, Nürnberger und Regensburger Bote. Gehende Boten kommen an bestimmten Tagen aus der nächsten Umgegend in die Stadt. In der Gegend des Gasthofes zum weißen Roß haben die Lohnkutscher gleichsam ihre Börse, von dort aus bestürmen sie die Vorübergehenden mit ihrem Anerbieten zu Reisen nach München und nach den nähern oder entferntern Städten. Gelegenheit zu Retourfuhren findet man in den meisten Gasthöfen.

Es besteht in Augsburg eine **Filial = Lotterie = Kasse**, welcher ein eigener Receveur vorsteht, Lotterie=Komptoirs

toirs bestehen hier 12. Unter welche Rubrike eigentlich dieses Institut gehöre, darüber mögen die Leser nach ihrer eigenen Ansicht entscheiden. Unter die Wohlthätigkeits-Anstalten können wir sie eben so wenig zählen, als unter die Anstalten zu Beförderung der Sicherheit und edler Zwecke. Am passendsten würden sie in der Nähe des Leihhauses und der Armen-Anstalt stehen, welchen dieses verderbliche Glücksspiel die meisten Kandidaten zuführt.

Seit einiger Zeit existirt hier ein Anfrage- und Kommissions-Büreau D. 271., eine Einrichtung, welche sehr auf die Bequemlichkeit der Einwohner berechnet ist; da sich indessen der Verlag des Intelligenzblattes, so wie die Komptoirs der verschiedenen Zeitungsredaktionen gleichfalls mit der Besorgung ähnlicher Aufträge als: Mieth-, Dienst-, Kapitalien- u. dgl. Gesuche befassen, so vertheilen sich solche Geschäfte zu sehr, als daß ein evidentes Bedürfniß für ein eigenes Institut sich hier hervorthun sollte.

---

n. Oeffentliche Anstalten zum Vergnügen des Augsburger Publikums, und gesellschaftliches Leben.

Den Augsburgern kann der Vorwurf nicht gemacht werden, daß sie in den Freuden und Genüssen des Lebens den einzigen Zweck ihres Daseyns suchen, sie achten diese vielmehr nur als eine wohlthätige Erholung nach den Mühen des Tages.

In den, der Beschäftigung geweihten Stunden findet man daher unsere schönen Spaziergänge und Erholungsplätze menschenleer, und viele, Augsburg besuchende Fremde, klagen deshalb über Verödung und Mangel an Geselligkeit, während sie selbst nicht selten mit ungünstigen Vorurtheilen, welche sie gegen eine Provinzialstadt hegen, angefüllt, durch ein gering-

21

schätzendes Absprechen, jede Annäherung verscheuchen; es fehlt selbst in Augsburg nicht an Ausländern, welche sich hier niedergelassen haben und ihr ganzes Glück bei uns fanden, dennoch aber bei jeder Gelegenheit ihren Tadel gegen einen Ort aussprechen, der ihnen eine freundliche Aufnahme gewährte.

Gebildete Ausländer, welche nur einigermaßen mit Empfehlungen hieher kommen, werden hier eine recht herzliche, gemüthliche Gastfreundschaft nicht vermissen; ohne alle Empfehlung steht man anfänglich selbst in jeder Haupt- und Residenzstadt isolirt da, bis die Bahn zur Anknüpfung von Bekanntschaften gebrochen ist.

Vielleicht sind die Klagen nicht ungerecht, daß sich hier die sogenannten abonnirten Gesellschaften zu sehr vermehrt haben, allein dem gebildeten Fremden steht der Zutritt in diese offen, dem Einheimischen wird die gewünschte Aufnahme nicht erschwert.

Die Genüsse, welche die milde und freundliche Jahrszeit im Freyen darbieten, locken ohnehin die Menge zu den verschiedenen, zahlreichen Erholungs-Plätzen vor Augsburgs Thoren, denen in unserem Taschenbuch ein eigener Abschnitt gewidmet ist.

Die Reihen der Winter-Unterhaltungen eröffnet unsere Schaubühne, welche aller Bemühungen unerachtet im Sommer keine Theilnahme findet. Selbst im Winter wird sie ihr nicht in dem Grade zu Theil, daß man diese Unternehmung eine lohnende nennen könnte. Ohne bedeutenden Zuschuß, liefert sie uns von Zeit zu Zeit nichts weiter als das unangenehme Schauspiel: „der Direktor in der Klemme" betitelt. Das Schauspielhaus wurde bereits oben beschrieben.

Gegenwärtig versucht Herr Weinmüller sein Glück mit einem Direktions-Probejahre.

Neben dem Tempel Thaliens haben hier einige Dilettanten-Gesellschaften der Muse des Schauspieles mehrere Kapellchen — Privat- oder Liebhaber-Theater genannt — errichtet.

Im Fuggerschen Saale wurde ein sehr niedliches Theater gebaut; die sich dort gebildete Privat-Gesellschaft hat sich jetzt den Namen „Resource" beigelegt.

Im Fasching werden Masken-Bälle in dem schönen Saale des Gasthofes zur goldenen Traube und in dem des Gasthofes zu den Drei-Mohren gegeben, deren Besitzer alljährlich in Ausübung der Erlaubniß, Redouten halten zu dürfen, wechseln. Eine gedruckte Redouten-Ordnung schreibt eigene, die Aufrechthaltung derselben beabsichtigende Regeln vor.

In den drei letzten Karnevals-Tagen ist die allgemeine Lust in allen Wirthshäusern los; da gibt es Bälle, theils mit, theils ohne Eintritts-Preise und auf den Straßen treiben sich zahlreiche Masken-Gesellschaften umher.

Seitdem die abonnirten Vereine jährlich mehrere, zum Theil von Masken besuchte Bälle veranstalten, sind die sonst von den Tanzfreunden häufig besuchten Casinos eingegangen und die Redouten haben ihren frühern Glanz verloren.

In den Pallästen der Reichen beginnt im Winter sich das sogenannte Salonsleben zu regen, es werden Assembleen, Soirees, Spielgesellschaften ꝛc. veranstaltet; bei manchen derselben herrscht viel Glanz, wobei die Matadors der jüdischen Banquiers nicht zurückbleiben.

In den neuern Zeiten dürfen wieder einige Kinderbälle im Fasching gegeben werden, welche unstreitig nicht unter die, dem zarten Alter angemessenen Jugendfreuden gehören. Sie wurden in der Zwischenzeit abgestellt, jedoch später wieder erlaubt. Dieses Hin- und Herschwanken, zwischen Verbieten und Gestatten, deutet eine Ungewißheit in den nothwendigsten Prinzipien an, welche durchaus nicht wohlthätig einwirkt. Hätte man lieber den Kindern ihre Frühlingsfeste, sonst Rieben genannt, wo sie sich unter den Augen ihrer Eltern und Lehrer im Freyen der jugendlichen Freude ganz hingeben durften, gelassen und durch

21*

Abschaffung einiger dabei herrschenden Mißbräuche sie zweckmäßiger gestaltet. Diese kindlichen Naturfreuden, durch Kinderbälle ersetzen zu wollen, ist offenbar ein verkehrter Tausch des Bessern mit dem Nachtheiligern.

Die sonst so beliebten abonnirten Liebhaber-Konzerte haben, was man nur bedauern kann, ihr Ende erreicht. Sie wurden im fürstl. Fugger'schen Saale begründet, und überlebten sich selbst im Saale zur goldenen Traube. An ihre Stelle traten die musikalischen Abendunterhaltungen in den abonnirten Vereinen, an welchen jedoch nur der, in einem solchen Kreise Aufgenommene, Antheil nehmen kann. Daß das Ueberhandnehmen dieser gesellschaftlichen Absonderungen dem allgemeinen Geiste der Geselligkeit feindselig entgegentrete, ist nicht zu läugnen, denn der Zwang geht jetzt so weit, daß man sich entweder in einer solchen, mit Schranken umzogenen Gesellschaft aufnehmen lassen, oder den Freuden der Geselligkeit im Winter entsagen muß.

Fremde Virtuosen geben hier gewöhnlich ihre Konzerte im Saale zur goldenen Traube, und suchen sich durch den Weg der Subscription, Gewißheit wegen Deckung der eigenen Kosten zu verschaffen.

Unter den abonnirten Gesellschaften ist die sogenannte Harmonie die älteste und ehrenfesteste. Seit ihrer im Jahre 1808 stattgehabten Begründung, hat sie manchen Lokalwechsel erfahren. Durch die Abtragung des Börsen- und Harmonie-Gebäudes war sie genöthiget ihren Wohnsitz in den Drei-Mohren und gegenwärtig in der goldenen Traube aufzuschlagen. Die Gesellschaft hat ihre eigenen Statuten und Vorstände, ein Lesezimmer, in welchem die neuesten Journale und Zeitungen aufgelegt werden, einen Sekretair und einen Harmoniediener. Die Aufnahme geschieht durch Ballotage; das jährliche Abonnement beträgt für eine Familie 22 fl., für ledige Herren 11 fl. Es finden dort Spielgesellschaften, musikalische Unterhaltungen, und bei festlichen Veranlassungen, große Bälle statt.

Der zweite abonnirte Verein ist die Gesellschaft des Frohsinns, eine in der That frohsinnige Gesellschaft, welche gleichfalls in der goldenen Traube ihre gesellschaftliche Heimath hat, und dort in ungezwungener, anständiger Fröhlichkeit, der Freude schönem Götterfunken huldigt. Auch sie veranstaltet musikalische Abend-Unterhaltungen, und ihre maskirten Bälle zur Karnevalszeit zeichnen sich durch sinnige und splendide Maskenzüge aus. Gedruckte Statuten bestimmen auch hier die Regeln und Gesetze, ohne welche kein Verein bestehen kann; durch Stimmenmehrheit gewählte Vorstände, wachen über ihren Vollzug. Die Ballotage entscheidet über die Aufnahme der sich zum Beitritte meldenden; sie zählt 125 ordentliche und mehrere Ehrenmitglieder.

Die Gesellschaft im Tivoli oder auf dem Stephinger Thorwall bildet den dritten gesellschaftlichen Verein, welcher gleichfalls Winterbälle veranstaltet.

Eine vierte Sommer- und Wintergesellschaft entstand erst im Sommer 1829 im Pferseer-Gäßchen. Sie hat ihr Winterlokale in der Stadt im Friedrichschen Kaffeehause, besteht aus 175 Mitgliedern und führt den Namen „Erheiterung.“

Im Däumlingschen Kaffeehause besteht eine der ältesten Gesellschaften im Winter aus 100 Mitgliedern.

Außer diesen abonnirten Vereinen unterhalten noch mehrere Privat-Gesellschaften in gesonderten Zimmern hiesiger Kaffee-, Wein- und Bierhäuser, im Winter gesellschaftliche Conversationen.

Die eigentliche Spielsucht hat in Augsburg ihre schädlich-wuchernden Wurzeln nicht ausgebreitet, die verderblichen Hazardspiele sind hier verboten. Wer in keinem der genannten Vereine aufgenommen seyn will, muß in den Wein-, Kaffee- oder Bierhäusern der Unterhaltung nachgehen, oder in den eigenen vier Pfählen, sich irgend eine beliebige Ergötzlichkeit wählen.

Einige Innungsgenossen, wie die Bräuknechte, die Bäckergehülfen u. s. w., haben im Sommer ihre sogenannten Tänzel- oder Jahrstage, wo es sehr hoch hergeht. In niedlichen Kabriolets, führen sie im feierlichen Zuge ihre Mädchen durch die Stadt, kutschiren sie dann an einen in den Umgebungen gelegenen Lustplatz, und Abends nach Oberhausen oder Göggingen, zum Tanze.

Im Julius ist in der Jakober-Vorstadt, die sogenannte Jakober-Kirchweih, welche zwei Tage währt, und an welcher viele Stadtbewohner Theil nehmen, obgleich das Ganze nichts weiter als eine städtische Dorfkirmse ist.

Mit Sehnsucht sieht der Augsburger der schönen Jahreszeit entgegen, um die zahlreichen Erholungsplätze vor den Thoren zu besuchen. Indeß giebt es auch für diejenigen, welche nicht gern weitgehen, in der Stadt selbst eine mannichfaltige Gelegenheit zur Erholung in Wirthshäusern, mit welchen hübsche Gärten verbunden sind.

Noch einige Wälle und Privatgärten sind von abonnirten Gesellschaften gepachtet und besucht. Oeffentliche Erholungsplätze oder Platzwirthe, in der Stadt selbst, sind: der untere Baugarten, H. 70; das Schlößchen in der Nähe des Schauspielhauses H. 136; das ehemalige Werbhaus A. 326; das Wirthshaus zum Stern mit einem hübschen Garten G. 38.; der obere Baugarten H. 104; das sogenannte Kühloch 183.; das Schlumberger'sche Schenkhaus H. 171.; das Lueginsland E. 83.; der Garten des Garkoch Friedl E. 162.; der Garten in der neuen Pfalz, am Domplatz.

o. Die in den näheren Umgebungen der Stadt befindlichen Erholungs-Plätze, Garten-Anlagen, Gebäude und Merkwürdigkeiten.

Der Spatziergänger findet in Augsburgs nächster Umgebung gleich vor den Thoren, die dem Vergnügen geöffneten Erholungsplätze in so bedeutender Anzahl, daß, wollte er sich auf jedem derselben gütlich thun, er zur Vollendung seiner Genuß-Entdeckungsreise mehrere Tage bedürfte. Wir liefern hier einen Wegweiser zu ihrer Auffindung, besichtigen aber auch zugleich, um die Tour nicht wiederholen zu müssen, die reizenden Gartenanlagen der Privatpersonen, und die der Gewerbsthätigkeit gewidmeten Gebäude ausserhalb den Stadtmauren.

Die nächsten Umgebungen der Stadt, sind in 7 Distrikte eingetheilt.

Der erste beginnt vom Wertachbruckerthor und zieht sich links, bis zum Klinkerthore, oder dem sonst sogenannten Schluderer-, Rosenau- oder Henkerthor, dessen Thurm im Jahr 1413, die Wohnung des Scharfrichters enthielt, von welchem Höhe-Punkt aus er seinen Blutacker, den vor dem Klinkerthor gelegenen, damaligen Rabenstein, und den auf der jenseits der Wertach aus weiter Ferne gesehenen, nun abgetragenen Galgen, täglich vor Augen hatte. Die Entfernung des Wertachbrucker- bis zum Klinkerthor, beträgt 3285 Fuß. Kaum sind wir zum Wertachbruckerthor hinausgetreten, so können wir schon in Nro. 1 — 2, nemlich bei dem ehemalig Reichsstadt-Augsburgischen Zollhause, welches gegenwärtig als Schenkplatz benützt wird, dießseits der Wertachbrücke, Halt machen, dann über diese zum weiland bischöflichen Zollhause promeniren, um dort gleichfalls Erfrischungen einzunehmen. Doch für jetzt wollen wir unsere Wanderung durch den ersten Distrikt fortsetzen. Wir eilen, eine Prise nehmend, bei den der Bäckerzunft gehörigen Schweinställen schnell vorüber, und gelangen bei der sogenannten Pfeiffermühle, einem Bilde der nie stille stehenden, nützlichen Thätigkeit, vorbei, zu der herrlichen Gartenanlage des berühmten Kunstgärtners Schulz — 6, wo uns in dem trefflich eingerichteten Gewächshause, Florens reizende und üppige Blumenspenden reich entgegen duften.

Der Boschischen Gewürzmühle am Sinkelbach, haben wir bereits unter den Badeanstalten gedacht; in ihrer Nähe befinden sich eine Schleif= und Poliermühle und die Stegmann'sche Papierfabrik; nicht weit davon liegt die königl. bayr. privil. Schwefelsäure=Fabrik Nro. 15, unter der Direktion des Hrn. Dr. Dingler ꝛc. Am Fuße des Klinkerberges empfängt uns abermals ein Schenkplatz, das Haus des ehemaligen Stadtjägers, welcher sich wegen der dort aufgetischten Backfische eines zahlreichen Besuches erfreut.

Gegenüber erhebt sich längs der rechten Seite der Klinker=Anhöhe, eine schöne, neue, großartige Gartenanlage des Freiherrn v. Eichthal, welche jetzt durch Kaufrecht an den Freiherrn Carl v. Schäzler übergegangen ist, und von einem erhabenen Standpunkt aus, behauptet das Gartenhaus des Freiherrn v. Lotzbeck die schönste Aussicht in die reizenden Umgebungen. Ein gleichfalls recht angenehm, gelegener, ländlicher Sitz, ist die hübsche Gartenanlage des Kunstverlegers Hrn. Tessari.

Mit dem Klinkerthor, unter Nro. 18, beginnt der zweite Umgebungs=Distrikt, der sich vom Klinker, zum Gögginger Thore hinüberzieht, bis wohin die Entfernung 2406 Fuß beträgt, und sich bis an die Göggingerstraße ausdehnt.

Das Gartengut des Freiherrn Carl v. Wohnlich, dessen Anlegung, bei welcher mehrere römische Alterthümer ausgegraben wurden, der neuern Zeit angehört, ist sehr hübsch geordnet. Der Aufmerksamkeit und der Beschauung im höhern Grade werth, ist die Villa des Freiherrn v. Schäzler. Sie bleibt ein schönes Denkmal des Geschmackes ihres ehemaligen Besitzers, des von Tausenden beweinten, viel zu früh der Erde entrissenen Hrn. Finanzrathes Lorenz v. Schäzlers. Hier erholte sich der Edle von den Anstrengungen, welche sich mit seinen ausgebreiteten Geschäften, als Banquier und mit den mannichfaltigen Arbeiten, denen er sich zum Besten der bedrängten Menschheit unterzog, verbunden waren. In den anmuthigen Schattengängen gediehen manche zum Segen seiner Mitmenschen gemachte Entwürfe zur Reife, denn eben so schön als wahr, sagt Thümmel:

Entschluß gerecht zu seyn, Muth zu der Freundschaft Thaten,
Veredeltes Gefühl der Lieb' entsteigen nur
Der Dunkelheit des Wald's, dem Wellenschlag der Saaten
Und deinem Säuseln, o Natur!

Das Gartengebäude selbst hat den schönen Styl, in welchem es schon von seinem früheren Eigenthümer dem Hrn. Joh. Georg Walther v. Halder, aufgeführt worden, beibehalten; der Garten trägt den Stempel der Großartigkeit an sich; nirgend begegnet man kleinlichen Spielereien, als Ausgeburten eines verkehrten Geschmackes, welche uns in manchen sogenannten Parks aufstoßend an die drollige Bitte erinnern:

Es wird hier Jedermann dringend gebeten,
Die Berge ja nicht niederzutreten
Auch lasse man keine Hunde mitlaufen,
Sie möchten sonst die Seen aussaufen;
So unverschämt wird wohl keiner hier seyn,
Daß er gar einen Felsen steckt ein!

Ein sehr schönes Gewächshaus war der Lieblings-Aufenthalt des Verstorbenen, in welchem er, als in einem anmuthigen Wintergarten öfters Tafel gab. Jede Stelle in dieser herrlichen Gartenanlage, erfüllt den Wandler mit wehmüthigen Empfindungen, daß ihrem Gründer nicht ihr längerer Genuß vergönnt war, an diese reihen sich die feierlichen Gefühle, welche seine Verdienste um seine Mitbrüder hier hervorrufen, denn:

die Stelle, die des Edlen Fuß betrat,
Ist ein geweihter Ort.

Dem Kunstfreunde bietet dieser Garten überdieß einen ausgezeichneten Kunstgenuß durch den Anblick der aus Bronze gegossenen 22 Fuß hohen Figuren-Gruppe dar, welche Freiherr v. Schäzler käuflich an sich gebracht und hier aufgestellt hat. Ein schönes, gewandloses Weib, schmiegt sich an eine kraftvolle, gleichfalls unbekleidete Mannsgestalt, deren linker Arm den Nacken seiner Gefährtin umrankt, während seine Rechte auf ihrer Brust ruht, die linke Hand hält eine Frucht empor, und ein reizender Knabe reicht den fest umschlungenen Paare eine Schale. Vergebens forscht das Auge nach irgend einem, dieses Kunstbild als bestimmt mythologische Gottheiten bezeichnenden Attribute, daher auch die Meinungen über die hier von dem Bildner zur Anschaulichkeit gebrachte Idee, sehr verschiedenartig lauten.

Die abgeschmackteste Ansicht ist wohl die, welche hier das erste Menschen-Elternpaar, Adam und Eva mit der verderblichen, vom Baume des Lebens gepflückten Frucht, vor sich zu haben glaubt. Manche wollen in dieser Gruppe den Donnergott Zeus, mit Juno seiner Göttergemahlin und Ganymed erblicken, nach Andern soll hier Mars und Venus mit dem Liebesgotte abgebildet seyn. Welche Auslegung hier die richtige sey, muß dahin gestellt bleiben. Vielleicht wollte hier der Künstler die weibliche Anmuth, den Liebesreiz, neben dem Ideale männlicher Kraft darstellen. Das 12 Schuh hohe, mit 4 Stufen versehene Piedestal, ist von röthlichem Marmor, die 4 Ecken sind mit schönen ehernen Caryatiden geschmückt; an den 4 Seiten des Fußgestelles finden sich zum Theil folgende Inschriften. Die gegen Morgen gerichtete lautet: „Auf Auftrag und Kosten des Johann Fugger von Kirchheim, geformt, in Augsburg 1584 durch Hubert Gerhard aus den Niederlanden, und Carlo Pallazo aus Italien; gegossen 1586, durch Piedro di Nove, einem Italiener, und Cornel Anton Mann, einem Niederländer. Gegen Abend stehen die Worte: „Errichtet in dem Schloßhofe zu Kirchheim 1590; angekauft und an dieser Stelle errichtet, von Johann Lorenz Freiherrn v. Schäzler." Nach Paul v. Stettens Angabe in dem 2ten Theil seiner Augsburgischen Kunstgeschichte, sind dazu 70 Centner Kupfer und 30 Centner Metall gebraucht worden.

Die jetzige Stelle, welche dieses Kunstwerk einnimmt, ist eine der schönsten Parthien des v. Schäzlerschen Gartens, welcher gegenwärtig das Eigenthum seiner Frau Wittwe geworden.

Zunächst diesem liegt das Freiherr v. Schnurbeinische Gartengut, welches an ein schmales nach dem Dorfe Pfersee führendes Gäßchen, das Pferseer-Gäßchen genannt, gränzt.

In diesem befindet sich eine häufig besuchte Platzwirthschaft, welche „zum Pferseer-Gäßchen" heißt. In dem Wirthshause ist ein Billard vorhanden, der Garten ist dem öffentlichen Sommer-Vergnügen gewidmet, es existiren aber auch hier geschlossene Privat-Gesellschaften, und namentlich halten dort die Mitglieder des Frohsinns, und die Gesellschaft zur Erheiterung, wie oben angezeigt, in der anmuthigern Jahreszeit ihre geselligen Zusammenkünfte.

Dem Göggingerthor gegenüber finden wir einen Pavillon, welcher zu einem Observatorium, zwar nicht zur Beobachtung der nächtlich leuchtenden Himmelskörper, nur zur Musterung der glänzenden Reihen von Spaziergängern trefflich gelegen ist. Es ist dieses, übrigens dem Staube sehr ausgesetzte Sommerhaus ein Bestandtheil des Gartengutes unseres ehemaligen reichsstädtischen Geheimenrathes Hrn. v. Besserer, zu welchem das an die Straße hingebaute Gartenhaus Nro. 25 — 26 gehört. Dicht daneben liegt das an Umfang bedeutende Gartengut, nebst dem ansehnlichen Garten-Gebäude des Hrn. Banquier Friedrich v. Halder. Hier stand vor alten Zeiten die Fugger'sche Sommer-Reitschule, oder der damals sogenannte Tummelplatz.

Die Herren Fugger waren nemlich große Freunde von ritterlichen, oder, wie sie heut zu Tage heißen, gymnastischen Leibes-Uebungen und hauptsächlich von Pferden. Einer aus ihnen führte den Wahlspruch:

Nichts angenehmer's auf der Erd',
Als eine schöne Dame und ein schönes Pferd.

Max Fugger gab im Jahr 1578 ein Werk über die Gestuterei mit vielen Holzschnitten heraus, welches mehrere Auflagen erlebte.

In dem Garten des Herrn v. Halder ragt gegen das Feld hinaus, eine Pyramide zum Andenken der Anwesenheit des Kaisers Franz II., mit Inschriften, empor.

In einem Sommerhause hält eine abonnirte Gesellschaft aus mehreren, zu den gebildeten Ständen gehörigen Familien bestehend, ihre Zusammenkünfte.

Das mit dem v. Halderschen Garten-Gebäude zusammenhängende, in Pacht gegebene Wirthshaus zum Prinzen von Oranien ist gleichfalls ein Eigenthum des Herrn v. Halder. Schade, daß eine zu düstere Nachbarschaft das unfreundliche Gegenbild zu den Freuden und Genüssen des Daseyns ausstellt. An dieses Trinkhaus stößt nemlich

Der Gottesacker der Katholiken.

Am Ende des 16ten Jahrhunderts erhielten die Katholiken die Bewilligung einen eigenen Begräbnißplatz vor den Stadt-Thoren anlegen zu dürfen. Zu diesem Behufe wurden zwei Gärten, wovon der eine der Hospitalstiftung, der andere dem Max von Rehlingen gehörten, angekauft, mit einer Mauer umgeben und als Gottesacker am 19. November 1600 durch den Weihbischof Sebastian Breuning feierlich eingeweiht.

Die mitten auf diesem Leichengefilde stehende Gottesacker-Kirche ward im Jahr 1603 dem Erzengel Michael, sammt allen heiligen Engeln gewidmet und gleichfalls geweiht. Sie erlitt eine zweimalige Zerstörung, die erste im Jahr 1622 durch die Schweden; der an ihrer Stelle errichtete Tempel wurde durch die Kaiserlichen Anno 1703 demolirt.

Schöner erhob sie sich wieder durch die Beiträge der katholischen Bürgerschaft aus dem Schutte und wurde am 29. August 1712 zum drittenmale eingeweiht. Der Begräbnißplatz selbst mußte im Jahr 1799 erweitert werden.

Die in einem schönen Baustyle errichtete Gottesacker-Kirche ist einiger schöner Gemälde wegen, merkwürdig. Das von Christoph Schwarz gemalte Altarblatt stellt den, in Augsburg vielfältig abgebildeten Triumph des Erzengels Michaels über den Fürsten der Finsterniß vor. Auf zwei andern Altarblättern hat Johann Georg Bergmüller die Hinfälligkeit alles Irdischen und die Auferstehung der Todten zu versinnlichen gesucht. Das al Fresco gemalte Deckenstück von Joh. Joseph Hubers Meisterhand, zeigt die Abbildung des jüngsten Gerichts. Johannes Holzer und Jos. Mauchert von Waldsee, am Bodensee, haben die vier Perioden des menschlichen Lebens-Alters gemalt.

Die Mauern des Gottesackers umschließen auch noch die Wohnung des Todtengräbers, der zugleich bei den Todtenmessen die Dienste eines Meßners versieht. Das sonst zum Aufschichten der ausgegrabenen Todtenknochen gebrauchte, schauerliche Beinhaus, ist jetzt in ein Leichenhaus, d. h. zur Aufbewahrung der Leichnahme, welche an ansteckenden, oder eine schnelle Verwesung herbeiführenden Krankheit verstarben, oder welche wegen Enge des Raumes in den Wohnungen nicht bis zur Beerdigung aufbewahrt werden können, umgewandelt.

Ueber der zum Reiche der Gräber führenden Eingangspforte sind einfache, dem Zwecke entsprechende Allegorien nebst den Inschriften:

„Sey getreu bis an den Tod, so will ich dir die Krone des Lebens geben"

und

„Die Auferstehung der Todten ist die Hoffnung der Christen."

Die Grabhügel der Entschlafenen sind durch unzählige Kreutze bezeichnet; über den Gräbern selbst erheben sich viele Sepulchral-Monumente von sehr verschiedenartigem Geschmack und Kunstwerth.

Eine sehr rührende Feierlichkeit findet hier auf diesem Schauplatze der Verwesung, am Feste Aller-Seelen statt, und es wäre zu wünschen, daß alle Konfessionen diese schöne religiöse Sitte nachahmen möchten. Die Dankbarkeit und Liebe schmücken an diesem Tage die Ruhestätten der Vorangegangenen mit Blumen, und anderen Symbolen der wehmuthsvollen Erinnnerung, bethauen ihre Gräber mit Thränen und weihen ihnen fromme Gebete.

Doch zu lange weilten wir bereits auf dem Felde des Todes, dessen Besuch indeß für den Fühlenden reich an fruchtbaren Betrachtungen ist.

Gehen wir die Gögginger Hochstraße entlang eine Strecke weiter hinauf, so kommen wir bei ein paar Wald-Kapellen vorbei, und gelangen zu dem reizenden Landsitze des Herrn Banquiers Erzberger.

Das Gebäude selbst liegt rechts von der Straße abwärts, mitten in einer anmuthigen Garten-Anlage.

Auf der gegenüberstehenden Seite, etwas weiter hinauf,

steht die neuangelegte Ziegelbrennerei; Herrn Feigels Eigenthum.

Im Rückweg, nach dem früheren Geleise unserer Wanderung bleibt die gleichfalls mit Baumreihen besetzte Hühnergasse und eine alte Feldsäule links liegen, um die durch eine kleine Episode unterbrochene Runde unserer Fußreise wieder aufzunehmen.

Dem v. Halder'schen Gartengute gegenüber liegt abermals ein, der Freiherlich v. Münch'schen und v. Lausberg'schen Familie gemeinschaftlich zugehöriges Gartengebäude, mit einer, mehr auf den Nutzen, als auf das Angenehme berechneten Gartenanlage.

Der Duft der Bratwürste, der Gläserklang, das Auf- und Zuklappen der Krügedeckel, zum Zeichen daß frisch eingeschenkt werden soll, und zuweilen die Töne der Musik, lassen uns die Nähe eines besonders frequenten Sammelplatzes für Freunde des geselligen Vergnügens vermuthen. Es ist

der Schießgraben,

welchen wir jetzt betreten. Er ist in 4 Parzellen abgetheilt. Der obere und der untere Schießgraben sind der öffentlichen Lustbarkeit geweiht. In dem Erstern befindet sich der große abonnirte Schützengarten mit einem eigenen Eingange. Das jährliche Abonnement beträgt, mit Einschluß eines freiwilligen Beitrages für die Musik, 3 fl. Hier finden die Schießübungen mit der Armbrust statt; den Freund des Kegelschiebens ladet eine wohl eingerichtete Kegelbahn zu diesem, mit einer gesunden Bewegung verbundenen Zeitvertreibe ein. Auf der vor ihr angebrachten, mit Tischen und Sitzbänken ausgestatteten Terrasse, ist der Eintritt in ein hübsches Zimmerchen, in welchem in mehreren Glastafeln, die schön geschriebenen Namen der zahlreichen Abonnenten und Schützen prangen. Der Garten selbst ist im englischen Geschmacke angelegt, in der Mitte erhebt sich eine ansehnliche Rotunde, welche zu einem geräumigen, hübsch dekorirten Gartensaale dient.

Das neue Wirthschafts-Gebäude im obern Schießgraben, als dem allgemeinen Schenkplatze, steht gegen die Straße und würde sich noch hübscher ausnehmen, hätten sich nicht ein paar Seiten-Gebäude allzunaseweis vorgedrängt. Im Innern enthält es Gast- und Gesellschaftszimmer für die Abonnenten sowohl, als die nicht abonnirten Wirthsgäste. Man wird mit schmackhaften und abwechselnden Speisen und Getränken bedient, und Fremde finden hier Gelegenheit zu logiren. Besonders ist hier wegen der Nähe des Hallthores die Einkehr der fremden Fuhrleute bedeutend.

Durch den obern gelangt man in den untern Schießgraben. Links am Eingange desselben steht ein abgesondertes, hübsch und geschmackvoll angelegtes Gärtchen, mit einem neu erbauten, geräumigen Lokal für eine gleichfalls abonnirte Gesellschaft. Diese isolirte Kapelle im Tempel der Geselligkeit, haben mehrere Kaufherren für sich gepachtet, und die Ballotage entscheidet über die Aufnahme neuer Mitglieder an die Stelle der Abgegangenen.

Der untere Schießgraben ist ein sehr angenehmer Erholungsplatz, dessen Pächter die Wirthschaft betreibt. Durch ihr Alter und ihren Umfang gleich ehrwürdige Linden, wölben sich hier über den, für Gäste bestimmten Tischen, zu ansehnlichen, Schatten gebenden, und in der Blüthenzeit, angenehme Düfte verbreitenden Blätterhallen. Die Bedienung ist gut und billig, und bei diesen beiden Haupteigenschaften eines schon an sich angenehmen Erholungsplatzes kann es an einem zahlreichen Zuspruch bei heiterer Witterung nicht fehlen.

Hier übten sich sonst die Schützen mit dem sogenannten Freihandbogen, jener uralten, nur noch bei unkultivirten Völkerschaften gebräuchlichen Waffe. Die große Unsicherheit dieser Schießweise richtete manches Unheil an, daher

gehört

gehört die Einstellung dieser Belustigung nicht unter die bedaurungswürdigen Abstellungen.

Mit vollem Rechte kann man den Schießgraben, welcher ein Eigenthum der Schützengesellschaft ist, einen recht angenehmen Erholungsplatz nennen. An schönen Sommerabenden ist hier Alles belebt. Zur Dultzeit eröffnen dort englische Reiter und Seiltänzer ihren Cirkus und die von Zeit zu Zeit hieherkommenden Menagerien werden hier in eigenen Bretterbuden zur Schau ausgestellt.

Zur Hauptschießzeit findet man hier Glücks-Buden, ausgestattet mit Porzellain- und Zinnwaaren, wo für geringe Einsätze um diese glänzenden und zerbrechlichen Gewinnste gewürfelt, oder ein Zeiger auf einer mit gemalten Ziffern gezierten Scheibe, gedreht wird.

Eine ziemliche Zeit lang war diese Art von Zufalls-Spiel und zwar mit Recht verboten; alles was diesem ähnelt, kann schlechterdings nie zu den unschuldigen Vergnügungen gezählt werden, und sie sind deswegen um so nachtheiliger, als die Jugend daran Theil nehmen kann. Durch dergleichen Spiele wird schon den jugendlichen Gemüthern die Spielsucht eingeimpft, welcher eher entgegen gearbeitet werden sollte, statt sie zu nähren; sie erregen die Leidenschaften, entflammen den Zorn und Neid gegen den glücklichen Gewinner, und reizen zum Versuche, auf irgend eine Art die Mittel zum Einsatze zu erhalten.

Für Augsburgs Bewohner hat dieser öffentliche Erholungsplatz einen noch erhöhtern Werth durch das sinnige Volksfest erhalten, welches dem unvergeßlichen Könige Maximilian Joseph bei Allerhöchstdessen Anwesenheit hier zu Ehren veranstaltet wurde. Nicht leicht betritt wohl ein Augsburger diese Stelle, ohne sich die theuren Momente, in welchen der geliebte Vater unter seinen getreuen Kindern weilte und wandelte, zu vergegenwärtigen.

In der Mitte des zum damaligen Volksfeste bis an die Hochstraße erweiterten Schießgraben, ragte auf einem erhabenen Standpunkte das prächtige Königszelt ganz aus hier bearbeiteten Stoffen verfertigt, hervor.

Im weiten Halbkreise bildeten schön dekorirte Kaufbuden, ausgestattet mit den herrlichsten Erzeugnissen der Natur, des Gewerbfleißes und der Kunst, einen Bazar, der einen höchst reizenden Anblick, vereint mit dem belebten regen Gemälde der jubelnden Menge, darbot.

Armbrust- und Bogenschützen hielten hier ihre Uebungen schon im 14ten Jahrhundert; sie schossen im Jahre 1392 um einen Bären; der gewöhnlichste Vortheil, um welchen geschossen wurde, war sonderbar genug, ein paar Hosen. Ueberhaupt müssen in der Vorzeit diese männliche Kleidungsstücke in einem höhern Ansehn gestanden haben, als gegenwärtig; wo sie nicht mehr wie im 15ten Jahrhundert zu Präsenten verwendet werden.

In der damaligen Hochzeits-Ordnung ist bestimmt, daß ein Bräutigam seinen Schwägern mehr nicht, als ein paar Hosen schenken soll, der Rath honorirte gleichfalls mehrere ersprießliche Leistungen mit ein paar Beinkleider.

Das stattliche v. Imhoffische Gebäude am Obstmarkt, welchem gegenüber das Burgthor vor alten Zeiten gestanden, war zum Theil Lehen der Grafen v. Hohenlohe; die frühern Hausbesitzer mußten nach ihren übernommenen Lehnspflichten dem Lehnsherrn jährlich ein paar Hosen von Saget, zur Lehns-Erkenntlichkeit reichen; vielfältig erhielten die Schützen vom Rathe dergleichen Mannszierden zur Austheilung als Schießpreise.

Erst im Jahre 1545 wurde das Armbrustschießen in den Schießgraben verlegt. Ein geschichtliches Fragment über das Stahlschießen hat J. August Adam im Auftrage des Magistrats verfaßt, welches dem höchstseeligen Könige Maximilian Joseph bei dem obenerwähnten Besuche, nebst einer Armbrust, überreicht wurde, während der feierliche Schützenzug mit zwei Lustigmachern an der Spitze, vierzehn gleich gekleideten Fahnen- und Gewinnstträgern, einem Armbrustträger und die Schützenmeister nebst den Schützen, mit einer Abtheilung Landwehr, unter den Tönen der Waldhörner, die Tribune mit dem Königs-Gezelte umkreisten.

Der Schießgraben mit seinen Gründen und Gebäuden gehört der Gesellschaft. Die Wirthe des obern und untern Schießgrabens bezahlen der Gesellschaft jährlich eine verhältnißmäßige Pacht-Summe, welche auch die Gesellschaft im sogenannten kleinen Schießgraben entrichtet. Die Schützenmeister werden theilweis jährlich neu gewählt.

Zunächst an den Schießgraben gränzt das Gartengut nebst Gebäude, welches dem letzten protestantischen Hrn. Stadtpfleger und königl. Geh. Rathe Paul v. Stetten, jetzt aber seinen Relikten gehört. Der Garten ist wohl unterhalten und man sieht es an seinen Anlagen, daß ihn ein Mann von Geist zu seinem place de repos erkohr. In dem Garten selbst steht ein schönes Denkmal der kindlichen Verehrung, mit welchem dem ehrwürdigen Vater der Stadt und seiner hochachtbaren, im gegenwärtigen Jahre (1829) gleichfalls verstorbenen Gemahlin, am Morgen seines, im Jahr 1805 gefeierten Ehejubiläums seine Söhne und seine Tochter überraschten. Es ist von der Hand des geschickten Bildhauers Haff, Ingerls Nachfolger, gearbeitet, und zeigt in karrarischem Marmor ein Jubelpaar in römischer Kleidung, welches sich über einem Altare, unter dem Segen des Priesters, die Hände zur Bundes-Erneuerung reicht. Die Inschrift lautet:

Der Gatten-Liebe,
die ein halbes Jahrhundert bewährte,
gestiftet von kindlicher Liebe den XII. Mai.
MDCCCV.

22*

Dieser schöne Tag, durch Gedichte, Programme, Bildnisse, Zeichnungen und Medaillen verherrlicht, war ein Fest für die Vaterstadt.

Zunächst diesem Garten liegt das Gartengut des quieszierten, ehemaligen reichsstädtischen Geheimden Christoph v. Rad, und dann folgt abermals eine Reihe von Gärten, nemlich der Garten der Gold- und Silberscheiders-Wittwe Schneider, der Weingastgebers-Wittwe des Drei-Mohrenwirthes Singer, das Garten-Gebäude und Garten-Gut der Frau Wittwe des seel. Hrn. David v. Stetten; und gegenüber die Gartenanlage des rechtskundigen Hrn. Magistratsraths Herbst, welche hier auf dem Rücken eines früher nur mit Unkraut hin und wieder bewachsenen, aus dem dorthin geführten Bauschutte aufgethürmten Hügels entstand. Später wurde hier ein Gebäude, bestimmt zu einem Laboratorium zu Hervorbringung des tragbaren Gases, welches die Straßen der Stadt, das Innere der Kaffeehäuser, nächtlicher Weile glänzend erhellen sollte, aufgeführt. Es fanden sich auch Aktionärs, welche die Sache mit Geld unterstützten; Alles harrte dem Schöpfungstage entgegen, an welchem das ersehnte: „es werde Licht!" in Erfüllung gehen sollte. Allein die Probe entsprach den Erwartungen nicht.

Das daranstoßende ehemalige Gartengut des Hrn. Paul Carli 63 — 64, ist jetzt gleichfalls in einen Schenkplatz umgeschaffen und das ehemalig Richterische Bestandgut, an der Haunstädter-Straße gehört ebenfalls zu diesem Distrikte.

Die meisten dieser Garten-Anlagen sind sehr schön und wohl unterhalten, und der Vorbeiwandelnde bedauert nur, daß sie nicht, wie die herrlichen Gärten um Leipzig zu gewissen Stunden des Tages den Gebildeten zum Besuche geöffnet sind.

Noch ist in diesem Bezirke ein Oekonomie-Anwesen, ein Gärtner-Haus, die Bierschenke des Oekonomen Enzlers, und eine jetzt Hrn. Moser gehörige Türkischroth-Färberei.

An der Haunstädter Straße rechts liegt der

Gottesacker der Protestanten.

Ehedem hatten dieselben zwei Begräbnißplätze, nemlich den bereits erwähnten untern Gottes-Acker in der Nähe des Stephinger Thores und diesen obern Gottesacker, welcher im Jahr 1524, nachdem der Magistrat zu diesem Behufe einige Aecker vor dem rothen Thore gekauft hatte, angelegt wurde. Später ward er nicht mehr benützt, sondern in einen Anger umgewandelt. Allein da die Sense des Todes in dem Jahre 1564 zweitausend fünfhundert zwei und vierzig Menschenleben abmähete, mußte er wieder hergestellt und mit einer Mauer umfangen werden. Der Platz selbst ist sehr geräumig und frey und stößt nicht unmittelbar an die Heerstraße. Auch hier hat ein edler Verschönerungssinn, diese Gefilde der Verwesung freundlicher gestaltet. Gräber sollen ohnehin nicht durch abschreckende Sinnbilder der Auflösung, die Brust der Lebenden mit Grauen erfüllen, es soll vielmehr an diesen, sich die freudige Hoffnung des Wiederaufblühens, durch die lieblichen Symbole der Blumen, womit der liebende Sinn der Hinterbliebenen, unter Thränen der Wehmuth die Grabhügel der Vorausgegangenen umpflanzt, versinnlicht, tröstend aussprechen.

Im Jahre 1827 waren die Evangelischen auf diesem Gottesacker durch Beyträge ihrer Gemeinden in den Stand gesetzt, eine Kirche mit einem Todtengeläute errichten zu lassen. Man tadelte den Baustyl derselben bitter in öffentlichen Blättern, indessen entspricht sie ihrem Zwecke durch Einfachheit.

In dieser Kirche wird die Trauerrede gehalten und der Entschlafene dann auf dem Grabe selbst zu seiner Ruhe eingesegnet. Der früher hier zu diesem Zwecke geöffnete Saal, welcher von dem reichen Chemikus Schaur über drei Grüften erbaut wurde, ward im Jahr 1811 zu einem Leichenhause nebst einem Stübchen für die Wächter eingerichtet.

In den neuern Zeiten erhoben sich auf diesem Friedhofe

mehrere Todesdenkmäler, welche hinsichtlich der Ideen und der Ausführung gelungen genannt zu werden verdienen.

Allein unter diesen Denkmälern des geläuterten Geschmackes, beleidigen hier dennoch manche durch Ueberladung von goldenen Zierrathen verunstaltete Grabsteine, das Auge und den geistigen Sinn. Billig sollte hier im Gebiete des ewigen Friedens und der Gleichheit, wo von allen Gütern der Erde, nichts als eine Hand voll Staub übrig bleibt, der Flittertand der Erde entfernt seyn. Möchten die Hinterbliebenen vor der Aufstellung solcher öffentlicher Denkmäler, wodurch sie ihren eigenen Geschmack entweder beurkunden oder verunglimpfen, Männer von Einsicht zu Rathe ziehen, damit nicht das Denkmal der Liebe in geschmacklosen Grabsteinen und Inschriften, zum Monumente der eigenen Thorheit ausarte.

Vor Zeiten mußten sogar die ernsten Grabsteine ihre Außenseite zu räthselhaften Wortspielereien hergeben; ein solches ist hier auf einem Monument noch lesbar und lautet:

Ich bin	Das Licht	Siehet	Mich Nicht mehr.
	Der Weg	Gehet	
	Schön	Liebet	
	Weich	Bittet	
	Allmächtig	Fürchtet	
	Ewig	Suchet	
	Weise	Folget	
	Edel	Bedienet	
	Barmherzig	Trauet	
	Wahrhaftig.	Glaube	
	Aber man		

Dem Scharfsinn unserer Leser wird das Zusammenfügen der getrennten Sätze nicht schwer werden.

Mitten auf den Feldern hinter dem obern Gottesacker befindet sich der, der Kommune gehörige Ziegelstadel nebst der Trocknungshütte; er ist an den Hrn. Mauermeister Selb verpachtet; dort wird gleichfalls Bier geschenkt.

Ungefähr dreiviertel Stunden vor der Stadt entfernt, liegt die sogenannte Stadt=Au, ein angenehmes Nadel=Gehölze und ein gern besuchter Kühle= und Schattengebender Erholungs=Platz, zu den sieben Tischen genannt. Ein Platzwirth und zugleich Oekonom, reicht den zahlreichen Gästen, wohlschmeckende Erfrischungen um billigen Preis.

Von diesem angenehmen, geselligen Vereinigungspunkte aus, führen schattige Gänge durch den Hain auf den Ablaß 90 — 92. Schon unsere Vorfahren unternahmen das gemeinnützige und wohlthätige Werk, das Lechwasser durch Kanäle in die Stadt zu leiten. Das Jahr seines Beginnens und seiner Vollendung läßt sich nicht mit Gewißheit angeben. Bei dem sogenannten hohen Ablasse wurde der Hauptstrom erst später gefaßt, nachdem er schon früher an dem sogenannten Loch oberhalb dem Dorfe Haunstetten, gewonnen ward. Das alte Stadtbuch erwähnt die Lechkanäle unter den Benennungen: des Luitpold=, Lassinger=, Geumüllners= und Rötiger=Lechs, und bestimmt ihre Breite. Die Kanäle, in welchen das Lechwasser der Stadt zuströmt sind: der Hauptlech=Kanal, der von dem Ablasse an der Friedberger Straße herabfließt, die Stadt der Länge nach, durchströmt, und dann nach seinem Ausflusse sich mit dem Lech vereinigt; er theilt sich in den Stadtbach und in den Ochsenlech, der erst in der Stadt wieder mit dem Stadtbache zusammenfließt. Die übrigen Kanäle sind der Schäflerbach, der Fichtelbach, der Hanreybach und der Herrenbach. Der Lochbach, der die Stadtgräben mit Wasser speist, und der Brunnenbach, welcher die Wasserwerke in den Brunnenthürmen treibt, mehrere Mühlen in Gang setzt und die Stadt unter der Benennung des Malvasierbaches verläßt.

Das Einreißen des Lechstromes im Jahr 1346, welches ogar die Stadt mit den Gefahren einer Ueberschwemmung bedrohte, veranlaßte die Aufführung eines Dammes und einer neuen Wuhr, durch welche zugleich die Floßfahrt befördert wurde.

Dieser Wasserbau wurde zum beständigen Zwietrachts-apfel zwischen dem Rathe und den Herzogen von Bayern; stets eröffnete die Zerstörung dieser Ablaßwerke, die häufig in den Zeiten des Faustrechts ausgebrochenen Fehden. Kaiser Sigmund ertheilte der Stadt im Jahr 1418 einen Freiheitsbrief gegen dergleichen Gehässigkeiten und ein von Kaiser Friedrich III. erhaltenes Privilegium ermächtigte die Väter der Vaterstadt, so viele Kanäle, als sie nur immer für nöthig erachten würden, in die Stadt zu leiten. In Folge dieser Begünstigung wurden im Jahr 1445 bei dem Vogelthor, der sogenannte Ochsenlech, und im Jahre 1495 ein Verstärkungs-Arm am Schwibbogen oder ehemaligen Swinbogen- auch Swiebogen-Thor in die Stadt geleitet.

Die Erweiterung der Wasserwerke am hohen Ablaß gab im 16ten Jahrhundert abermals den Stoff zu Irrungen mit dem Nachbarstaate, welche durch eine kaiserliche Kommission ausgeglichen werden mußten. Die kaiserlichen Kriegsvölker verbrannten die Ablaßgebäude und verschütteten die Kanäle im Jahre 1633, und die Franzosen und Bayern wiederholten diese Zerstörungsscenen Anno 1703. Das Jahr 1708 wurde zur Restaurations-Periode dieser nützlichen, aber kostbaren Anlagen und die wiederaufgeführten Gebäude standen bis zum Jahr 1793, in welchem das hölzerne Ablaß-Gebäude mit allen dazu gehörigen Maschinen, Schleußen und Fallen bis auf den Grund abbrannte. Wegen den damaligen Kriegsunruhen konnte man erst im Jahr 1797 Hand an die Wiederaufbauung legen, dann wurde aber das Ablaßgebäude dauerhafter von Stein aufgeführt und mit folgender Inschrift versehen:

Cataracta maior
quondam lignea
Die XXV. Octobr. MDCCXCIII. Flammarum
violentia destructa
Auspicio Duumvirorum
Paul de Stetten
Jos. Adrian Imhoff
de Spielberg et Oberschwambach,
curantibus aedilibus
Jos. Joann Adam de Seida
de Landensberg.
Hs. Ans. Leop. Wolfg. Langenmantel
de Westheim et Ottmarshausen.
Alberto de Stetten.
Joann Caspar Mayr
Fabricantibus.
Emanuel And. Hubmaier.
Joann Mehle.

Einem Fremden wird der Besuch des Ablasses, theils als angenehmer Erholungsplatz, theils wegen Besichtigung der zweckmäßig und trefflich eingerichteten Wasserleitung, der Fallen, Schleußen und der dazu gehörigen Vorrichtungen, einige angenehme Stunden gewähren. Das Brausen des Wöhrs und der mächtige Wassersturz über einen nicht unbedeutenden Abfall, das pfeilschnelle Hindurchfahren der in den Hauptstrom einlenkenden Flöße, welche sich in den Strudel, mit dem Gischt der Wogen überströmt, stürzen, die Vorkehrungen ihrer Lenker gegen die drohende Gefahr, das Hinabfahren der Flöße in den zur Stadt führenden Lech-Arm, ist ein interessantes Schauspiel, welches man bei ländlichen, wohlschmeckenden Erfrischungen, die der Abläßer oder Oberschleußenwärter verabreicht, ruhig und harmlos mit ansehen kann.

Gleich in der Nähe des Ablasses liegt ein ebenfalls stark besuchter, anmuthiger Erholungsplatz der Spickel oder die sogenannte Insel von dem Arme der Lech-Najade reundlich umfangen. Vom rothen oder ehemaligen Haun städter = Thor, dessen Entfernung vom Gögginger = Thor 4850 Schritte beträgt, aus, gelangen Spaziergänger in ungefähr einer halben Stunde dorthin; weit schneller, und um billiges Fahrlohn bringen uns aber die hier bereit stehenden Fiacker an jenes angenehme Ziel der Erholung.

Zum Spickel wurde ein Theil des dort aus Nadelholz bestehenden Lust = Hains verwendet. Verschiedenartige Anlagen machen dieses Miniatur = Gemälde des Praters in Wien, zu einem recht angenehmen Vergnügungs = Ort, an welchem es selbst für Tanzlustige nicht an einer Gelegenheit zu diesem melodischen Fluge gebricht.

Eine Anzahl Kähne gestatten das Vergnügen einer Wasserfahrt, auf welchen nicht selten fröhliche Gesellschaften getragen vom Rücken des ruhigen Stromes zur Stadt zurückkehren. Man findet hier auch auf einem aufgeworfenen Hügel ein Denkmal aus den Kriegsjahren mit der Büste des Erzherzogs Karl von Oesterreich, von weißem Alabaster auf einem Postamente von Marmer, welches sehr beschädigt ist.

Der gegenwärtige Besitzer wohnt, was bei den frühern Wirthen nicht der Fall war, in dem auf diesem Platze befindlichen Gebäude, daher kann der Spickel auch im Winter zu einem angenehmen Punkte für Schlittagen benützt, und die erstarrten Glieder mit dem erwärmenden Levanteschen Getränke gelabt werden.

An den Wasser=Fallen des Kanals vorbei, kommt der Spaziergänger in den 4ten Distrikt der Stadt=Umgebungen; rechts läßt er eine Gerstenrändelmühle, welche anstatt der dort gestandenen gefährlichen Pulvermühle, nachdem diese von Zeit zu Zeit den verderblichen Luftsprung unter Krachen gethan, hier begründet worden, liegen, und gelangt dann zu dem, an dem Haupt-Lechkanal, dem sogenannten Stadtbache sich schön erhebenden, ehemaligen v. Schüleschen, nachher v. Lotzbeckischen Fabrikgebäude, welches nunmehr der Kaffeeschenk Herr Lutz an sich gekauft hat. Es ist ein sehr stattliches Gebäude, welches besonders früher, als noch eine, mit einem eisernen Gitter rings umgebene Platte = Forme, statt dem jetzigen Dache darauf stand, die Aufmerksamkeit aller hiehergekommenen Fremden auf sich lenkte.

Die Geschichte Augsburgs wird stets des Gründers dieses Fabrik = Pallastes, als eines merkwürdigen Mannes gedenken. Der verstorbene Freiherr v. Seida setzte ihm, im Verlage der v. Jenisch* und Stageschen Buchhandlung ein biographisches Denkmal. Zwar hat er den Glanz seines Hauses überlebt, allein die Verdienste dieses genialen Mannes, dessen mannichfaltige, ins Große gehende und glücklich ausgeführte Unternehmungen, vielen Tausenden zu seiner Zeit reichlich ihr Brod verschafften, überwogen seine Sonderbarkeiten. In den Jahren von 1745 bis 1766 brachte seine Fabrik 3,754,829 fl. in Umlauf, unter welcher bedeutenden Cirkulations = Summe sein eigener, ansehnlicher Gewinn, sein Kosten = Aufwand für Gebäude, Umgeld, Hallgebühren, an Steuern, Fabrik-Einrichtung und Farbstoffen nicht mitbegriffen ist. Die Herren v. Lotzbeck verkauften dieses Gebäude, nachdem sie die Eberhardische Sägmühle käuflich an sich gebracht und ihr ausgedehntes Geschäft in das ehemalige Fuggersche Haus, in der St. Annagasse Lit. D. Nro. 222 — 225 verlegt hatten.

Das Wohngebäude richtet seine Fronte gegen die Friedberger Straße. Vom rothen Thore herkommend, fällt der Blick durch ein herrliches eisernes Gitterthor in den Garten. Auf den Stein = Pfeilern, zwischen welchen sich die Thorflügel in ihren Angeln bewegen, sitzen zwei ruhende Löwen, welche, so wie die Vasen, Termen, nebst der übrigen Bildhauer = Arbeit, von dem verstorbenen Bildhauer Ingerle aus Stein gehauen wurden. Das Gebäude selbst ist von dem Baumeister Leonhard Christian Mayr aufgeführt.

Dem linken Flügel = Gebäude gegenüber, liegt an der Straße, die Tafern = Wirthschaft zum Bache genannt; dort vergnügen sich die Gehülfen der Gewerbs-Klasse an den Sonntagen mit Tanzbelustigungen. Das Wirthshaus selbst ist zugleich zur Beherbergung von Fremden eingerichtet.

Das Gartengut 106 — 109 gehörte ehedem gleichfalls dem Herrn v. Schüle, jetzt ist es ein Eigenthum des Hrn. Banquiers Freiherrn von Süßkind geworden, eines Mannes, der durch genaue und tiefe Einsichten in das Wesen der höhern Merkantil-Wissenschaften, durch eine unermüdete Thätigkeit, sich auf einen hohen Gipfel des Reichthums schwang und sich auf demselben behauptet. Der frühere Schülesche Garten gedieh, während dem Besitze des jetzigen Eigenthümers, durch eine ansehnliche Erweiterung zu einem wahren Eden. Herrliche Baumpflanzungen, Pavillons und andere elegante Garten-Anlagen wechseln hier miteinander, und der reitzenden Blumenspenderin Flora, ist hier in einem schönen Glas- und Gewächshause ein würdiger Blühtentempel geweiht.

An diesen zu den schönsten Gartenanlagen in Augsburgs Umgebungen gehörenden v. Süßkind'schen Parke, gränzt das Gartengut des Platzwirthes Neff.

Durch den Ankauf eines Stückes von diesem Garten, von Seiten des Magistrats, wurde die Passage, welche hier wegen einer scharfen Ecke der zusammenstoßenden Gartenwände früher für Wägen sehr gefährlich war, erweitert. Dieser Schenkplatz ist wegen seiner Nähe am Schwibbogen-Thor sehr angenehm und wohlgelegen; früher bestanden hier abonnirte Gesellschaften, jetzt ist er dem allgemeinen Vergnügen geöffnet, er ist meistens von gewählter Gesellschaft besucht.

Ein gleichfalls hübsches Gartenhaus sammt Gartengut stößt dicht an denselben, es ist jetzt das Eigenthum des Banliers Hrn. Leopold Wagenseil.

Mit der Wohnung des Unterschleußenwärters Hrn. Kindl 115 — 116 ist gleichfalls ein Schenkplatz verbunden. In diesem vierten Distrikte befindet sich noch die Sägmühle des

Herrn Dietrich, dann einige, verschiedenen Gärtnern gehörige Gemüse=Gärten und Gartenhäuschen.

Mit Nro. 130 betreten wir den fünften Distrikt, er zieht sich vom Schwibbogen bis zum Jakober= oder ehemaligen Neuthor oder Lechhauser=Thor beim Vogelthor vorbei. Vom Schwibbogen=Thor beträgt die Distanz bis zum Vogelthor 1400 Fuß, und von diesem zum Jakoberthor 3250 Fuß Länge. Bei dieser Längen=Berechnung, die wir von Thor zu Thor angegeben haben, ist zu bemerken, daß 5000 geometrische Schritte auf eine Stunde gehen, und 2 Schritte auf 5 Fuß Länge gerechnet werden; der Umfang der Stadt beträgt sonach, da 10,482 Schritte 26,205 Fuß Länge geben, genau bemessen 2 $^{482}/_{5000}$ Stunden oder 2 Stunden und 6 Minuten.

Das Gartengut des Gärtnermeisters, Hrn. Plappert, ist der Beginn=Punkt dieses Distrikts. Zunächst diesem fällt uns das hübsche Garten=Gebäude und die Garten=Anlage der Frau Wittwe des königl. Hrn. Finanz=Rathes v. Carli ins Auge; in geringer Entfernung davon reiht sich an dieses, das dem fleißigen und verdienten Ehrengreise und Stadtgärtner Beck gehörige Gartengut, welches ertragreiche Obstbäume von den edelsten Früchtesorten und ein mit den Blumengeschenken der wärmeren Zone ausgestattetes Gewächshaus schmücken. Diesem noch in seinem hohen Alter thätigen Manne verdankt Augsburg seine schönen Baumpflanzungen.

Ein schmales Durchgangs=Gäßchen zieht sich zwischen den Gärten von fünf fleißigen und geschickten Gärtnern hindurch. Durch dieses gelangt man an das sehr ansehnliche Bleichgut und die Fabrikgebäude der Herren Hartmann & Forster, welche sich sammt dem dazu gehörigen Garten bis an den Stadtgraben hin erstrecken, auf diesem ziehen nun wieder, durch die sorgfältige Aufmerksamkeit und auf Kosten der Gesellschaft auf dem Jakober=Wall, Schwäne stolz einher, ein Anblick, wofür ihnen jeder Spaziergänger im Stillen von Herzen dankt.

Von der andern Seite gränzt jenes sehr ansehnliche Fabrikwesen an den breiten und bunten Wiesenteppich des sogenannten Bachenangers, einem ansehnlichen Bezirke herrlicher Wiesen, welche meist hiesigen Metzgern eigenthümlich gehören.

Das ehemalig Döblersche Bleichgut ist nun sammt den dazu gehörigen Gebäuden ein Eigenthum des Herrn Wilhelm v. Hößlin geworden und die Bleichgründe sind zu einer schönen Gartenanlage umgeschaffen. Vor einem Gemüsgarten und den der Bäckerzunft gehörigen Schweinställen vorbei, kommen wir an die ehemalig Rehische Sägmühle, an ein ehemaliges Tabak-Fabrikgebäude; unsern Blicken begegnet auf diesem Punkt die schöne Kottunfabrik und das Walkgebäude des Freiherrn v. Wohnlich, jetzt v. Fröhlich, sammt der dazu gehörigen Bleiche; die Langenmayer'sche Sägmühle und ehemalige Gewürzmühle, wie oben erwähnt, sind jetzt als ein Eigenthum des Frhrn. v. Lotzbeck zu einer Tabakmühle umgeschaffen; mit der Oelmühle 177, einer ehemaligen Grätzmühle, ist ein Schenkplatz verbunden und an das zunächstliegende Tabak-Fabrikgebäude der Frau Wittib Provino reiht sich die Messing-Fabrik mit den merkwürdigen Streck- und Walzwerken der Herren Beck und Schmid (unter der Firma J. A. Beck & Komp.) Einen recht schönen und anmuthigen Punkt in Augsburgs Umgebungen bildet das Breivogel'sche Bad sammt den Wirthschafts-Gebäuden, welches wir bereits bei den Augsburgischen Badeanstalten erwähnt haben. Die dasselbe umgebenden Garten-Anlagen mit hübschen Lauben die geschmackvollen Gastzimmer, machen dieses Bad zu einem sehr angenehmen Erholungs-Platze. Das Wirthshaus-Gebäude von moderner Bauart, enthält hübsche Zimmer für Badegäste, welche zugleich hier Sommerwohnungen wünschen.

In der Nähe dieser schönen Anlage steht das Mayer'sche Hammerwerk, merkwürdig durch die sinnreiche Einrichtung zum Strecken des Eisens und zum Walzen, so wie durch die dort befindliche Eisendrehbank und Schraubmaschine.

Die ehemalige, der Familie des Freiherrn v. Münch gehörige obere Weißbleiche ist jetzt ein Eigenthum des Herrn Wechselsensals Amüller. Er betreibt auf einem Theile dieses ausgedehnten Raumes die Spargelkultur im Großen und hat eine ansehnliche Maulbeer-Plantage zum Behufe der von ihm mit glücklichem Erfolge versuchten Seidenzucht, angelegt. Ueberhaupt ist er Freund und Kenner der Landwirthschaft, und während er dieser huldigt, wird die Ausübung des Bleichgeschäftes dadurch nicht im mindesten benachtheiligt.

Die hier gelegene Schmidische Tabakfabrik 206. ist stets in ununterbrochener Thätigkeit. An der Bergmühle, dem Käbizischen Kupfer-Hammer und der Grünwedelschen Gewürzmühle vorbei, wo Gewürze und Farbstoffe pulverisirt und Farbhölzer geraspelt und zu Spähnen geschnitten werden, besichtigen wir die Deilbohr-Hütte an dem Wohnhause des Aufsehers an der Holzlege 221—22. In jener Hütte werden die, zu den, unter der Erde durch bleierne Verbindungsröhren mit einander kommunizirenden, zur Wasserleitung angewendeten Baumstämme, mittelst der Bohrmaschine ausgehölt und ihnen der sogenannte Kern ausgebohrt.

Ein hier in der Nähe befindlicher Schenkplatz heißt gleichfalls zum Stadtjäger.

Sehenswerth ist die Säg- und Oelmühle des, durch vorzügliche Kenntnisse im Fache der Mechanik und der Architektur ausgezeichneten Zimmer-Meisters Wittmann. Sägmühlen gab es schon lange in Augsburg; im Jahr 1321 existirte bereits hier die Erste, sie hieß Hanrey und diese Benennung behielten Mühle und Bach in der Folgezeit bei.

Das Städtische Bau-Magazin-Gebäude auf dem sogenannten Zimmerhofe wurde weiter oben erwähnt. In der Faul'schen Kalkbrennerei wird aus den, auf den Sandbänken des Lechs zusammengelesenen Kiesel=Geschieben und aus den grossen, auf Flößen hierher kommenden Kalk=Tuffstücken, das unentbehrlichste Baumaterial, der Kalk, gebrannt.

Der sechste Distrikt zieht sich vom Jakoberthor bis zum Stephingerthor beim Oblaterthor vorbei. Von dem ersten bis zu diesem, beträgt die Entfernung 3460 Fuß und von dem Oblater= oder ehemaligen Holproter= auch Bleicherthor, bis zum Stephans=, ehemals St. Gallen= auch Lohhuberthor 662.

Dieser Distrikt beginnt mit dem Bleichgute des Hrn. Dr Dingler. Aus der ehemaligen Weberschen Tabakmühle ist nun eine Oelmühle geworden. Des hier gelegenen Inkurabelhauses haben wir bei den der Wohlthätigkeit gewidmeten Gebäuden umständlicher gedacht. Von diesem gerade über liegt das Gscheidle'sche Gartengut.

Eine, für ein Krankenhaus wohl zu unruhige Nachbarschaft, möchte die angränzende, zu den Schießübungen mit Kugelbüchsen bestimmte Rosenau seyn. Auch dieser Schießplatz ist ein Eigenthum der Gesellschaft. Von jeher wurde dieses unblutige Waffenspiel nach dem Ziele, den bürgerlichen Haupt=Ergötzlichkeiten beigezählt. In alten Zeiten waren die Bogen= und Armbrustschützen mit den Feuerrohr=Schützen vereint und an einem feierlichen Hauptschießen, welches der Rath im Jahr 1508 dem hier anwesenden Herzog Wilhelm von Bayern zu Ehren anstellte, nahmen 544 Armbrust= und 919 Büchsenschützen Antheil.

Diese früheren Schießübungen fanden am Rosenauberg statt, daher hieß das Klenkerthor auch das Rosenauthor. Als im Jahre 1632 das Kriegs=Ungewitter die Stadt mit einer Belagerung bedrohte, wurde der Schießplatz der Büchsenschützen in einen Garten vor dem Jakoberthore verlegt, welchem der Name der Rosenau, wahrscheinlich zur Erinnerung an den Rosenauberg beigelegt und beibehalten wurde.

Auch dieser Platz ist gegen sonst bedeutend verschönert. Das von Außen und Innen zweckmäßig hergerichtete Schützen-

haus

haus steht frei. Vor demselben sind, gegen das Innere des Platzes, die Schützenstände und die Plätze für Schützen, dann für die Platzgäste angebracht. Ein eigener Schützenwirth hat die Schenk-Berechtigung gepachtet. Die sonst am Sonntage hier üblich gewesenen tumultuarischen Tänze des Landvolkes sind, als mit der Würde der Gesellschaft unverträglich, nunmehr beseitigt. Zur Zeit des Hauptschießens werden hier gleichfalls wie im Schießgraben die Zinn- und Porzellain-Buden zum Ausspielen der darin enthaltenen Gegenstände, geduldet.

Die Zorn'sche Türkischroth- und Schönfärberei Nro. 254 — 256 ist ein industrielles Etablissement unserer Zeit. In ihrer Nähe liegen ein paar, hiesigen Gärtnern gehörige Gartengüter. — Mit dem Woyd'schen Eisenhammer 258 bis 261 ist eine Bade-Anstalt für Stahl- und Schlacken-Bäder, in Verbindung gesetzt; nahe daran liegt der Käbitzische Kupfer- und Silberhammer.

Zu den häufig besuchten öffentlichen Plätzen gehört die nächst dem Oblatterthor zu gelegene Garten-Anlage und Schenke des Gärtners Beck, bekannt unter der frühern Benennung: Wurstgarten. Den sechsten Distrikt schließt das große Klauce- und Kramersche Bleichgut, die untere Weißbleiche.

Der siebente Distrikt erstreckt sich vom Stephinger- bis zum Wertachbrucker-Thore. Die Entfernung beträgt von jener Pforte bis zu St. Sebastian 2680 Fuß, und von hier bis zum Wertachbrucker-Thore 2312 Fuß. Dieser Umgebungs-Bezirk beginnt mit dem, der Lohgerber-Zunft gehörigen Lohstadel 279, an welchem das Hammerwerk des Kupfer-Hammerschmiedes Christeiner angränzt. Bekannt durch die Herstellung schöner und guter Papiersorten ist die ebendaselbst gelegene Fabrik des Papierfabrikanten Hrn. Ebner.

Die Lohmühle und das Lohbad 236 — 37 wurde bei den Badanstalten erwähnt. Hier ist ferner eine Knochenmühle (der HH. Rebay), in welcher Thierknochen als Düngungs-

23

mittel pulverisirt werden, dann eine Mahlmühle und eine Sägmühle. Diese nah beisammen liegenden Gebäude, bilden hier gleichsam eine industrielle Kolonie der regsten Gewerbsthätigkeit.

An diese gränzt das Jakob Schülesche Bleichgut mit einem Garten und Gewächshause, dann einer wohl eingerichteten Schweizerei. Die der Lodweber-Innung gehörige Walkmühle ist gleichfalls in dieser Gegend, so wie die altberühmte herrlich eingerichtete Fabrik des Papierfabrikanten Hrn. Sieber. Von hier aus führt die Kunststraße zur St. Sebastians-Kirche mit der Meßners-Wohnung und dem Lazarethgebäude. Die Sebastians-Kapelle wurde im Jahr 1458 von freiwilligen Gaben der Bürger erbaut, 1542 auf Befehl des Magistrats niedergerissen, 1613 aufgebaut, im 30jährigen Krieg der Fortifikation wegen, von den Schweden zerstört, jedoch im Jahre 1643 auf Philipp Jakob v. Imhoffs Betrieb wieder aufgeführt. Ihre jetzige Gestalt erhielt sie im Jahr 1758. Der Meßner hat die Berechtigung Bier zu schenken. Gegenwärtig gedenkt der Magistrat hier ein Reserve-Krankenhaus und eine Kontumaz-Anstalt einzurichten.

Es befinden sich in der Nähe mehrere Gemüsgärten. Das Gartengut des Hrn. Lict. Werner, ein Eisen- und Pfannenhammer, eine Kalkbrennerei und ein anderes bürgerliches Gebäude liegt an unserm Wege, der uns zum ehemaligen St. Wolfgangs-Siechenhaus, dem jetzigen Wirthshause die schwedische Linde*) genannt, bringt. Der ehemalige bischöfliche Zoll, jenseits der Wertach, ist der Endpunkt unserer Wanderung.

---

*) Die berühmte Schwedenlinde, unter welcher Gustav Adolph oft geruht, wurde im Jahr 1805 umgehauen.

Die entferntern Ortschaften und Vergnügungs-Plätze in Augsburgs Umgegend.

Nicht minder reich wie die nächsten Umgebungen der Stadt an sehr anziehenden Lust-Parthien, ist die reitzende Landschaft, welche Augsburg in einem ausgedehntern Umkreise umschließt; Freundlich bietet sie den Städtern die herrlichsten Punkte für Ausflüge zu Fuß, zu Roß und zu Wagen. Eine detaillirte Beschreibung dieser entfernten Ortschaften, enthält das in der A. Bäumer'schen Buchhandlung erschienene Büchelchen: „Augsburgs Umgebungen, eine malerische Skizze in 4 Abtheilungen von Fried. Loe."

Die Stirn einer nicht unbedeutenden Anhöhe, bekränzt gleich einer Mauerkrone, das im Osten von Augsburg eine gute Stunde davon entfernte alte Städtlein Friedberg, historisch merkwürdig durch mancherlei Zerstörungs-Ungewitter, welche sich über denselben entladen haben.

Vom rothen Thore aus, führt die Chaussee dorthin über die Friedberger Brücke, an einer der hilfreichen Mutter Gottes geweihten, Maria Alban genannten Kapelle vorbei. Am Scheidewege der Straße nach Fürstenfeldbruck hin, sieht man die jetzt zu einem Pulvermagazin benützte St. Afra-Kapelle.

Hohe Mauern und tiefe Gräben, welche das erhaben gelegene Friedberg umgeben, deuten auf ihre ehemalige Bestimmung zu einem befestigten Platze; wirklich beherrscht es die ganze Umgegend und von den Mauer-Zinnen herab, überblickt man ein weites höchst anmuthiges Landschafts-Gemälde im Umkreise von 4 bis 5 Stunden.

In der Stadt selbst hat das königl. Landgericht gleiches Namens und in dem benachbarten Friedberger Schloß das Rentamt seinen Sitz. Einige stark besuchte Jahrmärkte werden in Friedberg gehalten, welches der hübsch eingerichteten Wirths- und Bräuhäusern wegen, von den Augsburgern,

23*

zumal in der Fastenzeit bei Gelegenheit der Wallfahrt nach der, eine kleine Viertelstunde entfernten Wallfahrts-Kirche „zu unsers Hergotts Ruh" einen zahlreichen Zuspruch genießt. Das sehr schöne, aus Holz geschnitzte Gnadenbild, den auf dem Kreuze ruhenden Erlöser vorstellend, brachte ein Bürger Friedbergs vor mehr als 400 Jahren, aus der türkischen Gefangenschaft mit sich und erbaute für dieses eine Kapelle. Der frommen Sage zufolge soll diese Kirche von Friedberg in gleicher Entfernung, wie der Calvarienberg von Jerusalem liegen.

Dieser Wallfahrts-Tempel ist in einem schönen Baustyle aufgeführt und hat im Innern sehr schöne Fresko-Gemälde. Die Wände aber sind mit Gelübde-Tafeln bedeckt, welche die Frommen und Gläubigen zum Danke der Hülfe, welche ihr Vertrauen hier gefunden, aufstellen ließen.

Das erwähnte Friedberger Schloß in geringer Entfernung vom Städtchen, auf einem erhabenen Standpunkt erbaut, war in den Zeiten der Befehdungen und Kriege öfters der Zerstörung unterworfen, ehe es sich in seiner gegenwärtigen Gestalt aus den Trümmern wieder erhob.

Zu Tags-Parthien wählen die Augsburger nicht selten das merkwürdige hübsche Städtchen Aichach, wo selbst das Landgericht gleiches Namens Recht spricht. Unserm so vieles Schöne befördernden Zeitalter war es vorbehalten, aus den in der Nähe dieser Stadt liegenden Trümmern der historisch denkwürdigen Burg Wittelsbach, das jedem Bayer unendlich theure Stammschloß seiner angebeteten Herrscher, wieder auferstehen zu sehen, und zahlreiche Beiträge fließen bereits auf den Aufruf unseres, das Gute und Schöne liebreich pflegenden königlichen Regierungs-Präsidenten Herrn Fürsten von Oettingen-Wallerstein Durchl., zu diesem edlen Zwecke, durch dessen Unterstützung sich die Nation selbst hoch ehrt.

Von Friedberg aus führt ein hübscher Fußweg nach dem gleichfalls romantisch gelegenen Schloße Mergenthau, welches ehemals dem Kollegio von St. Salvator gehörte, jetzt aber Eigenthum eines Privatmannes geworden ist.

In der Schloßkapelle dient ein hübsches Gemälde aus der alten deutschen Schule, die Mutter des Erlösers vorstellend, zum Altarblatte; auch ist daselbst ein hübsches Fresko-Gemälde als Deckenstück vorhanden. Die Aussicht aus den Fenstern des Schlosses könnte nicht reitzender seyn.

Eine halbe Stunde von Mergenthau entfernt liegt Kissing mit dem Kalvarienberge in der Nähe; von hier aus schweift der freye Blick über das Lechfeld. Durch das benachbarte Merching zieht sich die Straße nach Fürstenfeldbruck.

Das schöne Pfarrdorf Haunstetten, ehedem der Reichs-Abtei St. Ulrich zugehörig, hat eine hübsche Pfarrkirche, eine große Kapelle, eine ansehnliche Leinwand-Bleiche, eine Wachstuch-Fabrik, ein schön gebautes Bräuhaus und mehrere Wirthshäuser.

Ein von den Augsburgern zahlreich besuchter Erholungsplatz ist das sogenannte Jägerhaus, welches nahe an die Mehringerau gränzt, mit einem geräumigen Gebäude, und einen anmuthigen Lustgehölze. Die Bewirthung ist trefflich.

In der Mehringerau haben mehrere Stadtbewohner hübsche Landhäuser angelegt; dort finden sich auch einige landwirthschaftliche Anlagen und Gebäude. Das Oekonomiegut des verstorbenen Hrn. Dombechanten v. Sturmfeder, ist jetzt durch Kaufrecht ein Eigenthum des Hrn. v. Alten geworden. Das Krieg'sche, sonst Niedhammersche Siebenbrunnenbad zeichnet sich hier als Erholungsplatz durch einige hübsche Anlagen, eine mit Geschmack dekorirte den Tanzlustigen geöffnete Rotunde, den sogenannten Schneckenberg, von welchem aus den Freunden die Aussicht ins Grüne oder die Einsicht in die Garten-Anlagen ꝛc. freisteht, aus.

Eine der sieben Brunnenquellen, von welcher die Anlage selbst den Namen Siebenbrunnenfeld geborgt, ist mit Kohlensäure reich ausgestattet, und die Bade-Anstalt selbst empfehlungswerth, wenn sie gleich mit den berühmten warmen Quellen des Wildbades im Würtembergischen, zu Pfeffers in der Schweiz und zu Gastein nur die, jedem Wasser zukommende netzende und erfrischende Eigenschaft gemein hat.

Links von Friedberg erhebt sich auf einer mit Wald umsäumten Anhöhe das schöne Schloß Scherneck, welches im Jahr 1824 ein Eigenthum des Freiherrn v. Schäzler und jetzt seines Sohnes Wilhelm Freiherrn v. Schäzler geworden ist. Es hat eine herrliche Lage. Das herrschaftliche Schloß und der Garten wurde nach den Anforderungen des geläuterten Geschmackes erneuert, eingerichtet und angelegt. Ein bequemer Fahrweg erleichtert den Besuch dieses schönen Landsitzes und ein gegen sonst besser geordneter Wirthschaftsbetrieb, befördert die Aufnahme der Gäste, welche ehedem ihre Erquickungs-Mittel größtentheils mitbringen mußten. Die schönen Haine in der Nähe, laden zu höchst angenehmen Promenaden ein, seitdem die Hand der Kunst für zugängliche Wege, wohlthätig sorgte. Im geräumigen Schloßhofe wölbt sich das duftende Schattendach herrlicher Linden, über die dort angebrachten Ruhe-Plätze und von dem neugebauten Sommerhäuschen am Kegelplatze aus, schwelgt das Auge in der herrlichsten Aussicht.

Ueber das Dorf Mühlhausen, in dessen Nähe zur Römerzeit ein Wachthurm gestanden, wo in der Folge i. J. 1392 eine Schirmburg mit hohen Zinnen hervorragte, von welcher jetzt noch leise Andeutungen zu finden sind, führt gleichfalls ein Fahrweg nach dem Scherneder Schloßberge.

Das benachbarte Affing mit dem auf einer sanften Anhöhe erbauten Schlosse, mit seinen paradiesischen Gartenanlagen und reich ausgestatteten Gewächshäusern, dann den ergiebigen Obstanpflanzungen, welche mit Pomonens reichen Spenden ihren Besitzer lohnen, ist das Eigenthum der Familie des verstorbenen Herrn Regierungs-Präsidenten Grafen v. Gravenreuth. Unter den in der Kirche aufgestellten Büsten der Apostel sind einige ausgezeichnet schön.

Ueber Mühlhausen und Affing führt eine Römerstraße in der Richtung von Hanswieß nach Aichach und von dort nach Regensburg. Auf einem mit Wasser umflossenen Hügel, stand in der Au von Affing eine Ritterburg. Das Geschlecht dessen Wiege sie war, ist erloschen.

Kaum eine Viertelstunde von Augsburg liegt das große Pfarrdorf Lechhausen, dessen Nähe dieses für die Bewohner Augsburgs zu einem wohlgelegenen Spazier-Punkte macht, indem sich dort ein Kaffeehaus, nebst mehrern Wirthshäusern befindet. Am Eingange in dieses Dorf vom Lech her steht eine Kalkbrennerei. Im Dorfe selbst wohnen sehr viele Maurer, welche in der Stadt eine ergiebige Beschäftigung finden, auch wird dort viel Melkvieh gehalten, und die Milchweiber tragen täglich eine sehr namhafte Quantität Milch, in reinlichen Kesseln und Milchlägeln, in die Stadt herein.

Vom Göggingerthor aus, wandeln die Freunde einer angenehmen Bewegung im Freien, an hübschen Frühlings-, Sommer- und Herbsttagen, durch die schöne Allee an der Hochstraße dem ehemaligen Hochstiftischen Dorfe, (jetzt Markte) Göggingen zu, oder benützen zu schneller Beförderung, die an Sonn- und Feiertagen bereitstehenden Fiaker, während sie ihre Blicke über die schön angebauten, zu beiden Seiten der Chaussee befindlichen Felder gleiten lassen. Zur rechten Seite der Heerstraße führt in der Nähe des Gränzsteines, der das Weichbild von Augsburg bezeichnet, ein angenehmer Seitenweg für Fußgänger an den Rand eines Abhanges hin, von dieser Anhöhe fällt der Blick in ein schönes Thal. Dieser Pfad führt den Wanderer zu einer im Schatten von Linden gelegenen Kapelle, während die Fahrstraße am Eingange in das Dorf sich zwischen zwei hübschen Garten-Anlagen hinzieht. Die zur Rechten gehört dem Herrn Banquier Vollmuth und die links gelegene, den Relikten des Herrn Kaufmanns Tröltsch, in welcher letzteren sich besonders angenehme und unterhaltende Parthieen befinden.

Göggingen ist der Sitz eines königl. Landgerichtes; das königl. Forstamt Göggingen wurde im Jahr 1828 nach Augsburg verlegt, wo es sein Amtslokal in dem Hause des Branntweiners Abt B. 57. hinter St. Ulrich hat. Viele reiche Augsburgische Familien haben in Göggingen Landhäuser mit schönen Garten-Anlagen, mehrere miethen sich dort Sommerwohnungen. Das herrliche Garten-Gebäude und Gartengut des Hrn. Banquiers v. Halder, das i. J. 1506 dem Georg Fugger gehörte, ist ein ausgezeichnet schöner Landsitz. Göggingen selbst, hat der vielen Städter wegen, welche dort wohnen, das ländliche Gepräge beinahe ganz abgelegt, denn die Bauart der meisten Häuser, ihre schöne Aussenseite, erinnert weit eher an das Städtische. Dort giebt es große Wirthshäuser mit Tanzsälen, wo man alle Bequemlichkeiten findet, welche der Städter nur immer wünschen kann. Dem thätigen und äußerst humanen Herrn Landrichter Reiber verdankt dieser Ort einen hübschen Park, kurz Göggingens Lage ist ganz dazu geeignet unter den Vergnügungs-Ortschaften um Augsburg den ersten Platz zu behaupten.

In diesem schönen Orte verlebte der Hr. Ritter v. Cobres, bekannt durch seine herrliche, nun zertrümmerte Mineralien- und Conchilien-Sammlung, seine naturhistorische Bibliothek, deren Schätze er in einem eigenen, unter dem Titel: „Deliciae Cobresianae verfaßten und in 2 Bänden gedruckten Kataloge der Welt vor Augen legte, seinen Lebens-Abend in ländlicher Stille und Abgeschiedenheit.

Göggingen ist durch die Sinkel von einem gleichfalls gern besuchten Erlustigungsort, die Radau genannt, getrennt, wo man sich ländlicher als in Göggingen selbst befindet und in einem geräumigen, mit einem Baumgarten zusammenhängenden Wirthshause, besonders mit schmackhaften Flußkrebsen bewirthet wird.

An der Hauptstraße, eine halbe Stunde von Göggingen entfernt, liegt das Pfarrdorf Inningen mit einem Schlößchen; und durch Bobingen und Großaitingen führt die herrlich unterhaltene Chaussee nach Schwabmünchen, dem Sitze eines königl. Landgerichtes und Rentamtes und der ersten Poststation nach Memmingen.

In dem gewerbigen Marktflecken Schwabmünchen, dem Sitz des Landgerichtes gleiches Namens, befinden sich viele Strumpfwirkereien; alles strickt, Kinder, Weiber und Männer, und der Absatz der verfertigten Strümpfe in das Ausland, durch den Fabrikanten Keck, ist ziemlich bedeutend.

Die Fahrstraße rechts an Bobingen ab, winkt uns zu einem Abstecher nach dem schönen Straßberg. In den Erhabenheiten neben dem zweiten, über die Sinkel angelegten Brückchen erblickt der Alterthumsforscher Beerdigungsplätze der alten Deutschen, welche sein Kennerblick von den gleichfalls hier befindlichen Grabhügeln der Römer, leicht zu unterscheiden vermag. Der Straßberg selbst, mit den auf seinen Höhen stolz in die Ebene herunterblickenden schönen Gebäuden und der dort musterhaft eingerichteten Schweizerei, ist ein vortrefflicher Landsitz seines gegenwärtigen Besitzers Hrn. Schöppler, der von den früher mit rastloser Thätigkeit betriebenen Fabrikgeschäften, hier Horazens: beatus ille qui procul negotiis, als Weiser huldigt. Auf dem höchsten Punkte des mit hoher Einsicht und Geschmack begründeten Gebäudes, ist ein Belvedere angebracht; die herrliche Absicht von dort herab, kann tief empfunden, aber nicht würdig beschrieben werden.

In den anmuthigen Parthien wurde überall der Natur mit Einsicht nachgeholfen, sie selbst aber nirgends durch Kleinlichkeiten verunziert; von den einladenden Ruhebänken genießt man den reizendsten Anblick in die schöne Umgegend;

eine stille freundliche Klause erregt den Wunsch nach solcher Abgeschiedenheit und der einfache Denkstein, einem abgeschiedenen Freunde an seinem Lieblingsplätzchen errichtet, bezeichnet zugleich die schönen Gefühle des Gutsbesitzers. Reingehaltene Fußpfade, Brücken über Hügel=Schluchten, erleichtern allenthalben die Wanderung durch diese schönen Anlagen bis zu dem höchsten Punkt, wo ein niedliches Sommerhaus steht, von welchen man die ganze Gegend überschauend, zu dem Bekenntnisse sich hingerissen fühlt:

Ille terrarum mihi praeter omnes angulus ridet.

Kein Plätzchen auf der weiten Gottes=Erde
Lacht mich so freundlich an, wie dieses hier.

Die eigentlichen Ansiedler auf dem Straßberg, bewohnen zerstreut liegende Hütten; doch ist dort eine hübsche Pfarrwohnung und eine Kirche.

Vom Straßberg entfernt, liegen gleichfalls auf der Höhe die Schlösser Hart und Guggenberg, welche Freunde von Excursionen nach einer weitern Entfernung, zum Wanderziel wählen.

Eine halbe Stunde seitwärts von Straßberg liegt der anmuthige Weiler Bannacker, jetzt dem Freiherrn v. Süßkind gehörig, und weiter unten das Pfarrdorf Bergheim.

Von Göggingen aus führt ein schnurgerader Seitenweg nach dem stattlichen Schlosse Wöllenburg, welches auf einer Anhöhe steht. Zu bedauern ist, daß diese ansehnliche Burg immer mehr in Verfall geräth, und der Wanderer, bekannt mit der Geschichte des berühmten Geschlechtes, dem es gehörte, sich des ehemaligen schönen Zustandes dieses Schlosses erinnernd, tief von dem Gedanken ergriffen fühlt:

Trauernd denk ich, was vor vielen Jahren
Diese morschen Ueberreste waren.

Die Bauart des Schlosses selbst, ist vorzüglich zu nennen, schade, daß es jetzt statt einem edlen Geschlechte zum

Wohnsitze zu dienen, zur stillen Werkstätte für Spinnen geworden ist; eine schönere Stelle zu großartigen Anlagen für einen Reichen gäbe es weit und breit nicht. In den ältesten Zeiten, schon im Jahre 1285 kommen die Gebrüder Ulrich und Arnold als Kämmerer von Wöllenburg, später die reiche Familie Onsorg, als Besitzer von Wöllenburg vor; dann kam es an das vornehme Rathsgeschlecht Portner, später auf die Geschlechter Lang und Lauinger, und im Jahr 1595 an die Fugger, deren Familien-Portraits in dem Ahnensale des Schlosses hängen; in dem ehemaligen schönen Schloßgarten wuchern Disteln und anderes Unkraut, und in manchen Gemächern hat der zerstörende Zahn der Zeiten sichtbar genagt. Die Oekonomie ist den Händen der Wiedertäufer pachtweise übergeben, welche die Gebäude im innern Raume des Schloßhofes bewohnen. Am Fuße des Schloßberges liegt das Bräuhaus, und an diesem ein Garten. Im ehemaligen hübsch gelegenen Hause des Pflegers von Wöllenburg und den dazu gehörigen Garten, werden die Gäste, welche Wöllenburg zahlreich besuchen, bewirthet.

Eine schöne Baumreihe führt an die Stelle, wo noch vor kurzer Zeit die der heiligen Radigundis geweihte Wallfahrts-Kirche stand. Der sogenannte heil. Leib dieser frommen Dienstmagd, nach gewöhnlicher Weise verziert, ruhte erst in einem Glasschranke auf dem Altare dieses kirchlichen Gebäudes, wurde dann nach Bergheim in die dortige Pfarrkirche versetzt, und endlich in das kleine St. Veits-Gotteshaus nach Waldberg gebracht.

Diese von andern auch Radiana genannte Heilige, diente auf dem Wöllenburger Schlosse, und theilte nicht nur den Kranken, des vor Zeiten in der Nähe gelegenen Siechenhauses, die sich selbst abgedarbten Speisen und Getränke mit, sie reinigte und kämmte auch die Leidenden.

Die auf den Ruf ihrer Frömmigkeit eifersüchtigen Nebenmägde beschuldigten sie der Entwendung und brachten es dahin, daß Späher aufgestellt wurden, welche sie auf ihren wohlthätigen Gängen belauschend packten und zu Rede stellten. Diesen entgegnete sie, sie führe in ihrem Korbe (der übrigens Milch und Butter enthielt) Kämme und Bürsten, um die Siechen damit zu säubern. Als die ungläubigen Aufpasser den Korb öffneten, hatte sich bereits der Himmel der frommen Nothlüge angenommen und die Viktualien in Kämme verwandelt.

Allein ohne eine Züchtigung war die Sache nicht abgethan, denn auf dem Rückwege fielen hungrige Wölfe über die wohlthätige Radiana her, zerfleischten sie, und blutend mußte die Arme aufs Schloß gebracht werden. Dort bekennt sie ihrem Dienstherrn den frommen Betrug und stirbt. Nach ihrem Tode wurden auf dem Begräbnißplatze Wunder gewirkt, und über ihrem Grabe erhob sich eine Wallfahrts-Kirche. So lautet die Legende!

Eine höchst romantische Lage am Fuße der Anhöhe, hat das nahe gelegene, der Gerichtsbarkeit des Landgerichts Göggingen untergebene Leitershofen, mit dem obern und untern Schlößchen. Mehrere Ueberbleibsel römischer Grabhügel befinden sich zwischen diesem und den benachbarten Dorfe Stadtbergen.

Einer der schönsten Höhepunkte in Augsburgs Umgebungen ist der Kobelberg, mit einer Wallfahrts Kirche der heiligen Mutter des Erlösers von St. Loretto errichtet, und nach dem Modell des von den Engeln dorthin getragenen heiligen Hauses gebaut. Jährlich findet in der Kobelkirche im August eine große Wallfahrt zu dem Gnadenbilde statt, welches früher in der Nische der Mauer eines nahe gelegenen Gartens gestanden hatte.

Auf dem Kobelberg ist ein Wirthshaus, wo Bier und sonst einfache ländliche Erfrischungen zu haben sind. Eine Promenade rings um die Anhöhe gewährt eine herrliche Aussicht in das Schmutter- und Wertachthal. In dem erstern giebt es schöne, malerisch gelegene Ortschaften, nehmlich Biburg, ein schönes Pfarrdorf, früher zum St. Moritzstifte in Augsburg gehörig; es liegt am Fuße des Sandberges und ehemals hatten mehrere angesehene Familien aus Augsburg Landhäuser daselbst. Jetzt besitzt dort der Herr Kaufmann Stuppano eine wohleingerichtete Ziegelbrennerei, welche wegen der guten Thonerde preiswürdige gute Ziegelwaaren liefert.

Westheim, am Fuße des Kobelberges, mit einem alten und neuen Schlosse, gehört dem königl. bayerischen Kämmerer Herrn Jakob Wilhelm v. Langenmantel.

Schlipsheim hat gleichfalls ein Schloß, das dem ehemaligen heiligen Kreuz-Kloster eigenthümlich zustand.

Hainhöfen ist der Edelsitz der Freyherren v. Rehling. An dem schönen dortigen Schlosse ist eine mit Weihern versehene Garten-Anlage. Die Kirche enthält mehrere Todtendenkmale der v. Rehlingschen Familie.

In jenem Thale liegt ferner ein friedliches Hüttchen, das Schmutterhäuschen genannt, wo der müde Wanderer sich mit einem frischen Labetrunk, in den Bräuhäusern Augsburgs bereitet, erquicken kann.

Dem Kobelberge gegenüber, steht auf einer Waldhöhe der, der Familie v. Schnurbein gehörige Deuringerhof, ein gleichfalls angenehmer und gern besuchter Vergnügungsort, wo man eine freundliche Bedienung und alles findet, was man zum ländlichen Vergnügen rechnet; ein sehr angenehmer Waldpfad führt zu dem neuerbauten Stadtberger Ziegelstadel, wo sich gleichfalls der wegen der anmuthigen Lage, der Erholung in der freien Natur nach gehende Städter, gern hinwendet.

Das der Freiherrl. v. Münchschen Familie gehörige Dorf Aystetten mit der benachbarten Louisensruh, dem städtischen Baurath Hrn. v. Hößlin gehörig, wird der schönen Parthien und Garten-Anlagen wegen gern von den

Augsburgern zu einem Spaziergang oder zu einer Spazierfahrt gewählt.

Es befindet sich dort eine Fabrik zur Hervorbringung steinerner Geschirre, wozu die dortige Thongrube, das Material liefert. Das Freiherrl. v. Münch'sche Schloß hat eine hübsche Lage und von diesen führt ein angenehmer Fußweg zu einem gern besuchten Wirthshause.

Das Dorf Hammel liegt an dem sogenannten Hammelsberge, einer äußerst malerisch gelegenen Anhöhe. Das Schloß, welches die Eigenthümer, die HH. v. Stetten und v. Halder, nicht für gewöhnlich bewohnen, ist gut unterhalten. Hier wird noch ein Zirbelnußbaum gepflegt, mit dessen Frucht, der Gestalt nach, das Augsburger Stadtwappen die größte Aehnlichkeit hat. In dieser Gegend müssen ehedem mehrere dergleichen Bäume gestanden haben, denn von dem verstorbenen Stadtpfleger Hrn. Paul v. Stetten dem jüngern, wurde eine Abschiedsrede auf einen verdorrten Zirbelnußbaum im Druck herausgegeben. Von der mit Ruhebänken versehenen Anhöhe aus, zu welcher mit Rasen belegte Stufen aufwärts führen, sieht man den Kobelberg, und das Schmutterthal und eine freundliche Bedienung verschafft dem hier ausruhenden Wanderer, das Gefühl des Wohlbehagens, mit welchem die Natur so gern ihre Freunde beseeligt.

Durch Täfertingen und Hürblingen, zwei schönen Pfarrdörfern am rechten Ufer der Wertach, die in mannichfaltigen Schlangenwindungen das Thal durchzieht, zuweilen aber verderblich ihre Ufer überschreitet, kommt man nach dem Schlosse Gailenbach dem k. Kämmerer Herrn v. Paris gehörig. In dem schönen mit sinnigen Anlagen geschmückten Schloßparke weilt der Blick gern bey dem Denkmale der kindlichen Liebe und des Dankes, welches dem Geiste, wie dem edlen Herzen des Eigenthümers, zur großen Ehre gereichen. Das in der Nähe des Schlosses befindliche Wirthshaus ist vorzüglich zur Aufnahme der Gäste durch Reinlichkeit und gute Bedienung geeignet.

Nur ein Viertelstündchen von dem angenehmen Gailenbach entfernt, liegt das Pfarrdorf Batzenhofen, ein Lieblings-Erholungsplatz der Augsburger.

Die schöne und große Ortschaft Gablingen, mit einem Jagdschlosse, hat dem Raimund Fugger gehört.

Edenbergen, der Sitz eines Revierförsters, und weiter aufwärts Rettenbergen, sind recht angenehm gelegene ländliche Parthieen, wo der Freund der großen Natur die kleinlichen Sorgen des Lebens leicht für Augenblicke vergißt.

Ehedem war der Gasthof zu Langwaid das Ziel vieler Spazierfahrten von Augsburg aus; jetzt weniger. Auch werden der Weiler Stettenhofen, und selbst Meitingen, die erste Station auf der Straße nach Nürnberg, der Familie Schnurbein gehörig, so wie das mit einem Schlosse und wohleingerichteten Wirthshause versehene Nordendorf gleichfalls von Augsburgern besucht. Ein stattliches Schloß erblickt man in der Ferne auf einer ziemlichen Anhöhe; es ist die gräflich Fugger'sche Burg Biberbach mit dem Flecken Markt, daher man gewöhnlich es Markt-Biberbach benennt, an der Straße nach Dillingen gelegen. In der Nähe ist die große und schöne Wallfahrts Kirche zum Partikel des heiligen Kreuzes, wohin die Andächtigen ihre Betfahrten lenken. Diese Punkte werden auch bisweilen zu entfernten Excursionen benutzt. Ganz in der Nähe von Augsburg liegt das schöne und zahlreich besuchte Dorf Oberhausen. Das Schlößchen, umgeben mit einer schönen Garten-Anlage, ist ein gern besuchtes, recht hübsch eingerichtetes Gasthaus. Der Tanzsaal, wie ihn der Freund von diesem Zweige des Vergnügens hier findet, wird schwerlich von irgend Jemand auf dem Lande gesucht, er ist schön dekorirt und entspricht seiner Bestimmung vollkommen; deshalb huldigen selbst hier zu Zeiten die höhern, gebildeten Stände diesem Vergnügen. Oberhausen hat aber auch noch außer dem Schlößchen reinliche und gut eingerichtete Wirthshäuser.

Kriegshaber ist ein ansehnliches, größtentheils von Juden bewohntes Dorf, durch welches sich die Hauptstraße nach Ulm zieht. Es sind dort zwei Wirthshäuser, von welchem besonders das Eine zur Sonne zahlreich besucht wird. Die schöne Garten-Anlage, am Eingange des Dorfes wurde erst in neuern Zeiten von einem wohlhabenden Augsburger Kaufmann gegründet. Die jüdische Synagoge ist neu hergerichtet. Zu den Judendörfern gehört auch Steppach, welches gleichfalls an der Heerstraße nicht weit von Kriegshaber liegt, und ein schönes groses Wirthshaus hat.

Neusäs, mit einem hübschen Wirthshause, war ehemals das Eigenthum des Herrn Baron v. Liebert.

Der Alterthumsfreund fand in dem schönen Dorfe Stadtbergen manche seltene Ausbeute für sein Forschen nach Ueberresten der ehemaligen Römerherrschaft; hier sollen mehrere römische Villen gestanden haben, und die dort im Jahr 1821 ausgegrabenen Monumente haben das römische Antiquarium in Augsburg bereichert.

Gegen Abend liegt Pfersee, gleichfalls von vielen jüdischen Familie bewohnt, die dort in einer Synagoge ihre gottesdienstlichen Ceremonien verrichten. Ein Paar Familien von Augsburg haben dort hübsche Landhäuser. In der Nähe soll sonst eine ansehnliche Ritterburg gestanden seyn. Das sogenannten Pferseer Schlößchen diente sonst dem königlichen Rentamte Göggingen zum Sitze, welches im Jahr 1826 nach Augsburg verlegt wurde.

Mehrere wohleingerichtete Wirthshäuser ziehen viele Stadtbewohner zum Besuche an, und selbst Honoratioren verschmähen es nicht, mit einem frischen Trunke im Batzenhäuschen, in der Krone und in dem Schlößchen sich zu

laben.

laben. Zur Zeit der Dorf-Kirmsen strömen zahlreiche Besucher aus der Stadt nach den benachbarten Ortschaften.

In den etwas entferntern Umgebungen, hat die weitläuftige Ebene zwischen dem Dorfe Kriegshaber und der Wertach, welche gegenwärtig der Garnison zum Exercier-Platze dient, für die Bewohner Augsburgs eine hohe Bedeutsamkeit durch das landwirthschaftliche und Volks-Fest erhalten, welches bei dem höchsterfreulichen Besuche II. MM. des hochgefeierten Königes Ludwig und der durch Ihre erhabenen Tugenden und Anmuth ausgezeichneten Königin Therese, dort veranstaltet wurde. In Augsburgs Annalen wird das Jahr 1829 als der ersehnte Freudenbringer glänzen, welcher uns das Glück, den allgeliebten Landesvater mit der höchstverehrten Landesmutter in unserer Mitte verehren zu dürfen, zu Theil werden ließ. Am 29. Aug. 1829 schlug für uns die ersehnte Stunde der Ankunft des erhabenen Herrscher-Paares, welches Abends um fünf Uhr, den feyerlichen Einzug in der Ihnen treu ergebenen Augusta, unter Kanonendonner und Glockengeläute hielt. Nach huldreichst angenommener Aufwartung von den Militär- und Civil-Authoritäten und der Geistlichkeit, fuhren II. MM. in das Theater, wo ein von dem vaterländischen Dichter Hrn. Magistratsrath P. Schmid verfaßter Prolog, nebst einem Festspiele, bei vollständiger Beleuchtung und Dekorirung des Schauspielhauses, von der Weinmüllerschen Gesellschaft aufgeführt wurde; nach der Theater-Vorstellung begaben sich die allerhöchsten Herrschaften in die Residenz, Ihrem Absteigequartier auf dem Frohnhof zurück, und empfingen die Huldigungen der Professoren und der studierenden Jugend, in einem glänzenden Fackelzuge.

Am andern Morgen besuchten Allerhöchstdieselben die auf dem Rathhause herrlich arrangirte Ausstellung der Kunst- und Gewerbs-Erzeugnisse des Ober-Donaukreises, und während dem dortigen Verweilen sprang aus den Röhren des Neptun-Brunnens, am Fischmarkte, Wein.

24

Indessen ordnete sich der Zug der Professionisten und Handwerker, auf der herrlichen Maximiliansstraße, um auf dem Frohnhof dem Königs=Paare ihre Ehrfurcht zu bezeigen.

Dieser in seiner Art einzige Aufzug wird den Bewohnern Augsburgs unvergeßlich bleiben, da er nicht nur durch eine höchst gelungene Anordnung, so wie die zum Theil geschmackvolle, durchaus aber anständige Costümirung der Theilnehmer und selbst durch einen gewissen Glanz, sondern auch durch die strengste Ordnung und den ehrerbietigsten Anstand, welcher dabei geherrscht, ausgezeichnet zu nennen war.

Ihn eröffneten die Stahl= und Armbrust= so wie die Feuerrohrschützen mit Musik, in Begleitung der Fahnen=, Scheiben= und Gewinnstträger und unter Bedeckung von Hellebardieren, in alter Schweizertracht. An sie schlossen sich die in der Augsburger Geschichte so rühmlich bekannten Weber, mit den ehrwürdigen Reliquien der Vorzeit, Fahnen und Standarten, dann dem Schwerdte, Helme, den Spornen des geistlichen Helden Bischofs Ulrich an; sogar ein, mit dem Reitzeuge, dessen sich dieser Heilige in der erwähnten Hunnenschlacht bediente, aufgezäumter Schimmel, wurde mit im Weberzuge herumgeführt. Eine ehrbare Weberjungfrau in der alten Tracht einer Augsburger Braut, trug auf sammetnem Kissen künstliche Gewebe, welche sie dem Herrscher=Paare zu überreichen die Gnade hatte. Die Weber sowohl als die übrigen Innungen, trugen ihre Innungs=Schilde, Attribute, Werkzeuge, Willkommen, Becher und Kannen, nebst den Handwerks=Laden mit sich.

In der Innungenreihe erschienen hierauf die Bäcker mit verschiedenem schön verzierten Backwerke; die Metzger, mit einem stattlichen Maststücke, welches auf dem Volksfest=Platze geschlachtet, im Ganzen, an einer eigens hierzu verfertigten Bratmaschine gebraten, das Fleisch aber an die Armen ausgetheilt wurde.

Die an diese sich reihenden Gärtner, brachten Früchte und Blumen, nebst einem sehr geschmackvoll von Moos errichteten

Tempel, so wie eine aus Laubwerk und Zweigen geflochtene Pyramide mit der Königskrone an der Spitze.

Die Sailer, Schneider, Schuhmacher, Maurer mit einer hohen Spitzsäule, welche die Bildnisse Max Josephs und Ludwigs schmückten, die Zimmermeister und ihre Gesellen mit den schön verzierten Winkelmaaßen, die Schreiner, Drechsler, Kaminkehrer, Säckler, Bürstenbinder, Wagner, Groß-Uhrmacher, Schlosser, Huf- und Waffenschmiede, Sporrer, Kupfer-, Zirkel-, Messer- und Nagelschmiede, Zinngießer, Feilenhauer, Schleifer, Tuchmacher bildeten einen imposanten Zug, welchen die Schäffler mit zierlich gearbeiteten, mit Guirlanden umwundenen Fässern, und den sehr hübsch, gekleideten Meistern schlossen. Diesen wurde das Glück zu Theil, vor dem Königs-Paare den alterthümlichen Reiftanz aufführen zu dürfen. Nachdem dieser schön geordnete Aufzug sich des Allerhöchsten Wohlgefallens zu erfreuen hatte, warf ein Reitender Geld unter das zahlreich versammelte Volk.

Nachmittags begann das landwirthschaftliche und Volksfest auf dem Exercierplatze, welches ein Pferderennen eröffnete. Paare von Landleuten aus den Landgerichten brachten in ihrer Nationaltracht JJ. Majestäten ihre ehrfurchtsvollsten Huldigungen dar, zu welcher Gelegenheit ein Dichter einige 40 Gedichte verfaßt hatte, welche in einer mit Lithographien gezierten splendiden Ausgabe im Druck erschienen. Der Platz zum Volksfeste selbst war sehr zweckmäßig hergerichtet. Verkaufsbuden wechselten mit Gezelten und Ruheplätzen, auf welchen die Wirthe Erfrischungen aller Art darreichten. In den Lustbarkeiten dieses Festes fand eine angenehme Abwechslung statt, und kein Unfall trübte die Freuden dieser festlichen Tage, welchen leider nicht immer die günstigste Witterung lächelte, und deren Reihe die Preis-Vertheilung für die preiswürdig befundenen Produkte der im Ober-Donaukreise betriebenen Landwirthschaft u. s. w., beschloß.

Am Abende des Volksfestes, welches die Erhabensten in ei-

24 *

nem hiezu errichteten Pavillon mitanzusehen geruhten, wohnten die Allerhöchsten Herrschaften einem Balle in dem Saale des ehemaligen Baron v. Libert'schen, jetzt Freiherrn Wilhelm v. Schäzlerschen Hauses bei, geruhten diesen: Se. Majestät mit der Gattin des Herrn Bürgermeisters Kremer, Ihre Majestät die Königin aber, mit dem Herrn Bürgermeister Barth, mit einer Polonaise zu eröffnen.

Nachdem am andern Morgen Se. Majestät im Dom der Messe beigewohnt und die Abschieds-Aufwartungen anzunehmen geruht hatten, verließ uns der Monarch im offenen Wagen, an der Seite der Königin, die Maximilians-Straße herauffahrend. Kurz nur waren die Augenblicke, in welchen uns dieses Glück lächelte, unvertilgbar aber bleibt die Erinnerung an sie, so wie an die Huld und Leutseligkeit des Herrscher-Paares in unsern Herzen, und in unserm Gedächtnisse. Eine kostbare Urkunde des Königlichen Andenkens lohnt die treue Augusta für die Beweise ihrer enthusiastischen Liebe für das Herrscherhaus, sie wird in dem Archive der Stadt aufbewahrt. Es ist die Eigenschrift eines Gedichtes, in welchem der Königliche Sänger seine Reisen im Königreiche besang. Nicht minder kostbar ist für uns auch ein Danksagungs-Schreiben J. K. Hoheit der Prinzessin Mathilde, welcher die Stadt Augsburg, als ihre Geburtsstadt, ein Paar silberne Vasen zu überreichen die Gnade genoß; auch dieses gehört nun zu den edelsten handschriftlichen Schätzen unsers Archives.

Kultus der Stadt Augsburg.

Die Einwohner der Stadt Augsburg bestehen hinsichtlich der Religions-Bekenntnisse aus Katholiken und Protestanten. Das Verhältniß der Mehrzahl der Erstern, haben wir bereits in dem der Bevölkerung gewidmeten Abschnitte gezeigt. Bayerns weise und gerechte Regierung gesteht den drei christlichen Kirchen-Gesellschaften gleiche bürgerliche und politische Rechte, so wie die freie Ausübung ihres Gottesdienstes, zu; auch Augsburg genießt die Segnungen dieser heilsamen, durch die Konstitution festgestellten, gesetzlichen Bestimmung. Die Reformirten sind hier nicht in solcher Anzahl vorhanden, daß eine eigene Kirche für sie bestünde; sie halten sich daher in Hinsicht ihrer Gottes-Verehrung an den Ritus der evangelischen Gemeinde.

Seit dem Abschlusse des Konkordats mit dem heil. Stuhle, wurde Augsburg wieder zum bischöflichen Sitze erhoben. Bischof von Augsburg ist gegenwärtig der Hochwürdigste Herr Ignatz Albert v. Riegg, K. B. Reichsrath, Ritter des Civil-Verdienstordens der Bayr. Krone und Ehrenmitglied des Metropolitan-Kapitels München-Freising.

Das Domkapitel, so wie die geistliche Regierung und Verwaltung des ganzen bischöflichen Sprengels ist ebenfalls auf den Grund des päpstlichen Konkordats organisirt. Das erstere besteht aus einem Domprobst, Domdekan, 8 Domherren, einem Domprediger, 6 Domvikaren, einem Domkapellmeister.

Das bischöfliche Ordinariat theilt sich in zwei Sektionen; in den bischöflichen, geistlichen Rath mit einem Vorstande, 9 geistliche Räthe und einen protokollirenden Sekretair. Die 2te Sektion bildet das bischöfliche General-Vikariat mit einem General-Vikar, 5 Räthen, welche Domherrn, und 2 Räthen die keine Domherrn sind, einem Sekretär, Expeditor, Registrator und Kanzellisten. — Das bischöfliche Konsistorium wird durch einen Offizial, 2 Räthen als Domherrn, und 2 andern, welche nicht Domherrn sind, einem Sekretair, einem Defensor Matrimonii und den dazu gehörigen Kanzellisten gebildet. Das Konsistorium verhandelt die Ehescheidungssachen der Katholiken, und erkennet auch in Divortien-Streitigkeiten, welche sich in gemischten Ehen ergeben, wenn der beklagte Theil der katholischen Kirche zugethan ist.

Folgends sind die Pfarreien der Katholiken:

1) Die Dompfarrei, bestehend aus den Stadtachteln C, D, E, F. mit 667 Hausnummern. Sie begreift 4088 Seelen in sich. Die Kathedrale ist zugleich die Pfarrkirche. Der katholische Stadtdekan ist auch Dompfarrer; ihm sind 3 Kapläne beigegeben. Daß jede Kirche ihren Meßner habe, versteht sich von selbst.

2) Die St. Ulrichs-Pfarre umfaßt die Achtel A, B, den obern und untern Zwinger, und die dazu gehörigen Distrikte vor den Thoren, im Ganzen 713 Hausnummern und 3327 Seelen. Das Gotteshaus St. Ulrich ist die Pfarrkirche; ein Pfarrer mit 3 Kaplänen besorgen die gottesdienstlichen Verrichtungen; ein Chorregent leitet die Kirchen-Musik.

3) Die Moritz-Pfarrei mit der Pfarrkirche gleiches Namens, hat in ihrem Sprengel in den Stadtsektionen A, B, C, D, mit Einschluß des mittlern und untern Zwingers 824 Hausnummern, 2728 Seelen, einen Pfarrer, 3 Kapläne und einen Chorregenten.

4) Die St. Georgen-Pfarrei und Pfarrkirche enthält die Stadtsektionen E und F nebst mehrern Wohngebäuden vor dem Thore; im Ganzen 420 Hausnummern und 2814 Seelen in ihrem Sprengel. Dem Gottesdienst steht ein Pfarrer mit 2 Kaplänen und ein Chorregent vor.

5) Die Pfarrei St. Max erstreckt sich über die Stadtsektionen G und H, und zählt die zu diesem Sprengel gehörigen Wohnungen vor dem Thore mit eingerechnet, 865 Häuser und 3096 Seelen. Zum Pfarr-Gotteshause dient diesem Sprengel die ehemalige Franziskaner-Klosterkirche; ein Pfarrer mit 3 Kaplänen und einem Chorregenten besorgen dort die gottesdienstlichen Handlungen.

An der Wallfahrtskirche zum heil. Kreutz sind Benefiziaten angestellt. Zum Gottesdienst für gewisse Zeiten und Veranlassungen bestehen die Benefizien zu St. Lorenz an der Domkirche, St. Salvator und Galli, St. Servati;

die Kirche auf dem Gottesacker; die Kapelle St. Anton, in der Pfründe gleiches Namens, die Kapelle im allgemeinen Krankenhause; zu St. Margaretha; St. Markus in der Fuggerei; die Klosterkirchen St. Ursula und Maria-Stern. Im englischen Institut ist ein Kaplan angestellt.

Die katholische heil. Kreuzkirche ist zugleich Garnisonskirche. Die Seelsorge für das Militär ist den Stadtpfarrern vorbehalten.

Mit dem Himmelfahrtsfest beginnen die sogenannten Kreuzgänge mit Fahnen und Gebet; die Andächtigen ziehen nemlich in feierlicher Prozession von einer Pfarrkirche zur andern; bei dieser Gelegenheit bewegen sich dergleichen Kreuzzüge vom Lande in die Stadt unter lauten Gebeten und Gesängen herein. Dieses geschieht auch am 11. Mai, als dem Feste des in der katholischen heil. Kreuzkirche ausgestellten hochwürdigen Gutes.

Das höchste nnd feierlichste Religionsfest in der katholischen Kirche ist der Frohnleichnamstag, an welchem eine glänzende Prozession von der Domkirche aus, durch die mit Brettern belegten Hauptstraßen, begleitet von den Schulen, den Zünften mit ihren Fahnen, dem Klerus mit dem vorangetragenen Kreuze, den höchsten und hohen Behörden in der feierlichen Amtskleidung, an den festlich mit Teppichen, schönen Gemälden, Maien, Blummentöpfen und brennenden Lichtern geschmückten Häusern vorbei, durch die von der Garnison dem Linien-Militär und der Landwehr gebildeten Spalire, unter dem Geläute der Glocken schreitet.

Unter einem von angesehenen Bürgern getragenen prächtigen Baldachin, trägt der Bischof, angethan mit dem höchsten kirchlichen Schmucke, das Hochwürdigste in einer von Gold und Juwelen strahlenden Monstranz; an vier festlich geschmückten Altären wird das Anfangs-Capitel der vier Evangelien verlesen, und der Segen gegeben. Da ertönen feyerliche Gesänge; auf Weihrauchswolken steigen die Gebete der Gläubigen empor, Pauken- und Trompetenschall, der Donner der Kanonen, und die Militair- und Kirchen-Musiken verherrlichen diese feyerliche Handlung.

In der Fastenzeit, besonders aber in der Charwoche, hört man in den Kirchen die Tondichtungen der berühmtesten Komponisten im Fache der Kirchen-Musik. Vom Charfreitage bis zum Sonnabend, werden die in den katholischen Kirchen errichteten heiligen Gräber zahlreich besucht, welche zum Theil sehr hübsch durch Felsengruppen und bunte Lampen geordnet, das Bild des schlummernden Erlösers enthalten.

Die Glocken schweigen, die schnarrenden Töne der Rasseln (Schnurren) hier Rätschen genannt, bezeichnen von den Kirchenthürmen herab die gottesdienstlichen Stunden. Am Abende des Charsamstags strömen die Gläubigen der Auferstehungsfeierlichkeit in den katholischen Kirchen zu.

Die Christmetten am Weihnachtsfest werden jetzt wieder um Mitternacht gehalten.

Der Gesammtbetrag des katholischen Kultusfonds beläuft sich auf 602,748 fl. welcher einen Jahres Ertrag von 29,529 fl. nach der von Herrn v. Seida gemachten Angabe, abwirft.

Die ehemaligen sechs protestantischen Pfarreien wurden nach der neuen Organisation, der Zahl nach auf drei beschränkt. Sie sind gleichfalls in Pfarr-Distrikte eingetheilt, wovon jeder eine gewisse Seelenzahl enthält. Die Seelsorge der Geistlichen ist jedoch nicht auf gewisse Pfarrsprengel beschränkt, da die Wahl des Beichtvaters vom Zutrauen der sogenannten Beichtkinder abhängt.

Die drei Pfarrkirchen sind: St. Anna, St. Ulrich, und zu den Barfüßern. Diesen Haupt-Pfarren sind die ehemaligen Pfarreien zum heil. Kreutz, St. Jakob und Hospital einverleibt, doch ist der 3te Pfarrer bei den Barfüßern zugleich Pfarrer bei St. Jakob, in welcher Kirche, wie in den Pfarrkirchen, gleichfalls getauft, konfirmirt und

Kommunion gehalten wird. Der 2te Pfarrer an der evangelischen heil. Kreuzkirche, ist zugleich 3ter Pfarrer bei St. Anna.

Das evangelische Kirchen-Ministerium besteht aus dem Stadtdekanat, 3 Pfarrern zu St. Anna, 2 bei St. Ulrich, und 4 bei den Barfüßern, dann einem Stadt-Vikar. Der älteste Pfarrer führt den Titel: Senior.

Die Seelenzahl in den protestantischen Pfarreien, mit Inbegriff der Bewohner vor den Thoren, beläuft sich gegen 12,000.

An Sonn- und Feiertagen ist in allen protestantischen Kirchen Gottesdienst. Am Sonnabend besagt ein von den Meßnern ausgetragener Kirchenzettel, welche Prediger Kanzel-Vorträge halten, welche Lieder gesungen werden, und in welchen Kirchen das heil. Abendmahl gefeiert wird. Zu Zeiten haben auch Kirchen-Musiken statt. Die feierliche vor- und nach dem Gottesdienst abgesungenen Choräle werden mit Orgelklang begleitet. Ein Vorsinger mit einigen Singknaben giebt den Ton an, und die auf schwarzen Liedertafeln aufgesteckten Nummern zeigen der Gemeinde die Gesangs-Nummern und die Verse, welche angestimmt werden. Die Sänger-Gilde zum Dienst des Kirchengesanges und der Vokal-Kirchenmusiken, bei Kopulationen und Leichenbegleitungen wird hier die Kantorei genannt. Sie sind noch nach der alten Weise, schwarz, mit langen Mänteln und verschiedenartig aufgestülpten Hüten angethan, was zumal den kleinen Korrent-Schülern ein bizarres Ansehen verleiht. Ueberhaupt wäre in diesem Zweige der Andachts-Beförderung, eine Reform sehr zeitgemäß.

Die Meßner genießen einen bestimmten Gehalt; in partem salarii sind ihnen aber auch die Gaben angerechnet, welche sie beim Jahreswechsel in den Häusern holen und dafür einen gedruckten, gereimten Neujahrwunsch zurücklassen; auf diesem ist auch die Zahl der Gebornen, der Gestorbenen, der Konfirmirten und Kommunikanten so wie die Zahl der in jeder Pfarrei gehaltenen Predigten, angegeben.

Unter den protestantischen Predigern giebt es vorzügliche Kanzelredner. Ihre aus einem schwarzen Talar, einem Sammet-Barett und einer kleinen Halskrause, welche nicht mehr wie sonst radförmig den Hals umgiebt bestehende Amtskleidung, ist der Würde ihres Berufes angemessen.

Die Konfirmation der das Erstemal zum Abendmahl zugelassenen jungen Christen, wird öffentlich in den Pfarrkirchen gehalten.

An den Geburts- und Namensfesten des Königs und der Königin ist feierlicher Gottesdienst in den Tempeln beider Konfessionen.

Ein wichtiges Fest für die evangelisch-lutherische Gemeinden in Augsburg, ist das am 8. August jährlich gefeierte Friedensfest zum Gedächtniß und Erinnerung an die Wohlthaten des westphälischen Friedens. In den zum Theil festlich geschmückten Tempeln bezeugen sie dem Höchsten ihren Dank für die Errettung aus dem tiefen Elend, welches mit dem 8. August 1629 durch den 30jährigen Krieg über Augsburg hereinbrach.

Nach einer alten Sitte wird an diesem Feste beinahe in jedem Hause ein gebratenes Hühnchen gespeist, und selbst den Dienstboten ein festliches Mahl gegönnt; diejenigen, welche hierin einen Stoff zum Spötteln finden, oder ein Zeichen der Ueppigkeit und des Wohllebens erblicken wollen, kennen die Veranlassung dieses Gebrauches nicht.

Auch in diesem bessern, leiblichen Genusse findet man einen Beweggrund zum innigsten Danke gegen den Allmächtigen. Unsere Vorfahren mußten ihren Heißhunger zur Zeit jenes unbeschreiblichen Elendes, mit den unnatürlichsten Nahrungsmitteln stillen. Sollen uns nicht die innigsten Dankgefühle für die Wohlthaten des Himmels durchdringen, wenn wir den ausgestandenen Mangel, die Bedrängnisse, die Hungersnoth, mit den uns geschenkten bessern Zeiten vergleichen?

Seit der dritten Säkularfeier des Reformationsfestes im

Jahr 1817, wird jährlich das Reformationsfest festlich begangen; alle Jahr wird ein Buß- und Bettag gehalten, an welchem die rauschenden öffentlichen Lustbarkeiten verstummen.

Wer von Intoleranz fabelt, der betrachte nur das würdige Benehmen der beiderseitigen Religions-Bekenner gegeneinander, wenn der eine oder der andere Theil, ein seiner Konfession eigenes kirchliches Fest begeht. Die größte Stille, der edelste Anstand wird beobachtet und kein Anklang von Bigotterie stört den festlichen Ernst. Der Schwärmer, der sich das Gegentheil erlaubte, würde sich der gerechten, obrigkeitlichen Ahndung, der Verachtung seiner eigenen, aufgeklärtern Glaubensgenossen, aussetzen.

Die evangelischen Prediger genießen ständige und zufällige Besoldungs-Bezüge. Zu den letztern gehören die von ihren Beichtkindern erhaltene, ansehnliche Neu-Jahrs-Geschenke, Honorare für die jetzt in Aufnahme gekommenen Leichenreden, und andere Gebühren.

Der seel. Silberjuwelier Klauke hat ein Kapital von 60,000 fl. ausgesetzt, von dessen Renten die protestantischen Prediger Zulagen von 200 fl., 150 fl. und 100 fl., je nach der höhern Stelle, welche sie bekleiden, erhalten. Die oft gepriesene Wohlthäterin Augsburgs, die Frau v. Stetten, legirte die Zinse von 9000 fl. zu Neujahrsgaben an die evangelischen Prediger und deren Wittwen, und zwar mit Recht, denn

Wittwen drücket oft größere Noth
Als glückliche Menschen ermessen.

Hier sind neben einer allgemeinen Predigers-Wittwen-Kasse, noch 6 Special-Wittwen-Kassen zur Unterstützung der Predigers-Wittfrauen der an den einzelnen Pfarrkirchen verstorbenen Geistlichen vorhanden.

Die Trauungen und Taufen werden theils in der Kirche, theils auf Verlangen in den Häusern gehalten. Die Leichenzüge begleiten die Geistlichen derjenigen Gemeinde, welcher der Verstorbene einverleibt war. Erst in unsern Tagen ist eine neue Leichenordnung erschienen, welche dem thörichten Luxus bei Begräbnissen Einhalt thun soll. Vier Klassen von Beerdigungsweisen sind darinnen aufgestellt. Da die Hinterbliebenen, wenn sie Geld haben, oder eine Portion falschen Ehrgeitz besitzen, eine beliebige Klasse über ihren Stand wählen können, so ist der Zweck dem lächerlichen Begräbniß-Prunke dadurch Einhalt zu thun, durchaus verfehlt.

Diese Eintheilung neben der Willkühr in der Wahl des Leichen-Gepränges, begünstigt eher dergleichen Mißbräuche.

Ehemals waren eigene Vorschriften für Leichenbegängnisse der Patrizier, der Stuben-Genossen und der nicht stubenmäßigen Bürger festgestellt, daher konnten die Schranken des unnützen Beerdigungs-Gepränges nicht von jedem Stande nach Belieben überschritten werden.

Seit Aufhebung dieser Beschränkung werden leider durch den Aufwand bey Leichenbegängnissen die Kräfte der Hinterbliebenen nicht selten überboten.

Der protestantische Kirchenfond weist einen Gesammt-Betrag des Vermögens von 267,218 fl. und jährliche Erträgnisse von 17,721 fl. aus. An den Kirchen der Protestanten sind sogenannte Kirchenstöcke befindlich, in welchen die Kirchengänger ihre milden Gaben einlegen.

Die in der Stadt wohnenden Juden und Judengenossen, welche im ganzen Königreiche vollkommene Gewissensfreiheit genießen, und an allen denjenigen Befugnissen, welche das Edikt vom 24. May 1819 den Privat-Kirchen-Gesellschaften zusichert, Antheil haben, halten ihre gottesdienstlichen Zusammenkünfte in dem zur Synagoge eingerichteten Saale des Binswanger'schen Hauses Lit. D. Nro. 100.

Der jüdische Begräbnißplatz liegt in der Nähe des Dorfes Kriegshaber, woselbst sich auch eine Synagoge befindet. Sie eilen noch immer wie sonst mit der Beerdigung ihrer Leichen und binden sich dießfalls an kein Polizei-Gesetz der

Christen; ein Mißbrauch der billig abgeschafft werden sollte, denn wollen die Juden unter den Christen leben, so sollen sie sich auch unter die allgemeinen Polizei-Gesetze fügen.

Unterrichts-Anstalten.

Zu den nunmehr getrennten Studien-Anstalten der Katholiken und Protestanten gehörten bisher:

Die Studien-Anstalt für die katholische studierende Jugend bei St. Stephan, welche unter der Leitung des Studien-Rektors steht. Sie theilt sich:

a) in die Lyceal-Klasse; bei dieser hält der Studien-Rektor als Professor der Philologie und Geschichte, der Konrektor als Professor der philosophischen Wissenschaften und ein Professor der Mathematik die Vorträge über die benannten Lehrgegenstände.

b) in das Gymnasium, welches 5 Klassen und eben so vielen Professoren zählt, und

c) in die lateinische Vorbereitungs-Schule mit 4 daselbst angestellten Lehrern.

Ausser diesen sind für besondere Unterweisungs-Gegenstände, als für die französische Sprache, Zeichnungslehre, den Gesang und die Schönschreib-Kunst eigene Lehrer aufgenommen.

Die protestantische Studien-Anstalt besteht aus dem Gymnasium zu St. Anna, welches gleichfalls in 5 Klassen abgefaßt ist. Den 5 Gymnasial-Professoren ist ein Nebenlehrer der hebräischen Sprache beigegeben. Zwei Lehrer sind bei den lateinischen Vorbereitungs-Schulen angestellt, und für die französische Sprache, Musik, Gesang und die Zeichnungskunst finden sich hier eigene Lehrer. Wahrscheinlich werden diese Lehr-Anstalten künftig nach dem allgemeinen Schulplane organisirt.

Zu den öffentlichen, männlichen Erziehungs-Instituten gehört das katholische Studenten-Seminar zum heil. Joseph, gleichfalls bei St. Stephan; unter der Aufsicht eines Seminar-Vorstandes und eines Seminar-Präfektes; dann das protestantische Kollegium bei St. Anna unter 2 Vorständen und 2 Inspektoren.

Bei der höhern Bürgerschule B. 259 sind 4 Lehrer angestellt. Diese wurde nach der früher hier bestandenen Realschule gebildet. Hier werden die Schüler für den Uebertritt zum ernstern bürgerlichen Geschäftsleben vorbereitet; und in der Religion, deutschen und französischen Sprache, Arithmetik, Geometrie, Geschichte, Geographie, unterrichtet.

Zu Unterrichts-Behelfen dient der mathematisch-physikalische Apparat in Armario, nebst dem daselbst aufgestellten Naturalien-Kabinet. Die Schüler, welche aufgenommen zu werden wünschen, müssen im Lesen, Schreiben und Rechnen bereits einen guten Grund gelegt haben.

Die Prüfungen in den Studien-Anstalten werden jährlich im Monat August vorgenommen; nach diesen erhalten die sich auszeichnenden Schüler, Preise und Diplome. Bis jetzt fand diese öffentliche Preis-Vertheilung in der St. Anna Kirche unter angemessenen Feierlichkeiten statt. Nach der Trennung der Studien-Anstalten beider Religionstheile wurde diese Feierlichkeit im neu hergerichteten Saale des evangelischen Kollegiums abgehalten.

Bei dieser feierlichen Veranlassung wird ein gedruckter Jahresbericht über den Bestand der hiesigen Unterrichts-Anstalten zur Uebersicht für das Publikum ausgegeben.

Die katholischen Unterrichts-Anstalten für die gewöhnlichen, für Volksschulen geeigneten Lehrgegenstände zerfallen

a) in Knaben, und

b) in Mädchen Schulen.

a) Die Knaben werden in den kombinirten Pfarreien

Dom und St. Georg in drei Klassen, neben einer Vorbereitungs-Klasse von 4 Lehrern unterwiesen.

Die nicht kombinirten Pfarreien St. Moritz, St. Ulrich und St. Max haben jede drei Klassen mit eben so vielen Lehrern.

Den Religions-Unterricht ertheilen in benannten Schulen die Kapläne der Pfarrei, deren Pfarrer als Lokal-Schulinspektor vorgesetzt ist.

a) Die weibliche Jugend erhält Unterricht in den 3 Klöstern zu den Englischen, bei St. Stern und bei St. Ursula, welche beiden letztern Klöster erst in diesem Spätjahre der andächtigen Menge, das seit 40 Jahren eingestellte, fromme Schauspiel, der Einkleidung dieser für den Lehrstand gebildeten Nonnen, vorführte. Jedes Kloster hat 4 Klassen (eine Vorbereitungs-, dann eine I. IIte und IIIte Klasse.

Die Katechese in den beiden zuletzt genannten Klöstern besorgt ein eigens hiezu aufgestellter Geistlicher. Das ganze Lehrpersonal dieser weiblichen Schüler steht unter einem eigenen Schulinspektor.

Katholische und protestantische Sonntagsschulen, in welcher Lehrlinge und Mädchen von 12 — 18 Jahren von den gewöhnlichen Lehrern im Lesen, Schreiben, Rechnen an Sonntagen unentgeldlich Unterricht erhalten, giebt es gleichfalls in den nemlichen Pfarr-Distrikten. Wie die katholischen Pfarreien, haben auch die Protestanten ihre Volksschul-Anstalten in ihren Pfarr-Distrikten, nemlich die kombinirten Schulen von St. Anna B. 258. bis 259. St. Ulrich, und heil. Kreuz F. 116. mit sieben eigenen Lehrern und den Herren Pfarrern an den genannten Kirchen als Inspektoren. Die Barfüßer Distrikts-Volksschule ist zur Zeit im Pilgerhaus auf dem Graben; und in der Jakobs-Pfründe C. 356., die des St. Jakobs-Sprengels G. 139. Bei St. Anna besteht eine freiwillige Gesellenschule.

Die Volksschulen stehen unter der königl. Schul-Kommission. Die Prüfungen geschehen öffentlich im Dominikaner-Gebäude oder dem sogenannten alten Tempel-Herrenhof. Die Preisvertheilung wurde bisher gleichfalls in der St. Anna-Kirche gehalten.

Die öffentlichen Erziehungs-Anstalten, als das kathol. Töchter-Institut bei den englischen Fräuleins und des Barbara v. Stettenschen B. 260. haben wir bereits beschrieben.

Noch giebt es mehrere weibliche Industrie-Schulen, in welchen eigene Lehrerinnen die Mädchen in weiblichen Handarbeiten unterrichten.

Den höhern Religions-Unterricht erhält die protestantische Jugend, als Vorbereitung zu der Confirmation, von den Pfarrern jedes Sprengels in eigenen Unterrichtsstunden. Die Katechisationen werden in der Kirche gehalten.

Das Zumpfische Lehr-Institut in der Spenglergasse C. 74. ist eine Privatunterrichts-Lehranstalt für hiesige und auswärtige Zöglinge, welche Letztere auch dort in Kost und Wohnung aufgenommen und unterrichtet werden.

Zu den öffentlichen Unterrichts-Anstalten für bildende Künste gehört die königl. höhere Kunstschule unter dem Vorstand Sr. Durchlaucht des Herrn Fürsten von Oettingen-Wallerstein, königlichen General-Kommissär und Regierungs-Präsidenten. Ein Verwaltungs-Ausschuß von 6 Mitgliedern, ein Kassier und Sekretair leitet die ökonomischen Angelegenheiten. Unterweisung in den verschiedenen Zweigen der bildenden Kunst erhalten die Kunstjünger von dem Direktor der Kunstschule und von 6 Lehrern.

Die Sonn- und Feiertags-Zeichnungsschule, welche gleichfalls unter der Aufsicht eines Herrn Direktors steht, zählt 6 Lehrer.

Alle zwei Jahre findet eine öffentliche Ausstellung der Schüler-Arbeiten und der Kunstarbeiten von Künstler und Kunst-

Dilet-

Dilettanten statt. An die Kunstschüler wurden bisher für die besten Arbeiten Preis-Medaillen ausgetheilt.

Mit dieser Kunst-Ausstellung war gewöhnlich auch eine Ausstellung verschiedenartiger industrieller Erzeugnisse vereiniget.

Der katholische Schulfond betrug ehe die Stiftung des Regenschirm-Fabrikanten Geneve hinzukam 498,317 fl. und der Rente-Ertrag 22,936 fl. — Der protestantische hingegen 581,021 fl. und die Zinsen 83,653 fl.

Die Gymnasiasten, welche die hohe Schule beziehen, halten gewöhnlich öffentliche Abschieds-Reden. In vorigen Zeiten genossen sie auf der Akademie höchst ansehnliche Stipendien, deren Reichungen sich jetzt in zu verschiedenartige Nebenäste zertheilen.

Die Gymnasiallehrer sowohl als die deutschen Schullehrer haben unter sich eigene Wittwen-Kassen begründet.

Sammlungen für Wissenschaften und Kunst.

Oeffentliche, den wissenschaftlichen und Kunstgegenständen geweihte Sammlungen, wohin die Stadtbibliothek, die Gemäldegallerie, das Antiquarium gehört, wurden bei den Gebäuden, in welchem sie aufbewahrt werden, mitbeschrieben. Ausser diesen bezeugen mehrere zum Theil kostbare Privatsammlungen, daß der Sinn und die Neigung für die edelsten Gefährten des Lebens, die Wissenschaften, welche der Jugend zu lehrreichen Führern, dem Alter zu treuen, erheiternden Freunden dienen, in Augsburg noch nicht ausgestorben sey.

Bei den Sammlungen mathematischer und physikalischer Instrumente müssen wir der, durch die Königliche Munificenz neu erbauten, an dem, dem königl. Aerar gehörigen Hause

C. 66, beim Pfaffenkeller links errichteten Sternwarte umständlicher erwähnen, da sie in gedoppelter Beziehung, als ein Denkmal der allerhöchsten Huld und Gnade des erhabenen Beschützers der Wissenschaften und der Künste, Ludwigs des Gerechten und Beharrlichen, gegen die Stadt, indem die Baukosten von dem königlichen Aerar bestritten wurden, und als ein, zur Erweiterung wissenschaftlicher Beobachtungen vortrefflich eingerichtetes Gebäude, merkwürdig ist.

Der Plan zu diesem Observatorio und die Leitung des Baues, ist das Werk des Herrn Augustin Stark, bischöfl. geistlichen Rathes und Domkapitulars ꝛc., dieses im In- und Ausland berühmten Astronomen, und mit der Beschreibung dieser noch nirgend so ausführlich angeführten Merkwürdigkeit, verbinden wir zugleich die der herrlichen Sammlung mathematischer und physikalscher Instrumente, welche theils königliches Eigenthum sind, theils jenem hochgeschätzten Himmelskundigen gehören.

Vier und zwanzig Fuß tief vom Grunde an, erhebt sich auf Quadersteinen ein kolossaler Pfeiler und ragt durch vier Etagen hindurchgehend empor. Gegen diesen sind im Grunde, von Süd und Nord, in den Hauptmauern des Thurms, Bögen gesprengt, der Pfeiler selbst aber ist noch mit der im Fundamental des Thurmes durchgeführten alten Stadtmauer, verbunden.

Dieser Pfeiler ist vom Gebälke und Fußboden bei jeder Etage isolirt, und ausser aller Verbindung mit demselben.

In der ersten Etage befindet sich das Eclvometer (Erdbebenmesser), welches in der vierten Etage an dem zu oberst an dem kolossalen Pfeiler ruhenden, äußerst massiven Zirkelgewölbe befestiget, durch die drei Etagen bis in die vierte herab, durch eine Nische und ein Rohr, an dem Pfeiler geführt wird und so viel möglich gegen den Luftzug geschützt ist.

Zwischen den soliden Mauern ausserhalb den südlichen Fenstern, ruht ein von Brander und Höschel verfertigtes, mit dem dazu gehörigen Glaskasten versehenes Declinatorium magneticum, fest auf einer eingemauerten Steinplatte, welches dem Beobachter die Abweichung der Magnetnadel von Ost nach West zeigt.

Die Neigung der Magnetnadel von Süd und Nord zeigt ein in beträchtlicher Entfernung von dem obigen Declinatorio ausserhalb dem östlichen Fenster festgemachtes Brander-Höschelsches Inclinatorium magneticum.

Die zweite Etage dieser Sternwarte enthält das heizbare Arbeitszimmer mit dem schon früher darin befindlich gewesenen filar Gnomon.

Zum meteorologisch-astronomischen Observatorium ist die dritte Etage bestimmt. Hier ist nach jeder der vier Weltgegenden, ein großer mit Läden versehener Fensterstock angebracht, damit jede, unter dem Fensterstock fest eingemauerte große Solnhofer Steinplatte, zur Aufstelung eines Instrumentes frei bleibt.

Die meteorologischen Instrumente sind die nemlichen, welche Herr Domkapitular Stark in seiner mit 5 Kupfern erschienenen Beschreibung angegeben hat.

Die dritte Etage enthält sehr schätzbare astronomische Instrumente.

Diese Etage kann vermöge der Läden vollkommen verfinstert werden, um mit einem vortrefflichen Brander'schen Sonnen-Mikroskop, sowol bei transparenten als undurchsichtigen Gegenständen, dann mit Prismen, dem Conus mit Zerstreuungsgläsern, mit Polyaeren, mit dem Ochsenauge, mit dem einfachen und mehrfachen Lichtstrahl, optische Versuche vorzunehmen.

In der vierten Etage ist von den südlichen bis zu den nördlichen Thurm-Mauern, ein sehr solider Bogen gegen den mittlern Hauptpfeiler gesprengt; von diesem Bogen werden die Widerlagen mit massiven eisernen Schlaudern zusammen gehalten, deren Länge dem äußern Durchmesser des Thurms gleich ist; jede Schlauder ist mit 2 Schlüsseln versehen; ihre Länge reicht von der dritten Etage bis in die Brüstung der Fünften hinauf.

Auf diesem Bogen und auf dem mittlern Hauptpfeiler ruht ein sehr massives Circul-Gewölbe von ganzem Stein, oberhalb welchem dasselbe plan ausgemauert ist.

Das Haupt-Observatorium in Circularform befindet sich in der fünften Etage.

Diese fünfte Etage bedeckt ein hölzerner, cylinderförmiger, außen mit Blech beschlagener Mantel und ein Dach vom nemlichen Stoffe. Die vier großen 9½ Fuß hohen Läden der Fensterstöcke, können durch Seile und Rollen geöffnet und geschlossen werden.

An dem Dache befindet sich ein, 1′ 8″ breiter Meridian-Ausschnitt von Süd nach Nord; auch an diesem können die verschiedenen Klappen durch Seile und Sperrfedern geöffnet und geschlossen werden.

Der ganze Mantel mit dem Dache und den vier Fensterstöcken, oder eigentlich das ganze auf die Brüstung aufgestellte hölzerne Haus ohne Boden, welches der sehr geschickte, vielseitig wissenschaftlich gebildete Zimmermeister Wittmann verfertigte, kann auf Laufrollen, vermittelst einer sinnreichen, von dem äußerst kunsterfahrnen Schlossermeister Csarsch verfertigten Triebmaschine, durch eine Kurbel so leicht und sanft als möglich, nach jeder Lage und auch ganz horizontal gedreht werden.

Gegen die Gewalt der Windstöße und für die gleiche horizontale Bewegung, ist durch Anhalt-Eisen und Druckrollen, von welchen bei derselben die eisernen massiven Stangen durch das Gewölbe isolirt durchgehen, und an dem Boden-Gebälke der vierten Etage angeschlauderten Balken befestiget sind, gesorgt. Die übrigen 6 Eisenstangen von den Druckrollen, so wie auch die Anhalt-Eisen, sind an den geschlauderten Fußbalken der 5ten Etage vermittelst Gurt- und

Kreuzschlaudern befestigt. Die ausserhalb dem beweglichen Hause nach der südwestlichen Ecke des Thurms aufgestellte isolirte Auffangs-Spitze des Blitzableiters, ist mit dem blechernen Ueberzuge des Hauses so verbunden, daß die Bewegung desselben nicht gehindert wird. Auf dem Dache dieses Hauses sind noch zwei Auffangs-Spitzen angebracht.

Ausserhalb der nördlichen Thurmmauer stößt ein langer freier Gang auf der Stadtmauer, auf welchen man von der ersten Etage des Thurms zu einem am nördlichen Ende befindlichen hölzernen Häuschen gelangt, dessen durch einen eigenen Blitzableiter geschütztes Dach, ein Anemoscop und Anemometer dergestalt aufgerichtet trägt, daß man sowohl bei Tag als bei Nacht nicht nur die Richtung, sondern auch die Stärke des Windes bestimmen kann. Unter den zu den Beobachtungen gehörigen Instrumenten wurde das Theodolith und der Frauenhofersche Refraktor auf Befehl des höchstseligen Königs Maximilian angeschafft; Königliches Eigenthum sind auch der 18zöllige Repetitionskreis, das Passage-Instrument, mehrere meteorologische Instrumente, das Inclinatorium und Declinatorium magneticum und der Frauenhofersche Cometensucher mit Ausschluß des parallaktischen Fußes.

Die übrigen Instrumente sind Eigenthum des Herrn Domkapitular Stark.

Seine Sammlung mathematischer Instrumente enthält noch überdies einen Universal-Spiegelkreis von Trougthon, mit meist achromatischen Fernröhren und einem künstlichen Horizont; ein Brander'sches Universal-Astrolabium mit Zugehör; einen Brander'schen Sextanten und zugleich catoptrischen Circul; einen Kreis-Transporteur mit Nonius; einen Brander'schen Distanzenmesser, einen Dentrometer nach Professor Pickel, einen Brander'schen Cometensucher, einen vortrefflichen achromatischen Reisetubus von Beilby aus London mit terrestrischen und astronomischen ocularem

Quadranten, Mikrometer und Fußgestell in einem nur 13 Zoll langen Mahagony-Kästchen; die bewegliche Sterncharte von Bode mit gläsernem Horizont; ein vortreffliches Hodometer in Form einer Taschenuhr von Pickel u. s. w.

Nicht minder reich ist die Sammlung des Herrn Domkapitulars Stark an physikalischen Instrumenten, unter welchen sich eine sehr große elektrische Walzen-Maschine mit sechs großen Verstärkungsflaschen und einem sehr beträchtlichen Apparat, wobei ein großer elektrischer Zimmerluster von Glas und Metall, mit einem Glockenspiel rc., merkwürdig ist; eine Luftpumpe nach Nollet von Brander und Höschel, sammt dem vollständigen Apparat; ein Brander'scher Eudiometer, ein Sonnen-Mikroskop; ein Dollond'sches herrliches Microscopium compositum, mit einer besondern Vorrichtung zum bereits erwähnten 42zölligen Dollondschen Fernrohr, beides zusammen als Sonnen-Mikroskop zu gebrauchen; eine optische Zeichnungsmaschine; eine magnetische Laterne mit sehr schön gemalten Durchzügen und noch sehr viele merkwürdige Gegenstände, deren Besichtigung für den Kenner äußerst interessant ist.

In der Apparaten-Sammlung des Herrn Domkapitular Stark müssen wir noch einer merkwürdigen, wenig bekannten Maschine, nemlich: Athanasii Kircheri horoscopium catholicum societatis Jesu, anführen. Es stellt auf einer hölzernen Tafel einen Stammbaum mit 47 elliptischen Kreisen, mit 47 benannten Provinzen von der ganzen Welt, mit Laubwerk umgeben, vor. Auf den Blättern stehen die Namen derjenigen Städte, in welchen Jesuitenklöster waren. In jedem der Kreise ist ein Messingblättchen vertikal befestiget, mit der dabei befindlichen Tagsstunde, um durch den Schatten der Sonne auf einmal zu sehen, wie viel es in jeder Provinz an der Uhr ist, wenn man die Tafel nach der gehörigen Aequator-Höhe und nach dem rückwärts angebrachten Kompasse gegen die Sonne stellt. An den vier Ecken der Tafel stehen die Worte: „Vom Aufgang bis zum Niedergang sey der Name des Herrn gelobt“, in 34 Sprachen mit den Original-Charakteren ausgedrückt. Unten befindet sich eine bewegliche Uhrscheibe in 24 Stunden getheilt, um das Horoskopium für jede Stadt und jedes Land anwenden zu können.

Der Eigenthümer der Engelsapotheke Hr. Dr. v. Alten besitzt gleichfalls eine sehr merkwürdige Sammlung schöner mathematisch-physikalisch- und chemischer Instrumente und Apparate. Zu Versuchen über die Expensivkraft, Kompressibilität und Schwere der Luft, dient eine Brander'sche vortrefflich eingerichtete Luftpumpe, nebst einem aus 35 Stücken bestehenden Apparate; ein Pyrometer nach Sigaud de la Fond, an dessen oberm Theile ein Zeiger an den Graden die genaue Ausdehnung der Metalle durch die Hitze zeigt; Barometer, Thermometer, eine Feuerfontaine u. dgl. — Unter dem optischen Apparate befinden sich hier ausgezeichnete zusammengesetzte und einfache Mikroskope, ein Sonnen-Mikroskop, ein schöner Utzschneider-Frauenhofer'scher Tubus von 3 Fuß 4 Zoll Länge, zu Beobachtung der Erd- und Himmelskörper, Brenngläser, ein optisches Kunst-Auge, Camera obscura, laterna magica, Taschen-Mikroskope, Metall- und Deformations-Spiegel und andere bekannte und ähnliche Instrumente. Sehenswerth sind hier die magnetischen Apparate; das Declinatorium und Inclinatorium magneticum; das magnetische Magazin nach Sigaud de la Fond um die Anziehungskraft des Magnets durch Körper von verschiedener Dichtigkeit und die magnetische Ausströmung zu zeigen; eine magnetische Wage zur Demonstration des Schwer- und Ruhepunktes, Artificial-Magnete. Unter den Magneten im Besitze des Hrn. v. Alten zeichnet sich ein großer fünffacher, hufeisenförmiger Magnet mit 5 Schrauben, der gegen 50 ℔ zieht, aus; dergleichen kräftige Magnete werden auch gegen manche menschliche Krankheitsleiden mit Nutzen angewendet; ferner ein Taschenkompas in Uhrenform zur Feststellung der Magnetnadel eingerichtet, und Vorrichtungen zur angenehmen Unterhaltung mit magnetischen Kunststücken.

Unter dem Apparate für Geometrie ist der Krystallmesser nach Hauy, sind Transporteurs, ein cylinderischer Glaslibell zur genauen Stellung einer Fläche, eine Boussole, eine sehr fleißig auf Glas geschnittene Zusammenstellung von Maaßstäben, Sonnenuhren, Sonnenhöhe-Sextanten, Reduktionsscheiben zur Korrektion der Penduluhren merkwürdig. In dem v. Alten'schen Kabinet, welches Instrumente für hydrostatische, physikalische und chemische Versuche enthält, findet der Freund dieser Wissenschaften eine hydrostatische Wage, Areometer, Piktometer, Kalimeter, eine Glasglocke zur Mischung der Gasarten, Luftgütemesser, Feuchtigkeitsmesser, ein chemisches Stativ zu kleinen Versuchen im Zimmer, Hauys Apparate zur Untersuchung der Electrizität an Mineralien, einen mineralogischen Apparat, ein Lampen-Apparat zum Distilliren, Kochen und Abdampfen; die Göttingische Maschine zur Verbrennung des Wasserstoffgases nebst einer Anrichtung zum dreifachen Feuerrad; Löthrohre nach Bergmann, Fuchs und Gahn, eine Vorrichtung zur Einathmung der Lebensluft, Lufttrichter, pneumatische Wannen, mehrere chemische Hülfs-Instrumente.

Alles athmet hier die höchste Eleganz und ist mit einem den Kunstsinn des Besitzers rühmlich beurkundenden Geschmack geordnet.

Hr. Wechselsensal Vannoni hat gleichfalls eine Sammlung von dergleichen Instrumenten.

Die meisten Gelehrten sind, als solche, Besitzer schätzbarer Bücher-Sammlungen, welche ausser dem Fache ihres Berufes auch andere wissenschaftliche Fächer umfassen.

Herr Domkapitular Stark, welcher sich als Schriftsteller durch die Beschreibung der meteorologischen Instrumente nebst Anleitung zum Gebrauch derselben bei den Beobachtungen, als nothwendige Erläuterung seiner meteorologischen Jahrbücher mit 5 Kupfern in groß Quart und durch die meteorologischen Jahrbücher selbst von 1813 — 1829 in groß Quart, eine hohe literarische Berühmtheit erworben und als Anerkennung seiner vielfachen wissenschaftlichen Verdienste im Jahr 1816 von Sr. Königl. Hoheit dem Durchlauchtigsten Herzog Wilhelm von Bayern das Ehrenritterkreuz vom K. B. Hausritterorden vom heil. Michael; von dem Großherzog Ludwig von Hessen und bei Rhein das Kommandeurkreuz des Großherzoglich-Hessischen Haus- und Verdienstordens, von Sr. Maj. dem verstorbenen Kaiser von Rußland Alexander und Sr. Königl. Hoheit dem Herzogl Eugen Fürsten von Eichstädt, kostbare Brillantringe erhielt, besitzt eine sehr ansehnliche Bibliothek aus allen wissenschaftlichen Fächern von alten und neuen Werken, unter welchen sich kostbare Seltenheiten befinden. Dahin gehört:

1) Das äußerst interessante Original-Werk aus China unter dem Titel: Liber organicus, Astronomiae apud Sinas restitutae sub imperatore Sino tartarico Cam Hy appellato. Authore P. Ferdinando Verbiest Flandro-Belga Bragensi e S. J. Academiae Astronomiae in regia Peckinensi Praefecto Anno Salutis 1658. Dieses kostbare Werk durchaus auf durchsichtigem Seidenpapier, ist mit 104 sehr feinen Holzschnitten geziert und prangt in Folio mit goldreichem chinesischen Einbande.

2) Der vollständige Codex von Malabar auf 29 Palmblättern sehr fein eingravirt.

3) Ein Manuscript vom König Dagobert auf einem Bogen Strohpapier.

4) Ein dergleichen, das Alphabet von 50 Sprachen auf einem Bogen Papier von Herrn v Rauner: 1777.

Merkwürdig für die Stadt- und Kunstgeschichte Augsburgs

und reich an Manuscripten ist die Privat-Sammlung des Herrn David v. Stetten. Hr. Bankier Friedrich v. Halder besitzt ebenfalls eine schöne Bibliothek.

Besonders ansehnlich an Augustanis, ist die Sammlung des rühmlich genannten Königl. Kämmerers Herrn v. Paris auf Gailenbach. Sie bestehet aus alten, selten gewordenen Chroniken, Manuscripten, Wappen aller adelichen Geschlechter von Augsburg vom Jahr 1300—1806; aus mehrern sehr seltenen Familien-Notizen und Genealogien, Ahnentafeln aller Augsburger Geschlechter; den meisten hier erschienenen Druckschriften u. s. w.

Auch Herr Hofrath Dr. v. Ahorner ist im Besitz seltener typographischer Werke und Manuscripte ꝛc. Zu diesen Seltenheiten gehört ein Gebetbuch von 472 Seiten, welches in Venedig 1740 erschien; alle Lettern sind in Kupfer von dem berühmten Angelo Baroni, die Bilder aber von Piazetta gestochen, das Ganze nimmt die Bewunderung der Kunstkenner in verdienten Anspruch; die Ausgabe ist von Joh. Pasquale veranstaltet. Ein prächtig auf Pergament geschriebenes Gebetbuch mit kostbaren Abbildungen aus der ersten Hälfte des 15ten Jahrhunderts ist gleichfalls eine Zierde dieser literarischen Sammlung, in welcher sich auch noch Inkunablen und andere einzelne literarische Merkwürdigkeiten befinden. Besonders schätzbar unter diesen ist eine Sammlung alter Atlasse von dem berühmten Vischer, Schenck, Dänkert u. s. w., nebst der großen Charte von Tyrol in 24 Folioblättern von dem berühmten Bauern Peter Anich, und der Scheuzerschen Charte von der Schweiz.

Unter den Sammlungen von Gemälden und Kunstgegenständen zeichnet sich die Bildergallerie des jetzigen hochwürdigsten Herrn Bischofs von Augsburg Ignatz Albert v. Riegg rühmlichst aus.

Herr Domkapitular Stark besitzt gleichfalls eine reiche Sammlung von Gemälden, den Meisterwerken Poussins, Dominichino, Spanioletto; Lukas Cranach, Lukas von Leyden, Titian, Rubens, Rembrand, Hollbein, Palamedes, Casanova, Bellevois, Querfurt, Wouvermann, Tempesta, Breughel, Pietro Cortona, Dehem, Denner, van Utrecht, Karl Ott, Beisch, Fischer, Vandyck, Carazzio, Fyt, Heis, Wagner, Rugendas, Falk, Ulrich, Meier, Frank, Bergmüller, Amigoni, Roos, Tennier, Maratti, Rosalba, Salvioni, Ridinger, Huber, Holzer, Götz, Friedrich Sandrat, Veronese.

Mit hohem Genuß weilt das Kennerauge auf diesen herrlichen Kunstschöpfungen, so wie auf einem sehr wohl getroffenen Portrait von dem K. B. Gallerieinspektor Jos. Günther in Schleißheim; auf einem sehr alten Marienbild aus der bizantinischen Schule; auf einem Seehafen von Holz-Mosaik, auf zwei schönen Burgmair'schen Landschaften auf Spinnengewebe.

Höchst merkwürdig ist ein Altarblatt auf Holz, von Hans v. Kötz vom Jahr 1406, welches eine ausserordentliche Lebhaftigkeit der Farben heraushebt. Es stellt den an das Kreuz geschlagenen Weltheiland mit 10 weiblichen Figuren, als Symbole verschiedener Tugenden vor; die Namen stehen in altgothischen Schriftzügen dabei. An diesen ist das Fleisch glatt, die Haare aber und Kleidungsstücke basreliefförmig gemalt. Mit tiefem Gefühle ergreift der treffliche Ausdruck in den Zügen des sterbenden Erlösers den Beschauer. Der Eigenthümer dieser herrlichen Gemälde-Sammlung, ist nicht minder reich an schönen Werken des Grabstichels, unter welchen sich ein Kupferstich und Holzschnitte von Albrecht Dürer, mehrere Rembrands und andere schöne Werke vorzüglicher Kupferstecher, befinden.

Unter den übrigen Kunstgegenständen fesselt ein vortreffliches, aus einem einzigen 10 Pariser Zoll großen Stück Elfenbein ohne alle Zusammensetzung geschnittener Christus am Kreuz von Michael Angelo, den Kunstkenner, welchen mehrere es für ein Meisterstück Albrecht Dürers hielten. Es ist dieses äußerst kostbare Kunstwerk ein Geschenk des verstorbenen Großherzogs Carl August von Sachsen-Weimar.

Von Albrecht Dürers Meisterhand findet sich hier die Geschichte der Bekehrung des heil. Apostels Paulus, gleichfalls aus einem Stück Elfenbein, und von dem nemlichen Künstler mit seinem Monogramm und der Jahrzahl 1513 die Geburt Christi mit Maria, Joseph, Engeln und Hirten in einer Masse von Sandsteinen.

Judith mit dem Haupte Holoferns ist gleichfalls ein schönes aus einem Stück Elfenbein von Peter Heis aus Trient um das Jahr 1620 geschnittenes Kunstwerk. Aeußerst fein und niedlich gearbeitet aber ist das in Form eines Ringsteins aus Elfenbein durchbrochen gefertigte Opfer der Diana.

Interessant sind ferner: ein Monatstück theils aus Stroh, theils Malerei; eine Landschaft von Seide; ein Blumenstraus aus Conchylien; sechs Garten-Ansichten mit sehr lebhaften Saftfarben und Quecksilber-Amalgam auf Glas, welche Kunst unter die verloren gegangene gehört.

Die Gemälde-Sammlung des ehemaligen Gastgebers zu den Drei-Mohren Hrn. Deuringer hat schöne Malereien von Segers, Rembrand, Vandyk und mehrern berühmten Malern aufzuweisen, und in der Gallerie des Wechselsensals Hrn. Vannoni befinden sich seltene Kunstwerke von Burgmayr, Lukas Cranach, Vernet. Ausgezeichnet in dieser Sammlung sind: von Hanibal Caraccio, die Vermählung Catharinas mit dem Kinde Jesu, und die Abnehmung Christi vom Kreuz. Die Natur kann nicht täuschender nachgeahmt werden, als in den Geflügelstücken, unter welchen ein Hase sich befindet, von Fyt; die Magdalena mit 2 herrlichen Engelsgestalten; der verlorne Sohn von Quercino da Cento; ein Seestück von Wilhelm van de Velde; ein an einer Säule gebundener Christus mit Albrecht Dürers Monogramm; hohe Anmuth und Liebe spricht aus dem Gesichtchen des auf Holz von Barrocio gemalten heil. Kindes, das Maria hält; die heil. Ursula von Burgmair, eine Madonna von Dominichino; ein Ecco homo von Guido Reni; eine Vermählung der heil. Katharina von Leonardo da Vinci; der heil. Sebastian von Michael Angelo de Carravaggio; der Kopf eines Greises von Rembrand und ein Türkenkopf; eine Ordensfrau von Jasper de Krayer; das letzte Gericht von Rubens auf Kupfer gemalt; ein Portrait von Hanns Holbein auf Holz; der heidnische Hauptmann Cornelius um die Heilung seines Knechtes flehend, sind nebst vielen andern Malereien vorzügliche Zierden der Vannonischen herrlichen Sammlung.

Hr. Wechselrichter v. Huber besitzt Gemälde von Spagnoletto, Titian und andern Meistern, und Hr. Gallerie-Inspektor Günther Meisterstücke, welche unter dem Pinsel eines Claude Lorrain, Everdinger, Rubens, Sasso-Ferrato und andern entstanden, auch von einer schönen merkwürdigen Sammlung von Kupferstichen und Handzeichnungen aus dem Mittelalter ist Herr Günther Besitzer. Ausser diesen geordneten Sammlungen finden sich hier bey reichen und wohlhabenden Bewohnern schöne Gemälde zerstreut.

Herr Licentiat Werner ist Eigenthümer eines herrlichen Bildes aus der Florentiner Schule, den englischen Gruß vorstellend.

Der kreutzziehende Christus mit drei Portraiten des Leo Ravensburger, seiner Frau und seiner Tochter, als Veronika mit dem Schweißtuch und dem unten angebrachten Ravensbyrgerschen Wappen, ein Eigenthum des Herrn Hofraths v. Ahorner, ist ein sehr gut erhaltenes Pracht-Gemälde von Hanns Holbein. Von dem nemlichen Meister findet sich hier ein kleines Bildniß des Kaisers Maximilian; ein großes Gemälde von Carl Loth, den Tobias vorstellend, welches von einem entschiedenen hohen Kunstwerthe ist und ein seines Alterthums wegen merkwürdiger kleiner Flügel-Altar von 1484.

Was aber in dieser Kunstsammlung die Bewunderung aller Kenner auf sich zieht, ist ein Cruzifix, in Holz herrlich von Albrecht Dürrer geschnitten.

Eine reiche Kupferstichsammlung von Meistern aller Schulen, besitzt der als Dichter und Kunstfreund geschätzte Herr Baron v. Langenthal, der noch immer an ihrer Vervollständigung sammelt. Der Königl. Kämmerer Herr v. Paris hat eine in Rahmen gefaßte schöne Sammlung sehr seltener Glasmalereien, besonders von Wappen. In der v. Paris'schen Wappen- und Waffensammlung befinden sich nebst Anton Rehms Bildniß, Wappenschild, Speer und Streitkolben, auch das in alter Glasmalerei vortrefflich dargestellte v. Rehm'sche Wappen. Die eigentliche Wappensammlung besteht aus 22,000 Stück adelicher Wappen theils Original-Abdrücke, theils gemalt. Herr Weinhändler Keller ist Eigenthümer eines schätzbaren Wappen-Gemäldes in Glas. Es hat eine Höhe von 1 Schuh 10 Zoll, und eine Breite von 1 Schuh 7 Zoll und die Unterschrift: Johann Georg Graf v. Hohenzollern und Sigmaringen, des heil. Röm. Reichs Erbkanzler.

Ein sehr schönes rundes Glas-Gemälde von Albrecht Dürer, vom Jahr 1554 das biblische Gleichniß vom barmherzigen Samariter auf einem schön gearbeiteten Postament von Holz, ist das Eigenthum des Herrn Dr. v. Alten.

Eine ähnliche sehr schätzbare Sammlung von Glasmalereien besitzt auch der Künstler und Landcharten-Verleger Herr Joh. Walch, welcher mit Glück sich mit der Wiederherstellung dieser schönen, für verloren geachteten Kunst befaßt. Hier bewundert der Kunstfreund ferner eine schöne Sammlung von Kupferstichen.

Die in Holz oder in Kupfer gestochenen verschiedenen Portraits der hiesigen Aerzte von Adolphus Occo Friesius angefangen, bis auf unsere Zeit, besitzt Herr Hofrath v. Ahorner.

Die naturhistorischen Wissenschaften haben hier von jeher Freunde und Verehrer gefunden. Ohnerachtet das schöne von Cobres'sche Naturalien-Kabinet und die damit verbunden gewesene naturhistorische Bibliothek, auf eine nicht sehr erfreuliche Weise versplittert und zertrümmert worden, giebt es in Augsburg noch ansehnliche Naturalien-Sammlungen, welche sich dadurch vor Jener auszeichnen, daß sie die neuesten mineralogischen Entdeckungen in sich aufgenommen haben, der seel. Cobres hingegen gerade zu einer Zeit zu sammeln aufhörte, als diese interessante Wissenschaft sich gegen früher, unendlich erweiterte, und mit neuen interessanten Entdeckungen bereichert wurde.

Unstreitig gebührt der Mineralien-Sammlung des Herrn Hofraths und Doctors v. Ahorner der erste Rang. Aus 4000 und einigen hundert ausgesuchten Exemplaren bestehend, erhält sie durch einen darüber gefertigten raisonnirenden Katalog, einen höhern wissenschaftlichen Werth. Sie theilt sich in eine aus kleinern Exemplaren gebildeten, nach dem System des Herrn Professors Fuchs streng geordneten vollständigen Handsammlung, und in die Sammlung von größern Prachtstücken nach dem neuesten Werner'schen System.

Mit Recht bewundern Mineralogen in dieser v. Ahorner'schen Mineraliensammlung eine unglaublich reiche Silberstufe; ein ausgezeichnetes Exemplar einer Eisenblüthe, welche Herr Graf v. Gois dem seel. Cobres durch einen eigenen Träger aus Kärnthen hierher geschickt hat; einen ungeheuern calcinirten Elephantenzahn, von Bergtanne, ein Geschenk des verstorbenen Herzogs von Sachsen-Gotha; einen herrlichen Kryolith aus Grönland; die Suite der Isländischen Kieselsinter; einen höchst seltenen dendritischen Wißmuth in rothem Hornstein; einen sehr großen Topas-Krystall aus Ceylon; eine Theekanne von orientalischem Blutjaspis; die Suite kristallisirter Edelsteine; die vollständige Suite der kristallisirten Eisenquarze oder sogenannten Hyacinthen von Compostell.

Höchst elegant ist diese Sammlung aufgestellt, und schon der erste Ueberblick läßt es nicht verkennen, daß der Beschauer in dem Heiligthume streng wissenschaftlich gebildeter Mineralogen weile. Wirklich haben auch die Wissenschaften und die Heilkunde in dem Herrn Hofrath v. Ahorner und dessen würdigem Herrn Sohne dem königlichen Rath Hrn. v. Ahorner, welcher im Jahr 1816 im Annaeum mineralogische Vorlesungen hielt, seltene Männer gefunden, deren rastloses Forschen in ihrem schönen und reichhaltigen Gebiete, ihnen die gerechte Anerkennung ihrer Zeitgenossen verbürgt.

Wir haben schon früher der von dem seeligen Steinschneider Lang geschliffenen Lechkiesel gedacht. In dem v. Ahornerschen Kabinet, findet der Mineraloge die ganze aus 80 Stück bestehende Folgenreihe dieser einzigen Augsburgischen Mineralien.

Herr v. Ahorner besitzt auch eine Sammlung inländischer Gebirgs-Arten von 200 Stücken aus dem Landgericht Immenstadt, gesammelt von dem ehrwürdigen 82jährigen Greise Herrn Pfarrer Petrich in Obermeiselstein, einem der ersten vaterländischen Geologen.

Die Conchylien-Sammlung des Herrn Hofraths v. Ahorner enthält mehrere seltene Schalthiere aus allen Welttheilen, vorzüglich aus der Südsee. Ein höchst originell wissenschaftlicher Gedanke des Herrn Hofraths war es, seine Forschungen auf die Badschwämme auszudehnen, in welchen er einige hundert Arten Conchylien fand, und sie selbst sehr getreu in ihrer natürlichen Größe abgebildet hat.

Den um die Mineralogie hochverdienten Herrn Professor Giesecke aus Dublin, einem gebornen Augsburger, überraschte diese schöne Sammlung jener kleinen Seegeschöpfe dergestalt, daß er sie für die Universität Dublin kaufen wollte. Glücklicherweise trat die treffliche Gattin des Herrn Hofraths, als schützender Genius für die Erhaltung einer für unsere Stadt so interessanten wissenschaftlichen Zierde zwischen dieses Kaufgeschäft.

Die Naturaliensammlung des Herrn v. Alten zerfällt in die zoologische, zootomische, botanische und mineralogische Sammlung.

In der zoologischen begegnen wir den merkwürdigen fossilen Reliquien der Urwelt, welche uns die Petrefaktenkunde als höchst interessante Urkunden über die Bildung und Veränderungen, welche mit und auf unserm Planeten vorgegangen sind, vor Augen legt. Die v. Altensche Petrefakten-Sammlung enthält Versteinerungen von Fischen, Krebsen, Echiniten, Conchylien, unter welchen sich ein Amonit mit der natürlichen Oberschale als wahre Seltenheit befindet.

Unter den v. Altenschen Zoophiten zeichnet sich die Blume oder Krone eines Enkriniten oder der versteinerten Seelilie aus.

Der Freund der Naturgeschichte findet hier seltene Seesterne, Seeigel, Pflanzenthiere, und eine sehr reiche, herrlich geordnete, Conchyliensammlung, mit dem Nautilus, dem prächtigen Admiral, der Papstkrone, dem glühenden Ofen, dem polnischen Hammer, dem Königsmantel, kurz mit den seltensten Schaalthieren ausgestattet.

Die Verdienste des Herrn v. Alten als Sammler und Schriftsteller über die in Augsburgs Umgegenden gefundenen Land- und Fluß-Conchylien, haben wir bereits gerühmt.

Die Sammlung der Zoophyten oder Thierpflanzen stellt uns die stattlichen Fächer- und Hornkorallen, die Seefeige, und andere Merkwürdigkeiten auf, und leitet uns an die scheinbare Gränze des thierischen Lebens, zum wedelförmigen Saugschwamm, und zum Uebergange der Thierpflanzen

26

dem Feigenmoos, in das Gebiet der eigentlich rein vegetabilischen Schöpfung. — In der zootomischen Kollektion erblicken wir die Zähne des Einhornfisches, des Pottfisches, die Hörner der afrikanischen Gemse, des Nashorns ꝛc.

Die Sammlung aus den Gefilden der Flora, auf deren Altar Herr v. Alten die bereits erwähnte, von ihm geschriebene Flora augustana niederlegte, besteht aus dem systematisch geordneten herbario getrockneter Pflanzen, welche in Augsburg und deren Umgegend wild wachsen.

Das v. Altensche reiche, instruktive Mineralien-Kabinet ist nach Werners letztem System geordnet. Es ist ziemlich vollständig und enthält vorzügliche Exemplare seltener Mineral-Gebilde, nebst einer Sammlung von ächten Edelsteinen. Neben dieser hat Herr v. Alten auch die unächten, durch chemische Processe der Natur künstlich nachgebildeten Juwelen aufgestellt, bei deren Anblick man mit Recht über die kühnen Fortschritte staunen muß, mit welcher die Kunst des Menschen, der Natur in Nachbildung ihrer Erzeugnisse nachstrebt.

An diese Mineralien-Sammlung schließt sich eine Collektion von 105 Stück Krystall-Modellen aus Holz geschnitten, nebst der gedruckten Beschreibung von Häberle, zum Studio der Krystallisations-Kunde nach der Wernerschen und Hauyschen Methode.

Der Kaufmann Herr Stuppano besitzt neben vielseitigen mineralogischen Kenntnissen eine ausgezeichnet schöne, vollständige Mineralien-Sammlung, reich zum Theil an Prachtstücken, deren Beschreibung zu weitläuftig seyn würde. Mit der zuvorkommendsten Bereitwilligkeit verschafft er den Mineralien-Sammlern Gelegenheit durch Tausch oder Kauf ihre Handsammlungen zu vervollständigen.

Eine beträchtliche Sammlung von Conchylien, Korallen, Seeprodukten, Petrefakten und Mineralien besitzt Herr Domkapitular Stark, in welcher letztern sich der blaue ostindische Corund, der edle grüne Turmalin, schöne Diopside und Baikalite, ein beträchtlicher Zirkon = Granat, ein Adular, ein Mondstein, ein großer Amethist und Topas-Krystall auszeichnen.

Sehr interessant ist die Sammlung von 385 Ringsteinen, welche gleichfalls ein eigenes tragbares Mineralien = Kabinet bilden. Sie enthält die politurfähigen Mineral-Körper in einem schönen gefälligen Formate geschnitten und geschliffen, um sie in die dabei befindlichen goldenen Ring = Kästen dergestalt einzulegen, daß am Finger des Besitzers alle Tage ein anderer Ring spielen kann.

Systematisch geordnete mineralogische Handsammlungen gibt es hier Mehrere. Dergleichen besitzt Herr Professor Ahrens, Dr. der Philosophie; der Kupferschmid Herr Fageroth; auch der Verfasser dieses Taschenbuches, welcher zu der seit einer Reihe von Jahren hindurch hier erschienenen Wilhelmischen Naturgeschichte, als Verfasser der beiden, die Mineralogie abhandelnden Bände, gleichsam den Schlußstein legte, hat eine zum Selbststudium der Mineralogie zweckmäßig eingerichtete Mineralien = Sammlung angelegt.

Pflanzensammlungen sind in den Händen des Hrn. Chorvikars Bader, des emsigen Botanikers Hrn. Ehrenfried. Der k. Kämmerer Herr v. Paris, ein Freund dieser Wissenschaft, besitzt ein Herbarium vivum und eine Sammlung aller deutschen Holzarten.

Die Gaben der Blumen-Göttin duften aber auch in Augsburg in den wohleingerichteten Gewächshäusern reicher Garten-Besitzer, der Freiherren v. Süßkind und v. Schäzler, in dem Garten des Hrn. Domkapitulars Stark, und mehrerer bereits genannter Blumenfreunde und Kunstgärtner.

Auch die Thierschöpfung gab mehreren wissenschaftlich gebildeten Männern Gelegenheit, sehr interessante Sammlungen anzulegen. Ein schönes entomologisches Kabinet

26*

besitzt Herr Professor Dr. Ahrens, welchem ausgezeichnete Kenntnisse in diesem Fache zu Gebote stehen. Hr. Stiftungskassier C. F. Freyer ist erwähntermaaßen Schriftsteller in diesem Zweig der Naturgeschichte und glücklicher, einsichtsvoller Sammler von Schmetterlingen und Insekten.

Die Lepidopterologischen Sammlungen des verstorbenen Hrn. Hübners sind jetzt Eigenthum des Kunstmalers Herrn Geyer, der auch den Verlag seiner, diesem Fache gewidmeten Schriften übernommen hat und die Fortsetzung um so mehr höchst gelungen liefert, da er in der von ihm gewählten Kunstsphäre der Abbildung von Naturgegenständen eine sehr ehrenvolle und ausgezeichnete Stufe erreicht hat; die Herren Fageroth und Stadtmiller haben gleichfalls schöne Kabinete von Schmetterlingen, Käfern und dergl.

Die bereits an einem andern Orte beschriebene zoologische Sammlung des Herrn Mühlvisitators Hofgärtner, reich an ausgestopften Vögeln und Quadrupeden, gewährt den Beschauern einen angenehmen und dabei wissenschaftlichen Ueberblick.

Sehr instruktiv sind die Waaren-Kabinette der HH. Waarensensal Korhammer und des Apothekers v. Alten; die pharmaceutische Waaren-Sammlung des Letztern enthält die chemischen Präparate, Erden, Steine, brennbare Körper, Metalle, Salze, Schwämme, Meergewächse und Moose, Wurzeln, Holzarten, Rinden, Stengel, Zweige, Kräuter, Knospen, Saamen, Blumen und Blumentheile, Saamen, Saamenkapseln, Früchte, trockene Pflanzensäfte oder Gummata, rohe Arzneimittel aus dem Thierreich, Modelle und Muster von verschiedenen Utensilien.

Höchst merkwürdig ist die Sammlung römischer Münzen des Herrn Hofraths v. Ahorner, reich an 800 goldenen silbernen und Bronzemünzen, welche meistens in Augsburg und in der Umgegend ausgegraben wurden. Unter diesen interessiren viele, als sehr selten und gut erhalten, den Numismatiker in einem hohen Grade.

Ueber dieses äußerst schätzbare Münzkabinet hat der gelehrte Herr Besitzer einen genauen Katalog, mit Angabe des Prägungsjahres, nebst dem Orte und der Zeit der Auffindung dieser Münzen verfaßt.

Es ist dieses Münzkabinet das vollständigste der Art in Augsburg, und sollte die mit dem Antiquarium verbundene Sammlung römischer Münzen reichhaltiger an Zahl der Münzen seyn, so ist die v. Aborner'sche dagegen reicher an hier und in der Umgegend aufgefundenen Münzen.

Genannter Herr Hofrath besitzt auch ein ausgezeichnet merkwürdiges Münzkabinet von mehreren hundert Stücken Augsburgischer Münzen und Medaillen aus der frühesten, bis zu den gegenwärtigen Zeiten, in Gold, Silber, Kupfer, Zinn und Blei. Höchst merkwürdig sind unter diesen der so seltene Fugger'sche Goldgulden, dann die große, zu Ehren des Königes Gustav Adolph von Schweden, mit dem Befestigungsplane im Jahr 1632 geschlagene Medaille; die 60 weißen, braunen und schwarzen sehr selten gewordenen, herrlich erhaltenen, von dem großen im Jahr 1718 verstorbenen Augsburgischen Künstler Phil. Heinr. Müller verfertigten hölzernen Medaillen, in Form der Damenbrettsteine, welche auf dem Avers die Portraite der damals regierenden Kaiser, Könige und Fürsten, auf dem Revers aber Scenen aus der Zeitgeschichte von 1680 bis 1710 enthalten; von dieser Sammlung kann das Wiener Kabinet nur 30 Stücke dem Fremden als eine Seltenheit vorzeigen. Auch hierüber ist ein gründlicher Katalog von dem Herrn Besitzer verfaßt. Nebst diesen seltenen numismatischen Schätzen ist noch eine andere schätzbare Sammlung, auf merkwürdige Personen und Vorfälle geprägter Medaillen, in den Händen des Herrn Hofraths. Sie enthält seltene Exemplare in Silber und Bronze. — Hier findet sich eine vollständige Suite der, vom Churfürsten Max Joseph erschienenen Bayerthaler, wozu der berühmte Schege die Stempel geschnitten, nach chronologischer Reihenfolge; ein Medaillon, eine volle Mark schwer, auf den Tod dieses Churfürsten von Karl Theodor, ein Kunstwerk des vorhin genannten Meisters; mehrere päpstliche Medaillen in Silber und Kupfer von dem berühmten Hammermen in Rom; die vollständige Reihe aller Päpste in bronzirten Schwefel-Abgüssen; die Medaillen von Papst Leo dem XII. und der neuste Scudo romano sede vacante 1829, nebst sechs andern kupfernen Medaillen, welche ebenfalls sede vacante im nemlichen Jahr erschienen, von Principe Chigi, Kardinal Galeffi ꝛc.; die meisten Münzen aus der französischen Revolutionsperiode: Thaler mit dem Bildnisse aus der Bonapartischen Familie, König Joseph, Hieronymus, Ludwig, Joachim, von welchem Letztern einige äußerst seltene Medaillen in Bronze hier vorhanden sind. Auch findet der Münzkenner noch viele kleine Münzen aus dem Mittelalter, eine Suite viscomtischer und ganz alter venetianischer Münzsorten ꝛc.

Bildnisse berühmter Männer des 16ten und 17ten Jahrhunderts sind hier in einer Sammlung von mehr als 200 Bleiabgüssen vorhanden.

Eine schätzbare Sammlung von goldenen, silbernen, bleiernen, kupfernen Augsburger Münzen und Medaillen ist in den Händen des königl. Kämmerers Herrn v. Paris.

Der k. Regierungsdirektor Herr v. Raißer, dessen vielseitigen gelehrten Bemühungen als Alterthumsforscher und Schriftsteller, Augsburg die Entstehung des Antiquariums verdankt, besitzt eine schätzbare archäologische und eine Münzsammlung.

Der königl. Kammerherr v. Paris ist im Besitz einer auserlesenen Sammlung alter und neuer Waffen, worunter sich äußerst merkwürdige und seltene Gegenstände und namentlich mehrere vollständige Harnische edler Ritter und die obenerwähnte v. Rehm'schen Waffenstücke befinden.

Künste, Kunst-Gewerbe und Buchhandel.

Die Pflege der bildenden Künste, deren Wiege Augsburg früher mit Recht genannt wurde, steht freilich gegenwärtig nicht mehr auf dem Glanzpunkte, auf welchem sie sich in der Vorzeit emporgeschwungen hatte. Sie mußte sich auch vor dem Drucke widriger Zeitumstände zurückziehen. Ehrwürdige Namen großer Künstler glänzten in Augusta's früherer Kunstgeschichte; wir haben sie zum Theil schon bei ihren in den Kirchen und in den Gemälde-Sammlungen aufgestellten Meisterwerken genannt. Der berühmte Verfasser der deutschen Kunstakademie Joachim von Sandrart, wohnte hier bis zum Jahre 1674 als Beisitzer. Isaac Fischer war der Lehrer des in der Kunstwelt unsterblichen Bataillen-Malers Georg Philipp Rugendas, der sich in Rom, Venedig und Wien zum vollendeten Meister in diesem Fache ausbildete, und dessen Werke sich würdig an die Meisterwerke Bourguignons, Tempests und Lempkes, welche er sich zum Vorbilde gewählt, anreihen. Sein Kunstsinn vererbte sich auch auf seine Nachkommen. Sein würdiger Sohn Christian Rugendas, gab viele der herrlichsten Gemälde seines Vaters in schwarzer Kunst heraus. Ein Enkel des berühmten Schlachtenmalers, welcher erst vor einigen Jahren als k. Professor der hiesigen Kunstschule starb, versuchte sich gleichfalls mit Glück in diesem Fache, und ließ merkwürdige Kriegs- und Schlachten-Scenen der neuern Zeit, in großen kolorirten Blättern, in seinem Kunstverlage, welchen seine Wittwe noch jetzt fortführt, erscheinen. Einer seiner Söhne, Hr. Moritz Rugendas, hat sich schon im Jünglingsalter durch seine Kunstreise nach Brasilien, durch die Herausgabe der in Paris erschienenen lithographirten interessanten Landschaften und Scenen aus diesem höchst merkwürdigen Lande, dessen Bewohner einer Enkeltochter unseres unvergeßlichen Königes Max Joseph, einer Nichte des allgeliebten Königes Ludwig, als ihrer Kaiserin, ihre Bewunderung, ihre enthusiastische Liebe als verdienten Tribut ihrer Tugenden und ihrer Anmuth weihen, eine ehrenvolle Celebrität erworben. In Augsburg lebte und wirkte der als Thier-Zeichner und Maler hochberühmte, aus Ulm gebürtige Joh. Elias Riedinger, dessen herrliche Gemälde und Jagden, noch jetzt den Gallerien der europäischen Höfe zur großen Zierde gereichen. Von seinen Söhnen hat sich Martin Elias als Kupferstecher, und Joh. Jakob Riedinger in der sogenannten Schwarz-Kunst ausgezeichnet. Herr Joh. Walch aus Kempten gebürtig, der Vater des noch lebenden Künstlers gleiches Namens, erwarb sich in Italien ausgebreitete Kunstkenntnisse. Seine Migniatur-Gemälde, von entschiedenem Kunstwerthe, werden schwerlich durch die Leistungen späterer Künstler in diesem Fache übertroffen werden.

Sind gleich diese Zeiten vorübergezogen, so ist mit ihnen der Kunstsinn in Augsburg nicht untergegangen. Noch immer finden sich achtungswerthe Künstler, Freunde und Verehrer der Künste rc.

In der Malerei besitzt Augsburg mehrere namhafte Künstler. Der als Professor der höhern Kunstschule angestellte Historien- und Portrait-Maler Herr Franz de Paula Veith liefert in diesen Fächern Arbeiten, welche nicht nur den geschickten und richtigen Zeichner beurkunden, sondern auch in Führung des Pinsels frei von aller Steifheit nur das wahre Leben wiedergeben. — Herr Joh. Walch, den wir schon verdienstlich um die Kunst der Glasmalerei anführten, ist gleichfalls ein geschickter Portraitmaler. — Als Landschafts- und Portrait-Maler, und vorzüglich als Gemälde-Restaurateur zeichnet sich noch der königl. Inspektor der hiesigen Bilder-Gallerie, Herr Joh. Georg Günther aus. Hr. Eigner, ist geschickter Maler und Restaurateur, wovon er an den Gemälden in der Barfüßerkirche Beweise geliefert hat. Auch verdient Herr Fröschle jun. als Portraitmaler sowohl, und als geschickter Künstler überhaupt, genannt zu werden.

Unter den von Zeit zu Zeit sich hier aufhaltenden fremden Künstlern in diesem Fache verdienen die Herren Gebrüder Thelot aus Düsseldorf eine Ehren-Erwähnung.

Freskomaler ist Hr. Schnitzler; man sieht von ihm das Portalgemälde an der St. Moritzkirche. Derselbe hat auch schon Altarblätter in Oel gemalt.

Als Blumen- und Früchte-Maler hat Hr. Thiersch viele Verdienste.

Vorzüglich geschickte Zimmer-Maler und Lackirer sind die HH. Fröschle, Hölzle, Ulbricht, Voß ꝛc.

Lackierte Blechwaaren verfertigt Herr J. G. Mayer.

Emailleur ist Hr. Kempter.

Als Vergolder von Bilder-Rahmen und andern Gegenständen beschäftigen sich vorzüglich die HH. Dreßler, Schedle ꝛc.

Malerfarben in Muscheln ꝛc. bereiten die HH. Deisch und Engelbrecht.

Gründliche Zeichnungslehrer findet man in den HH. Brühl, Hävel, Kaufmann, J. G. Laminit, Ed. Rieber, Thelott ꝛc.

Im Fache der Modellirkunst und Bildhauerei sind die Namen der HH. Fröhlich, Huber und Koschauschek geachtet.

In der Architektur erwerben sich die Pläne und Risse des Hrn. Kreis-Bezirks-Ingenieurs Voit, des Hrn. Brunnenmeisters G. Hävel, der HH. Kollmann und Sieber den ungetheiltesten Beifall und eine gerechte Anerkennung.

Die Bauwerke der praktischen Architekten Vorst, Ganzenmiller, Gelb, Metzler, Möhnle, Schmidt, der

Zimmermeister Wittmann, Mayer, Deschler, Gigl, Walther, zeichnen sich durch Dauer und Eleganz aus.

Leider scheint in Augsburg die sonst so blühende Kupferstecherkunst ganz zu Grabe zu gehen, während unsre Mitschwester Nürnberg täglich neue Fortschritte, sogar im Stahlstiche macht. Seitdem sich auch Herr P. J. Laminit von derselben entfernt hat, von dem wir in unserm Taschen-Buche noch zwei Platten aufzuweisen haben (die Mauth-Halle und das Rathhaus), zählen wir nur noch die HH. Dusch, Hutter jun., Klauber, Poll, Schön Gebrüder rc. In der Schwarz-Kunst arbeitet Hr. J. G. Laminit; in Aqua-tinta-Manier ist Hr. Ludwig Ebner, Besitzer der Herzbergschen Kunsthandlung, vorzüglich; auch findet man bei demselben eine reiche Sammlung guter und seltener Kupferstiche.

Mit dem Kupferdrucken beschäftigen sich die HH. Ganzenmüller, Hellriegel, Traisch rc.

Die Lithographie wird von den HH. Kornmayer, Neuß und Schwabl betrieben.

Die herrlichen Arbeiten des Hrn. Hofgraveurs Neuß als Graveur und Medailleur, vorzüglich auch seine in Stein geschnittenen Kunstprodukte, haben ihn im In- und Auslande eine sehr ehrenvolle Celebrität verschafft und die Erzeugnisse seines Fleißes gewähren einen interessanten Ueberblick seiner Kunstleistungen.

Schriften und Stempel in Stahl, Messing und Holz schneidet Hr. Joh. Jak. Scheem und gravirt zugleich die Kupferplatten zum Drucken der gepreßten und der Saffian-Papiere.

Die HH. Bogner, Vater und Sohn graviren in Gold und Silber, Letzterer auch in Stahl.

Schriftgießereien gibt es hier 3: die Adam'sche, Heucke'sche und Schoch'sche, welche vollauf für das In- und Ausland beschäftigt sind.

Der Buchdruckerkunst, jener höchstwichtigen Erfindung, welche dem menschlichen Geist so sehr zur Ehre gereicht und in die Mitte des 15ten Jahrhunderts fällt, wurde in Augsburg sehr bald eine günstige Aufnahme. Schon im Jahr 1468 war Günther Zainer aus Reutlingen der Erste, welcher hier Bücher druckte, und der Abt von St. Ulrich Melchior von Stanheim legte im Jahr 1473 in seinem Kloster eine eigene Druckerei an.

Berühmt im Anfange des 17ten Jahrhunderts war die von Marx Welser und David Höschel errichtete Augsburgische Buchdruckerei, welche von dem Sinnbild auf dem Titelblatte der darin gedruckten Werke ad insigne pinus genannt wurde. Der verstorbene churfürstlich-mainzische geheime Rath Georg Wilhelm Zapf gab eine Augsburgische Buchdruckergeschichte, dann die Augsburgische Bibliothek in zwei Bänden heraus.

Gegenwärtig sind hier 11 Buchdruckereien, welche theils mehr, theils minder beschäftigt sind. Die Fortschritte, welche diese Kunst in neuern Zeiten allenthalben gemacht hat, pflanzten sich auf unsre Stadt fort, und es werden dermalen hier typographische Arbeiten geliefert, welche mit denen des übrigen Deutschlands in die Schranken treten können. Vor sechs Jahren etablirte der vielfach unternehmende Freiherr v. Cotta hier eine Schnelldruckerei, mittelst einer Schnelldruckmaschine nach der Erfindung der HH. König und Bauer in Oberzell bei Würzburg, welche auf beiden Seiten zugleich druckt und in einer Stunde 1100 doppelt gedruckte Bogen liefert; sie war hauptsächlich für den Druck der Allgemeinen Zeitung bestimmt. Später wurde diese Druckerei noch durch zwei andere derartige Maschinen vermehrt, welche den Bogen jedesmal nur auf einer Seite drucken. Diese drei Maschinen, worauf jetzt der größte Theil des ausgebreiteten Verlags der Cotta'schen Buchhandlung gedruckt wird, versehen die Arbeit von beiläufig 32 gewöhnlichen Buchdruckerpressen. Sämtliche Maschinen, wozu auch noch eine Farbreibemaschine und eine Drehbank gehört, werden durch eine Dampfmaschine von circa 4 Pferdekraft getrieben. Die Einrichtungen dieses Instituts gehören zu den interessantesten Sehenswürdigkeiten Augsburgs.

Buchbinder und Futteralmacher zählt Augsburg 19. — Die Herren Bissinger, Brack, Bloßfeld, Diesel, Mayer, Rollwagen, Stadler, liefern sehr schöne Arbeiten in diesem Fache.

In den 17 Buchhandlungen regt sich mit dem Fortschreiten der Litteratur auch ein erhöhtes litterarisches Leben. Mehrere derselben sind Verlags- und Sortiments-Buchhandlungen zugleich.

Die Kranzfeldersche und die Aug. Bäumersche Buchhandlungen halten zugleich Leihbibliotheken; die v. Jenisch-Stage'sche hat Verlag und Sortimentshandel; der Buchhändler Schlosser hat die Mart. Engelbrecht'sche Kunsthandlung durch Kaufrecht an sich gebracht. Die Jos. Wolff'sche Verlags-Buchhandlung beschränkt sich nur auf ihre eigenen Artikel, und hat den Sortimentshandel an die Herren Kollmann und Himmer mit gleicher Firma (J. Wolff'sche Buchhandlung) überlassen; Letztere treiben sehr ausgebreitete Geschäfte. Die Math. Riegersche und die Veith und Riegersche sind alte, früher sehr ausgebreitete Verlagshandlungen.

Leihbibliotheken gibt es hier noch mehrere, als die ehemals Stivel'sche, die Brucker'sche, Thelot'sche, Veith'sche ꝛc.

Mit Antiquariats-Geschäften befassen sich die Herren Bäumer, Kranzfelder, Wilh. Birett, Kühn, Wimprecht ꝛc. Herr Birett hat jetzt eine Auktions-Anstalt für Bücher, Kunstgegenstände und Naturalien begründet.

In den Kunsthandlungen der Herren Carmine, Gleich, Klauber, Niggl, Rugendas, Schlosser, Schön, Zanna & Comp. findet man theils geschätzte und werthvolle Kunstblätter, theils gewöhnliche Bilder von jeder Gattung. Der berühmte Riedinger'sche Verlag findet sich gegenwärtig in den Händen des Buch- und Kunsthändlers Schlosser. Die beliebten illuminirten Almanachskupfer, (welche die neuesten und beliebtesten Theater-Kostüme liefern), so wie die jetzt alle galante Damen in Anspruch nehmende Ausschneidbilder werden sehr elegant im Herzbergischen Kunstverlag gefertigt. — Was der Grabstichel und die Lithographie in Deutschland, Frankreich ꝛc. Neues liefern, davon findet man eine Auswahl in der Ferd. Ebnerschen Kunsthandlung, so wie auch daselbst ein Zusammenfluß von allerlei künstlich gearbeiteten Industriegegenständen den Beschauer in dem schön arrangirten Verkaufsgewölbe freundlich überrascht. — Die weltberühmte Kunsthandlung der HH. Tessari & Comp., welche in rastloser Thätigkeit mit ihrem großen Etablissement in Paris fortwirkt, bietet dem Kenner im Bereiche der Kupferstecherkunst vieles Schöne dar.

Landkarten-Verleger sind die HH. Carmine, Gebrüder Lotter, Zanna. Die Joh. Walch'sche Landkartenhandlung zeichnet sich jetzt durch Lieferung richtiger und deutlich gestochener Landkarten besonders aus, und verbindet damit die größte Wohlfeilheit.

Schriften und Landkarten stechen die Herren Buckler, Hutter, Mittensteiner ꝛc.

Mit dem Stechen der Musik-Noten beschäftigen sich die Herren Böhm und Gombart; mit dem Druck von Musikalien, nach Art der Buchdruckerlettern, die Firma Lotter und Sohn; mit deren Verlage die Herren Böhm, Gitter, Gombart, Lotter, Kranzfelder ꝛc.

Musikalische Blas-Instrumente von Holz und Messing verfertigen die Herren Leonhard Lintner und Joh. Georg Lintner.

Klaviere und Piano-Forte die Herren Bohl, Eschenbach, Pfeiffer, Schauz, Veit, Zauscher.

Geigen, Guitarren 2c. Herr Haff.

Mathematische Instrumente und mechanische Apparate verfertigen HH. Ch. Caspar Höschel und Heinrich Enslin, und chirurgische Hr. Joh. Christoph Ebler.

Optische Instrumente fertigt gleichfalls Hr. Höschel; auch Hr. Pfarrer Simpert Ingerl ist als wissenschaftlich gebildeter Optiker rühmlichst bekannt.

Brillen findet man bei Hrn. Weinmayr.

Mathematische Uhren stellt Herr Bickel her, und 4 Groß- und 18 Kleinuhrmacher liefern diese unentbehrlichen Zeitmesser in allen Formen, besonders auch die so beliebten Tafel- und Spieluhren.

Herr Petitpierre verfertigt gravirte Walzen für Kattunfabriken, so wie mechanische Walzendruckmaschinen nach den besten englischen uud französischen Methoden.

Barometer verfertigen die HH. Primavesi und Höschel.

Kompasse macht Hr. Schrettegger.

In Augsburg erscheinen vier politische Zeitungen, worunter seit dem J. 1810 die in Deutschland und im Ausland berühmte Allgemeine Zeitung, im Verlag der Cotta'schen Buchhandlung. — 2. Die Augsburger Ordinari-Postzeitung, im Verlag des Buchdruckers Hrn. Moy; eine der ältesten deutschen Zeitungen. — 3. Die nicht minder alte „Fetzersche" oder „politische Zeitung," jetzt unter dem Titel: Augsburger Abendzeitung, im Verlage des Buchdruckers J. C. Wirth. — 4. Die Neue Augsburger Zeitung mit zweimaliger wöchentlicher Beigabe eines nichtpolitischen Magazins, im Verlag der J. Wolffschen Buchhandlung (Kollmann und Himmer.) Sämtliche vier politische Blätter erscheinen täglich.

Das jeden Mittwoch und Sonnabend herauskommende sogenannte Intelligenz- oder Wochenblatt bringt amtliche Notizen, Anzeigen und Bekanntmachungen, die Zahl der Getrauten, der Gestorbenen und Gebornen.

In Augsburg erscheint ferner auch das Kreis-Intelligenzblatt der Regierung des Ober-Donaukreises.

Mit Anfang des Jahres 1830 hat die Kranzfeldersche Buchhandlung ein nichtpolitisches Tagsblatt herauszugeben angefangen.

Das inhaltreiche Polytechnische Journal, eine Monatschrift, welche von unserm berühmten Chemiker Dr. Dingler redigirt wird, erscheint gleichfalls hier, im Cotta'schen Verlag.

Auswärtige Blätter werden in Kaffeehäusern, in dem Lese-Zimmer der Harmonie, und in besondern Journal-Lesezirkeln gehalten.

Unter die Vereine zur Beförderung gemeinnützlicher und industrieller Zwecke gehört der landwirthschaftliche Verein des Ober-Donaukreises und der polytechnische Verein dieses Kreises, welche Institute unter der jetzigen Pflege unsers trefflichen, alles Gute rastlos fördernden königl. Regierungs-Präsidenten Herrn Fürsten von Oettingen-Wallerstein, freudiger und kräftiger ihre Schwingen heben.

Nachtrag.

Während dem Abdrucke dieses Taschenbuches haben sich einige Veränderungen ergeben, welche wir hier nicht unbemerkt lassen können.

Unser laut ausgesprochener Wunsch, dem ungezügelten Vogelfange eine Schranke zu setzen, ist erfüllt, und durch eine Verordnung der königl. Regierung der Verkauf der Singvögel, auf dem Vogelmarkte eingestellt.

Die obrigkeitliche Taxe auf Fleisch, Brod, Mehl ist aufgehoben und das Hereinbringen der unentbehrlichsten Lebensbedürfnisse der freien Konkurenz überlassen. Fleischer und Bäcker sind verpflichtet, die Preise des Fleisches und des Brodes, beim Anfange eines jedes Monates auf der Polizei anzuzeigen, bei welchem eigenen Ansatze es den ganzen Monat hindurch sein Verbleiben hat, und denselben in ihre Verkaufs-Lokalitäten deutlich auf Tafeln geschrieben zur Kenntniß des Publikums zu bringen. Die fremden Bäcker dürfen ihr Brod in eigenen Niederlagen und im Hofe des ehemaligen Katharinenhofes, wo sonst die Schmalzwaage war, feilbieten.

Als neues Lehr = Institut entstand die von dem Ritter v. Sangrain und dessen Gattin gegründete Unterrichts-Anstalt vorzüglich in der französichen Sprache nach der Hamilton'schen Methode, so wie des Unterrichts in allen weiblichen Kunstarbeiten.

Auch ein neues Gewerbs = Institut erhob sich in Einführung der Weiß= oder Plattstickerei, durch den Kaufmann, Hrn. Michael Schipper, welches gegen 200 weibliche Individuen beschäftigt.

Verbesserungen und Druckfehler

die sich jedoch zum Theil nur in einigen Exemplaren vorfinden.

Seite		Zeile	
Seite 4	Zeile	14	lies heldenmüthige.
— 18	—	19	l. Donau
— 35	—	14	l. Sträffingerthor.
— 53	—	7	l. Saturns,
— 65	—	7	l. *ornavit.*
— 80	—	5	l. eine
— 84	—	9	v. u. l. Gebeine
— 89	—	5	v. u. l. Verhelst
— 98	—	3	l. Was ihm
— 100	—	3	v. u. l. 2' lang,
— 125	—	11	l. 600 Pfd. schweres,
— 129	—	18	l. Lictoren
— 158	—	1	l. Piedestals
— 174	—	2	l. humanischen
— 343	—	7	v. u. l. Herrenbach; dann der
— 348	—	19	l. Park
— 355	—	16	l. demselben
— —	—	1	v. u. l. Bräuhäuser
— 361	—	6	v. u. l. herrliche Aussicht.
— 369	—	20	l. Civil-Autoritäten
— 377	—	1	l. der Pfarrer
— 381	—	13	l. bekannten Lehrgegenständen
— —	—	16	l. viele Professoren
— —	—	25	l. in 5 Klassen abgetheilt.
— 387	—	8	v. u. l. Polyaedren,
— 389	—	18	l. 18zöllige Repellitionskreis,
— 390	—	18	l. eine magische Laterne
— 391	—	11	l. Expansivkraft,
— 396	—	1	l. mehrere für
— —	—	9	l. Sandstein.

Seite 96 ist zu berichtigen, daß die St. Annakirche zwar nicht das Prädikat einer protestantischen Haupt-Pfarrkirche hat, daß aber in selbiger alle kirchlichen Feierlichkeiten an königlichen Geburts- und Namensfesten rc. abgehalten werden.

Druck:
Customized Business Services GmbH
im Auftrag der KNV-Gruppe
Ferdinand-Jühlke-Str. 7
99095 Erfurt